Liess Boukra

ALGÉRIE,
LA TERREUR SACRÉE

FAVRE

Je dédie ce livre à la mémoire de toutes les victimes
du terrorisme dans le monde.

J'ai bénéficié de l'aide de nombreuses personnes, qui m'ont manifesté leur confiance et leur solidarité et que le souci de préserver l'anonymat m'interdit de nommer. Je voudrais également dire toute ma gratitude à l'endroit de la presse nationale et internationale, qui furent pour moi une mine d'informations.

Préface

Un décryptage du terrorisme

Aucun phénomène n'est plus rétif à l'analyse que le terrorisme, aucun n'est moins accessible à la raison et à l'enquête. Et c'est d'autant plus vrai lorsque l'action terroriste se déploie dans son propre pays, prenant un tour de guerre civile. L'horreur des attentats commis se double alors du sentiment d'effroi que l'on éprouve devant le geste fratricide. L'incrédulité empêche d'admettre l'inimaginable, l'acte qui transgresse tous les tabous.

Libérées par cette incapacité de l'esprit à supporter de regarder la réalité en face, toutes les interprétations fleurissent. Et à propos du terrorisme qui a ensanglanté l'Algérie, semblant pendant un temps fragiliser l'État algérien lui-même, toutes les thèses ont fleuri. Devant l'inacceptable, aucune explication n'était irrecevable, le pire paraissait possible.

L'Algérie sort aujourd'hui, profondément meurtrie et probablement transformée, de ce long épisode de violence civile qui semblait n'avoir ni origine déterminée ni enjeu clairement lisible. Le travail de déstabilisation des structures publiques, armée et gouvernement en tête, laissera probablement des séquelles, qu'il est difficile encore de mesurer.

Pire sans doute sont les séquelles humaines, psychologiques, affectives, que le corps social algérien va continuer de porter pendant une génération entière : on n'efface pas facilement cent mille morts, intellectuels, hommes de culture, mais aussi anonymes, paysans, employés, femmes au foyer, enfants, tous innocents, exécutés au nom d'un programme d'intimidation et de prise de contrôle par des groupes clandestins armés.

Aujourd'hui, le projet des terroristes d'établir au cœur du Maghreb une nouvelle République islamiste semble hors d'atteinte, et les quelques groupes armés qui continuent d'agir sont pourchassés et progressivement démantelés. Face à cette offensive d'un nouveau genre, sur lequel le monde occidental a pris la responsabilité de fermer les yeux trop longtemps, l'État algérien a tenu.

Il a tenu et dans des conditions d'ouverture et de liberté d'expression sur lesquelles peu auraient parié, alors même que la violence faisait rage. Parmi

9

les décomptes macabres auxquels a été contraint Liess Boukra, celui des victimes du fanatisme religieux, classées par professions : les journalistes viennent en tête. Suivis des artistes, des hauts fonctionnaires et des enseignants.

Les tueurs voulaient frapper non seulement l'élite sociale et administrative, mais surtout l'élite intellectuelle. Traduction immédiate d'une authentique volonté d'obscurantisme, cette lutte sourde contre tout ce qui représentait dans la conscience collective algérienne la possibilité d'un discours critique et d'une réfutation des thèses des ultras religieux, voire même simplement d'un compte rendu objectif et factuel de leurs actes criminels. Entreprise, dit Liess Boukra, de « décérébralisation » de la société algérienne, qui a entraîné le départ vers l'étranger de beaucoup de créateurs, d'enseignants, de journalistes, menacés de mort s'ils avaient continué d'exercer dans leur propre pays.

Et malgré cela, les journaux ont continué de paraître, avec la même diversité critique et la même audace qu'auparavant, indépendants à l'égard du pouvoir (brocardant allègrement le gouvernement, pour l'inciter à aller de l'avant dans son action de réconciliation nationale, inspirée par la volonté de tourner la page du terrorisme, comme dans son action de libéralisation économique) ainsi qu'à l'égard des pressions et des intimidations des fanatiques. Je tiens, ici encore, à rendre hommage au travail remarquable accompli par les journalistes algériens, qui ont prouvé par l'exemple à quel point la liberté de ton et de pensée était inséparable de ce métier, inhérente à la conception que nous nous faisons du rôle de la presse, même dans une société en crise.

Le travail colossal de Liess Boukra vient à point : avec la conscience de l'universitaire, la patience et la rigueur du chercheur, il a mis à plat les sources, confronté les témoignages, accumulé les pièces. Et il dresse un tableau complet de l'islamisme radical en Algérie, de ses racines à ses fruits sanglants.

Rien ne lui échappe : ni l'organisation des réseaux, ni les noms de leurs meneurs et l'origine de leurs troupes. On est saisi par la précision des informations. C'est toute la force de l'historien que de guider ainsi nos pas dans les dédales complexes de factions clandestines entrecroisées.

Avec quelques passages obligés où le crible impitoyable de la critique universitaire permet de dissiper les doutes invraisemblables que certains avaient cru pouvoir jeter : Bental ha, par exemple. Qui a tué qui ? Les noms sont là, de part et d'autre, en listes précises, avec les aveux, les témoignages, les sources recoupées, les récits des repentis. Même examen méthodique pour les massacres collectifs de la wilaya de Relizane... Noms des assassins et des victimes, description des tactiques suivies, déroulement des crimes et arrivée des forces de l'ordre et des secours.

Travail d'historien, donc, qui exhume des réalités enfouies sous le double linceul du passé, émoussant les aspérités, et de la peur des représailles, qui longtemps lia les langues. Avec constance et exactitude, la somme de Liess Boukra ne se contente pas d'un état des lieux, même évolutif, de l'islamisme algérien : ce que débusque l'observateur, ce sont les sources, les moyens, les méthodes, les enjeux poursuivis.

Même le rapide – trop rapide peut-être, mais ce n'était pas là son objet – survol par l'auteur de l'histoire tumultueuse de l'Algérie, qui ouvre l'étude, contribue à donner les premières clés sur les déterminations historiques et psychologiques qui rendirent possible un certain discours extrémiste fondé sur des mots d'ordre religieux, et sa traduction en action violente clandestine.

Il n'est pas faux que « la généralisation du meurtre politique » a accompagné depuis le XVIE siècle toute la période de domination turque, ponctuée d'insurrections réprimées et d'assassinats. En un siècle, entre 1705 et 1815, pas moins de huit deys d'Alger furent tragiquement mis à mort. À partir de 1830, la même violence souterraine a explosé régulièrement contre l'occupation française, alternant soulèvements et opérations de maintien de l'ordre meurtrières. C'est le cas tout au long du XIXᵉ siècle, longue succession de révoltes, et, d'une manière plus politique et mieux organisée, depuis la première guerre mondiale. Sans même parler, naturellement, du déchaînement de violences qui accompagna la guerre d'Algérie et les lendemains des accords d'Évian.

Il n'est pas faux non plus que l'organisation de l'État a d'abord été considérée, dans les premières années de l'Algérie indépendante, comme un « legs du colonialisme », qu'il s'agissait d'abandonner au profit d'autres formes d'organisations collectives, comme le Parti unique... Ainsi la nouvelle classe dirigeante, fondant sa légitimité par sa participation à la Révolution, a longtemps cru pouvoir jeter aux orties le « légalisme formel » d'un État neutre et pluraliste... Mais la réalité trahit parfois les meilleures intentions et les enthousiasmes premiers : cet État mal assumé et mal investi s'est trouvé d'autant plus aisément contestable par une frange fanatisée de la population, profitant d'un contexte socio-économique difficile et d'une usure des équipes dirigeantes.

Enfin, l'auteur dégage à juste titre le rôle particulier joué par l'Algérie sur le plan international, animant le mouvement anti-impérialiste non aligné, rejetant tout enrôlement parmi les supplétifs des deux grandes puissances de la guerre froide, URSS et États-Unis. Faut-il pourtant aller jusqu'à affirmer que c'est cette indépendance jalouse que l'Algérie a « payé au prix fort », le développement de l'islamisme radical ayant bénéficié de réseaux terroristes internationaux, au moins tacitement tolérés, sinon directement soutenus, par certaines puissances régionales : filière iranienne, filière afghane, filière saoudienne, soudanaise, voire libyenne... Le tout sous les yeux passifs de diplomaties occidentales, États-Unis en tête, qui laissèrent l'Algérie « payer seule » pour les autres, qui choisissaient d'y observer le déroulement du phénomène intégriste à titre quasiment expérimental... On est en droit de s'interroger...

Rien n'est plus difficile que de passer d'un document à son interprétation. Liess Boukra n'évite pas quelques pièges, comme celui d'une diabolisation peut-

11

être exagérée des descendants de harkis, accusés d'avoir vu dans l'adhésion à l'islamisme l'occasion de retrouver une légitimité sociale longtemps déniée, en même temps que le moyen de régler de vieux comptes avec les anciens Moujahidins, héros de la Révolution... Faut-il, dans la perspective de concorde nationale que s'est elle-même fixée désormais l'Algérie, creuser à nouveau les anciennes plaies mal cicatrisées d'un passé douloureux ?

Mais c'est sans doute bien là l'originalité et la force de cette formidable synthèse : l'auteur livre ses pièces, qui organisent progressivement une découverte, par le lecteur de ce qu'ont été les enfants perdus d'une Algérie déboussolée, repartis à la conquête d'eux-mêmes et d'une identité fantasmée, plus simple et plus facile à assumer que l'héritage complexe de leur pays. Lui-même partisan d'un État algérien laïc et démocratique, il ne place pas ses propres convictions au cœur de son livre, se bornant à exposer les faits tels qu'il les a vécus, recomposés et compris.

Il faut savoir gré à Liess Boukra de nous faire si bien pénétrer les enchaînements historiques et sociaux qui ont conduit, comme des rouages bien huilés, à l'explosion de la violence terroriste en Algérie, puis à son reflux. Après les années de sang et les années de doute, cet ouvrage inaugure les années de l'analyse et du dépassement. Analyse, nécessaire au travail de deuil, parce que l'impunité et le silence ne sont plus supportables. Et dépassement, parce que la construction de l'Algérie de demain, pour échapper aux tentations passéistes et intégristes, doit avoir définitivement soldé les fantômes de cette dernière tragédie.

La leçon algérienne, on le sait maintenant, vaut pour tous les pays. Référence désormais obligée de la réflexion sur le terrorisme contemporain, tel qu'il se déploie partout dans le monde, Algérie, la terreur sacrée est donc avant tout un livre utile.

Hervé BOURGES

Introduction

Qu'est-ce que le terrorisme ? On peut disserter à perte de vue sur le terme et sa signification... On peut lui trouver une dizaine de définitions différentes au moins... On peut épiloguer gravement sur les divergences d'opinion... Mais ce qu'on ne peut pas, précisément, c'est lui trouver un sens acceptable par tous et par chacun. Parce que le mot « terrorisme » est devenu une notion d'application générale.

« Que l'on parcoure un journal ou que l'on allume la télévision – parfois lors de la même émission ou dans la même page –, écrit B. Hoffman[1], on peut trouver mention d'actes aussi différents que l'explosion d'un immeuble, l'assassinat d'un chef d'État, le massacre de civils par des militaires, l'empoisonnement de produits sur les rayons d'un supermarché ou dans une pharmacie : ils sont qualifiés indifféremment d'actes terroristes. Qu'il s'agisse d'actions émanant d'opposants au pouvoir en place ou du pouvoir lui-même, d'organisations mafieuses ou de simples criminels, de foules en émeute ou de groupes militants, de déséquilibrés isolés ou de maîtres chanteurs agissant pour leur propre compte, tout acte mettant en jeu une violence particulièrement atroce et perçu comme dirigé contre la société est la plupart de temps qualifié de "terroriste".»

Ce que B. Hoffman tait, c'est que, parfois, le même groupe est étiqueté de « terroriste », après avoir été, pendant longtemps, affublé du glorieux titre de « combattant de la liberté », comme on a vu en Afghanistan dans un passé récent.

Dès lors, cette notion tend à devenir une forme vide. De guerre lasse, beaucoup de spécialistes se rabattent sur le sens commun : est « terrorisme », ce qu'en notre temps, nous définissons, majoritairement, comme tel.

13

C'est que la notion de « terrorisme » est un enjeu politico-idéologique. Il faut alors aller chercher ailleurs, dans la conscience des « terrorisés » et des « terrorisants », les éléments d'une réponse.

Un proverbe algérien dit : « *Ne sent la braise, que celui qui a le pied dessus.* » De même, ne savent ce qu'est effectivement le terrorisme, que ceux qui ont vécu les affres de sa frénésie assassine. Ne savent ce qu'est effectivement le terrorisme, que ceux qui furent ou sont toujours dévorés par les métastases proliférantes de cette tumeur.

La connaissance intime du terrorisme, il faut la demander à cette mère qui, une nuit de décembre 1995, dans un quartier à la périphérie d'Alger, alertée par des détonations, rassembla à la hâte ses enfants et se terra avec eux, dans l'obscurité, au coin d'une chambre, près d'une fenêtre, prête à les jeter dehors. Elle habitait au cinquième étage d'un immeuble. Elle préférait défenestrer sa progéniture, plutôt que de la voir tomber vivante entre les mains des « voltigeurs de la mort », lui épargnant ainsi l'horreur du viol et de l'égorgement. Mère courage, mais mère lucide, car rien n'est pire que la mise à mort d'un enfant par la hache, la scie, le sabre ou le feu.

Le terrorisme, c'est aussi le calvaire de ces adolescentes nubiles enlevées, menées par monts et par vaux jusqu'à la tanière de la bête, pour y être violées, des mois durant, par tous les membres de la meute. Une fois enceintes, elles sont assassinées ; elles s'en iront alors rejoindre le « fleuve de l'Hadès », après avoir éprouvé l'indicible douleur des hymens profanés.

Le terrorisme, c'est également l'histoire de ce père dont le fils était homosexuel. Jamais, en d'autres temps, sous nos cieux, il ne l'eut reconnu, feignant toujours l'ignorance du fait, mais souffrant en secret de l'opprobre jeté sur ce qu'une société machiste considère comme la pire des vilenies. Un jour pourtant, un jour triste comme la mort et couleur de sang, les yeux baissés et la mine grave, il me chuchota à l'oreille : « J'ai très peur pour mon fils R... ». « Pourquoi? », lui répondis-je. Avec difficulté, il articula : «Tu sais, R... est . . . ». Il s'arrêta, sans terminer la phrase. Il ne prononça pas le mot, comme pour conjurer ce qu'il désignait. « *Les autres n'admettent pas cela, ils les tuent* », ajouta-t-il. Quelques mois plus tard, on retrouva R... dans un verger, baignant dans une mare de sang, la gorge tranchée.

Le terrorisme, c'est également sortir le matin de chez soi pour vaquer à ses occupations quotidiennes avec l'appréhension de ne pouvoir, le soir venu, y retourner vivant. C'est envoyer ses enfants à l'école, la peur au ventre, priant pour qu'ils reviennent sains et saufs. C'est le drame de N..., une petite fille âgée de dix ans, que les terroristes obligèrent à porter sur ses genoux la tête de son père, qu'ils venaient juste de trancher. Pétrifiée par l'horreur, elle demeura ainsi paralysée, jusqu'à l'arrivée des secours. Depuis, N... s'est recroquevillée dans un mutisme minéral. Peut-être, est-ce là sa façon de nous dire qu'au printemps humain tant souillé par les ombres sanguinaires, elle préfère l'inertie de la pierre ?

Le terrorisme, ce sont les jours happés par les nuits et transfigurés par l'horreur ; les nuits plongeant leurs spirales dans le fond des charniers ; la peur des crépuscules et l'attente angoissée des aurores. Le terroriste n'a pas de visage. Il est à la fois n'importe qui et personne. Il n'a pas d'adresse, non plus. Il est simultanément partout et nulle part. Sa présence est absence pesante et son absence, présence oppressante.

En face, chacun de nous est seul, enveloppé dans sa peur sans cesse surmontée parce qu'il faut bien continuer à vivre. Le terrorisme, ce sont ces jours d'épaisses solitudes, taillées dans le tissu de la tourmente, qui, toujours identique, s'égrène en survies éparses. Chaque jour est une terrible épreuve, une coupe amère que nous buvons en tremblant, alors que, inlassablement, autour de nous, la mort répand son odeur fétide dans le silence clos du massacre. Depuis dix ans, nous marchons, la mort collée à la semelle de nos chaussures. Où que nous allions, nous partons toujours, notre linceul sous le bras, à la rencontre possible du fer tranchant. Là où tes pieds reposent, peut être le danger ; auprès des tiens dans ta demeure, dans un café, dans un bar, sur une terrasse, dans un cinéma ou dans une classe, la mort peut survenir, qui ensevelira les adieux, que tu n'as pas eu le temps de faire.

Le soir, dès dix-sept heures, la ville se vide. Les gens se terrent dans leur demeure ; dans les rues, il n'y a plus personne. « *Longue, longue est la nuit ; le lion s'endort, c'est le règne du chacal* ». Tandis que les rares réverbères s'allument, jetant sur la ville un voile de lumière blafarde, une désolation d'agonie la submerge. À la périphérie, les nuits de paix et de silence sont encore plus rares. Les quartiers, dans leur solitude effrayante, vivent au rythme des enlèvements, des bastonnades, des fusillades et des tortures. La nuit, les terroristes y règnent sans partage. Qui, en ces lieux, peut répondre de l'ami, du voisin, de ses propres enfants ? Un jeune appelé du service national, en permission chez ses parents, fut égorgé, en plein sommeil, par son frère, qui dormait à côté de lui. Parfois, la lumière s'éteint brusquement ; des détonations répétées font vaciller les immeubles. Puis, un hurlement, deux hurlements, des dizaines de hurlements emplissent le quartier de leurs échos d'effroi.

Quelques heures plus tard, le jour naissant diffuse peu à peu sa lumière. Le soleil se lève. Les gens sortent ; sur les visages on peut lire l'expression horrible de ceux qui, encore vivants, se savent condamnés à mort. On s'empresse de quitter le quartier. On ne pose pas de questions. D'ailleurs, c'est inutile. La réponse est là, sur les murs maculés de sang, sur le trottoir où gisent les cadavres mutilés des victimes de la veille et dans l'air, qui fleure encore le cadavre frais.

Mais ce terrorisme est un terrorisme particulier. Si ses objectifs sont éminemment politiques, ses motivations sont avant tout d'ordre théologique. Il se rapproche du terrorisme politique, mais s'en distingue par une violence plus intense. C'est une violence adossée à la puissance d'un mot, « djihad », d'où émerge ce sentiment d'incarner une vérité religieuse incontournable, appelée à s'imposer partout. Ce sentiment transparaît dans tous les actes de violence commis. La terreur qui en résultera est une « terreur sacrée », car Dieu l'approuve. Toute attitude d'hostilité à son égard est frappée du sceau de l'apostasie. La sanction envers tout manquement à cette violence est l'excommunication.

Elle divise le monde entre les « Croyants » et les « Autres ». Elle devient manichéenne et c'est ce qui autorise tous les extrêmes. Fort de cette conviction profonde, le terroriste intégriste use de la violence en plein jour ; il ne craint pas ses formes nues et cruelles, parce qu'il la trouve légitime, sacrée...

Mais, il faut se garder de croire que cette « métaphysique de la cruauté » baigne dans un océan d'irrationalisme. Bien au contraire, de l'« épicerie des attentats ciblés » jusqu'au « supermarché des massacres collectifs », cette violence procède d'un haut niveau de rationalisation. Elle est, quant à son fond, une opération abstraite sur un ennemi qui, privé de toute figure humaine, a cessé d'être un « prochain ». La violence islamiste est un acte de déshumanisation rationnelle. Elle est vécue par ses promoteurs comme le stade accompli de la rédemption à travers laquelle les hommes recouvrent leur pureté cimentée par un texte sacré. C'est pourquoi le terroriste islamiste entretient un rapport gratifiant à la mort, à la sienne comme à celle des autres. Aussi, pour lui, il n'est pas forcément nécessaire de réduire les populations à la servitude ; il faut les anéantir. La logique interne de son idéologie inclut celle de la destruction, du massacre, de l'« épuration », donc de la terreur...

Bien sûr, il ne faut pas être naïf : entre 1962 et 2002, les services de sécurité, l'armée, la police, les gouvernements, les partis ont connu des dérapages ; tout au long de ces quarante dernières années, l'arbitraire, la manipulation, le détournement de fonds, voire le crime ont été monnaie courante. Mais ces actions, qui relèvent de la lutte pour le pouvoir, sont sans commune mesure avec le projet du FIS et de ses semblables et avec les 100 000 victimes du terrorisme islamique.

La réalité de ce phénomène est aussi autre. La violence islamiste, en Algérie comme ailleurs, est un phénomène politique et doit être envisagée comme tel. De ce point de vue, l'explication la plus contestable à l'endroit de son origine se résume à la thèse selon laquelle la violence terroriste a spontanément explosé après l'interruption du processus électoral en janvier 1992. Le débat à l'étranger s'est réduit à rendre crédible cette thèse. Cela aboutit à occulter la stratégie de prise du pouvoir en Algérie, mise en œuvre par l'internationale islamiste, depuis le début des années 80, avec la bénédiction de certaines puissances occidentales et de certains régimes du Maghreb et du Moyen-Orient, qui allaient plus tard, apporter un appui logistique, financier et une couverture idéologique au terrorisme islamique.

Après la mort de Houari Boumediène (1979), les affrontements entre les différentes tendances politiques au sein du parti unique, le FLN, ont marqué les années 80. Au cours de ces luttes, un courant va s'appuyer de plus en plus sur le mouvement islamiste pour neutraliser la gauche à l'université et dans les organisations de masse. Mais on ne manipule pas impunément l'islamisme, qui prolifère sur le terreau des contradictions qu'il exploite, des concessions qui lui sont faites et des espaces de liberté qui lui sont concédés.

L'effondrement des prix du pétrole (1985-1986) va entraîner une grave crise économique et sociale. L'« État providence » ne peut plus couvrir les besoins collectifs. Le système productif, déjà mis à mal par une politique de restructuration aberrante et ne pouvant plus consommer de la main-d'œuvre, licencie à tour de bras. Le chômage prend de l'ampleur, aggravé par une démographie galopante et la massification de l'exclusion scolaire. Cette situation catastrophique débouche sur les émeutes urbaines d'octobre 1988, nées surtout d'un ras-le-bol généralisé à la base. Le pouvoir d'État se fissure de toutes parts. Pour éviter l'effondrement, il s'ouvre sur la société et instaure le pluralisme. Commence alors une ère de démocratisation débridée, qui profite au Front Islamique du Salut (FIS), favorisé par un contexte de crise marqué par la déliquescence de l'État et son rejet par les masses, innervé par la manne financière en provenance des monarchies fondamentalistes du Golfe et encouragé par la complicité d'une tendance au sein du pouvoir.

Dès sa naissance, tout en entretenant une façade légale, le FIS se dote d'un bras armé. Dès 1989, des maquis commencent à se constituer dans la région de Lakhdaria. Le 20 décembre 1990, un important réseau terroriste est démantelé à la suite d'un accrochage à Sour El Ghozlane (wilaya de Bouira) avec une patrouille de la Gendarmerie nationale. Ce groupe était constitué en partie d'« Afghans » ; ces jeunes Algériens recrutés au profit de la « guerre sainte » en Afghanistan, dès 1981, par les réseaux du Palestinien Abdellah Azzam installé à Peshawar. Pour partir de l'Algérie, ces jeunes étaient amenés à s'inscrire pour des études à l'étranger ou pour accomplir le « petit pèlerinage » ou *Omra* à la Mecque. De nombreuses filières étaient actives pour les acheminer vers le Pakistan *via* l'Arabie Saoudite, mais également à partir de certaines capitales européennes comme Londres, Paris, Bruxelles, etc. Endoctrinés, rompus aux techniques de la guérilla, ces jeunes reviendront en Algérie pour constituer le noyau dur des organisations terroristes. Le 29 novembre 1991, un mois avant le déroulement des élections législatives, la caserne de Guemmar est attaquée par un groupe armé composé d'une soixantaine de personnes et dirigé par Messaoudi Aïssa, un ancien d'Afghanistan et militant du FIS, connu sous le nom de Tayeb El Afghani. Au même moment, Abdelkader Chabouti, replié dans les monts de Zbarbar, organise les premiers maquis islamistes.

Après l'échec de sa grève insurrectionnelle, le FIS se lance dans la bataille électorale pour les législatives. La proclamation des résultats du premier tour des élections du 26 décembre 1991 confirme ce que beaucoup d'Algériens appréhendaient. Le FIS arrive largement en tête (avec 188 sièges et 3 260 222 voix sur 6 899 316 voix exprimées. Sur les 14 160 000 électeurs inscrits, 5 440 000 se sont abstenus). La perspective d'une majorité absolue pour le FIS au second tour se précise. La complicité avérée du président de la République provoque, une fois de plus, la précipitation des événements.

Au niveau de la classe politique, deux courants se dessinent : le premier, représenté par le FFS d'Aït Ahmed et le FLN, se prononce pour la poursuite du processus électoral ; le second, formé par les autres partis, se prononce pour l'interruption du processus électoral et en appelle à l'intervention de l'armée. C'est cette seconde tendance qui l'emporte dans la société civile. Elle s'affirmera autour du Comité National pour la Sauvegarde de l'Algérie (CNSA) créé à l'initiative du syndicat (UGTA) et de plusieurs associations de cadres dirigeants des entreprises publiques et du patronat. Le 11 janvier 1992, l'armée intervient pour interrompre le processus électoral. Entre parenthèses, l'armée algérienne, c'est à peine 120 000 soldats (dont une grande majorité de recrues du contingent et très peu de professionnels) sur une population de plus de 30 millions d'habitants.

Le FIS et ses alliés utilisent, durant près d'une décennie, le prétexte de l'interruption du processus électoral pour justifier les crimes terroristes commis. Mais d'un point de vue strictement légal, le processus électoral a été interrompu de fait durant la période allant des élections locales de 1990 à la grève insurrectionnelle de mai 1991. Par calcul ou par manque de détermination, le pouvoir n'a pas voulu tirer les conclusions qui s'imposaient.

C'est alors que la tendance « djihadiste » saisit l'opportunité pour déclarer ouvertement la guerre qu'elle avait commencée depuis long-temps dans le secret, en utilisant le cadre légal du FIS. L'interruption du processus électoral a libéré les « djihadistes » du carcan légaliste imposé par le courant réformiste dont la tactique était de réislamiser la société sans recourir à la violence armée et par d'autres courants rivaux qui, sans exclure l'option militaire, attendaient le moment opportun.

Mais le plan a échoué. Après des années de feu et de sang, l'Algérie résiste. L'État algérien ne s'est pas effondré. L'armée algérienne n'a pas implosé. Les commanditaires de la « régression programmée » et leur relais changent alors leur fusil d'épaule. Persuadés que l'islamisme a perdu la bataille militaire, que l'Algérie ne sera pas le premier État islamique de la région, ils reportent leurs espoirs sur la déstabilisation de l'institution qui fut « le dernier rempart » face à la déferlante terroriste : l'armée. C'est la période des tentatives répétées et multiformes des puissances occiden-tales, qui visent à livrer en pâture, menottes aux poignets, au nom d'une parodie des droits de l'homme et de justice pénale internationale, les responsables d'une institution qui, à leur corps défendant, ont empêché le GIA, l'AIS, le GSPC, le FIDA, la MIA, le MEA, le DHDS, la DSM, le GSPD, et encore bien d'autres organisations terroristes, de transformer l'Algérie en un second Afghanistan. C'est la fameuse opération du « Qui tue Qui ? ».

C'est à partir de cette question que commence l'histoire de ce livre. Mais ce livre n'a pas pour objectif de répondre à cette question ; il veut seulement montrer qu'elle est illégitime et injustifiée. C'est la question elle-même que nous récusons, non pas au nom d'un simple parti pris mais à partir de faits empiriquement vérifiables. En effet, qu'est-ce qu'une question ? Une phrase qui a pour objet de poser un problème, lequel prête à controverse et appelle une solution. Or, la question « Qui tue Qui ? », renferme dans les termes même de sa formulation, les éléments de sa réponse, c'est-à-dire sa solution. Ce n'est que la forme interrogative d'une réponse préalable. Réponse qui renvoie à une certaine grille de lecture de la réalité algérienne ; lecture caricaturale et biaisée qui, souvent, procède d'une logique de baccalauréat : l'ennemi de mon ennemi est mon ami. L'analyse circonspecte et objective des faits infirme cette thèse et ses multiples variantes. C'est parce que nous refusons la réponse qui précède cette question, que nous récusons cette dernière.

Outre qu'elle cultive la « mémoire de l'oubli », la thèse « négationniste » vise aussi à blanchir les groupes islamistes armés. Elle veut nous faire oublier que les terroristes algériens ne sont que les rejetons de l'idéologie de l'école de Peshawar. « *Ils y ont été endoctrinés pour croire que le statut futur de chacun d'entre eux dans le paradis – le ferdaws, version Abdellah Azzam – est directement proportionnel à la saleté, à la puanteur et à la longueur de la barbe du "moudjahid". Dans ce paradis très particulier, la proximité de Dieu se gagne en nombre d'"apostats" égorgés, et surtout à l'intensité de la douleur et des souffrances endurées par ces mêmes "ennemis de Dieu", avant qu'ils ne rendent l'âme. Le degré de barbarie appliquée dans la mutilation des cadavres des "apostats" entrerait également en ligne de compte comme l'un des principaux critères déterminant, dans l'au-delà, la place du "moudjahid" dans le ferdaws. Tuer la progéniture des apostats, en particulier les bébés, est un acte délicieux qui pèsera plus lourd dans la balance divine, leur a-t-on aussi inculqué* »[2].

On évalue à 2 800, le nombre d'Algériens qui ont reçu une formation idéologico-militaire en Afghanistan et au Pakistan, dont près de 1 500 seront infiltrés en Algérie. Ils formeront le noyau dur des groupes islamistes algériens, notamment du GIA.

---

1. HOFFMAN (B.), *La mécanique terroriste*, Paris, Calmann-Levy, 1999, p. 16.
2. MAGDACHE (A.), *L'homme qui terrorise l'Occident*, Le Soir d'Algérie, 13 septembre 2001, p. 7.

**Cet ouvrage contient des annexes fort utiles
à sa bonne compréhension :**

Liste d'informations .... p. 337

Organigramme .... p. 344

Liste des attentats .... p. 348

Cartes .... p. 353

Glossaire .... p. 357

Bibliographie .... p. 363

Table des matières .... p. 383

Chapitre I

« Ange plein de gaieté, connaissez-vous l'angoisse,
La honte, les remords, les sanglots, les ennuis,
Et les vagues terreurs de ces affreuses nuits
Qui compriment le cœur comme un papier qu'on froisse ?
Ange plein de gaieté, connaissez-vous l'angoisse ? ».

Charles Beaudelaire, *Réversibilité,*
Les Fleurs du Mal

ALGÉRIE :
HISTOIRE, SOCIÉTÉ & POUVOIR

PESANTEURS D'UN PASSÉ ACTUEL
ET D'UN PRÉSENT EN MAL DE DEVENIR

Depuis 1992, le terrorisme fait rage en Algérie. Il a commencé par des attentats à la bombe* pour se dilater en massacres collectifs** : ici, ce sont des bébés égorgés, là des villages décimés, ailleurs, des rapts, des viols et des corps mutilés. En effet, en comparaison avec les autres pays du Maghreb et du Moyen-Orient, l'Algérie apparaît comme un cas spécifique. Nul autre pays musulman n'a été (et n'est) confronté à un tel niveau de violence. Nulle part, aussi, dans les autres pays, les rapports entre l'État et la mouvance islamiste n'ont débouché sur un conflit d'une telle intensité. La question se pose pour savoir pourquoi l'Algérie ? Certains analystes imputent l'irruption de la violence islamiste à l'accroissement du chômage, à la marginalisation et l'exclusion de pans entiers de la société

23

notamment depuis 1986, date de l'effondrement brutal des prix des hydrocarbures. Mais le chômage et l'exclusion sociale, la précarité et la marginalisation sociale ne sont pas moindres en Tunisie, au Maroc, en Égypte et dans beaucoup de pays musulmans. Pourtant ces pays ne sont pas plongés dans la tragédie que connaît l'Algérie. D'autres expliquent la montée du terrorisme par la nature autoritaire du régime en place. Les faits sont têtus et infirment cette hypothèse. Le régime est tout aussi autoritaire au Maroc, en Tunisie, en Égypte et en Syrie. Pourtant ces pays ne sont pas confrontés à un terrorisme comparable à celui qui s'est développé en Algérie. Pour rendre compte de la « spécificité » algérienne, il faut intégrer, d'une part, la violence actuelle dans son histoire, d'autre part, la dimension géopolitique à l'analyse conjoncturelle.

Commençons par revisiter le passé de l'Algérie, pour voir ce qu'il en subsiste dans son présent. Ce « détour » est nécessaire, car à tous ceux qui s'interrogent sur les ressorts intimes de cette « violence sacrée » qui secouent les fondements de notre société, d'aucuns leur rétorqueront qu'il n'y a rien de nouveau sous le ciel d'Algérie, que la violence a toujours marqué son histoire. Et, ils n'auront aucune peine, en effet, à égrener les horreurs, qui font de toute l'histoire de l'Algérie une longue coulée de feu et de sang. Tout cela est vrai. Cependant, cette manière d'appréhender les choses, qui, souvent, conduit à harnacher le tueur des sangles du héros, en diluant la violence islamiste dans une philosophie pessimiste d'une prétendue « permanence berbère », ne respecte pas les faits. Aussi n'est-ce pas à tort que beaucoup répugnent à parler de « constantes berbères ». Aversion bien à propos pour qui veut éviter l'amalgame entretenu par une certaine histoire coloniale à relent raciste.

Il est alors nécessaire de préciser que cette « permanence berbère » ne relève ni d'une sorte de fatalité congénitale ni d'une quelconque nature raciale. S'agirait-il simplement de ce que nous appelons une « survivance » ? Non plus, si nous entendons par ce terme, un bloc erratique subsistant dans un cadre historique, qui n'est plus le sien. Cette dite « permanence » ne projette pas la société berbère hors de la temporalité, en réduisant son histoire à une simple répétition du même genre, à des schèmes mentaux et des configurations matérielles toujours anachroniques et sans cesse recommencés. Chargée d'une fonction précise, cette « permanence berbère » renvoie surtout à un besoin permanent. Un maître mot dit ce besoin : remembrement ; un autre résume sa fonction : résistance. C'est que la société algérienne a toujours été confrontée à la menace extérieure, à l'occupation étrangère et, régulièrement, ébranlée par de graves et brusques ruptures ou fractures historiques. C'est la raison pour laquelle, l'histoire de l'Algérie, beaucoup plus que celle d'aucun autre pays, n'est que l'histoire d'une société captive, en continuelle rébellion contre l'occupant étranger, en permanente insurrection contre l'arbitraire et en constant refus de l'extinction collective.

L'Algérie a été très tôt l'objet de convoitises étrangères. De ce fait même, la lutte pour l'indépendance a été l'une des constantes de sa longue histoire. Sitôt reconquise, cette indépendance est déjà remise en cause ; à telles enseignes, que l'historiographie coloniale n'a appréhendé l'histoire de l'Algérie qu'à travers le prisme des « peuples conquérants ». Cette histoire est devenue celle des invasions : aux Phéniciens ont succédé les Romains, puis sont arrivés les Vandales, les Byzantins, les Arabes, les Turcs et, enfin, les Français. « *Aussi loin que nous remontions dans le passé*, écrit Émile Félix Gautier, *nous voyons une cascade ininterrompue de dominations étrangères : les Français ont succédé aux Turcs qui avaient succédé aux Arabes qui avaient succédé aux Byzantins qui avaient succédé aux Vandales qui avaient succédé aux Carthaginois* »[1]. Dans la même veine, Gabriel Camps précise : « *Dès la fin de la préhistoire, les relations qui s'établissent entre les Berbères et les autres pays méditerranéens plus privilégiés prennent un aspect colonial* »[2]. Charles-André Julien et Charles Courtois en tirèrent la conclusion suivante : « *Aussi loin que l'on remonte dans l'histoire de l'Afrique du Nord, on constate que tout se passe comme si elle était frappée d'inaptitude congénitale à l'indépendance* »[3]. Est-il nécessaire de relever les prolongements racistes de ces assertions ?[4] Là n'est pas le lieu ; ce qui nous intéresse, ici, c'est seulement préciser un fait : la permanence des convoitises étrangères.

Dès lors, la résistance était la règle, une réalité tragique dans l'histoire de cette société, si vulnérable, qui ne disposait pas, contre l'envahisseur, des moyens matériels et politiques susceptibles de favoriser sa survie. Une réalité, qui traduisait la précarité d'une collectivité confrontée à de fréquentes et graves ruptures historiques. Cette résistance permanente eut des conséquences dramatiques ; son coût confinait à un perpétuel naufrage social. Au témoignage de l'historien Procope, qui fut secrétaire du général byzantin Bélisaire et l'accompagna dans ses guerres de reconquête contre les Berbères, l'Afrique du Nord aurait perdu cinq millions d'habitants sous le seul règne de Justinien. Chiffre sans doute exagéré, mais, même réduit aux trois quarts, il donne une idée de l'ampleur du désastre subi par cette contrée lors d'une seule entreprise de conquête.

Il est un autre fait saillant dans l'histoire de ce Maghreb central, également, vecteur d'une charge de violence : une certaine précarité des poussées étatiques, qui n'a jamais pu être exorcisée. Toute marche vers l'État a buté invariablement sur deux obstacles majeurs :

l'impossibilité de résoudre le problème de la légitimité et l'incapacité d'organiser une armée régulière autonome. Le problème de l'armée est organiquement lié à celui de la fiscalité ; les ressources nécessaires à l'entretien d'une armée permanente ne pouvant être générées, de façon régulière, que par des prélèvements fiscaux. Depuis l'Imâmat Rostémide de Tahart (761-908) jusqu'à l'émirat d'Abd El Kader (1832-1847), aucun des États, qui se sont succédé, n'est parvenu à régler le problème de la fiscalité de sorte qu'il puisse disposer de ressources financières durables, régulières et suffisantes à l'entretien d'une armée permanente. Pour prélever l'impôt, le pouvoir central est toujours contraint d'agir en association avec des tribus guerrières.

Cette dépendance organique des dynasties islamo-berbères à l'égard de l'édifice tribal, qui entrave, ostensiblement, leurs virtualités centripètes, aucun pouvoir au Maghreb central, de 761 à 1848, n'eut la force ou la capacité de s'en émanciper. Incapables de rompre avec le cordon ombilical qui les reliait à la matrice tribale, ces pouvoirs centraux, hégémonies segmentaires et/ou expansions religieuses, flambent et s'éteignent comme des météorites ; leur rayonnement n'agit jamais en profondeur, il s'étale sur un espace accidenté, sans jamais mordre sur son relief. Ici, rien de comparable avec les sociétés européennes où les constructions étatiques se faisaient à partir d'espaces homogènes et circonscrits, pour aboutir, progressivement, après lente incubation et à l'aide de matériaux puissamment intégratifs, à la centralisation/ unification politique. Englué, dès le prénatal, dans la viscosité amniotique de la matrice segmentaire, l'État islamo-berbère s'éteint à la peine, précocement, faute de pouvoir s'en extraire à temps. De la vie, il ne connaîtra souvent que les frémissements de la gestation, et, si, je ne sais par quelle conjuration de la malignité grégaire, il venait à naître, démuni face à l'adversité, il survivra difficilement à ses géniteurs.

Invasions successives, résistance armée continue, précarité des poussées étatiques et ruptures en chaîne dans les genres de vie, nous sommes face à une histoire où le temps des remembrements compense à peine celui des décompositions ; l'histoire d'une société fragile, spoliée et errante qui, en dépit de son aptitude à résister aux dures épreuves, connaît un destin précaire sur fond de violence. C'est précisément au cœur de cette précarité, que prennent racine la préséance de la foi et la démesure de la dimension idéologique, qui tissent la trame historique du Maghreb central. Dès lors, la résistance continue contre les convoitises étrangères, les poussées étatiques bridées et l'hypertrophie de la dimension religieuse constituent les trois tendances lourdes dans l'évolution du Maghreb central, les « invariants », qui tissent la trame de son histoire depuis l'Antiquité à nos jours.

1. AGRESSIONS ÉTRANGÈRES ET RÉSISTANCES MULTIFORMES DANS L'HISTOIRE DU MAGHREB CENTRAL

DE L'ANTIQUITÉ À LA CONQUÊTE ARABE
(De la fin du IIIᵉ millénaire av. J.-C. à la fin du VIIᵉ siècle)

À la fin du IIIᵉ siècle avant notre ère, un chef berbère, Massinissa, fondait un royaume, qui s'étendait sur un territoire correspondant approximativement à l'Algérie du Nord actuelle. Pour édifier son royaume, dont Cirta (l'actuelle Constantine) était la capitale, Massinissa avait dû défaire à la fois ses rivaux berbères et les Carthaginois, maîtres, depuis des siècles, de comptoirs côtiers et de places marchandes à l'intérieur du pays. Il a édifié un État unifié et indépendant. Au moyen de prélèvements fiscaux en nature, les rois numides furent les principaux marchands du pays. Cette puissance économique royale permit la constitution d'un État libéré des turbulences tribales et l'autonomie des cités marchandes.

Rome ne pouvait s'accommoder de l'émergence d'une puissance berbère ; après Carthage, c'est elle qu'il fallait détruire. Les visées hégémoniques romaines se heurteront au petit-fils de Massinissa, Jugurtha, fils de Micipsa. L'action de Jugurtha fut une tentative d'unir tous les Berbères dans une guerre patriotique. Selon le témoignage de Salluste, qui fut en 46 gouverneur de l'Africa Nova et l'historiographe des guerres romaines en Afrique, les guerriers berbères mirent à mal l'art militaire romain. Jugurtha fut fait prisonnier, puis transporté enchaîné en Italie pour y figurer au triomphe de Marius (104 av. J.-C.). Il mourut de faim au Tullianum, la prison de Rome où Vercingétorix, en 50, sera étranglé. Après le soulèvement de Jugurtha, l'emprise romaine se fit plus lourde. Deux faits majeurs ont marqué cette sanglante « paix romaine » imposée à la Berbérie pendant près de quatre siècles.

D'abord, l'occupation romaine a provoqué de violentes ruptures dans les structures sociales, les genres de vie et les modes de production. Outre le fait qu'elle a brisé la première entreprise berbère de centralisation politique, elle a aussi annihilé les effets structurants de la sédentarisation des populations entreprise par Massinissa. La population refoulée, militairement, vers le désert, s'est trouvée contrainte, à son corps défendant, de renouer avec le nomadisme. Refoulés, derrière les *limes*, vers les steppes désertiques, pendant près de trois siècles, des pans entiers de la société berbère, en bute à une bédouinité forcée, synonyme de déracinement, d'errance et de précarité, privés aussi de tout contact extra-nomade vivifiant et revitalisant, ont subi de graves distorsions.

« *Cette situation équivalant à un véritable génocide, latent, certes, mais s'étendant sur une longue période. Et cela était d'autant plus catastrophique et préjudiciable à l'économie strictement berbère et aux structures sociales et culturelles en évolution (car la partie romaine du territoire numide satisfaisait au-delà du possible les besoins des citoyens et ceux de leur métropole romaine) que Massinissa avait consacré son long règne à sédentariser ses sujets, à en faire partout un peuple de défricheurs et d'agriculteurs après qu'il eut été en majorité nomade* »[5].

Cette régression dans le nomadisme a entraîné une surchauffe de la matrice segmentaire – conséquence d'une stratégie de survie et d'un effort de réadaptation –, réactivant, de la sorte l'organisation tribalo-communautaire, dilatant outre mesure le champ magnétique des forces centripètes et figeant l'appropriation privative de la terre en phase d'éclosion dans la coque inhibitive de l'indivision. Dès lors, la fragmentation se nourrit de l'indivision, qui la renforce et la perpétue. Cette circularité est à l'origine du blocage structurel, qui explique l'ankylose de la société berbère et l'aspect extrêmement fragmenté des poussées étatiques qui l'agitent à la veille de la conquête arabo-musulmane.

La période romaine, qui dura près de quatre siècles, fut, également, celle des insurrections. Après l'épisode de Jugurtha, le premier soulèvement contre l'occupation romaine fut dirigé par Takfarinas. Durant sept ans (de 17 à 24 après J.-C.), ses troupes ne cesseront de harceler sans répit les légions romaines.

Immédiatement après l'assassinat, par Caligula (37-41), de Ptolémée, fils de Juba II, une nouvelle insurrection éclate en 42. Elle va durer trois ans. L'empereur Domitien (81-96) dut, à son tour, faire face à une gigantesque jacquerie. « *Soulèvement encore, en 118, sous Hadrien (117-138), et, en 144, sous Antonin le Pieux (138-161) qui doit, pour écraser les révoltés, faire appel à des renforts venus de Syrie, d'Espagne et de Pannonie, Marc Aurèle (161-180), Commode (180-192), Septime-Sévère (193-211), chaque empereur connaît "sa révolte berbère". À partir du règne de Sévère Alexandre (222-235), les insurrections se succèdent pratiquement sans interruption, tandis que se poursuit la désagrégation de l'empire. En 253, la Grande Kabylie et tout le pays au sud-est de Sétif flambent. Un chef berbère, dont seul le nom est parvenu, Faraxen, dirige la lutte. Il se battra pendant six ans et succombera les armes à la main. Dans l'empire affaibli et désormais constamment harcelé sur ses frontières par les Barbares, les difficultés politiques et économiques grandissantes installent un climat d'insécurité permanente. Des villes orgueilleuses, que la seule présence des légions suffisait à défendre, s'entourent maintenant de remparts, tandis que les bourgades et jusqu'aux fermes isolées de la campagne doivent être fortifiées* »[6].

C'est, dans ce contexte, vers le début du IVe siècle, que la Berbérie est, de nouveau, secouée par une violente insurrection. Des paysans ruinés, des ouvriers agricoles réduits au chômage, des esclaves évadés, se soulèvent contre la misère et l'injustice. On les appellera les « circoncellions » (mot dérivé du latin, *circum cellas*, signifiant littéralement « ceux qui assiègent les fermes »). La première manifestation historiquement connue des circoncellions remonte à l'année 320. D'abord, petits groupes dispersés dans les diverses régions du nord-constantinois, armés de pierres, de frondes ou de bâtons, les circoncellions se sont, peu à peu, organisés en détachements plus importants, armés de lances, d'épées ou de glaives. Ils rassemblent sous leur bannière des ouvriers agricoles, des paysans expropriés, des petits commerçants ruinés par le fisc. On trouvait parmi eux des Berbères numides, certes en majorité, mais aussi des Maures, des Gaulois et des Grecs échappés à l'esclavage. Ils attaquaient les fermes, enlevaient les provisions et les distribuaient aux pauvres ; ils menaçaient les riches propriétaires terriens et leur imposaient des rançons et obligeaient les créanciers, sous la menace des armes, à brûler les reconnaissances de dettes. À la fin du IVe siècle, le mouvement des circoncellions s'éteint progressivement.

En 431, les Vandales, sous la conduite de Genséric, assiègent Hippone (actuelle Annaba), et la Berbérie est une fois de plus insurgée. Les Byzantins rencontrèrent la même résistance. Aussi, ni les Vandales, ni les Byzantins ne pourront occuper durablement d'autres territoires que la Tunisie actuelle.

C'est dans un pays meurtri, mais pratiquement libéré de l'occupation étrangère que, vers la fin du VIIe siècle, vont arriver les conquérants arabes, porteurs d'une nouvelle religion, l'islam.

DE LA CONQUÊTE ARABE À L'OCCUPATION DE MERS EL-KEBIR PAR LES ESPAGNOLS
(De la fin du VIIe siècle au début du XVIe siècle)

C'est en 670, que 'Uqba b. Nâfi' fonda la ville de Kairouan, une tête de pont en vue de la conquête du Maghreb. En 682, il dirigea une expédition, qui le mena jusqu'à la ville de Tlemcen. Il atteignit la mer (la Méditerranée ou l'Atlantique). Sur son chemin du retour, il divisa son armée. Il décida de renvoyer une partie directement en Ifriqiya (actuelle Tunisie), à travers les hautes plaines, tandis que, sous son commandement, l'autre partie emprunterait, plus au sud, la lisière du Sahara. Il est attaqué par un chef berbère Kusayla, battu et tué à Tehuda dans la région de Biskra en 683. Les Arabes se regroupent en Tripolitaine. Une première tentative de reprendre l'offensive, sous le commandement de Zuhayr B. Qays al-Balawï, échoue. Kusayla est tué à Mems en 686. Kairouan est reprise. Une contre-offensive berbère contraint les Arabes à une nouvelle évacuation. Une seconde tentative, celle de Hassân b. Nu'mân va être plus fructueuse. Il reprend Kairouan (691) et s'empare de Carthage (692).

La résistance berbère s'organise, de nouveau, dans le massif des Aurès, autour d'une femme : la Kâhina. À la tête de ses contingents, elle descendit des montagnes, rencontra l'armée de Hassân et lui infligea une cinglante défaite dans la région de Baghai-Tébessa. En 695, Hassân reprend l'offensive. En 695, Carthage est reconquise, les Byzantins définitivement chassés. La Kâhina est battue en 698. Après 711, le Maghreb devient théoriquement une province de l'empire arabe. En réalité, la conquête du Maghreb central est un échec. Les Arabes ne contrôlent que l'Ifriqiya. La conquête du Maghreb par les armées arabes aura duré une cinquantaine d'années.

Le VIIIe siècle a été un siècle d'insurrections berbères. En 720, le gouvernement de l'Ifriqiya a été confié à Yazîd b. Abi Muslim. Ce dernier décida que les Berbères, devenus musulmans, seraient astreints à payer l'impôt (le kharâj ou l'impôt territorial), dont légalement ils devaient être exemptés. Il constitua également une garde prétorienne à l'image des gouverneurs byzantins. Il est assassiné.

En 734, 'Ubayd allah b. al-Habhâb est nommé gouverneur. À son tour, il désigna des sous-gouverneurs, parmi lesquels 'Umar b. 'Ubayd allah al-Murâdî, qui est dépêché à Tanger. Al-Murâdî, dit-on, a voulu lever un impôt illégal sur les Berbères, en bonne partie islamisés. En 740, il est assassiné. La révolte éclate. Elle est conduite par Maysara, qui avait été vendeur d'eau à Kairouan. Maysara était sofrite (kharidjite[7] intransigeant). Les révoltés sont vainqueurs. De retour à Tanger, ils entrent immédiatement dans un cycle de dissensions internes, caractéristique majeure de tous les groupes. Maysara est tué.

Pour venir à bout de la révolte, le gouverneur de Kairouan ramena en hâte d'Espagne un corps expéditionnaire. Ce fut la « bataille des nobles » (m'arakat al-Ashrâf), dans la vallée du Chélif et une cinglante défaite pour l'armée arabe. À cette nouvelle, l'est se soulève. Une seconde armée envoyée de Damas, sous le commandement du nouveau gouverneur de Kairouan, est décimée la même année sur l'oued Sebou.

À partir de 741, le Maghreb central avait déjà gagné son autonomie, mais, cette fois, sous l'étendard d'un schisme islamique. Il est aux mains des kharidjites autochtones rassemblés autour d'une famille d'origine persane, celle des Rostémides qui règnent dans Tahert (près de l'actuelle Tiaret). « *La tendance générale des luttes kharidjites peut se résumer en deux points : refus d'un État d'exploitation et d'inégalité sur le modèle byzantin, et impossibilité de constituer un contre-État sur la base d'un développement organique des institutions déjà existantes* »[8].

Ainsi, ce mouvement berbère, porté par le schisme kharidjite contre le pouvoir central, s'inscrit bien dans le prolongement de leur marche vers l'État et de leur lutte séculaire contre toute domination étrangère. Un siècle plus tard, un autre schisme prendra le relais du kharidjisme : le chi'isme[9]. L'histoire des Fatimides commence au Maghreb central. Les artisans de ses premières heures de gloire, furent les Berbères de la Petite Kabylie, de la tribu des Kutâma dont le territoire s'étend sur le triangle Sétif-Jije -Constantine. Quelques chefs de cette tribu, en pèlerinage à la mecque, firent connaissance avec Abû 'Abdallah, missionnaire (*dâ'ia*) chi'ite. Ce dernier les gagna à sa cause, les raccompagna et s'installa à Ikjân, dans la zone montagneuse qui sépare la plaine de Sétif du Tell, en 893. Il organise une armée et attaque les forteresses que les Aghlabides avaient édifiées face à la Kabylie et aux Aurès. Après plusieurs tentatives, les Kûtama, conduits par Abû 'Abdallâh, écrasent l'armée aghlabide : Sétif est prise en 904, Tobna est investie l'année suivante et Raqqâda est conquise en 909.

Pendant que Abu 'Abdallâh enregistrait ces succès, la révolte des Qarmâtes[10] avait été écrasée à l'Est et le Mahdi prit en 902 le chemin de l'exil. Il arrive à Sijilmâsa où l'émir le met en prison. Abû 'Abdallâh part alors à sa recherche, conquiert Tahert (en 909), arrive à Sijilmâsa et délivre son maître 'Ubayd Allah. Ce dernier dévoile sa qualité de Mahdi et prend le titre de *émîr al-Mou'minîne* (Commandeur des croyants).

Dans l'histoire des Fatimides, qui s'étend sur presque trois siècles, du début du Xᵉ siècle à la fin du XIIᵉ siècle, la période durant laquelle ils séjournent au Maghreb central couvre à peine plus de soixante ans. En 973, ils s'installent en Égypte, enfin conquise, et fondent le Caire. Mais avant cela, le Mahdi 'Ubayd Allah s'était aménagé une base arrière plus sûre, en dehors de Kairouan, la ville de Mahdia. Au cours de ce demi-siècle de présence au Maghreb central, les Fatimides se sont employés à édifier la puissance militaire et financière nécessaire à leur expansion vers l'est. Ils soumirent la population à une très forte pression fiscale et tentèrent d'imposer le chiisme comme religion officielle. Cette politique provoqua une série de soulèvements. Les Kûtama, alliés d'Abû 'Abdallâh, se révoltent en 911, à la suite de son exécution par le Mahdi. Tahar se soulève la même année, Tripoli, l'année suivante.

Mais la grande insurrection, qui allait durer quatre années et mettre sérieusement en péril la puissance fatimide, éclate en 943. Elle prit naissance, chez les ruraux berbères, les plus écrasés par les impôts et eut pour théâtre, le massif des Aurès. Le chef de cette insurrection, Abû Yazid, est natif de Tozeur (Sud tunisien) où son père était commerçant. Il gagnait sa vie comme maître d'école à Tahert. Revenu au Djérid tunisien après la chute de cette ville, il se fait *dâ'i* (propagandiste) du kharidjisme. Pour échapper à la répression du Mahdi, il se réfugia à Ouargla, qui servait alors de refuge aux Kharidjites expulsés de Tahert. À la tête d'une armée composée des tribus du Hodna et des Aurès, il assiège Mahdia en 945. Les Fatimides sont sauvés grâce à l'intervention des Berbères Sanhadja, sous la conduite de Ziri Ibn Manâd. Abû Yazid est finalement vaincu en 946. En 969, une expédition en direction de l'Égypte est victorieuse. L'armée fatimide, composée de troupes berbères dont les contingents kutamiens constituent le fer de lance, entre au Caire. En 973, les Fatimides quittent définitivement le Maghreb.

Avec la fin de l'épopée fatimide, prend fin la domination exercée par le Machrek sur le Maghreb. Le XIe siècle ouvre l'ère des dynasties islamo-berbères. Durant un siècle et demi, la dynastie Hammadide va présider aux destinées du Maghreb central. Les Hammadites vont disposer successivement de deux capitales. La première la Kalaa des Beni Hammad, construite en 1007, est située en bordure des hauteurs telliennes dominant les steppes du Hodna sur une voie commerciale, qui relie la région de Biskra à la mer. La seconde, Bejaia (Bougie), fondée en 1067, devient le principal centre commercial, politique et culturel du Maghreb.

Le XIe siècle fut aussi un siècle de bouleversements. L'entrée des Arabes nomades au Maghreb, qu'on a qualifié « d'invasion hilalienne », n'a pas été sans grandes conséquences sur le pays. À ce propos, nous ne reviendrons pas sur la controverse qui divise les historiens sur la nature de ces conséquences. Disons seulement, à la suite de Mostefa Lacheraf, « *qu'il serait vain de nier le blocage, la perturbation, les germes d'anarchie que ces nomades de la dernière heure introduisirent dans le corps de la société maghrébine à contresens d'un redressement d'ordre politico-religieux, économique et culturel* »[11].

Dans un premier temps, le royaume hammadite tirera profit de la pénétration hilalienne dans le royaume Ziride en Ifrîqya, mais il ne tardera pas, lui aussi, à en subir le contrecoup bien que plus tardivement. Les tribus hilaliennes, qui pénètrent en profondeur dans le royaume hammadite, accélèrent les tendances internes à la désagrégation du royaume, qui éclate en plusieurs principautés rivales. Cette pénétration accentue également la récession économique générale, conséquence du renforcement de la pression économique et militaire exercée par les chrétiens en méditerranée occidentale. En effet, la fin du XIᵉ et le début du XIIᵉ siècle sont marqués par la première grande contre-offensive chrétienne en Méditerranée et dans le monde musulman de manière générale. En Espagne, les rois de Castille profitent de la dislocation et du démembrement de l'empire ommeyyade en une multitude de « roitelets » (*mulûk et-tawa'if*) pour entreprendre la « reconquista » ; en Orient, commencent les premières croisades. Jérusalem est prise par les chrétiens en 1099.

Dans cet affrontement entre le « Croissant et la Croix », le royaume hammadite est aux avant-postes. Il devient la cible des attaques chrétiennes : en 1136, les Génois attaquent Bejaia ; en 1143, les Normands de Sicile s'emparent de Jijel et d'autres points de la côte hammadite. À partir du XIIᵉ siècle, on assiste à un déplacement du centre de gravité politique vers le Maghreb occidental. Désormais, c'est du sud-ouest du Sahara occidental, que vont partir les nouvelles tentatives impériales. Si l'offensive des Almoravides (*al-murâbitûn*) s'arrête aux portes d'Alger, les Almohades (*al-muwahidûn*) envahissent rapidement l'ensemble du Maghreb. En 1151, Bougie est prise ; en 1160, la dynastie almohade règne sur tout le Maghreb.

À la source de l'État almohade, il y a un groupe de tribus (de l'Atlas marocain) et un réformateur religieux (Ibn Toumert). Ce dernier prend le titre de Mahdi et installe son quartier général à Tinmall (1124) en pleine montagne. À sa mort (1130), son successeur 'Abd el-Moumen prend le titre d'émir el-Mou'minîn (Commandeur des croyants). C'est sous sa direction, que les Almohades se lancent à la conquête du Maghreb. Ils conquièrent d'abord le sud-ouest. Ils prennent le contrôle de la route de l'or ; montent vers le nord et investissent Fès, s'emparent de Marrakèche, capitale des Almoravides, en 1146. Les armées almohades continuent leur marche vers l'est. La prise de Bejaia, en 1151, consacre la fin du royaume hammadite ; celle de Mahdia, en 1160, marque la fin du royaume ziride, mais surtout la défaite des Normands de Sicile, qui occupaient la ville depuis douze ans. Cette lutte contre l'avancée chrétienne en Méditerranée, les Almohades vont la poursuivre en Espagne où ils tenteront de contenir la « reconquista » chrétienne.

Cet état de guerre permanent que les Almohades vont soutenir contre les souverains castillans d'Espagne va avoir des conséquences négatives sur l'économie maghrébine ; l'essentiel des ressources étant consacré à l'effort de guerre. Le conflit, qui oppose les Almohades à l'Espagne chrétienne, va évoluer à l'avantage de cette dernière. En 1212, à la bataille de Las Navas de Tolosa, les Almohades sont battus par les armées chrétiennes. Désormais, les Almohades s'avèrent non seulement incapables de faire reculer les rois de Castille, mais, aussi et surtout incapables de résister à leur avancée. Paradoxalement, les défaites almohades en Espagne sont la conséquence immédiate de la contre-attaque victorieuse de l'islam en Orient. En effet, en 1187, les Croisés sont chassés de Jérusalem par Salah ed-Dîne (Saladin). À la suite de cette défaite, les souverains chrétiens vont concentrer tous leurs efforts sur la reconquête de l'Espagne.

Sur le plan intérieur, l'État almohade s'avère aussi incapable de maîtriser ses contradictions internes, qui se traduisent par l'irruption d'un état de révolte permanent. La plus importante est celle d'Ibn Ghâniyya qui, à la tête des tribus révoltées, ravage à trois reprises le Maghreb central. Finalement, l'empire Almohade s'effondre et, une fois de plus, le Maghreb se fragmente en trois États : à l'ouest, le royaume Mérinide ; à l'est, le royaume de Hafside ; au centre, le royaume Abdelwadide.

Le royaume Abdelwadide va se trouver continuellement confronté aux attaques des Mérinides et des Hafsides coalisés. À deux reprises, sa capitale (Tlemcen) est prise et occupée par les Mérinides (1337-1348, 1352-1359). Le royaume Abdelawadide, laminé par ces luttes incessantes, et incapable d'imposer son autorité sur les tribus environnantes se réduit aux dimensions de sa capitale.

Le XIVe siècle est celui d'une autre rupture historique violente. Pendant très longtemps, le Maghreb a été le carrefour des routes commerciales qui portaient les métaux précieux vers l'Est et les pays arabes, vers le Nord (l'Europe). L'or de l'Afrique sub-saharienne transitait par les villes relais du Maghreb. À partir du XIVe siècle, les caravanes emprunteront d'autres voies commerciales et contourne-ront le Maghreb par le sud. En effet, la dynastie Mameluk, qui règne au Caire, étend son emprise sur la haute vallée du Nil, ce qui lui permet d'atteindre l'Atlantique à travers les régions de la Savane et d'entrer, ainsi, directement en contact avec les royaumes soudanais fournisseurs de métaux précieux. L'axe nord-sud orienté vers la Méditerranée perd également de son importance à la suite de l'ouver-ture par les marchands chrétiens de nouvelles routes commerciales : les routes atlantiques. Vers 1450, les Portugais commencent à drainer vers la côte occidentale une partie importante de l'or africain. Le Maghreb central perd, ainsi, progressivement, son rôle d'intermédiaire. Le tarissement de cette source de richesses entraînera l'affaiblissement, puis la fragmentation du Maghreb central en une multitude de principautés.

Mettant à profit cette situation, l'Espagne, qui achève la reconquête commencée au XIIIᵉ siècle, entreprend avec le cardinal ministre du roi Ferdinand, Francisco Ximenes de Cisneros, la conquête de l'Afrique du Nord. Le 13 septembre 1505, ils occupent Mers el-Kébir ; Bougie, le 6 janvier 1509 ; Tripoli en juin suivant ; Oran, le 19 mai 1509 (plus de 4 000 Oranais sont massacrés ou réduits au servage par Ximenes). Enfin, s'emparant de l'îlot rocheux, qui se trouve en face d'Alger (le Penon de Argel), les Espagnols interdisent toute activité à son port. Les villes se dépeuplent, l'arrière-pays, livré aux raids des Castillans qui raflent moissons, troupeaux et habitants, vendus ensuite comme esclaves, s'effondre.

DE L'ARRIVÉE DES TURCS EN ALGÉRIE À L'AGRESSION FRANÇAISE (1512-1830)

Au mois d'août 1512, Abd el-Rahmân, roi de Bougie, dépossédé par les Espagnols, fit appel à des corsaires turcs, basés sur l'île de Djerba, que leur avait cédée le Sultan de Tunis. Ce sont les quatre célèbres frères Barberousse (surnom donné collectivement aux quatre et qui dérive de celui de l'un d'entre eux, Baba Aroudj). Le premier assaut échoua. Une seconde attaque contraint la garnison espagnole à faire appel à une flotte de secours, qui vint faire lever le siège. Aroudj se retira dans le petit port de Jijel (1514)[12].

Le roi d'Alger, cheikh Salim Tumi sollicita le secours des Barberousse contre les Espagnols. En mai 1515, Aroudj attaqua le Penon d'Alger. La forteresse résista aux assauts et l'entreprise échoua. En attendant une deuxième tentative, Aroudj fit étrangler le cheikh Salim Tumi et se proclama « roi d'Alger ». Le 30 septembre 1516, le gouvernement espagnol envoya, au secours du Penon, une expédition de 3 000 hommes commandés par Diego de Vera. Les Espagnols avaient tenté en vain de débarquer sur la plage de Bab-El-Oued. L'expédition se termina par un désastre. Cet échec espagnol ne fit qu'accroître la popularité d'Aroudj au Maghreb central. D'autres ports, tel Dellys, l'appelèrent pour évincer les garnisons espagnoles. Très rapidement, les tribus de la Mitidja, des plaines du Chélif, du Titteri, de l'Ouarsenis, du Dahra et du Zaccar acceptèrent son autorité.

À l'ouest, subsistait toujours le royaume Abdalwadide de Tlemcen. En 1516, Abu Hammou avait détrôné son cousin Abu Ziane, et, avait accepté la tutelle espagnole. Cet acte d'allégeance aux Espagnols mécontenta la population qui fit appel à Aroudj. Dans la plaine d'Arbal, les six mille cavaliers d'Abu Hammou furent mis en pièces par l'artillerie turque ; après leur déroute, Aroudj entra à Tlemcen en libérateur. Abu Hammou se réfugia alors auprès du gouverneur d'Oran.

L'occupation de Tlemcen par les Turcs posa un grave problème aux présidios (forteresses espagnoles) de la côte oranaise. Encerclés à l'est et au sud par les Turcs, ils ne pouvaient pas résister longtemps. Ainsi, le nouveau roi d'Espagne, Charles Quint, ordonna-t-il au gouverneur d'Oran, Don Diego Fernandez de Cordova, marquis de Comarès, de réagir rapidement pour reprendre Tlemcen. Le marquis exigea et obtint dix mille hommes. Assiégés par les Espagnols et n'ayant pas reçu les secours militaires du roi de Fès, Aroudj et ses soldats réussirent à s'enfuir en pleine nuit, mais, rejoints sur le Rio Salado,ils furent massacrés (1518). La tête d'Aroudj fut rapportée en triomphe à Oran ; son vêtement de soie brochée d'or, transformé en chape liturgique, fut donné au monastère de Saint-Jérôme de Cordoue.

Au lendemain de la mort d'Aroudj, Kheir ed-Dine, installé à Alger, dut faire face à une situation difficile. Les tribus tentaient de se soustraire à l'autorité des Nubas (garnisons turques mises en place par Aroudj dans les régions conquises), car elles s'étaient rendu compte que si les Barberousse avaient répondu à leur appel, c'était seulement dans l'idée de s'installer au Maghreb. Avec le peu de troupes à sa disposition, Kheir ed-Dine ne pouvait espérer rétablir son autorité et continuer la conquête du Maghreb central. Aussi, décida-t-il de reconnaître comme suzerain le sultan de Constantinople, lequel fut alors dans l'obligation de fournir à sa nouvelle province aide et assistance. La régence d'Alger fut ainsi fondée, Kheir ed-Dine reçut le titre de pacha et fut nommé Beylerbey (émir des émirs). Un contingent de 6 000 janissaires envoyés de Constantinople arriva juste à temps à Alger pour rétablir l'ordre.

La fondation de la régence d'Alger fut perçue par les Espagnols comme une menace contre leurs intérêts au Maghreb. Ils réagirent très rapidement. En 1519, Charles Quint, nouveau roi d'Espagne, expédia sur Alger Hugo de Moncade, vice-roi de Sicile avec quarante navires et cinq mille hommes. Débarquées le 15 août sur les plages d'Alger, les troupes espagnoles atteignirent, le 18, les hauteurs de Koudiat es-Saboun (ex-Fort l'Empereur), qui dominent la Casbah. Le 23 août, les Turcs contre-attaquèrent et mirent en déroute les troupes espagnoles. Vingt-six vaisseaux échouèrent sur le sable ; et, plus de la moitié des effectifs de Moncade furent tués ou faits prisonniers.

Jusque-là toutes les tentatives turques pour détruire le Penon avaient échoué. En 1529, Khei ed-Dine décida de régler la question une fois pour toutes. Il attaqua le Penon. Le gouverneur Martin de Vargas n'ayant reçu aucun secours de l'Espagne, se rendit. Kheir ed-Dine fit alors détruire l'enceinte extérieure de la forteresse et, avec ses débris, construisit une jetée, reliant ainsi les îlots au port. Le 15 octobre 1535, Kheir ed-Dine est appelé par le sultan Sulaiman et nommé grand amiral. À son départ pour Istanbul, il confia à son lieutenant, Agha Hassan (1536-1543) la mission de poursuivre la lutte contre la présence espagnole au Maghreb. Cette lutte allait être d'autant plus difficile, que les Chevaliers de Malte, au service de Charles Quint, avaient occupé Djerba et Tripoli. À l'est, des garnisons espagnoles étaient implantées à Annaba. À l'ouest, les Espagnols, solidement installés, recevaient, une fois de plus, l'acte de soumission du royaume de Tlemcen.

L'histoire de la régence d'Alger (1518-1830) comprend quatre périodes : la période des Beylerbeys (1544-1587), la période des pachas triennaux (1787-1659), la période des aghas (1659-1671) et la période des deys (1671-1830). Ces siècles de domination turque ont été marqués par une violence endémique. La fréquence des révoltes des populations locales et la généralisation du meurtre politique attestent de ce fait. Nous commencerons par énumérer les principales insurrections qui ont jalonné ces siècles.
- 1521 : soulèvement de Belkadi Amokrane du Djurdjura.
- 1552 : soulèvement du cheikh de Touggourt.
- 1559 : soulèvement de Abd el-Aziz Amokrane dans les bibans.
- 1592 : soulèvement d'El Mokrani, l'insurrection s'étendit jusqu'à Médéa embrasant le Hodna et les régions du sud.
- 1595 : une guerre civile éclata à Alger entre le Pacha Kheder, soutenu par les kouloughlis (éléments de père turc et de mère algérienne) et certains chefs de tribus de l'intérieur et les janissaires.
- 1623 : soulèvement des populations rurales dans la région de Tlemcen.
- 1624 : soulèvement dans le Djurdjura, en Grande Kabylie.
- 1625 : nouvelle insurrection à Tlemcen où la garnison turque fut massacrée.
- 1626-1629 : troubles à Alger.
- 1641 : soulèvement dans le Constantinois, qui s'étendit jusqu'à Biskra.
- 1642 : plusieurs insurrections éclatent à l'intérieur du pays.
- 1647 : soulèvement à Constantine.
- 1671 : une dispute entre un janissaire et un marin dégénéra en affrontement entre les deux corps.

Le quartier de la marine se transforma très vite en un champ de bataille jonché de morts et de blessés.

- 1692 : une émeute éclata à Alger opposant la population à la milice dont les exactions devenaient insupportables.

- 1695 : Hadj Chaabane, dey d'Alger, échappa à un attentat (25 février), qu'il vengea par une répression aveugle qui, à son tour, provoqua un soulèvement généralisé.

- 1718-1724 : une série de révoltes éclate à l'intérieur du pays.

- 1747 : soulèvement de la Kabylie où les populations s'insurgent contre les agissements des garnisons locales.

- 1748 : les kouloughlis déclenchèrent des troubles à Alger et à Tlemcen.

- 1757 : les Turcs répriment dans le feu et le sang, une insurrection kabyle, qui s'étendit jusqu'à Ténès. À peine étouffée, elle reprit avec plus de violence dans les régions de Boghni et de Bouira. Le dey dut mettre en campagne trois colonnes parties d'Alger, de Médéa et de Constantine pour en venir à bout.

- 1767 : une nouvelle insurrection éclate en Kabylie.

- 1771-1772 : insurrection des Ouled-Naïl.

- 1786-1790 : troubles sporadiques dans différentes régions du pays.

- 1800 : soulèvement de cheikh Ahmed Tidjani.

- 1802 : soulèvement en Oranie.

- 1803 : insurrection dans les Aurès.

- 1804 : soulèvement des Hammoucha dans les Babors.

- 1805 : insurrection en Oranie sous la direction de Si Abdellah Benchérif Darkaoui, qui inflige une lourde défaite aux troupes du Bey (14 juillet 1805) et assiège Oran.

- 1805 (25 juin) : une émeute éclate à Alger.

- 1811 : des révoltes éclatent à Laghouat, à Sétif et à Boussaada.

- 1815-1817 : une série de révoltes secoue le Constantinois.

- 1818-1830 :

  • Soulèvement des populations du Mzab.

  • Dans la région de Boghni, la population attaque la garnison turque.

  • Sur les confins du Sahara, les fils d'Ahmed Tidjani dirigent une insurrection contre les Turcs.

  • Dans l'Oranie, Cheikh Mahieddine, père du futur émir Abd El Kader, se soulève à Mascara.

  • Dans le Titteri, les Ouled Naïl se soulèvent contre le Bey Bou Mezrag.

  • Soulèvements des populations de Souf, de Touggourt et d'El-Oued.

  • Insurrection dans la région de Bougie.

• Soulèvement des Ouled Benyoucef à l'est de Tébessa

La généralisation du meurtre politique est également symptomatique de cette violence endémique qui, disions-nous, a caractérisé la domination turque en Algérie.

- 1515 : cheikh Salem Toumi est assassiné sur ordre de Aroudj.

- 1518 : accusées de complot, vingt-deux personnes sont décapitées sur ordre de Aroudj ; fichées au bout de piques, elles restèrent, pendant plusieurs jours, exposées sur la place publique.

- 1519 : cinquante habitants d'Alger (kabyles citadins et maures andalous) sont condamnés à mort par Kheir ed-Dine.

- 1521 : Kara-H'sin et treize de ses fidèles furent mis à mort par Kheir ed-Dine.

- Hassan-Corso est assassiné par Teckerli qui, à son tour, fut tué par Youcef, caïd de Tlemcen.

- 1561 : deux aghas et plusieurs officiers sont exécutés par le Capidji Ahmed pacha envoyé du sultan Souleiman, pour rétablir l'ordre à Alger.

- 1566 : les janissaires destituent Hassan pacha et l'expédient à Istanbul.

- 1633 : Hossein pacha est destitué et jeté en prison.

- 1642 : Djamel-Youcef pacha est destitué et emprisonné.

- 1660 : Khelil-Agha est assassiné.

- 1661 : Ramdane-Agha est assassiné.

- 1665 : Chabane-Agha est assassiné.

- 1671 : Ali-Agha est assassiné.

- 1695 : Hadj Chabane, dey d'Alger, échappe à un attentat.

- 1705 : le dey Hadj- Mustapha est mis à mort.

- 1710 : le dey Dali Brahim est assassiné.

- 1748 : le dey Ibrahim Koutschouk meurt empoisonné par un janissaire.

- 1754 : le dey Mohamed Ben Bekar est assassiné.

- 1805 : le dey Mustapha pacha est assassiné.

- 1808 : le dey Ahmed pacha est décapité.

- 1809 : le dey Ahmed pacha est assassiné.

- 1815 : le dey Hadj Ali pacha meurt étranglé.

À cela, il faut ajouter un état de guerre permanent contre les puissances occidentales (Espagne, France, Angleterre, Portugal...) et les pays voisins (Maroc, Tunisie).

Le déclin commence déjà au XVIIIe siècle. « *La longue décadence de l'Orient (de l'empire arabe à celui des Turcs), la rupture des grands courants commerciaux qui l'animaient, le repli sur soi-même, la multiplication des cloisonnements régionaux et l'appauvrissement général des villes et des* campagnes n'ont pourtant pas épargné l'Algérie. Alors que l'Angleterre, la France, l'Allemagne et les États-Unis entrent dans l'ère de la machine, que l'horizon de leurs villes va bientôt se hérisser de cheminées d'usines, que vont naître et se développer les grandes entreprises capitalistes prêtes à jeter sur les places d'Afrique et d'Asie leurs produits bon marché, le vieux Maghreb reste un pays essentiellement agricole que ses productions artisanales n'empêchent pas d'être déjà partiellement dépendant de l'Occident pour de nombreuses fournitures et objets fabriqués. »[13]

L'ALGÉRIE SOUS DOMINATION FRANÇAISE : JUILLET 1830 - JUILLET 1962

Après la défaite de Staouéli et la prise d'Alger, s'ouvre l'ère d'une nouvelle occupation étrangère avec ses terribles conséquences. Aux séquestres, aux expropriations et aux pillages vont s'ajouter les razzias et les massacres collectifs. Le carnage, confinant au génocide, est érigé en stratégie de conquête.

Pour s'en convaincre, il suffit de lire les conclusions de la commission d'enquête sur la situation de la colonie, nommée par le roi en 1933 : « *Si l'on s'arrête un instant sur la manière dont l'occupation a traité les indigènes, on voit que sa marche a été en contradiction, non seulement avec la justice, mais avec la raison. C'est au mépris d'une capitulation solennelle, au mépris des droits les plus simples et les plus naturels des peuples, que nous avons méconnu tous les intérêts, froissé les mœurs et les existences, et nous avons, ensuite demandé une soumission franche et entière à une population qui ne s'est jamais bien complètement soumise à personne ! Nous avons réuni au domaine les biens des fondations pieuses. Nous avons séquestré ceux d'une classe d'habitants que nous avions promis de respecter, nous avons commencé l'exercice de notre puissance par une exaction : nous nous sommes emparés des propriétés privées sans indemnité aucune, et de plus, nous avons été jusqu'à contraindre des propriétaires, expropriés de cette manière, à payer les frais de démolition de leurs maisons et même d'une mosquée. (...) Nous avons profané les temples, les tombeaux, l'intérieur des maisons, asiles sacrés chez les musulmans. (...) Nous avons envoyé au supplice, sur simple soupçon et sans procès, des gens dont la culpabilité est restée plus que douteuse depuis (...). Nous avons massacré des gens porteurs de sauf-conduits ; égorgé sur un soupçon des populations entières, qui se sont ensuite, trouvées innocentes (...). Nous avons décoré la trahison au nom de négociation, qualifié d'actes diplomatiques de honteux guets-apens. En un mot, nous avons débordé en barbarie les Barbares que nous venions civiliser* »[14].

Les recommandations de Savary, ancien préfet de police de Napoléon Ier, envoyé en Algérie à la fin de 1831 et promu duc de Rovigo, tient en une phrase : « *Apportez des têtes, bouchez les conduites d'eau crevées avec la tête du premier Bédouin que vous rencontrez* ». La consigne fut immédiatement mise en application. Dans la nuit du 6 avril 1832, un détachement quitte Alger sur son ordre. Il surprend la tribu des Ouffias qui, désarmés, campent sous leurs tentes. Les soldats français massacrent sur-le-champ tous les hommes, les femmes et les enfants sans distinction. Il y eut 12 000 morts chez les Ouffias. En revenant de cette funeste expédition, les cavaliers portaient des têtes au bout de leurs lances et une d'elles servit, dit-on, à un horrible festin. Les jours suivants, on trouvera, au marché algérois de Bab Azoun, des bracelets de femmes encore attachés à des poignets coupés et des boucles d'oreilles pendant à des lambeaux de chair.

Avec Bugeaud, la razzia va devenir l'arme de conquête absolue. Écoutons la description d'une razzia par Canrobert, qui en rend compte dans ses mémoires. La scène se déroule dans la région de Médéa en 1841 : « *Voici en quoi consistaient ces dernières opérations (les razzias)... La marche était toujours réglée de façon à arriver au campement de l'ennemi un peu avant le jour. Dès que les guides et les espions avaient été, en rampant, reconnaître les gardes avancés de l'ennemi, on se lançait sur eux au pas de course et on les tuait à la baïonnette sans bruit : puis on courait sur la tribu qui, surprise dans son sommeil, songeait plutôt à fuir qu'à combattre. La cavalerie, pendant ce temps, étant allée couper les lignes de retraites, arrêtait les fuyards, faisant main basse sur ceux qui se défendaient et ramassait femmes, enfants, troupeaux, pour les rejeter sur l'infanterie. Après quelques minutes de repos, on dirigeait les prisonniers et le butin vers les villes ou les camps* »[15].

Montagnac, quant à lui, est plus explicite que Canrobert : « *Nous sommes dans des bois épais*, écrit-il, *pêle-mêle avec les Arabes qui fuient, les chevaux qui renversent leur charge, les chameaux qui se sauvent. Les femmes, les enfants accrochés dans les épaisses broussailles qu'ils sont obligés de traverser, se rendent à nous. On tue, on égorge ; les cris des épouvantés, des mourants se mêlent au bruit des bestiaux qui mugissent de tous côtés... Chaque soldat arrive avec quelques pauvres femmes ou enfants qu'il chasse comme des bêtes, devant lui... On ne sait que faire de cet immense butin* »[16]. C'est que Montagnac est partisan de la « solution finale ». « *Selon moi*, dit-il, *toutes les populations qui n'acceptent pas nos conditions doivent être rasées. Tout doit être pris, saccagé sans distinction d'âge ni de sexe : l'herbe ne doit plus pousser où l'armée française a mis le pied* »[17].

À propos des habitants du Dahra qui ont l'habitude, en cas de danger, de se réfugier dans des grottes, Bugeaud donne l'ordre de les enfumer. Injonction suivie à la lettre. En juin 1845, dans le Dahra, la tribu des Ouled-Riah, chassée de ses campements par les détachements incendiaires du colonel Pélissier, se réfugie dans des grottes. Pélissier fit mettre le feu à des fascines disposées aux accès des grottes. Le matin, quand on cherchera à dégager l'entrée des cavernes, tout était consumé : hommes, femmes, enfants, bêtes, calcinés, étaient nus, dans des positions qui indiquaient les convulsions qu'ils ont éprouvées avant d'expirer. On a dénombré environ 1 000 morts.

Saint-Arnaud fera mieux. Le 15 août 1845, dans une lettre qu'il envoie à son frère, il fait le récit de sa propre « enfumade » de la tribu des Sbéah. Après avoir exposé les détails de sa manœuvre contre Bou Maza, qui est parvenu à s'échapper, il ajoute : « *Le même jour, (c'est-à-dire le 8 août 1845), je poussais une reconnaissance sur les grottes ou plutôt cavernes, deux cents mètres de développement, cinq entrées. Nous sommes reçus à coups de fusil, et j'ai été si surpris que j'ai salué respectueusement quelques balles, ce qui n'est pas mon habitude. Le soir même, investissement par le 53ᵉ sous le feu ennemi, un seul homme blessé, mesures bien prises. Le 9, commencement des travaux de siège, blocus, mines, pétards, sommations, instances, prières de sortir et de se rendre. Réponse : injures, blasphèmes, coups de fusil... feu allumé. 10,11, même répétition. Un Arabe sort le 11, engage ses compatriotes à sortir ; ils refusent. Le 12, onze Arabes sortent, les autres tirent des coups de fusil.*

Alors je fais hermétiquement boucher toutes les issues et je fais un vaste cimetière. La terre couvrira à jamais les cadavres de ces fanatiques. Personne n'est descendu dans les cavernes ; personne... que moi ne sait qu'il y a là-dessous cinq cents brigands qui n'égorgeront plus les Français. Un rapport confidentiel a tout dit au maréchal, simplement, sans poésie terrible ni images ».[18]

Autre spécialiste de l'« enfumade » : Cavaignac. L'opération se déroule en 1844, à l'époque où il commandait Orléansville (ex-El-Asnam, Chlef aujourd'hui). C'est Canrobert qui en fait le récit : « *J'assistai à la première affaire des grottes. J'étais avec mon bataillon dans une colonne commandée par Cavaignac. Les Sbéahs venaient d'assassiner des colons et les caïds nommés par les Français ; nous allions les châtier. Après deux jours de course folle à leur poursuite, nous arrivons devant une énorme falaise à pic. Dans la falaise est une excavation profonde formant grotte. Les Arabes y sont... On pétarda l'entrée de la grotte et on y accumula des fagots de broussailles. Le soir, le feu fut allumé. Le lendemain quelques Sbéahs se présentaient à l'entrée de la grotte demandant l'aman à nos postes avancés. Leurs compagnons, les femmes et les enfants étaient morts... Telle fut la première affaire des grottes. On n'en parla guère, parce que le colonel Cavaignac, avec sa prudence ordinaire, ne s'était pas étendu sur le nombre des Arabes morts de l'enfumad*e »[19].

Bref, cette pratique funeste relevait de la routine. Il en est une autre : la décapitation systématique. *« Une tête coupée, écrit le colonel de Montagnac, produit une terreur plus forte que la mort de 50 individus. Il y a déjà longtemps que j'ai compris cela et je t'assure qu'il ne m'en sort guère d'entre les griffes qui n'aient subi la délicate opération... Tous les bons militaires que j'ai l'honneur de commander sont prévenus par moi-même que s'il leur arrive de m'amener un Arabe vivant, ils reçoivent une volée de coup de plat de sabre... Voilà comment il faut faire la guerre aux Arabes : tuer tous les hommes jusqu'à l'âge de quinze ans, prendre toutes les femmes et les enfants, en charger les bâtiments, les envoyer aux îles Marquises ou ailleurs. En un mot, anéantir tout ce qui ne rampera pas à nos pieds comme des chiens »*[20]. La « récolte des oreilles » et la prime de 10 francs par paire se pratiquaient aussi couramment.

La colonisation fut aussi la négation violente du droit des tribus algériennes sur leurs terres. Le 14 mai 1840, le maréchal Bugeaud déclarait à la Chambre des députés : *« Partout où il y aura de bonnes eaux et des terres fertiles, c'est là qu'il faut placer les colons sans s'informer à qui appartiennent les terres. »*[21]

La place manque pour exposer tous les moyens et subterfuges utilisés par le colonialisme pour faire main basse sur les terres algériennes : classement comme biens domaniaux des terrains supposés vacants[22], cantonnement[23], séquestre[24], procédure d'expropriation pour cause dite « d'utilité publique », francisation des terres permettant de les acheter à très bas prix[25], hypothèques, licitations judiciaires[26], vente en réméré[27]. Grâce à ces procédés, le domaine foncier privé européen est passé de 115 000 hectares en 1850 à 765 000 en 1870 et à 2 703 000 en 1950[28].

Face à cette barbarie, les algériens résistent. Après la résistance organisée par Hadj Ahmed Bey de Constantine, dès 1832 ; une véritable guerre d'indépendance nationale éclate, sous la direction de l'émir Abd El Kader (1832-1845). La reddition d'Abd El Kader n'arrêta pas la guerre contre les Français. Elle durera longtemps encore. En fait, jusqu'au 5 juillet 1962, date de l'Indépendance, l'histoire de ces cent trente-quatre années de domination française est jalonnée de soulèvements et d'insurrections qui s'étendent à des régions plus ou moins grandes, le plus souvent réprimés de façon sanglante. La liste des révoltes, des insurrections et des soulèvements populaires est impressionnante :

- 1845 - soulèvement sous l'impulsion de la confrérie des Derkaoua et de cheikh Boumezrag ;
- 1845-1847 - insurrection sous la direction de cheikh Bouamam a ;
- 1848-1849 - soulèvement des Zaatchas ;
- 1851-1857 - insurrections en Grande Kabylie ;

- 1852-1854 - insurrections dans la région de Laghouat et de Touggourt (Sud algérien) ;
- 1858 - révolte des Aurès ;
- 1859 - révolte des Beni-Snassen (Tlemcen/Ghazaouet) ;
- 1864 - insurrection des Ouled Sidi cheikh dans le Sud oranais ;
- 1871 - siège d'El - Milia mené par les Ouled Aidoun ;
- 1871 - insurrection d'El Mokrani ;
- 1876 - soulèvement d'El Amri dans la région de Biskra ;
- 1879 - insurrection dans les Aurès ;
- 1881 - insurrection de Bouamama dans le Sud oranais ;
- 1901 - soulèvement à Miliana-Marguerite ;
- 1914 - soulèvement des Beni-Chougrane ;
- 1915 - soulèvement des tribus sahariennes ;
- 1916 - soulèvement dans les Aurès ;
- 1917 - soulèvement des Touaregs dans le Hoggar.

Après 1920, les insurrections rurales s'éteignent ; le monde rural, épuisé et exsangue au sortir d'un tel calvaire, passe le relais aux centres urbains, mais la constante d'une indépendance à reconquérir demeure la même, inaltérée et inaltérable, avec, en plus, maintenant, de nouveaux instruments : les partis politiques, les syndicats, les associations et les idéologies séculières.

Une seconde constante demeure, aussi inaltérée et inaltérable que la première : la répression dans le feu et le sang de toute velléité de rébellion contre l'ordre colonial. En effet, « *aux yeux des colons, la France, en Afrique du Nord, c'est avant tout une autorité suprême qui leur garantit des profits souvent exorbitants, et une force répressive impitoyable dirigée contre les autochtones... Enfants gâtés, ils le sont à plus d'un titre, servis abondamment par l'ensemble du peuple algérien qu'ils exploitent, par leur propre gouvernement, par les institutions françaises et locales, par l'aide financière et la sollicitude complaisante de toute une nation avec laquelle ils n'ont pas toujours les mêmes affinités. Enfants gâtés, ils savent que leurs sautes d'humeur restent impunies, que leurs excès sont tolérés, et cela les encourage à recommencer* »[29].

Enfants gâtés, ils ne le seront jamais autant qu'ils ne le furent sous la bannière de Vichy qui, à leurs yeux, incarne un nouvel âge d'or de la colonisation. Désormais, ils étaleront ouvertement leur mépris des Arabes et des Juifs[30]. Henri Alleg nous relate ce fait : « *"Interdits aux chiens, aux Juifs et aux Arabes." Sur ordre du maire de Zeralda, l'arrêté municipal a été placardé à l'entrée même de la plage. L'avertissement n'a pourtant pas suffi. Au mois d'août de cette année 1942, il ordonne d'enfermer dans la geôle municipale 50 ouvriers algériens qui ont osé enfreindre sa décision. 27 d'entre eux, pères de famille pour la plupart, périssent d'asphyxie. Le maire assassin ne sera jamais inquiété. »*[31] Tous les opposants politiques sont arrêtés ou contraints à la clandestinité. Le décret Crémieux[32], les Juifs redeviennent des indigènes.

Avec le débarquement anglo-américain, en 1942, Alger devient « la capitale de la France en guerre » ; De Gaulle s'y installe. Les populations algériennes nourrissent l'espoir que la victoire sur le fascisme serait aussi celle de tous les peuples opprimés dans le monde. Churchill et Roosevelt, contresignant, en août 1941, la Charte de l'Atlantique, avaient proclamé « *le droit pour chaque peuple de choisir la forme de gouvernement sous laquelle il doit vivre* » et s'étaient engagés à « *ce que soient rendus les droits souverains et l'exercice de gouvernement à ceux qui en ont été privés par la force* ». Les représentants algériens présentent au gouverneur général un mémoire intitulé : *L'Algérie devant le conflit mondial. Manifeste du Peuple algérien.* Les signataires dudit Manifeste demandent aux autorités françaises de s'engager à accorder à leur pays, dès la fin du conflit, le droit de s'ériger en « *État algérien doté d'une constitution propre qui sera élaborée par une Assemblée algérienne constituante élue au suffrage universel par tous les habitants de l'Algérie.* »
À partir de mars 1944, l'adhésion au *Manifeste* prend de l'ampleur. Les différents partis politiques algériens s'unissent. C'est ainsi que les « *Amis du Manifeste et de la Liberté* » naissent au Congrès de Sétif, le 14 mars 1944. Depuis, la revendication nationale prend chaque jour une force nouvelle. Au sein de la direction des AML les discussions tournent autour de l'organisation d'une manifestation de la victoire.
À Sétif, le mardi 8 mars, en accord avec les autorités, le défilé du *Manifeste* aura lieu le matin. Le rassemblement se déroule devant la mosquée. En application des diverses directives, le service d'ordre invite les manifestants à déposer dans la mosquée leurs cannes et leurs bâtons. Après quoi, le cortège s'ébranle dans l'artère centrale de Sétif. Le commissaire de police, Lucien Olivier, tente d'arrêter le cortège. Il exige que disparaissent banderoles et emblèmes algériens. Les manifestants refusent. Gendarmes, policiers, gardes mobiles ouvrent le feu sur les manifestants. Des manifestants tombent, la foule s'éparpille sous la fusillade. Des groupes de manifestants armés de couteaux et de haches se répandent dans la ville et s'attaquent aux Européens. Très rapidement la nouvelle se répand dans les douars environnants à Sétif et à Guelma (où le sous-préfet André Achiary a également donné l'ordre d'ouvrir le feu sur les manifestants) soldats et policiers soutenus par les civils européens massacrent des algériens.
Le 9 mai, et les jours qui suivent, dans la région de Sétif, des soulèvements armés éclatent à l'appel des dirigeants du Parti du Peuple

Algérien (PPA). C'est une insurrection paysanne. Des fermes sont brûlées, des colons et leurs familles abattus. La répression est immédiate,
sans mesure et d'une barbarie qui rappelle le temps des enfumades et
des razzias des premiers temps de la conquête. Alors que depuis la côte
de Bougie, les canons du Dugay-Trouin bombardent les villages de la
région d'Oued Marsa et Timimoun, les blindés et l'artillerie, appuyés
par l'aviation, pilonnent la « zone de dissidence ». La chasse à l'Arabe
est ouverte. À Sétif, les Européens civils sont armés et participent aux
massacres. Les exécutions sommaires se multiplient. Organisés en milices, les Européens exorcisent leur peur en assassinant. À Guelma, le
sous-préfet Achiary ordonne l'arrestation de centaines d'Algériens. Les
colons armés lui prêtent main-forte. Les prisonniers sont transportés
par camions en dehors de la ville, jusqu'au lieu-dit « *Kef el Boumba* »
où on les abat à la chaîne. Les corps, arrosés d'essence, sont brûlés sur
la place de l'église ou dans les fours à chaux d'Héliopolis. Ailleurs, les
chars écrasent des groupes entiers de prisonniers enchaînés.

Le bilan des massacres du 8 mai 1945 est le suivant : 45 000 morts,
4 650 arrêtés, 1 476 personnes jugées par les tribunaux militaires, 181
personnes condamnées à mort dont une vingtaine ont été exécutées.

Dans cette répression sanglante se forgera la volonté de certains
des hommes qui feront le 1er Novembre 1954. En effet, dès le lendemain des événements, des groupes armés se forment autour de
Saïda (le Sud oranais), en Kabylie et dans les Aurès. Le feu couvera
jusqu'à ce jour du 1er Novembre 1954 où deux textes, ronéotypés
à Ighil-Imoula (village de Kabylie), annoncent que des militants
algériens ont engagé la lutte armée pour l'Indépendance. Le premier
document déclare la naissance du Front de Libération Nationale (FLN),
le second celle de l'Armée de Libération Nationale (ALN). La guerre[33]
durera plus de sept ans avec son cortège de feu et de sang : exécutions
sommaires, massacres collectifs, tortures, terreur, viols, arrestations,
plus d'un million de morts, des milliers d'orphelins, un pays entièrement dévasté...

« *Le 8 avril (1962), le scrutin met, du côté français, le sceau de la légitimité populaire sur les accords d'Évian : 90,71 % des électeurs répondent
"oui" à la question posée. Du point de vue de la métropole, l'Algérie,
132 ans après la conquête, a bien cessé d'être "française". Libre à elle de se
choisir indépendante, trois mois plus tard* »[34].

La guerre est-elle finie pour autant ? Non. Au soir du 19 mars
1962, un tract de l'organisation de l'armée secrète (OAS), alors
dirigée par deux généraux félons (Salan et Jouhaud) et un militant
d'extrême droite, Jean-Jacques Susini, proclamait : « *Le cessez-le-feu
de De Gaulle n'est pas celui de l'OAS* ». En réalité, il n'y a là rien de
nouveau, « *les organisations terroristes dirigées par les ultra-partisans de*

l'Algérie française ont commencé à naître en 1955. Dans les premières années de la guerre elles animaient les "ratonnades" quand elles n'étaient pas à l'origine d'attentats à l'explosif et cela dès 1956.

Les sigles naissent et se confondent quelquefois, ainsi on eut l'ORAF (Organisation de Résistance de l'Algérie française), le MASU (!) (Mouvement Algérien secret des Ultras), le RCF (Résistants clandestins français). Ces deux derniers mouvements resteront à peu près inconnus. En 1956, l'ORAF se vante, dans des tracts, d'avoir fait sauter un car près de Larbâa, détruit une cellule FLN de Rivet, fait exploser le transformateur du Palais d'été à Alger, posé une bombe au siège de l'UDMA, ainsi que chez plusieurs industriels musulmans sympathisants du FLN, puis contre l'imprimerie Koechlin réputée progressiste et dans les locaux du journal ALGER RÉPUBLICAIN. Le FNF (Front national français) puis le FAF (Front de l'Algérie française) qui sera dissous après les "barricades" ainsi que les Unités territoriales donneront des activistes à l'OAS qui naîtra de toutes ces organisations vers la fin février 1960 »[35].

C'est alors le déchaînement. À Oran comme à Alger, les « ratonnades » se multiplient. C'est le début d'un carnage : assassinats des partisans de la paix, incendies des bâtiments publics, attentats à la bombe, fusillades, etc. Des malades soignés dans des hôpitaux sont sauvagement achevés dans leurs lits, des dizaines de femmes de ménage se rendant à leur travail dans les quartiers européens sont abattues. Certains jours, on compte près de cent attentats. Au mois d'août 1961, on enregistre 430 attentats à la bombe avec 6 morts ; en septembre, 763 attentats à la bombe et 9 morts ; en octobre, 970 explosions et 13 morts... En 1962, le massacre continue. Pour le seul mois de février de cette année, on dénombre 553 meurtres commis par les commandos « Delta » de l'OAS. Dans la nuit du 4 au 5 mars 1962, 130 explosions secouent Alger. Le 16 mars, un tir de bazooka est dirigé contre le siège de la Délégation générale. Le 17 mars, on relève 33 morts et 45 blessés. Le 20 mars 1962, plusieurs obus de mortier sont tirés sur la Place du Gouvernement dans la basse Casbah faisant 24 morts et 59 blessés. Le 2 mai, une voiture piégée explose dans le port d'Alger : 62 morts et 110 blessés, tous algériens. Le 7 juin, la bibliothèque de l'université d'Alger est incendiée. 600 000 livres sont détruits par le feu. Des laboratoires et des amphithéâtres sont également plastiqués.

Trois faits majeurs vont mettre un terme à la folie meurtrière des ultras. Le premier, c'est le découragement qui s'empare de la communauté des « pieds-noirs » ; comprenant le caractère suicidaire de la stratégie de l'OAS, ils choisissent le départ vers la métropole. Le second, c'est l'action musclée des « barbouzes », les commandos gaullistes envoyés par Paris, qui font basculer le rapport de force, notamment à Alger et à Oran. Le troisième, c'est la réaction du FLN qui, sous l'impulsion du commandant Azzedine, passe à la contre-attaque, dès la mi-avril 1962.

Vers la mi-mai, l'OAS, isolée et déliquescente, tente de négocier avec le FLN. Le 16 juin 1962, un accord est signé[36]. Mais il était trop tard. Les Européens avaient déjà choisi l'exode. Les populations algériennes avaient vécu plus de cent jours d'horreur, de haine raciste et de folie sanguinaire. Le 1er juillet 1962, les Algériens votent en masse : 91,23 ont dit « oui » à l'Indépendance. Le 3 juillet, le général De Gaulle reconnaît officiellement l'Indépendance de l'Algérie.

C'est ainsi que se termine, l'histoire d'une tentative de génocide qui, 130 années durant, butera sur la résistance farouche d'un peuple qui, souvent mains nues et dos au mur, au prix de décennies de sang et de larmes, a survécu au naufrage social programmé.

2. L'ALGÉRIE INDÉPENDANTE (1962-1990) : DE LA DÉVALORISATION DE L'ÉTAT PAR LA RÉVOLUTION À SA NÉGATION PAR LA FOI

En Algérie, le cours présent des choses, à la fois sanglant et chaotique, doit s'appréhender tout autant dans l'inertie d'une rupture bridée que dans la poussée des bourgeons d'une expression politique libre et plurielle. Les torsions qui résultent d'une telle situation convulsive peuvent être aisément répertoriées et décrites. Néanmoins, détachées de l'histoire récente dont elles résultent, on ne trouve pas en elles, les éléments qui concourent à leur intelligibilité. Le préexistant pèse toujours d'un poids considérable, contraignant le présent à se fondre dans son moule, le sommant à ne transiter que par ses couloirs et à ne ruisseler qu'à travers ses sillons. C'est dans cette histoire récente que nous allons creuser dans l'espoir de percer le mystère du « passé actuel ». Au départ de cette histoire, il y a les pesanteurs de l'héritage colonial.

L'HÉRITAGE DE LA PÉRIODE COLONIALE

Pour ce qui nous intéresse, le résultat le plus saillant de plus d'un siècle de domination coloniale fut une paupérisation quasi généralisée de la société algérienne. Nous pouvons relever trois conséquences sociales de cette paupérisation massive : la faiblesse de la bourgeoisie algérienne, l'importance relative de la petite bourgeoisie et l'étroitesse de la classe ouvrière par rapport à la masse du sous-emploi.

• La colonisation a bloqué la mobilité sociale en verrouillant toutes les possibilités de promotion catégorielle. Elle a ainsi empêché la naissance et le développement d'une bourgeoisie comparable à celle qui existait au Maroc, en Tunisie ou en Égypte[37]. À la veille de l'Indépendance, la bourgeoisie algérienne est donc très marginale. Elle contrôle dans les villes quelque 7 000 petites entreprises industrielles ou commerciales, le plus souvent, à caractère familial. Elle se composait surtout de commerçants et de propriétaires terriens et de biens immobiliers. Il n'existait que très peu d'industriels algériens comparables aux entrepreneurs colons. Dans les campagnes, elle était représentée par 16 580 propriétaires terriens possédant des exploitations de 50 à 100 hectares, utilisant une main-d'œuvre salariée. Numériquement faible, cette bourgeoisie algérienne était aussi structurellement composite, une même famille ayant souvent des placements multiples et variés (fonciers, immobiliers, commerciaux) avec ses enfants dans les professions libérales ou la fonction publique.

• La seconde conséquence de cette paupérisation généralisée est l'étroitesse du prolétariat par rapport à la masse des sous-employés et des chômeurs. Issue de la paysannerie et de formation récente, la classe ouvrière algérienne comprend, à la veille de l'Indépendance, environ 500 000 salariés dans l'agriculture et 300 000 dans l'industrie, le commerce et les services. Parmi les 500 000 salariés agricoles, nous trouvons 24 500 ouvriers à capacité réduite, 357 000 journaliers, 77 100 saisonniers et 108 000 ouvriers permanents. En d'autres termes, les ouvriers permanents ne représentent que 5 % de l'ensemble des salariés du secteur agricole. Dans les villes, la majorité des ouvriers algériens se compose non pas d'ouvriers qualifiés, mais de manœuvres, d'apprentis et de domestiques.

• On dénombre, en 1960, 141 000 manœuvres, 47 000 apprentis, 60 900 ouvriers spécialisés, 39 500 ouvriers professionnels, 2 400 pêcheurs et 8 600 mineurs. Un nombre important de salariés sont employés en dehors de la sphère de la production : 4 200 domestiques et 20 300 femmes de ménage. Il faut aussi tenir compte du nombre élevé de chômeurs. Pratiquement, un homme sur deux n'avait pas de travail. En 1957, le nombre de chômeurs oscillait autour de 300 000 dans le secteur non agricole et s'élevait à plus de 1 500 000 dans les campagnes. Les villes abritaient également un nombre impressionnant de déclassés sociaux, qui ne figurent pas dans les statistiques. Il s'agit de plusieurs centaines de milliers de personnes : marchands ambulants, porte-faix et personnes vivant d'expédients.

• La troisième conséquence sociale est l'importance relative de la petite et moyenne bourgeoisie. À la veille de l'Indépendance, sa composition était approximativement la suivante : 62 300 petits commerçants, 20 100 artisans, 9 400 employés de bureaux, 5 800 employés de commerce, 3 000 ou 4 000 membres des professions libérales (médecins, pharmaciens et avocats). Afin de saisir l'importance numérique de cette couche sociale, il faut y ajouter environ 167 170 petits paysans possédant entre 10 et 50 hectares. Ces derniers représentent pratiquement 25 % des exploitants agricoles algériens et disposent de près de 50 % de la superficie globale. La situation matérielle pour la majorité de ses segments était souvent précaire. Les artisans, les petits paysans et les boutiquiers exerçaient à la charnière de plusieurs modes de production. Ce groupe, constamment renouvelé par le déclassement rural, dissimulait une forte tendance à la paupérisation. À l'inverse, les membres des professions libérales, du fait de leurs liens familiaux et autres avec la bourgeoisie et leur intégration dans l'espace culturel et économique colonial, tendaient spontanément à se distinguer des autres fractions. L'ensemble des fractions de cette petite bourgeoisie représentait plus des groupes en transition que des groupes intermédiaires.

Aussi, le mouvement « nationaliste » algérien ne reposait pas sur l'hégémonie de la bourgeoisie urbaine (Tunisie, Maroc) ni sur celui de la classe ouvrière (Vietnam, Chine), mais sur la prédominance des couches intermédiaires, composites et difformes, nées, le plus souvent, à la jointure de structures socio-économiques hétérogènes, et sous la pression d'une somme de facteurs transitoires. L'hypertrophie du rôle politique de cette élite provenait plus de son double rôle de différentiel entre tous les niveaux dissociés de la société algérienne et de substitut aux classes fondamentales, que de sa propre force[38].

En l'espace de trois mois, durant la crise de 1962[39], l'unité révolutionnaire de façade s'est brusquement effilochée, révélant au grand jour le jeu des alliances et des renversements d'alliances. Ces événements, qui ébranlèrent l'Algérie nouvellement indépendante, ne sont pas une brève secousse tragique, mais le condensé des contradictions refoulées, de compromis sans principes consentis à la hâte, de reniements difficiles à cacher et, surtout, d'indigence politique et idéologique... Les clientèles politiques, qui n'étaient que diffuses ou contenues, vont alors se cristalliser selon des lignes nouvelles marquées par le sceau de la vacuité, du flou et de la compromission, faussant du coup la distribution des forces sur la scène politique et marginalisant le poids de quelques personnalités et tendances vraiment politiques, qui auraient pu jouer dans le sens de la clarification et de la cohérence.

Brusquement, L'Algérie s'est trouvée partagée entre six centres de pouvoir autonome : les six wilayas de l'intérieur, le GPRA[40], les cinq détenus d'Aulnoy[41], l'État-major de Ghardimaou et la zone autonome d'Alger. En l'absence de toute instance centrale d'arbitrage, il ne restait de solution que dans de purs rapports de forces. Par ailleurs, du fait de la trop grande dispersion des ressources politiques au sein des instances de la révolution, aucun centre n'était assez fort pour imposer, seul, sa volonté. Ce qui obligeait les groupes à se fondre momentanément dans des coalitions.

Quelle est l'attitude qui a prévalu à l'égard de ce double legs historique ? Selon la Charte d'Alger (1964), « *tous les instruments étatiques existants* », hormis l'ALN, constituent un « *legs du colonialisme* ». Ce legs est fortement contesté parce que principale source de « *formalisme bureaucratique* » et de rupture entre « *gouvernants et gouvernés* ». Ben Bella précise ce rejet dans sa déclaration ministérielle : « *l'État algérien qui a sombré le 5 juillet 1830 doit être restauré hors des structures colonialistes* ». Paradoxalement, l'héritage du GPRA est également contesté. Selon le Programme de Tripoli (1962), le GPRA, en identifiant les institutions étatiques avec celles du FLN, « *réduit ce dernier à ne plus être qu'un appareil administratif de gestion. À l'intérieur, cet amalgame a eu pour effet de dessaisir le FLN de ses responsabilités au profit de l'ALN et, la guerre aidant, de l'annihiler complètement* ». De son côté, la Charte d'Alger, non plus, ne fait pas de concessions au GPRA, qualifié d'« *appareil pléthorique* », de « *bureaucratie politique et militaire* », coupé de la révolution et doté d'une « *autorité fondée sur l'obéissance aveugle des exécutants* », favorisant, finalement, la constitution de « *véritables féodalités* », qui « *se rapprochaient lentement des conceptions politiques et sociales des éléments bourgeois qui avaient accédé à la direction du FLN à partir de 1956* ». Après ce réquisitoire, la Charte d'Alger évoque la « *nécessité de construire un État nouveau* ». En quoi cet État serait-il radicalement différent de ses prédécesseurs récusés ? Il en différera parce qu'il sera l'« *expression des intérêts des paysans et des ouvriers* », plus exactement, « *un corps qui impose(ra) au nom des intérêts des masses laborieuses sa loi aux privilégiés* ». La construction d'un tel État « *passe nécessairement par la prise en main réelle, la transformation effective de l'appareil d'État tant dans ses structures, que dans ses hommes, par le parti* ».

En conséquence de quoi, l'État n'est rien en soi, sinon un « *appareil* », un « *organe* », un « *instrument* » ; le parti est tout : « *l'État, instrument de gestion du pays est animé et contrôlé par le parti qui doit assurer son fonctionnement harmonieux et efficace* ». En définitive, l'État est perçu comme un corps inerte, une coque vide ; c'est le parti, qui, de l'extérieur, en l'animant et en contrôlant son fonctionnement, lui donne

51

un contenu, lui insuffle l'âme et la volonté dont il est, en soi, totalement dépourvu.

Cette conception cache mal ses présupposés implicites au carrefour d'un marxisme vulgaire et de l'utopie autogestionnaire : une conception instrumentaliste de l'État doublée d'une dépréciation idéologico-politique du fait étatique. L'État est un simple instrument de domination, qui porte, fatalement, inscrit dans son « patrimoine génétique », les chromosomes de la dérive bureaucratique. Cette prétendue tare congénitale explique la double nature de l'État telle que la perçoivent les rédacteurs de La Charte d'Alger : « *le pouvoir de l'État est d'un côté le reflet de la volonté populaire exprimée par des élections. Mais d'un autre côté, ce pouvoir d'État s'exprime à travers des organes de gestion bureaucratique sur lesquels s'exercent des contraintes diverses. C'est dans ce secteur bureaucratique qu'essaieront de se réfugier les intérêts, habitudes et routines menacés par la Révolution* ». Autant dire que l'État est un mal nécessaire dont il faut bien s'accommoder, faute de mieux, mais qu'il faut impérativement tenir en laisse.

Cela rappelle les propos d'un des révolutionnaires du siècle dernier, Michel Bakounine, qui écrivait : « *Je n'hésite pas à dire que l'État c'est le mal, mais un mal historiquement nécessaire, aussi nécessaire dans le passé que le sera tôt ou tard son extinction complète, aussi nécessaire que l'ont été la bestialité primitive et les divagations théologiques des hommes... Exploitation et gouvernement sont les deux termes inséparables de tout ce qui s'appelle politique* »[42]. De ces considérations idéologiques, il en est sorti que la construction de l'État n'est pas une priorité. C'est ce que, le secrétaire général du parti, A. Ben Bella, affirme dans son discours introductif au Congrès du parti (16-21 avril 1964) : « *Il faut combattre*, dit-il, *sans répit la tendance de ceux qui affirment que la construction d'un État est un préalable de la révolution. Une telle voie est fausse. Elle aboutirait, si on la prenait, à remettre le pouvoir entre les mains de ceux qui actuellement possèdent la culture et l'expérience politique, c'est-à-dire en gros, aux éléments de la bourgeoisie. Il faut donc dénoncer la théorie de la construction préalable de l'État, démontrer aux masses que c'est la théorie des confiscateurs.* »

Cette inaptitude mentale à se représenter l'État, qui s'est traduite par le renvoi péremptoire de l'impératif de sa construction aux calendes grecques, favorisera une série de glissements de sens, aux conséquences désastreuses sur la mécanique politique. En effet, on insiste sur l'absence de traditions étatiques, on récuse les deux héritages, on pose la nécessité d'un État de type nouveau, mais, dans le même élan lyrique, on décrète que sa construction n'est pas encore à l'ordre du jour. Il reste donc bien un problème de fond en suspens :

en attendant que la construction de l'État soit à l'ordre du jour, en quoi consisterait cette instance transitoire, différenciée et centralisatrice, qui ferait office de cet État sans être un État ? Ni le programme de Tripoli ni la Charte d'Alger ni le secrétaire général du parti ne donne une réponse à cette question. « *Ce qu'on ne peut dire, il faut le taire* » (Wittgenstein). Cette incapacité de dire sera refoulée sous le poids d'un activisme fébrile.

À cette « incapacité de dire », il y a deux raisons essentielles. D'abord, les dirigeants algériens étaient incapables – culturellement – de concevoir autre chose que le système français, qu'ils vouaient aux gémonies et récusaient publiquement. Ensuite, c'est la guerre de libération, qui a créé de toutes pièces ces interlocuteurs et les a hissés au rang de dirigeants de la nation. Convaincus de leur légitimité (révolutionnaire), ils se refusent à céder au légalisme formel. En effet, pour justifier leur pouvoir, le droit est inutile. Dès lors, ils ne parviendront à institutionnaliser qu'un pouvoir politique, sans pour autant construire un État (au sens fort du terme) car la construction de celui-ci est, forcément, un acte de droit.

• *Dans les faits : la reconduction hâtive du préexistant colonial et la réduction de l'État à l'administration*

En 1962, le régime algérien reconduit d'emblée l'héritage colonial. L'appareil administratif français est resté en l'état ; ses organes n'ont pas été détruits et remplacés, mais simplement reconduits. La loi du 31 décembre 1962 reconduit en bloc, jusqu'à nouvel ordre, la législation française en vigueur avant l'Indépendance, à l'exception des dispositions qui heurtaient la souveraineté nationale ou la dignité nationale. Ainsi, pour l'essentiel, les structures politico-administratives algériennes s'inscrivent dans la continuité des structures héritées de la période coloniale. Mais ce n'est là qu'une apparence. Ce qui s'est réellement passé, c'est la greffe, par la violence, sur le corps de la société algérienne, de formes étatiques modernes résiduelles car amputées de leurs fondements et subordonnées à des stratégies et des objectifs en contradiction avec les prémisses de ces formes.

L'État français est d'abord le produit d'un long processus d'incubation amorcé dès le début du XIIe siècle, lorsque Louis VI contraint, par une série d'opérations militaires, les seigneurs du domaine royal, d'Orléans à Senlis, au respect de leurs devoirs féodaux. Il naîtra, par la suite, de la rupture historique provoquée par la grande Révolution de 1789. La Déclaration des droits de l'homme et du citoyen, proclamée le 26 août 1789, consacre la naissance de l'État moderne français.

Considérée, dans ses grandes lignes, ladite Déclaration commence par admettre que « *les hommes naissent et demeurent libres et égaux en droits* » et par affirmer que l'homme a des droits naturels imprescriptibles : la liberté, la propriété et l'égalité[41].

• *La liberté* consiste à pouvoir entreprendre tout ce qui ne nuit pas à autrui. Nul ne doit être inquiété pour ses opinions dès lors qu'elles ne troublent pas l'ordre public. La libre communication des idées et des opinions est un droit.

• *La propriété* est un droit inviolable et sacré, nul ne peut en être privé, si ce n'est au nom de la nécessité publique, légalement constatée, et sous la condition d'une juste et équitable indemnisation.

• *L'égalité* doit être assurée devant la loi, soit qu'elle protège soit qu'elle punisse. À ce titre, tous les citoyens sont également éligibles à toutes dignités, places et emplois publics, selon leur capacité et sans autre distinction que celles de leurs vertus et de leurs talents.

Ce socle paradigmatique de l'État moderne n'est pas inclus dans le transfert de la mécanique politique opéré par les dirigeants algériens. Nous assistons alors à une manœuvre d'escamotage : d'un côté, mise en place d'une formule étatique expurgée de ses fondements (philosophiques, idéologiques et politiques) et, d'un autre côté, déploiement d'une somme d'opérations d'adaptation et de réaménagements arbitraires, ponctuelles et incohérentes visant à anesthésier les effets pervers de ce « détournement historique ». À titre d'illustration : conformément au chapitre V de la Déclaration générale d'Évian, l'exécutif provisoire organise l'élection d'une Assemblée nationale constituante. L'ordonnance du 6 juillet 1962, qui en fixait les modalités pratiques, ne diffère en rien des dispositions légales régissant les élections dans les démocraties libérales. Prévoyant la pluralité des listes, dans le cadre d'un scrutin majoritaire à un tour, son article 12 ajoute que ces listes « *ne peuvent avoir dans les mêmes circonscriptions le même titre ou le même sigle ni être rattachées au même parti ni au même groupement* » ; dans les faits, il n'y eut ni plusieurs listes ni plusieurs partis, mais une liste de candidats désignés par le bureau politique du FLN, parti unique. Par conséquent, adoptant le modèle français (démocratique, libéral et fondé sur le droit), les dirigeants algériens entendaient en même temps et dans un même mouvement instaurer un régime politique (autoritaire, socialiste et fondé sur l'idéologie) posé et affirmé en rupture radicale avec les présupposés de ce modèle. Il suffit pour s'en convaincre de comparer les fondements du système politique algérien à ceux du système de référence.

COMPARAISON ENTRE LES FONDEMENTS
DES DEUX SYSTÈMES POLITIQUES

LES FONDEMENTS DU SYSTÈME ALGÉRIEN	LES FONDEMENTS DU SYSTÈME FRANÇAIS
- Confusion des pouvoirs.	- Séparation des pouvoirs.
- Monopartisme radical.	- Pluralisme réel.
- Administration partisane	- Administration politiquement neutre (sous contrôle du parti).

Dans le discours comme dans la pratique, l'État est identifié à l'administration. Deux conséquences découleront de cette confusion :

- Premièrement, elle favorise la pléthore bureaucratique. L'analyse du budget de l'État algérien de 1963 à 1965 révèle une croissance excessive des dépenses improductives imputables, en partie, à la lourdeur de la machine administrative et, pour une autre partie, à la charge que fait peser sur ce budget, l'armée des fonctionnaires. Il faut préciser qu'une telle évolution de l'appareil bureaucratique diffère considérablement du processus intervenu dans les pays développés où elle s'était déroulée d'une façon beaucoup plus sélective et à un rythme beaucoup moins rapide.

- Deuxièmement, elle pervertit la fonction administrative. La confusion en question conduit, fatalement, à placer la bureaucratie au cœur du procès de distribution des ressources politiques et maté-rielles. À partir de là, la bureaucratie, disposant de pouvoirs et de moyens considérables, ressent le besoin pressant de canaliser à son profit le maximum de ressources. Cette tendance nourrit la confusion entre le statut privé et le rôle public du fonctionnaire, entre l'inter-vention au sein de l'espace public et l'appropriation de cet espace. Nul doute que dans une telle configuration, les formes de solidarité traditionnelle finissent par converger avec les notions modernes de « responsabilité » et de « service public », pour créer un « milieu socio-culturel » où les lois peuvent être appliquées ou non, à la convenance du responsable et selon le statut personnel du solliciteur. En outre, nous assistons à un renversement du sens des déterminations historiques par rapport au procès de modernisation politique, qui a caractérisé les sociétés développées. Dans celles-ci, les élites dominan-tes ont d'abord fait valoir leurs propres ressources matérielles, pour ensuite conquérir des positions de pouvoir politique. En Algérie, c'est au contraire la détention d'un rôle politique et/ou administratif dominant, qui permet l'accumulation des ressources matérielles. C'est dans et à travers ce renversement que se mettent en place les éléments constitutifs d'un système rentier[44].

LA CONSTRUCTION DU SYSTÈME POLITIQUE ALGÉRIEN SOUS LE RÈGNE DU PRÉSIDENT BOUMEDIÈNE (1965-1979)

Le 19 juin 1965, le Président Ben Bella est arrêté ; l'armée, sous le commandement du colonel Boumediène, s'empare du pouvoir. Selon la proclamation du 19 juin 1965, l'objectif des nouveaux dirigeants est de mettre un terme à la « *mauvaise gestion du patrimoine national, la dilapidation des deniers publics, l'instabilité, la démagogie, l'anarchie, le mensonge et l'improvisation... imposés comme procédés de gouvernement* ». Ils entendent assurer « *dans l'ordre et la sécurité, le fonctionnement des institutions en place et la bonne marche des affaires publiques* », tout en s'engageant à « *réunir les conditions pour l'institution d'un État démocratique sérieux, régi par des lois et fondé sur une morale, un État qui saura survivre aux événements et aux hommes* ».

DE NOUVEAUX ACTEURS DOMINANTS POUR UN NOUVEAU JEU POLITIQUE

Si, majoritairement, les membres de la nouvelle équipe dirigeante, issue du renversement de juin 1965, appartiennent à la petite bourgeoisie, on y trouve aussi quelques éléments issus de la bourgeoisie moyenne et de la grosse propriété foncière. Dans l'ensemble trois traits sociologiques caractérisent ce nouveau cercle dirigeant : 1) la prééminence des militaires, 2) la prédominance de l'élément rural ou semi-rural, 3) la domination des régions de l'Est. Concernant le niveau scolaire, la plupart des membres du Conseil ont un niveau primaire ou secondaire.

Ainsi se dessine le profil de ce nouvel acteur politique dominant : fils de la ruralité, qui soit né dans un village ou dans une petite ville à vocation agricole ; fils de l'intérieur du pays, souvent de l'Est, plus fréquemment de zones frontières, des montagnes ou des hauts plateaux, il est issu de la petite bourgeoisie rurale ou semi-rurale et n'a pu suivre que des études primaires ou secondaires. Il ne doit sa promotion politique qu'à son engagement dans la guerre de libération nationale et à son appartenance à l'armée. L'intervention de celle-ci dans le champ politique est dictée par les impératifs inhérents au stade initial de la construction de l'État national en l'absence d'une force sociale susceptible d'imposer sa domination et de prendre en charge cette tâche historique.

Afin de gouverner, les membres de ce « cercle dirigeant » partagent l'exercice du pouvoir avec des personnalités extérieures au groupe, des cadres civils, notamment des hauts-fonctionnaires et des technocrates dont il leur faut disposer sans plus tarder de l'expérience et des compétences. On assiste alors à la montée progressive des technocrates, que les conditions des stades antérieurs de la lutte tenaient à l'écart du pouvoir : « *1965 voit l'investissement du pouvoir par la troisième génération de leaders : après celle des "politiques" et celle des "combattants", celle des "gestionnaires". Les hommes au pouvoir présentent encore, pour la plupart, les caractères de la deuxième génération, mais la classe bureaucratique sur laquelle ils s'appuient et qui les isole du peuple dont ils sont issus, vient de l'Algérie "bourgeoise" et a fréquenté l'enseignement supérieur. Cette distorsion est d'ailleurs à l'origine de certaines crises, comme celle de 1967 (putsch Zbiri). La nouvelle élite s'identifie à l'appareil d'État qui la contient en totalité. Cette "bourgeoisie d'État" tend à se constituer en "classe bureaucratique" à partir du moment où elle tire un parti privilégié de sa position, organise la sûreté et la transmissibilité de ses avantages, développe un système de valeurs qui lui est propre et qui la légitime dans ses fonctions. C'est à partir de ce système de valeurs que les nouveaux dirigeants tentent de construire un État à leur image, sinon à leur usage, en même temps que l'achèvement progressif des contours de cet État les aide à mieux préciser la représentation qu'ils se font d'eux-mêmes* »[45].

En résumé, nous pouvons dire que l'Algérie, de 1965 à 1980, est dominée par un « cercle dirigeant », issu de l'armée, partageant le pouvoir avec un groupe de technocrates politiques chargés des secteurs de la culture, de l'information et de la culture et un groupe de technocrates techniciens en charge de l'industrialisation du pays. Contrairement aux apparences, ce n'est pas un régime militaire au sens strict du terme. L'armée détient un pouvoir qu'elle n'exerce pas et ceux qui l'exercent ne le détiennent pas. C'est une configuration spécifique au sein de laquelle l'armée joue le rôle de force de substitution à des forces sociales absentes ou existantes à l'état embryonnaire.

LES RÈGLES DU FONCTIONNEMENT
ET LE MODE DE REPRODUCTION DU SYSTÈME
POLITIQUE ALGÉRIEN

Pour amortir les effets pervers d'une crise d'hégémonie structurelle, donc permanente du système, il convenait, pour en assurer la stabilité, qu'aucune des factions en présence ne prévale durablement sur les autres, et que toutes puissent s'exprimer en même temps et recevoir quelques satisfactions sous peine de ruiner la coalition hétérogène fondatrice. La primauté revient alors à la figure dominante en charge de la fonction de médiation et de régulation, et dont la position dominante elle-même découle précisément de cet effort continu de rééquilibrage entre les factions coalisées, mais toujours rivales et privées d'autonomie, dans une configuration variable de compromis transitoires.

Le génie de Boumediène est d'avoir su pratiquer avec un art consommé et parfois une élégance indéniable cet exercice d'équilibriste périlleux, connu, en Algérie, sous l'euphémisme de « dosage » : dosage entre les différentes factions et personnalités ralliées dans une conjoncture donnée à sa formule autoritaire. C'est en (con)cédant aux « clans » en présence des parcelles de pouvoirs qui finissent par les opposer, que Boumediène concentre entre ses mains tout le pouvoir. Le système fonctionne alors selon la logique du regroupement par expulsion des éléments (factions ou personnalités) les moins fonctionnels à un moment donné vers la périphérie. À titre d'illustration, en moins d'une décennie (1965-1975), onze personnalités ont été amenées à quitter, pour une raison ou pour une autre, d'une façon ou d'une autre, le Conseil de la Révolution.

Quelle est la réalité sociologique à la base de cette logique de fonctionnement politique ? Pour le savoir, il faut rappeler la nature des acteurs politiques dominants. Hommes en « transit », à cheval sur deux mondes, noyaux détachés de leurs classes d'origine, ils se trouvent en situation de mutation de classe. Pour le moment, ils restent fortement marqués par leurs ancrages militants et/ou guerriers immédiats, par leurs appartenances corporatives. Aussi vont être déterminants dans les comportements et les pratiques politiques de ces acteurs, les réseaux personnels. D'où le fait que le système politique en question fonctionne toujours sur la base de la permanence de coalitions hétérogènes.

C'est la raison pour laquelle, depuis 1962 à nos jours, c'est toujours une coalition hétérogène d'intérêts différents qui, évoluant autour de la figure dominante du moment, force le rapport des forces et impose ses choix à la société. Aussi, le compromis est la règle. D'où cette quête obsessionnelle des solutions médianes, d'une « troisième voie » louvoyant entre les extrêmes et se diluant dans des consensus entretenus.

Au sein de cette coalition, la figure dominante joue un rôle de médiateur/régulateur. Mais, après une période de relative stabilité, les rivalités entres les divers intérêts sont telles, que l'ancienne formule de compromis ne fait plus recette, d'où une situation de blocage ou de crise, très fréquente dans ce type de système. À partir de là, deux situations différentes sont possibles. Le « médiateur » est en mesure d'imposer un nouvel équilibre. Dans ce cas de figure, il va expulser à la périphérie du pouvoir les personnalités les moins fonctionnelles, qui se trouveront souvent nommées ambassadeurs ou bénéficiaires de prébendes (sous forme de crédits), ou injecter dans le jeu politique de nouveaux acteurs puisés dans son « vivier » et contracter de nouvelles alliances (Boumediène en 1971, 1976...).

Résumons-nous. À l'image de tous les régimes dans les pays du tiers-monde, Le régime de Boumediène est un système politique autoritaire (le modèle du parti unique), essentiellement structuré autour de sa personne et fonctionnant selon la logique de la cooptation et de l'allégeance, sur la base d'une coalition hétérogène d'intérêts. Ce système se nourrissait du jeu complexe d'une triple détermination propre à la société algérienne :

- une grande richesse matérielle immédiatement disponible (les hydrocarbures), qui conférait au pouvoir central un poids considérable dans le processus d'allocation des ressources matérielles ;

- une surévaluation de certaines ressources idéologiques (la légitimité révolutionnaire), conséquence directe d'une longue et victorieuse guerre de libération ;

- une très faible mobilisation sociale du fait de la forte atomisation de la société algérienne, qui permettait à l'armée d'intervenir comme une force politique de substitution.

Par voie de conséquence, ce système ne pouvait assurer la régulation des conflits qu'à travers des pratiques déniant toute autonomie aux forces et aux institutions sociales et politiques.

Jusque-là rien de spécifiquement algérien, car à l'époque tous les régimes politiques dans les pays du tiers-monde et dans le bloc socialiste fonctionnaient ainsi. Les masses populaires bénéficiaient également des largesses de l'État à travers une politique sociale généreuse : médecine gratuite, enseignement gratuit, soutien des prix des produits de première nécessité, bourses d'études, distribution de bénéfices dans les entreprises économiques (même moribondes) et emplois garantis. Conformément à cette logique de redistribution du revenu national, la fonction d'allocation des ressources permettait au « cercle dirigeant » d'articuler le centre à la périphérie, tout en maintenant la domination et l'extériorité du premier sur le second.

Enfin, l'extension de la domination du Centre à l'ensemble des champs d'activités a conduit à la formation d'un très large secteur d'État. Aucun espace ni aucun champ d'activité sociale (culture, information, santé, sport, enseignement, recherche scientifique, religion, commerce, santé, transport, etc.) n'échappait au contrôle direct de l'État. Le « capitalisme d'État » est l'aspect le plus visible et le plus massif de cette stratégie d'appropriation étatique des espaces sociaux. À partir de 1967, l'État s'impose comme le premier entrepreneur propriétaire des moyens de production et comme la principale instance d'accumulation du capital.

« LA CONSTRUCTION D'UN VÉRITABLE APPAREIL D'ÉTAT EFFICACE »

La première étape de ce processus commence par l'adoption, le 26 octobre 1966, de la Charte communale. Le Code communal, une fois promulgué par l'ordonnance du 18 janvier 1967, les premières élections municipales sont organisées le 5 février 1967. En 1968, le gouvernement installe le Conseil national économique et social (CNES). L'année 1969 a vu le lancement de la réforme départementale. Le 23 mars 1969, le Conseil de la révolution adopte la Charte de la wilaya. Le Code de la wilaya est promulgué le 23 mai de la même année. Les premières Assemblées populaires de wilaya (APW) ont été élues le 25 mai 1969. En juillet 1974, un découpage administratif augmente le nombre de wilayas, qui passe de 15 à 31.

Une commission nationale consultative chargée de la refonte des différents codes de législation a été installée le 12 mars 1971. Le 5 juillet 1973 ont été abrogées les dispositions de décembre 1962, qui avaient reconduit la législation en vigueur avant l'Indépendance. Le nouveau code civil a été publié en 1975. Le 27 juin 1976, la Charte nationale a été adoptée par référendum avec un taux de participation de 91,6 % et 98,5 % de « oui ». Enfin, le 19 novembre 1976, les Algériens sont appelés à se prononcer sur le projet de Constitution qui leur est soumis. Sur les 7 708 954 inscrits, 7 074 904 votent « oui » et seulement 57 922 disent « non ». Le 10 décembre 1976, les Algériens retournent aux urnes pour élire Boumediène (candidat unique) à la présidence de la République. Le processus s'achève le 25 février 1977, par l'élection de l'Assemblée populaire nationale (APN).

DÉVELOPPEMENT ÉCONOMIQUE ET ÉLÉVATION DU NIVEAU DE VIE DES POPULATIONS

Trois plans de développement successifs vont mettre en œuvre la « stratégie algérienne de développement » : un plan triennal (1967-1969) et deux plans quadriennaux (1970-1973 et 1974-1977). Le premier plan quadriennal se distingue déjà par le volume des investissements : 33,1 milliards de dinars, avec pour objectif un accroissement de 37 % du PIB. Lors du second plan quadriennal, les investissements s'élèveront à 110 milliards de dinars. C'est un niveau d'investissement jamais atteint jusqu'alors dans aucun pays du monde, en un laps de temps aussi court : près de 28 % du PIB en 1969 et plus de 50 % en 1977. Le secteur industriel se taille la part du lion : 45 % de la somme globale investie lors du premier plan et 43,5 % lors du second, contre 15 % seulement pour l'agriculture dans les deux plans. Les résultats de ce gigantesque effort d'investissement sont palpables. L'Algérie s'est couverte de chantiers pendant cette période. Des centaines d'usines voient le jour. L'Algérie se donne les moyens de fabriquer des tracteurs à Constantine, des camions à Rouïba, des moissonneuses-batteuses à Sidi Bel-Abbès, de l'acier à El Hadjar... Elle liquéfie le gaz naturel Arzew et raffine du pétrole à Skikda et à Alger.

En deux décennies, l'Algérie a pris place parmi les puissances économiques du bassin méditerranéen. Son PIB (36 milliards de dollars en 1980), la plaçait immédiatement après l'Espagne, à égalité avec la Turquie et la Yougoslavie, devant la Grèce, le Portugal, le Maroc et l'Égypte. À la même année, le revenu par tête d'habitant était de 1 935 dollars, le double de celui du Maroc voisin. Ces vingt ans de croissance accélérée se sont aussi traduits par une amélioration incontestable du niveau de vie des populations. Plus de 600 000 emplois ont été créés. De 1966 à 1987, la part des logements reliés au réseau d'eau courante est passée de 34 % à 60 % ; celle bénéficiant de l'électricité est passée de 30,6 % à plus de 72 % ; celle de la population possédant au moins un appareil de télévision passe de 4 % à 60 %. Le nombre de médecins est passé de 1 219 en 1963 à 17 760 en 1987 ; celui des pharmaciens, de 204 à 1 752 et celui des chirurgiens dentistes de 151 à 5 684. En matière d'enseignement, l'effectif est passé de 809 000 en 1963-1964 à plus de 5 millions en 1987-1988, dans le primaire et lau collège ; celui du secondaire est passé de 19 500 à 600 000 durant la même période ; enfin, celui du supérieur est passé de 2 800 à 174 000.

Boumediène est incontestablement un des géants de notre histoire récente. Mais, « un colosse aux pieds d'argile ». Son mérite et son point fort, c'est, surtout, d'avoir apporté à l'Algérie un élément essentiel dans le devenir des nations : un projet de société qui, porté par une vision globale et une stratégie sur le long terme, s'inscrivait dans le cadre d'une trajectoire historique réfléchie. Paradoxalement, ce point fort était aussi son talon d'Achille. Ce projet, Boumediène l'avait conçu à la mesure de ses ambitions ; il portait le sceau de sa personnalité. Et, c'est là, justement, que réside la source de sa faiblesse et de son extrême vulnérabilité. Nous eûmes un homme en lieu et place d'un État : la personnalité a supplanté la politique et le charisme la stratégie. À cela, il faut ajouter que les années soixante-dix ont été marquées par l'apogée des idéologies séculières de gauche et la montée du mouvement de libération nationale.

Si l'on s'en tient à l'appréciation objective des faits historiques, le constat qui s'impose est paradoxal : les plus grands succès de Boumediène – la nationalisation des hydrocarbures, l'édification d'une puissance économique régionale, l'utilisation de l'arme du pétrole contre les puissances occidentales, la revendication d'un nouvel ordre économique mondial, le dialogue Nord-Sud, le renforcement du mouvement des non-alignés – ont projeté l'Algérie sur le devant de la scène mondiale comme un potentiel de puissance régionale à contenir. Si tous les pays arabes, notamment les monarchies du Golfe, ont tiré profit de ces réalisations, l'Algérie en paiera le prix fort. On ne lui pardonnera pas son refus de l'ordre international établi. C'est dès ce moment, que les puissances occidentales ont inscrit l'Algérie sur la liste des régimes à abattre. Et ce n'est pas pour rien, si à la faveur de l'effondrement du bloc socialiste, les pays du Sud qui ont fait les frais de la mise en place du nouvel ordre mondial sont : L'Algérie, l'Égypte, l'Irak, l'Inde et la Yougoslavie. Ces cinq pays étaient à la tête du mouvement des non-alignés, de la lutte anti-impérialiste et représentaient un « potentiel de puissance régionale » susceptible de remettre en cause les équilibres stratégiques souhaités par les « nouveaux maîtres » du monde. Si on n'intègre pas dans l'analyse cette donnée géopolitique on ne comprendra pas pourquoi la violence islamiste a atteint en Algérie un niveau qu'elle n'a atteint nulle part ailleurs dans le monde musulman.

Nous le savons, maintenant, le trépas des « César » est éminemment significatif. La réaction des multitudes au décès de leur guide offre à ceux qui savent lire le réel à travers son déploiement symbolique des vérités précieuses, même si partielles. Et, nous n'ignorons pas ce que fut l'enterrement de Boumediène. Il fut porté en terre par des nuées ardentes, dans une douleur indicible. Ce jour-là, des foules innombrables déferlent dans les artères de la capitale, plus triste encore d'être endeuillée, pour accompagner le « Père » dans ce voyage vers sa dernière demeure. Funérailles grandioses ; en l'espace de quelques jours, les Algériens ont crié avec la violence d'un séisme leur attachement à cet homme qui, surgi de l'ombre des maquis, a exprimé à travers son verbe acéré et son action fébrile, leurs pulsions les plus intimes.

L'émotion démesurée soulevée par sa mort était à la mesure de la double et permanente frustration historique de la société algérienne, celle de la liberté et celle de la dignité et, Boumediène en fut, plus d'une décennie durant, l'incarnation d'airain. À leurs yeux, il fut « l'andalousien de cette ère américano-saoudienne », qui défia, en 1971, le cartel des multinationales pétrolières et récidiva, en 1974, obligeant les grands de ce monde à discuter de l'exploitation économique, qui anémiait les deux tiers de l'humanité.

Pour les masses populaires, mises en branle, Boumediène, seul, – qu'elles distinguaient, d'ailleurs, soigneusement, de son entourage –, leur a permis de desserrer l'étau d'une hiérarchie sociale inflexible et de marcher, en ordre serré et parfois même dans l'arrogance, vers le bien-être et la dignité. Mais, cette réalité fusionnelle avait un coût considérable et des conséquences, qui minaient déjà ses prémisses. Ce coût est celui de la puissance du « charisme », qui tient aux vertus d'un homme. Ce dernier disparu, tout est à refaire. Mais où trouver pareil dirigeant ? Boumediène avait ramené la stabilité et la prospérité dans un pays longtemps ravagé par la pauvreté et qui avait connu bien trop de violence.

Nul doute, sous le règne de Boumediène, ce pouvoir central disposait d'une forte base de soutien populaire, mais, il faut le préciser, seulement dans le cadre d'une citoyenneté passive, car l'adhésion des gouvernés au système se focalisait exclusivement sur les résultats (outputs) de l'activité étatique. C'est dire que cet État, sans base de légitimation propre ni même de justification morale, était condamné, pour assurer sa reproduction, à l'efficacité autant dans sa fonction de régulateur du procès d'accumulation que dans sa fonction de distributeur de ressources matérielles (redistribution du revenu national) et de la sécurité. Mais, cette efficacité s'avère incertaine, compte tenu des limites réelles du clientélisme d'État.

L'accumulation du capital et la (re)distribution des ressources sont exclusivement assurées par les revenus pétroliers et le recours aux capitaux étrangers, causes principales de la dépendance de l'économie algérienne à l'égard des firmes et des banques occidentales. Les hydrocarbures représentaient près de 97 % de la valeur des exportations et le montant de la dette extérieure, en 1980, s'élevait à environ 23 milliards de dollars (US). Le service de la dette par rapport aux recettes d'exportation a fait un bond spectaculaire de 1976 à 1979, en passant de 14,5 % à 27 %. En même temps, la dépendance alimentaire s'est considérablement accrue.

Les importations de denrées alimentaires sont passées de 800 millions de dollars (US) en 1965 à plus de 7 milliards de dollars (US) en 1980. La couverture de la demande alimentaire par la production nationale est tombée à 55 % en 1973, puis à 35 % en 1977 et à 30 % au début des années 1980. La balance commerciale agricole s'est détériorée dans les mêmes proportions. Alors que les exportations de produits agricoles équilibraient à 80 % les importations du même type pendant le plan triennal 1967-1969, elles en couvrent à peine 10 % en 1980.

Qu'est-ce à dire sinon que cette double fonction (accumulation et distribution) est totalement subordonnée aux impératifs du marché capitaliste international. La « stratégie algérienne de développement » ne fut que l'expression d'une intrusion forcenée par la « mauvaise porte », dans la division internationale du travail, qu'elle prétendait infléchir à son profit à travers une politique de récupération des ressources énergétiques. C'est dans ce cadre, qu'il faut situer les efforts déployés par l'Algérie, dès les années 1970-1971, pour s'affirmer sur la scène internationale. À la IVe Conférence au sommet des pays non-alignés, (5-9 septembre 1973), la délégation algérienne présente un rapport sur le pétrole et les matières premières, qui renfermait déjà l'idée d'un nécessaire « nouvel ordre économique mondial ». En avril 1974, l'Algérie propose et obtient la tenue d'une session extraordinaire de l'Assemblée générale de l'ONU sur les matières premières et le développement. C'est à cette occasion, que Boumediène définira, dans un discours remarquable, le concept de « nouvel ordre économique international ». C'est aussi l'Algérie qui, en 1975, lance l'idée du « dialogue Nord-Sud ». Cet investissement massif de Boumediène sur la scène internationale s'intensifiait au fur et à mesure qu'il sentait sa politique économique coincée, de plus en plus, entre les impératifs du système économique international dominé par les puissances occidentales et ceux de la reproduction de sa propre hégémonie sur la société.

Comment le système politique en place a-t-il réagi face à ces limites structurelles qui risquaient, à terme, de compromettre sa reproduction ? Il n'y avait d'autre issue, que de convertir ces limites en simples contraintes ou nécessités fonctionnelles, de sorte que la conviction partagée que l'État n'a pas de justification morale ne fasse place à celle de son immoralisme, forme première de la négation de l'État. Ce n'est que dans l'idéologie, qu'un tel renversement est possible. Mais, l'efficacité proclamée et le charisme entretenu sont des « vertus » qui ne se justifient que par un ensemble de principes éthiques (refoulement du politique) et ne produisent que des effets pratiques. Ces principes éthiques (fraternité, solidarité nationale, justice sociale...) sont trop fragiles et trop ambigus pour constituer le socle d'une idéologie cohérente et efficace. Par ailleurs, l'hétérogénéité de la coalition au pouvoir et le mode de fonctionnement du système interdisaient toute cohérence sur ce plan.

En résumé, le système s'abreuvant à la source d'une éthique communautaire, ne pouvait se doter d'une idéologie cohérente. D'où l'extrême méfiance que ce système nourrissait à l'endroit des débats théoriques et de toute activité intellectuelle éclairée (rationnelle) et, partant, vis-à-vis de ses supports humains, les intellectuels critiques.

Il s'épuisera alors dans un « bricolage idéologique » en puisant dans le système de valeurs dominant, dans le stock des traditions disponibles (l'islam) et dans l'idéologie alors dominante au sein du mouvement de libération nationale (nationalisme, socialisme, populisme...). Ainsi, commence la quête d'une synthèse ruineuse, parce qu'impossible. C'est ce qui explique que tout au long de son règne, Boumediène va accorder aux rejetons attardés des Ulémas, le monopole de la gestion de l'identitaire, de la culture, de l'information et de l'éducation. D'aucuns n'ont voulu voir dans ces accointances du « révolutionnaire » avec les conservateurs que la manifestation d'un simple compromis tactique. En réalité, il n'en est rien de cela. Il s'agissait bel et bien d'une alliance stratégique née d'une convergence d'intérêts réels au sein du bloc dominant entre la fraction radicale de la petite bourgeoisie d'extraction rurale et les reliquats de la bourgeoisie citadine traditionnelle.

L'industrialisation et la modernisation, qui en découlent, objectivement, libèrent un processus de rationalisation et de sécularisation dans la société en général et dans les institutions politiques et culturelles en particulier. La rationalisation (des modes de penser, d'agir et de sentir) et la sécularisation (des institutions politiques et culturelles) sont les deux vecteurs historiques de la modernité. En Algérie, nous fûmes témoins de la mise en œuvre d'une stratégie, qui visait à mettre la société (la conscience sociale, la culture et les institutions) à l'abri des effets rationalisant et sécularisant de l'industrialisation/ l'urbanisation.

C'était une stratégie de refoulement de la modernité. C'est là, que se trouve la base de la convergence des intérêts de Boumediène et des tenants de « l'islamo-nationalisme ». Le premier voulait immuniser la société contre les germes de la modernité porteuse de l'exigence citoyenne (démocratique, pluraliste), que son autoritarisme et sa mégalomanie ne pouvaient tolérer ni souffrir. Les seconds voulaient éviter que cette rationalisation et cette sécularisation générées objectivement par l'industrialisation/l'urbanisation ne s'étendent, au-delà de la sphère matérielle de la société, à la culture et aux consciences individuelles, ce qui aurait eu pour conséquence l'éclosion d'une conscience sociale libérée de son enveloppe religieuse et l'affirmation consécutive de consciences individuelles tournées vers la modernité et ouvertes sur l'universalité, donc la ruine du cadre même de leur légitimité/crédibilité.

Par conséquent, il ne s'agit guère ici d'une alliance, au sens de compromis entre deux acteurs politiques différents, qui s'acoquineraient, momentanément, pour le bien d'un bénéfice également partagé. Ce dont il est question, c'est d'une homologie entre différentes expressions idéologiques reposant en concordance sur un seul et même socle culturel sous-jacent. Le socialisme petit bourgeois de Boumediène, dont il faut aller chercher la source dans l'« égalitarisme communautaire paysan » et l'« islamo-nationalisme », qui puise sa cohérence dans l'échec de la bourgeoisie traditionnelle face à la domination coloniale, dérivent d'une même matrice de sens et de représentation : la société néo-patriarcale et sa superstructure religieuse[46].

De ce point de vue, qu'importe si le nationalisme de l'un fut « jacobin » et celui de l'autre « girondin » ; qu'importe aussi, si l'islam de l'un fut « révolutionnaire » et celui de l'autre « réformiste », sinon franchement « réactionnaire ». L'un et l'autre ne furent que deux expressions différentes d'une même matrice de sens, celle de la société néopatriarcale, dans l'infinie variété de ses nuances.

La nature du système politique et les contradictions dans la démarche de sa « figure de proue », Boumediène, obnubilé par les impératifs de la construction d'un État fort, ont grippé le processus de rationalisation et de sécularisation induit par le couple industrialisation/urbanisation. De sorte que la stratégie de développement national, qui était sur le point de propulser la société algérienne dans l'ère de la modernité, verrouillée sur le moment éthique, s'est essoufflée, cédant ainsi le pas devant les structures mentales et de comportements archaïques, sans cesse revivifiées par des appareils de socialisation et de production de sens livrés en pâture aux tenants de l'islamo-nationalisme et/ou de l'islamo-arabisme qui, aux yeux de Boumediène, incarnaient le mieux les valeurs de l'éthique communautaire à la source du « contrat moral », qu'il a établi avec ses sujets. Ainsi, s'est élargi le retard du mental sur le matériel, hérité de la période coloniale.

Il convient d'ajouter que les formes de conscience sécularisées étaient confinées à quelques îlots dans l'étendue des couches moyennes urbaines. Le reste de la population, – ruraux « dépaysannisées » dans l'immensité rurale et néo-urbanisés (ou « rurbains ») dans les périphéries urbaines – inséré dans des formes de solidarité traditionnelle, était immergé dans l'idéologie islamo-patriarcale, la religion demeurant l'instance dominante à travers laquelle la majorité des individus accédait à la représentation d'eux-mêmes et du monde. C'est dire que dans la formation sociale algérienne, les représentations religieuses et les pratiques correspondantes restent le champ moteur/dominant dans la production du sens. C'est pourquoi, d'une part, le bloc dominant y puisait les thèmes susceptibles de légitimer sa domination et que, d'autre part, il conditionnait les représentations des dominés. Par intérêt de classe, que condensait le souci permanent de congédier la modernité, donc d'entraver le processus d'éclosion de l'individu autonome, par religiosité tactique, mais aussi, il faut encore le préciser, souvent par indigence intellectuelle et idéologique, la petite bourgeoise dominante s'est trouvée dans l'incapacité d'instituer un fondement de loyalisme et d'identité politiques durable et efficace, autre que les valeurs de l'éthique néopatriarcale sur lesquelles reposait le « contrat » entre le « prince » et ses sujets. Autrement dit, le bloc dominant était dans l'incapacité d'accoucher d'une identité nationale commune et d'un loyalisme politique nouveau, en rupture avec l'identité et le loyalisme religieux traditionnels. D'où le refus d'opter pour le « socialisme scientifique » avec toutes ses implications philosophiques et idéologiques. Et, quand les dirigeants s'en réclamaient, c'était pour l'amalgamer aussitôt à l'héritage islamique : « *Le socialisme en Algérie ne procède d'aucune métaphysique matérialiste et ne se rattache à aucune conception dogmatique étrangère à notre génie national. Son édification s'identifie avec l'épanouissement des valeurs islamiques qui sont un élément constitutif de la personnalité algérienne* »[47].

• Trois conclusions s'imposent :

Premièrement, le courant dominant politiquement, la fraction radicale de la petite bourgeoisie d'extraction rurale, ne l'était donc pas sur le plan culturel. C'est là l'aspect le plus singulier de l'expérience algérienne post-coloniale : d'un côté, une idéologie politiquement dominante (le populisme[48]) sans être culturellement hégémonique ; de l'autre, une idéologie (l'islamo-nationalisme) culturellement hégémonique sans être politiquement dominante. Nous savons que le nationalisme algérien n'est jamais parvenu à se libérer de ses prémisses religieuses. Nous savons, également, que le binôme Boumediène/Taleb Ibrahimi est en cohérence avec une stratégie de

« modernisation sans modernité ». C'est tout cela qui explique qu'un monopole sur la culture (l'identitaire) sera exercé au profit du pôle salafiste ou de l'ancrage religieux du nationalisme et ce, dans un contexte politique apparemment très peu consonant avec lui. En effet, conformément à une division du travail, qui s'est précisée au fil des années, le premier (Boumediène) se concentre sur la mise en place d'un système de domination politique, laissant au second (T. Ibrahimi) et à ses pairs le soin de gérer par procuration le culturel (l'éducation et l'information) et le sacré. Ces derniers occupèrent alors une position hégémonique dans la gestion de l'identitaire et des biens du salut et tirèrent profit de la stratégie mise en œuvre (étatisation du champ religieux, monopole de l'État sur l'éducation, l'information et l'édition, arabisation...), qui leur a permis d'exclure, durablement, tous leurs concurrents du marché des valeurs symboliques. La culture est devenue l'otage du courant néo-conservateur. Si Boumediène régnait politiquement, les héritiers des Ulémas dominaient culturellement.

Deuxièmement, c'est, paradoxalement, au moment où le nationalisme se radicalise, fait jonction avec le socialisme (identifié à l'expression des aspirations populaires), qu'il réactive, le plus intensément, ses prémisses religieuses, dans le but évident de transférer sur l'État, le potentiel d'identité et de solidarité inhérent à la foi. Autrement dit, tout en consolidant les fondements de son assise politique, Boumediène, à son corps défendant, pave la voie à l'islamo-nationalisme qui, par touches successives, finira par devenir culturellement hégémonique. En d'autres termes, le règne de Boumediene c'est, d'une part, une domination politique à noyau fonctionnel séculier dans l'écorce d'une idéologie populiste et, d'autre part, une hégémonie culturelle à fondement religieux dans l'écorce d'une idéologie de la spécificité à vocation nationaliste. Pour comprendre la relative stabilité de cette « synthèse » et du duopole à travers lequel elle s'exprime, il faut faire appel à la distinction proposée par A. Tocqueville (1805-1859), dans son livre, *l'Ancien Régime et la Révolution*, entre « les passions générales et dominantes » et les « croyances dogmatiques ». Les premières cherchent toujours à se légitimer dans les secondes. Dans l'Algérie « socialiste et révolutionnaire », légitimer la passion pour l'égalité et la justice sociale, c'est montrer que le socialisme est conforme à l'islam. Nous trouvons une parfaite illustration de cet effort de conciliation entre les passions et les croyances dans un « tiré à part » de *l'Unité*, journal de l'Union nationale de la Jeunesse algérienne (UNJA), diffusé à l'occasion du Ramadan 1981. Nous y trouvons deux essais : le premier, sous le titre de *Islam et Révolution Agraire, le Royaume de Dieu face à l'égoïsme des nantis* ; le second, consacré aux *Qarmates,* précise les contours d'un « *Islam des opprimés* » par opposition à celui des « *Nantis* ».

C'est seulement au niveau des « élites », que les « passions générales et dominantes » et les « croyances dogmatiques » peuvent s'affronter violemment. Mais, compte tenu de la nature autoritaire du régime, qui maintenait, hors du débat public (autorisé), le politique et l'idéologique, c'est à travers le prisme du culturel que vont se manifester des luttes idéologico-politiques. Ces luttes, *via* le couloir culturel, sont confinées aux cercles restreints des élites et ne gagnent pas encore les multitudes. D'abord, parce qu'au sein des populations, immergées dans l'idéologie islamo-patriarcale, les « passions générales et dominantes » se fondent « instinctivement » dans les « croyances dogmatiques » et se confondent avec elles ; ensuite, parce que les « élites » sont coupées des masses, fortement atomisées par les effets de la double détermination du politique (gauche/droite) et du linguistique (arabisant/francisant) et dépendantes du pouvoir politique. En réalité, tout l'édifice reposait sur la congruence entre la « conscience religieuse quiétiste » des masses et le clientélisme d'État.

Troisièmement, le pouvoir de Boumediène reposait sur un consensus fragilisé par des limites externes et des contradictions internes. Ce consensus ne reposait que sur un principe fonctionnel, celui propre à toute forme de clientélisme d'État. Ce dernier n'est susceptible de sanctionner la politique du Président, que du point de vue de ses seuls résultats et non de fonder, idéologiquement, une légitimité. D'où la rupture entre un « État privatisé » et une « société étatisée », que ne parvenait à compenser que le charisme du Président. Il en résulta un système à configuration particulière : d'un côté, un mode de domination politique structuré autour de la personne de Boumediène adossé à l'armée (qui subit également sa domination), à une multitude d'appareils bureaucratiques d'encadrement politique et à un dense réseau de loyalisme fonctionnant au couple cooptation/allégeance ; d'un autre côté, ce qui faisait figure de société (dite civile), une somme de groupes sociaux (l'individu étant inexistant) dépourvus d'institutions autonomes et d'expressions propres. Entre les deux, pratiquement pas grand chose, sinon un « contrat moral » entre la personne du « leader » et les « masses ». Ce qui revient à dire que nous sommes face à une société qui, rivée sur le moment éthique, n'a pas encore accédé à la dimension politique et à un État réduit à une simple technologie de domination politique.

En résumé, toutes les conditions objectives nécessaires à l'éclosion d'un mouvement de contestation politique d'extraction religieuse et à l'irruption de la violence comme moyen d'expression sont déjà en gestation : une majorité importante de la population (la jeunesse) ex-clue, au nom d'une légitimité révolutionnaire, du partage du pouvoir et de l'« avoir », un équilibre systémique réalisé aux prix d'une redis-tribution du revenu national, une conscience commune encore pri-sonnière de son enveloppe religieuse et rivée sur le moment éthique, une poussée étatique bridée, une légitimité fragile. Qu'est-ce à dire, sinon que la petite bourgeoisie, menée à pas pressés par Boumediène, échoua à construire un État moderne, faisant ainsi le lit de sa propre défaite historique. Elle n'est parvenue qu'à emprisonner la société naissante dans le carcan de la nation, pour, finalement, dissoudre celle-ci dans le soluté de la foi, pavant de la sorte la voie à l'islamisme.

ALGÉRIE 1980 - 1990/ RUPTURE DES ÉQUILIBRES, BIFURCATION SOCIÉTALE ET REFUS DE L'ÉTAT

C'est une régularité sociologique connue : plus une société est soumise à des mutations intenses, plus les tensions en son sein sont vives. Or la formation sociale algérienne a été, en l'espace de deux décennies (1960-1970), bouleversée de fond en comble. Il ne s'agit pas ici d'analyser tous ces bouleversements, mais d'en préciser seule-ment quelques tendances lourdes.

C'est une citoyenneté négative, au sens de négation de l'État, qui prendra progressivement corps et sens dans l'enveloppe d'une « conscience religieuse militante » à la cristallisation de laquelle contribuera une « intelligentsia plébéienne », produite par les « effets pervers » de la démocratisation de l'enseignement et de son arabisa-tion, par l'exclusion scolaire et les verrouillages des opportunités de promotion catégorielle, notamment par la fermeture du marché de l'emploi. C'est dans l'altération du rapport vécu des populations à l'État qu'il faut chercher la clef explicative de la jonction entre les élites islamistes et le mouvement de protestation sociale. Et les masses vivent ce rapport non pas sur le registre de la politique, mais, exclusivement, sur celui de la morale. La paupérisation, la marginalisation et l'exclusion sociale ne sont pas les causes immédia-tes de la montée de l'islamisme radical. Elles constituent, d'abord, des ingrédients propices à l'éclosion d'un procès fondamental de dévalorisation morale de l'État, puis de sa négation.

Il n'est pas dans nos propos d'étudier cette nouvelle politique dans le détail mais le rappel de ses grandes lignes et de ses conséquences est nécessaire pour la compréhension du mouvement d'ensemble de la société algérienne durant cette décennie. Précisons qu'il s'agissait d'une politique de mise en crise de l'économie nationale à travers trois grandes mesures initiées par Abdelhamid Brahimi :

- L'arrêt des investissements productifs : au cours de sa session de décembre 1979, le Comité central du FLN décide que les choix économiques antérieurs doivent être révisés. Un Congrès extraordinaire du FLN fut convoqué (juin 1980) pour élaborer une nouvelle politique économique ; une critique systématique de la période précédente dite synthèse du bilan économique et social de la décennie 1967-1978 fut adoptée en même temps qu'un nouveau plan quinquennal de développement. « Il faut faire une pause, laisser l'économie souffler, gérer sainement ce qui existe déjà et achever les "restes à réaliser" des deux plans précédents ». Au nom de ces « recommandations », des projets industriels de grande envergure sont différés ou simplement annulés (la seconde usine de sidérurgie, le port et la centrale thermique de Jijel, le projet d'une autre usine de liquéfaction de gaz naturel et le complexe aluminium de Msila).

- La restructuration des sociétés nationales : les sociétés nationales furent éclatées en une multitude d'unités autonomes aux dimensions plus réduites. Le découpage des grandes entreprises publiques a été en partie effectué en 1980 et 1981. À titre d'illustration, le décret du 4 avril 1980 scindait Sonatrach en quatre entreprises. La restructuration de Sonatrach devait déboucher sur la création de dix entreprises autonomes.

- La restructuration du secteur agricole : à partir de 1981, le ministère de l'Agriculture et des Pêches procède à une restructuration des domaines autogérés et des coopératives de la révolution agraire (CAPRA) à travers l'unification du domaine public, qui ne comprendra désormais que des domaines agricoles socialistes (DAS). La taille moyenne des exploitations issues de cette restructuration foncière est ramenée de 1 140 hectares à 770 hectares par la création de 3 000 DAS. Les coopératives de la révolution agraire disparaissent. Une bonne partie des terres du secteur coopératif, soit environ 700 000 hectares, sont distribuées en lots individuels aux coopérateurs ou restituées à leurs propriétaires initiaux. Dans la foulée, les coopératives agricoles polyvalentes de commercialisation et de service (CAPCS) disparaissent. Les prix et la commercialisation des produits agricoles sont libéralisés. La loi d'août 1983 portant accession à la propriété foncière agricole, visant la mise en valeur de toute terre non distribuée relevant du domaine public, a permis à certains de s'accaparer d'importants lots de terre.

L'œuvre de restructuration ne s'est pas limitée aux secteurs économiques productifs, loin de là, très vite, elle s'étend au « social » puis au « culturel » et de là à l'idéologique et au politique.

- Au plan social : on procéda à la refonte du système de sécurité sociale dont la gestion fut transférée à une administration centrale, en l'occurrence au « ministère de la Protection sociale ». Une part des cotisations fut attribuée au budget de l'État, afin de financer les hôpitaux. On réforma la médecine gratuite, dans la perspective d'une mise en place d'un système de soins entièrement payant. Les entreprises publiques furent contraintes à se délester du « social » (transport des personnels, restauration, coopératives, colonies de vacances...). Le but de toutes ces mesures fut d'amener les gens à payer leurs soins, leurs transports et leurs loyers. À ce propos, on rectifia les lois relatives à la propriété immobilière. Dans la cadre d'une politique dite de « cession des biens de l'État », les biens immobiliers de l'État furent mis en vente.

- Au plan culturel : le système d'éducation et de formation qui avait été conçu pour répondre aux besoins sans cesse croissants d'une stratégie de développement basée sur une industrialisation intensive fut remis en cause. Sauf pour l'enseignement primaire, toutes les prévisions furent revues à la baisse. La « nouvelle carte universitaire » jugée trop dense fut allégée de plusieurs projets de centres universitaires régionaux. De nouveaux critères de sélection à l'entrée de l'université (le choix des filières) furent instaurés. Le soutien aux prix des livres fut supprimé.

- Au plan idéologique : la nouvelle société envisagée n'a plus besoin de ces masses en mouvement qui avait permis le lancement de l'autogestion, de la révolution agraire et des plans de développement ; elles carburent trop à l'émotionnel et se plient difficilement aux nouvelles conditions de mise au travail. Travail et rigueur suffisent. La nouvelle société est censée fonctionner à l'économique et le pragmatisme ne doit pas s'encombrer d'idéologie. « Désidéologiser » revenait à extirper du nationalisme de la période précédente, son potentiel populiste radical tourné contre les inégalités sociales. C'est par une série de « déconnotations » progressives des principales catégories de ce nationalisme radical que se constitue le nouveau champ notionnel de légitimation et que se construit le nouveau discours politique qui, désormais, va se structurer autour de deux pôles opposés : un populisme primaire et moralisateur en matière politique et un pragmatisme agressif en matière d'économie. C'est le règne de la duplicité, du double langage derrière lequel se profilait l'ombre d'un libéralisme honteux, qui évitait systématiquement d'avancer à visage découvert de peur de s'attirer les foudres des couches populaires attachées à une gestion populiste de la société et de l'économie ou de faire éclater la vaste coalition des divers intérêts dont il est l'expression. Le résultat en fut un discours incohérent et dissocié, balbutiant et discordant, que tissaient des pièces éparses, lambeaux bigarrés et arrachés à la hâte de tissus idéologiques différents et contradictoires. Certains éditorialistes de service, promus à l'occasion au rang de maître tailleur, furent chargés de la confection finale et de la commercialisation de ce patchwork idéologique.

- Au plan politique : pour désamorcer toute velléité de résistance et désarmer l'opposition, Chadli usa de subterfuges fallacieux, en appela à divers procédés de dissuasion et n'hésita point à user au besoin du bâton ; l'objectif étant de maintenir l'équilibre politique sur lequel reposait l'unité fragile de la coalition hétérogène au pouvoir et d'éviter à tout prix la jonction entre les courants d'opposition radicale (de gauche) avec le mouvement de masse. L'instrument privilégié de cette stratégie a été l'application du fameux article 120 des statuts adoptés par le FLN lors de son Congrès extraordinaire en juin 1980. Désormais, seuls les militants structurés au sein du FLN peuvent assurer des responsabilités au sein des organisations de masses. En décembre de la même année, la quatrième session ordinaire du Comité central du FLN confirme cette orientation. Ces nouvelles règles du jeu politique ôtent toute fonctionnalité aux organisations de masses (UGTA, UNPA, UNFA, UNJA) qui, désertées de leurs membres et livrées aux carriéristes, ne sont plus que l'ombre d'elles-mêmes. Ainsi verrouillé, le système politique se ferme à toute négociation et réduit à néant sa capacité à intégrer les « demandes » en provenance de la périphérie. Toutes les demandes (politiques ou économiques, sociales ou culturelles) qui sont porteuses de clivages susceptibles de menacer l'ordre établi sont marginalisées, déclarées illégitimes, intraitables par le système en tant que tel et réprimées. Rien d'étonnant à ce que la violence s'impose, progressivement, comme seule et unique issue à ces demandes contradictoires refoulées.

LA BIFURCATION SOCIÉTALE ET LA NÉGATION DE L'ÉTAT

La politique de désengagement de l'État ira très rapidement à l'Infitah, profitant exclusivement à une minorité : barons du secteur public, aux gros trabendistes et autres spéculateurs. Les deux premiers firent fructifier la rente de situation que leur fournissait la place qu'ils occupaient dans l'État, le parti et les entreprises publiques. Ils prélevèrent une dîme sur chaque marché, firent main basse sur les biens immobiliers de l'État déclarés « biens cessibles » (logements de fonction, villas et même certains édifices classés) et s'accaparèrent des terres (terrains destinés à la construction et terres agricoles dans la cadre de la loi portant « accession à la propriété agricole »). C'est un véritable pillage programmé à travers la transformation du pouvoir en propriété (en capital). En même temps la corruption s'institution-nalise et se propage. Cette bourgeoisie fait bon ménage avec les gros trabendistes et autres spéculateurs qui ont, eux, acquis leurs milliards dans le cadre de l'économie parallèle (marché noir, le change parallèle, spéculation sur les produits...). Ces nouveaux riches s'enri-chissent rapidement et dépensent avec ostentation. Ils préfèrent, selon l'heureuse formule d'un économiste belge (...), « *l'accumulation des plaisirs aux plaisirs de l'accumulation* ». Affairistes, dispendieux et « maffieux » dans l'âme, ils ont vite déteint sur les êtres et sur les choses, sur le bâti et sur la friche, sur les mots et sur les rêves.

À l'autre extrémité, la majorité de la population renoue avec les affres de la pauvreté et de l'exclusion sociale. Le nombre de chômeurs augmente rapidement, les revenus et le pouvoir d'achat des salariés s'érodent très vite. 50 000 postes de travail sont supprimés en 1986. En 1987, près de 1,5 million de « sans travail » sont recensés (9 % de la population active). En 1990, le nombre des chômeurs dépasse la barre des deux millions. À la fin du règne de Chadli, plus de quatre millions de personnes sont sans revenus et 10 millions à faibles ressources. En d'autres termes, 14 millions de personnes, plus de la moitié de la population totale, subissent les effets de la paupérisation absolue. Les couches moyennes voient aussi leurs conditions économiques se dégrader durant les années quatre-vingt.

Ce n'est pas tant les écarts sociaux en eux-mêmes qui posent pro-blème, mais leur perception par les déclassés. L'enrichissement verti-gineux de la minorité, qui ne trouvait sa source ni dans le travail ni dans les mérites individuels, mais dans le pouvoir, la spéculation et la spoliation des biens publics, tendait à incarner dans l'imaginaire social, l'arbitraire et l'abus. Et pour cause, de simples employés de bureau ou manœuvres deviennent cadres supérieurs, de simples douaniers roulent en Mercedès, des directeurs de « Souk el-fellah » construisent des villas somptueuses ; des milliers de gens qui sortent à peine de l'anonymat deviennent subitement de grands personnages à un niveau local, régional et souvent national.

Ce renversement des hiérarchies et des valeurs sur fond d'injustice sociale et d'arbitraire crée et amplifie chez les déclassés un comporte-ment nihiliste et une négation de l'État. Il développe un scepticisme général chez ceux qui, au service de l'État et de ses institutions, sont demeurés honnêtes et croient encore en son pouvoir de rationalisa-tion. Il nourrit dans la conscience déréglée des bénéficiaires de cette mobilité sociale débridée et sans fondements, un mépris de l'État, de ses institutions et de ses lois.

Un second type de clivage se révèle à travers les difficultés d'intégration de la jeunesse. Du point de vue statistique, la population juvénile algérienne est située dans la classe d'âge des 15-29 ans. Ainsi circonscrite, elle est estimée, en 1987, à 6,3 millions, ce qui représente 28 % de la population résidente totale.

L'essentiel de la demande d'emploi en Algérie provient des jeunes. Selon le RPGH de 1987, sur les 1,2 millions de chômeurs recensés, 849 000 (soit 74,5 % du total) sont âgés de moins de 30 ans, parmi eux 686 000 appartiennent à la classe d'âge des 16-29 ans. Le taux de chômage qui caractérise ce sous-groupe est de 48,48 % (contre 22,5 % pour le taux national et 12,8 % pour les 25-64 ans). C'est donc bien la classe des 16-24 ans qui se trouve la plus exposée au chômage. Elle est aussi la plus désarmée dans la lutte pour l'emploi, seulement 8 % d'entre eux ont suivi un enseignement secondaire, 10 % n'ont jamais été à l'école, 48,5 % n'ont pas dépassé le niveau primaire et 32,5 % ont suivi un enseignement moyen. En général, les jeunes chômeurs sont de faible niveau d'instruction. Ils sont pour la plupart sans qualification ni antécédent ou expérience professionnelle. 75 % des jeunes chômeurs ne connaissent aucun métier, n'ont aucune qualification. Parmi les jeunes qui possèdent un métier, une qualification quelconque, 21 % sont formés sur le tas, 58 % viennent des CFPA et 2,6 % sont titulaires d'un diplôme supérieur. Ce chômage est essentiellement un chômage d'insertion. Sur les 1,2 millions de chômeurs recensés en 1987, 861 000 étaient à la recherche de leur premier emploi. Enfin, une dernière caractéristique, 73 % des jeunes chômeurs âgés de 18 à 26 ans sont fils d'ouvriers, de manœuvres et assimilés. Ce sont les enfants des familles les plus démunies qui n'arrivent pas à trouver du travail.

La conjugaison du déficit d'État (et pas simplement de légitimation de l'État) et des conséquences cumulées de la bifurcation sociétale a transformé en négation de l'État son refus, qui s'était matérialisé dans une stratégie de « (re)segmentarisation de repli ». Sur cette base est née une société contre l'État qui a trouvé son fondement matériel dans l'économie informelle et sa conscience, dans une idéologie anti-étatique. De la conviction d'un « État sans justification morale », nous sommes passés à la certitude de son « immoralité », expression de sa négation absolue, matérialisée par l'émergence d'une contre-société, plus exactement d'une société contre l'État. C'est ce mouvement social multiforme que l'islamisme va capter en lui offrant un cadre de fraternité communautaire et en lui assignant comme horizon idéologique, l'idéal éthique d'un islam politique, condensé d'une utopie populiste.

L'Algérie post-coloniale est une société à peine détribalisée en voie d'industrialisation et de tertiarisation où les formes de solidarité sociale naturelle à base de liens de parenté commencent à céder la place à des associations d'invidus en voie d'autonomisation. C'est aussi une société où la (re)production des champs économique, politique, scientifique et artistique, qui se sont autonomisés, se fonde sur des logiques et des principes spécifiques, non dérivés du champ religio-sacral. Ce qui rend apparents aux yeux des acteurs individuels et collectifs, les mécanismes de la construction sociale. En résumé, on peut dire que l'Algérie post-coloniale est une société en voie de sécularisation, marquée par l'accentuation de la séparation des sphères économique, politique et artistique de la sphère religieuse. Alors comment expliquer le fait que la religion continue d'imprégner tout le « système social » et de dominer le « monde vital ». À notre sens, cette contradiction trouve son explication dans le fait qu'en Algérie, le mental accuse un retard considérable sur le matériel. Il reste à dire le pourquoi et le comment de la chose.

La sécularisation (à ne pas confondre avec la laïcisation) est un phénomène historique lié à l'avènement de la société industrielle et urbaine (bourgeoise), qui s'est traduit par l'affaiblissement de la fonction sociale de la religion et par le recul de la conception magico-sacrale du monde au profit de la vision rationnelle (empirico-analytique). Dans la société algérienne, le champ le plus sécularisateur/rationalisateur fut sans aucun doute le champ économique. C'est à partir de l'industrialisation que, durant les années soixante-dix, on a prétendu transformer et moderniser les autres domaines. L'extinction des formes économiques purement précapitalistes, l'extension du salariat, la généralisation des échanges monétaires, l'urbanisation et la mise en place d'infrastructures administratives, éducatives et sanitaires, ont bouleversé de fond en comble la société algérienne.

Les nouveaux rapports sociaux ont induit une plus grande différenciation du corps social et une plus grande distanciation par rapport aux produits obtenus. Ces derniers revêtaient désormais le caractère moyen (abstrait) de valeur d'échange. Les acteurs individuels et collectifs échappent aux niveaux de pure subsistance. Les individus acquièrent, rapidement, des ressources matérielles (capitaux, terres, biens immobiliers, biens de consommation, moyens de communication, salaires, etc.) et symboliques (informations, instruction, culture générale, etc.) de plus en plus grandes. Ils ne sont plus enfermés dans une simple logique de production, rivés à l'espace borné du terroir et bercés par le rythme d'une temporalité « naturelle », mais vivent, simultanément, et de façon interdépendante, des procès variés de production, de distribution et de consommation, dans le cadre d'un espace désacralisé et ouvert et d'une temporalité sociale (construite). Ils se trouvent d'emblée projetés dans des rapports sociaux de plus en plus complexes, de plus en plus abstraits, qui demandent une rationalité de plus en plus grande.

Cependant, ces rapports sociaux restent toujours vécus sur le mode de l'« immédiateté » et se colorent de ce fait même d'une forte nuance de réciprocité. Ainsi conservent-ils dans la conscience des sujets leur halo éthique. Le résultat en fut l'éclosion d'une conscience sociale pluristructurée. En règle générale, l'Algérien(ne), des années soixante-dix, ne lit plus la nature et la société en terme exclusivement religieux. En même temps, il/elle n'a pas une lecture totalement « désaxiologisée » du social. On assiste à un certain effacement de la vision religieuse/magico-sacrale du monde, mais le social demeure toujours enserré dans le corset d'une vision éthique. Pour la grande masse de ces Algérien(ne)s, une lecture éthique et ontologique du social est de règle. Habermas a montré, dans son ouvrage, *L'espace public* (éditions Payot, Paris, 1978, réed. en 1986), que l'éthique et l'ontologique ont caractérisé les moyens d'information apparus aux XVIIIe et XIXe siècles dans l'espace public occidental. Il s'agirait de catégories transitoires entre la pensée traditionnelle et la rationalité analytique. Tout se passe comme si la valeur des nouveaux rapports sociaux ne résidait pas, pour les individus, dans leur nécessité objective, dans leur rationalité intrinsèque, mais dans leur signification subjective morale. En Algérie, nous serions donc face à une conscience sociale en voie de sécularisation mais bloquée sur le moment éthique.

Du point de vue de la phénoménologie de la conscience algérienne, il y a une nette percée dans la voie d'une sécularisation des structures mentales. La vision cosmico-religieuse persiste toujours mais, uniquement, dans la sphère privée des sujets. Hors de cet espace, la religion n'organise plus et ne régente plus les formes ou les structures sociales fondamentales (l'économie, la politique, l'administration, l'enseignement, l'art...), qui se nourrissent par elles-mêmes. Si elle intervient, c'est seulement en tant qu'instance dernière de légitimation, à titre de capital symbolique, toujours dans et à travers le cadre d'une autre instance structurelle, jamais, directement, en tant que puissance tutélaire.

Néanmoins, cette percée demeure limitée. Tout se passe comme si le « désenchantement » du monde provoqué par l'avancée irrépressible d'une réalité historique nouvelle, massive et agressive, autant dans sa matérialité que dans sa rationalité, était contrebalancé, dans la conscience des sujets, par la sécrétion d'un antidote de forte teneur en éthique, afin d'amortir l'onde de choc due à l'accélération brutale de l'histoire et à l'écoulement trop rapide de valeurs et de sens nouveaux. Ici, la particularité algérienne réside dans le fait que la religion, en phase de contraction dans l'espace public, s'est, finalement, réinvestie et redéployée, dans la perspective d'une éthique de transition.

Dans son ouvrage, *L'éthique protestante et l'esprit du capitalisme*, Max Weber a clairement établi le lien existant entre une éthique religieuse et une forme de transition historique. Dans cet ouvrage, M. Weber se situe dans le contexte historique du passage d'une société du féodalisme au capitalisme. Il constate que le protestantisme ascétique, expression d'une nouvelle rationalité économique, devient, progressivement, à son tour, une source d'idéalités nouvelles, relatives aux rapports des hommes à la nature et des hommes entre eux. Si nous poussons l'analyse wébérienne au-delà de son mutisme réfléchi à l'endroit de certaines articulations fondamentales, nous constatons deux choses. D'abord, la genèse de cette réforme religieuse se déroule au sein d'une nouvelle classe sociale, la bourgeoisie urbaine, à un moment où sa reproduction élargie exigeait une rupture avec les aristocraties rurales. Ensuite, l'éthique, qui sanctionne les pratiques sociales nouvelles, supposées garantir la reproduction sans accrocs de la nouvelle société, n'était pas, forcément, religieuse. C'était, quant à son fond, une idéologie libérale qui, avec ses principes de liberté, d'égalité et des droits de l'homme (droit à la propriété, liberté de conscience, d'association...) consacrait l'émergence de l'individu en l'interpellant comme Sujet autonome.

En Algérie, aucune de ces conditions historiques n'était et n'est encore à l'œuvre : ni une classe d'entrepreneurs privés portés par la « *valorisation du rendement économique exprimé en argent et celle des merveilles de la technique rationnelle, garantie par l'utilisation rationnelle du travail* » ; ni une intelligentsia dont l'activité critique (libre) aurait permis l'éclosion des médiations nécessaires à la transformation de cette éthique de transition en valeurs culturelles séculières. La première était en « résidence surveillée », – la seconde était sans « droit de résidence ». Depuis l'Indépendance, la nouvelle société algérienne, qui émerge, n'est pas celle que porterait dans ses flancs un véritable sujet historique, échappé à ce que E. Kant appelait la « condition mineure de l'homme », mais le résultat d'un projet populiste jailli de la conscience d'une force sociale de substitution, elle-même en perpétuelle transition.

Il en a résulté, une immobilisation de la société algérienne, dans sa plus grande partie, sur le moment éthique. C'est dire que dans les masses algériennes, il n'y a pas encore de demandes politiques mais seulement des attentes morales. C'est justement par la médiation de cette éthique de transition que ressurgissent les valeurs religieuses et que s'opère le passage aux formes de « conscience religieuse militante ».

À noter, que, dans la société algérienne d'aujourd'hui, le pourcentage d'analphabètes est de 36 %, les personnes qui ont un niveau primaire représentent 24 % du total alors que le pourcentage de celles qui possèdent un niveau moyen ou secondaire oscille autour de 34 %. Autrement dit, plus de 65 % des algériens sont soient analphabètes soit illettrés. La stratégie du « bloc dominant », qui a consisté à mettre le procès de sécularisation objective en « résidence surveillée » est donc bien la cause du blocage de la société algérienne. Au cœur de ce blocage, l'évolution entravée d'une conscience sociale qui s'est figée sur le moment d'une éthique de transition, d'où son retard considérable sur le cours des choses matérielles.

Les transformations induites par le développement du capitalisme colonial cumulées aux effets de l'industrialisation, l'insertion violente dans l'espace urbain et les progrès de la civilisation technicienne tout entière tournée vers des fins profanes sont autant de facteurs qui ont entraîné une véritable transmutation des valeurs et érodé le sol sur lequel la religion traditionnelle plongeait ses racines. Au cours des années soixante-dix, il semble que la religion est de plus en plus vécue comme l'expression culturelle d'une tradition normative réglée par des prescriptions rituelles et régie par des coutumes, investie dans des pratiques individuelles et collectives, davantage pour répondre au besoin de « construction du lien social », que pour vivre la foi en tant que telle. Ces mutations ont déterminé un balancement entre le conformisme et l'indifférence. L'inclination à l'indifférence religieuse répandue dans les grands centres urbains ne remettait nullement en cause, dans la conscience des acteurs, l'appartenance à la condition islamique, mais traduisait, simplement, une séparation spontanée des ordres. Freinée dans son élan par les sécrétions d'une « sécularisation surveillée », durant les années 1960-1970, cette séparation spontanée des ordres se trouvera, brusquement, compromise, dans les années 1980, par la rupture des grands équilibres sociaux et la bifurcation sociétale, résultats de la nouvelle politique économique mise en œuvre par Chadli.

Au cours de cette décennie (1980-1990) de « libéralisme », propice à l'irruption de formes radicales de citoyenneté négative, la conviction que l'État n'a pas de justification morale fait place à celle de son immoralité, forme de sa négation qui s'est traduite par une « (re)segmentarisation de repli ». En l'absence de tout autre « port d'attache idéologique », cette négation de l'État et cette (re)segmentarisation de repli vont trouver dans l'idéologie islamo-patriarcale, culturellement hégémonique, leur seul lieu autonome d'identification collective nécessaire à leur réalisation. À partir de ce seuil, l'islam cesse d'être vécu comme appel mais comme fondement à la critique morale de l'État ; de sorte que nous assistons, dès le début des années 80,

à un regain de religiosité. Par la médiation de l'éthique, plus exactement de l'indignation suscitée par la conjonction de la faillite morale
du personnel politique (de l'État) et des traumatismes nés de la bifurcation sociétale, la religion va progressivement s'affirmer comme le
champ moteur de production de sens politique. Ce passage d'une
« religiosité de providence » à une « religiosité de masse ou de résistance » n'est pas l'expression d'une séquence cumulative, mais
traduit plutôt des modifications qui altèrent le contenu et la fonction
du religieux. Il se produit ce que nous appelons un déplacement
des implications du religieux lisible, à travers, au moins, trois faits
majeurs empiriquement vérifiables :

a) le référent religieux devient de plus en plus un signum social,
culturel et politique ;

b) les significations et les expressions religieuses s'investissent, de
plus en plus, dans une affirmation collective d'identité ;

c) la démarche religieuse perd son caractère spontané pour devenir
une démarche, de plus en plus, réflexive.

Désormais, ce n'est plus la norme religieuse qui doit épouser le
relief culturel de la société, c'est la société qui doit se couler dans
le moule du dogme retrouvé. Nous trouvons déjà là, et, il faut le
préciser, indépendamment de toute agitation politico-religieuse, les
germes d'une « conscience religieuse militante », que les cadres
islamistes, mettant à profit la déliquescence de l'État, la complicité
d'une fraction de la classe dirigeante et l'appui multiforme de certaines puissances étrangères, vont capter, puis contribuer à
cristalliser comme horizon idéologico-politique, à des multitudes
mises en « situation de disponibilité ». Sans ces trois conditions (la
déliquescence de l'État, la complicité d'une fraction de la classe
dirigeante et l'appui multiforme de certaines puissances étrangères),
l'islamisme et sa dérive terroriste n'auraient jamais pris cette ampleur
dramatique, qui a plongé l'Algérie dans un conflit sanglant.

LA COMPLICITÉ D'UNE CERTAINE FACTION
DE LA CLASSE DIRIGEANTE

La mort de Boumediène laissait un vide considérable. La désignation de Chadli, résultante d'un compromis, laissait penser qu'on avait
fait dans la continuité. Cependant, quelque temps après, on constata
que les choses étaient en train de changer. C'est que le nouveau président exprimait les intérêts des « nouvelles couches moyennes » en
attente de libéralisation. L'étape initiale de Chadli et de son équipe a

été de neutraliser et d'éliminer les proches de Boumediène et les systèmes de pouvoir qu'ils s'étaient constitués dans l'appareil d'État, le parti FLN et l'appareil productif. L'armée elle-même n'échappe pas à cette volonté de manœuvre opérée par le nouveau Président afin de consolider son pouvoir. Il parvient à prendre le contrôle de l'appareil du parti. Il engagea par la suite une série d'opérations pour libéraliser certains aspects du système dans le but de rallier le soutien des nouvelles couches moyennes. C'est le fameux programme anti-pénurie (PAP) : les restrictions sur les importations furent levées, les produits de consommation inondaient le marché, l'autorisation de sortie du territoire national supprimée, etc.

Pour financer cette nouvelle politique économique, Chadli a bénéficié d'une manne pétrolière exceptionnelle provoquée, début 1979, par la révolution iranienne. Ce second « choc pétrolier » a fait passer le prix du baril de pétrole de 13 dollars US à 30 dollars US. Il atteignit même la barre record des 40 dollars US. Pour Chadli, les retombées furent considérables, lui permettant de dépenser sans compter, gagnant ainsi la « sympathie » de larges couches de la population et le soutien des nouvelles couches moyennes, qui se voyaient accéder à un niveau de consommation qu'elles n'ont jamais connu auparavant.

En réalité, le fond du problème est que la nouvelle alliance qui porta Chadli au pouvoir était dans l'incapacité de poursuivre le procès de développement enclenché dans la seconde moitié des années 1960 ; un processus qui, à terme, risquait de remettre en cause son propre pouvoir face à la montée de nouvelles catégories socio-professionnelles, qui constituaient la base sociale du pouvoir de Boumediène : les travailleurs d'usines, les étudiants, les ouvriers agricoles, les paysans du secteur coopératif, les femmes... Pour écarter ce risque, la nouvelle alliance choisit la voie facile : la consommation. Elle séduit les masses et sied également au nouvel environnement international marqué par le néo-libéralisme prôné par M. Thatcher et R. Reagan ; c'est qu'elle s'accompagne d'un arrêt brutal des investissements productifs et limite drastiquement les possibilités de l'Algérie d'accéder un jour au rang d'une puissance régionale.

Cependant, la « nouvelle alliance de droite » au pouvoir rencontre des résistances. Le conflit entre les deux principaux acteurs s'intensifie :

- Chadli et son équipe en se débarrassant progressivement des éléments de la vieille garde de Boumediène et en s'autonomisant de fait par rapport à l'armée tentent de consolider son pouvoir.

- Le FLN s'attache à reconquérir le monopole politique dans le pays, dont il fut privé par Boumediène au profit des organisations de masse.

À l'issue du Congrès de 1980, le contenu des statuts du parti, particulièrement l'article 120, réservaient les postes de responsabilité au sein des organisations de masse et des unions professionnelles aux seuls membres de parti ; l'objectif étant de casser la « gauche », obstacle à la politique de libéralisation économique amorcée par le nouveau pouvoir. C'est au cours de ce Congrès que vont émerger de nouveaux cadres, de tendance « baathiste », qui vont mobiliser les ressources du parti au profit de leur cause du moment, « l'arabisation », pour contrer la gauche identifiée au « berbérisme » et à la « francophonie ». C'est à partir de ce moment que le pouvoir commence à favoriser/manipuler le courant islamiste pour contrer la « gauche », notamment dans les universités.

Le Congrès du FLN, qui s'est tenu fin 1985, déboucha sur un compromis entre la ligne libérale du Président et celle dite conservatrice. Si l'amendement de la Charte de 1976 devait consacrer la fin de la référence au socialisme, le Congrès ne modifia pas fondamentalement l'organisation du parti, consacré comme le principal instrument du pouvoir. Un tel compromis arrangeait les affaires de deux protagonistes, car dès le début des années 80, un vent de contestation sociale commençait à souffler. Ses premiers signes furent le « printemps berbère » (avril 1980), l'irruption d'un mouvement féministe autonome – qui s'opposait à l'adoption du « Code de la famille » voté par le Parlement en 1984 – et la naissance du « Mouvement islamiste armé » (MIA) dirigé par un certain Mustapha Bouaili. Face à ces nouveaux défins, les deux acteurs avaient intérêt à réanimer le FLN.

Tant que le régime pouvait assumer le coût de la « paix sociale », les voix contestataires ne pouvaient se faire entendre. Mais, à la charnière des années 85-86, les prix du pétrole s'effondrent, celui du baril passe brusquement de 30 dollars US à environ 10 dollars US. Désormais, l'État n'est plus en mesure d'honorer sa part de contrat avec les citoyens. Ce fait s'est traduit par un début de « désengagement de l'État ». La baisse des recettes en devise de l'État (de près de 80 %) entraîna la réduction drastique de l'importation des produits de première nécessité et des matières premières nécessaires au fonctionnement de l'outil de production. Une situation de pénurie généralisée s'instaure, qui provoqua le mécontentement social des populations, celle des couches populaires déjà défavorisées et, surtout, celle des couches moyennes, qui découvrent les affres de la paupérisation.

Face à une telle situation, le régime réagit par une politique de fuite en avant. L'État ne pouvant plus assumer ses responsabilités en matière économique et sociale prend la décision de réduire le monopole sur le commerce extérieur qui était le sien, en autorisant aux opérateurs privés d'initier des opérations commerciales avec des partenaires étrangers sur leurs propres fonds en devise, d'accorder l'autonomie aux entreprises publiques et de redistribuer les terres des domaines agricoles. Par ailleurs dès le mois de juillet 1987, le nouveau ministre de l'Intérieur présente devant l'Assemblée un projet de loi sur les associations. La présidence court-circuitait le FLN et mettait en place un arsenal juridique permettant de contourner son monopole sur la vie politique. Dès lors, c'est l'affrontement. Le VIIe Congrès du FLN prévu pour décembre 1988 devient un enjeu majeur parce qu'il aura à désigner le candidat unique aux présidentielles.

En effet, le Président étant candidat à sa propre succession et ne pouvant s'auto-désigner, il lui fallait impérativement obtenir l'investiture du Parti FLN. Voulant forcer la situation, il contre-attaqua dans le fameux discours du 19 septembre 1988, un véritable réquisitoire contre les « bureaucrates du parti » doublé d'un appel au peuple à s'opposer à tous ceux qui, par esprit de système, s'opposent aux réformes. C'est dans ce contexte, qu'éclatent les émeutes d'octobre 1988. Un véritable séisme qui ébranla les fondements du système.

Pour sortir de l'impasse, Chadli s'est engagé dans une « stratégie de démocratisation contrôlée ». La nouvelle Constitution (adoptée par référendum en février 1989) légalise le multipartisme. Et, Chadli autorise, ce que tous les chefs d'État musulmans proches n'ont jamais autorisé, la légalisation d'un parti islamiste, en l'occurrence le FIS. À noter au passage, que la Constitution interdisait la formation de partis politique sur une base religieuse. Il faut intégrer cette manœuvre dans la recherche par Chadli d'une nouvelle majorité présidentielle. En effet, la légalisation anticonstitutionnelle du FIS, la facilité et l'aide financière accordée aux « nouvelles associations à caractère politique » s'inscrivent dans cette stratégie. Avec la légalisation du FIS, la contestation sociale se déplace rapidement, *via* l'éthique, du politique au religieux.

Comme Gorbatchev, Chadli a su déconstruire, mais il a surtout produit ce que M. Dobry a appelé une « incertitude structurelle » qu'il définit comme « *l'effacement ou le brouillage des indices et repères et la perte d'efficacité des instruments d'évaluation qui, en tant qu'éléments des logiques sectorielles, servent de support aux appréciations et calculs routiniers des acteurs* »[49]. Chadli a essayé de se présenter comme l'homme de l'ouverture, mais ses capacités personnelles étaient limitées, sa base sociale réduite et le parti politique (le FLN) qu'il a cherché à reconstruire est discrédité. Sont-ce là les principales raisons qui l'ont conduit à envisager la perspective de conclure avec le FIS un pacte sur le partage du pouvoir.

Sans ces raisons, sa légalisation anticonstitutionnelle et la complicité d'une fraction du pouvoir, l'islamisme ne serait jamais devenu ce puissant mouvement de masse qui, sans jamais être inquiété, mettait en place les réseaux et les moyens nécessaires à une insurrection armée. Comme le souligne W.B. Quandt : « *À la périphérie du FIS, du dedans et du dehors, évoluaient aussi des groupes armés, dont les membres avaient, pour certains, reçu un entraînement en Afghanistan. Le FIS s'était donc mis à agir en outrepassant ses prérogatives de parti politique* »[50].

L'APPUI ET L'AIDE MULTIFORME DES ÉTATS ET DES ORGANISATIONS ÉTRANGÈRES AU TERRORISME ISLAMISTE EN ALGÉRIE

L'Algérie, durant trois décennies (1962-1980) était à la tête du mouvement anti-impérialiste mondial. Cette orientation s'affirme avec encore plus de force dans les années 1970. « *C'est Boumediène, l'Arabe d'Occident par excellence, et peut-être pour cela grand amateur du langage de l'Occident, qui cherchera à tirer le meilleur parti de la complexité des événements et des situations. Déçu, comme il l'avait été en 1967, par l'acceptation du cessez-le-feu par les armées arabes ainsi que par la prudence des Soviétiques, il se lancera à corps perdu, au côté du chah d'Iran, dans la concrétisation d'un programme de réformes économiques internationales. Il entend utiliser la nouvelle puissance pétrolière des Arabes de façon constructive, pour accélérer l'industrialisation du tiers-monde et pour faire régner un minimum de justice économique internationale qui permette aux opprimés dans ce monde de relever enfin un peu la tête* »[51]. C'est cette dynamique initiée par Boumediène qui « *débouche sur des assises uniques dans l'histoire, celle du dialogue Nord-Sud, où pays riches et pays pauvres tiennent à l'échelle planétaire des palabres interminables sur la nécessité de réformer la distribution des richesses dans le monde. La locomotive de cette action, nous l'avons signalé, c'est l'Algérie de Boumediène, cet Occident de l'Orient. Ce que l'idéal marxiste dans toutes ses incarnations n'a pas réalisé, qu'il s'agisse du bolchevisme, de la guérilla guévariste en Amérique latine, de la Révolution culturelle chinoise ; ce que le credo libéral de la démocratie et de la libre entreprise avec les énormes progrès techniques qu'il a suscités dans l'Occident capitaliste n'a pas pu concrétiser ; le pétrole des pauvres, mis au service des idéaux de modernisation et de libération, doit enfin pouvoir le réussir, à savoir assurer un minimum de justice économique internationale qui, permette aux opprimés de ce monde, les deux tiers de l'humanité, de mener enfin une existence digne...* »[52]. C'est cet affront fait à l'Occident que l'Algérie – à l'instar de tous les pays du tiers-monde qui furent de ce combat, tels que l'Irak, l'Inde, la Yougoslavie, l'Égypte et l'Iran – va payer au prix fort. Par ailleurs, le statut de puissance régionale potentiel de l'Algérie élargit encore le cercle de ses « ennemis ». L'islamisme sera l'instrument utilisé par certaines puissances occidentales et certains pays « frères » pour freiner l'Algérie dans son élan. Quelque part, la tragédie qui a failli l'emporter a été soigneusement programmée. Dans ce qui suit, nous lèverons, un peu, le voile sur ces complicités étrangères qui ont décuplé la capacité de nuisance militaire des groupes islamistes armés.

L'INTERNATIONALE ISLAMISTE ET SON RAPPORT AVEC LE TERRORISME EN ALGÉRIE

À l'issue de la guerre du Golfe, des délégations islamistes de plusieurs pays d'Asie, d'Afrique et d'Europe se sont réunies au Soudan, à Khartoum, sur l'initiative de Hassan Al Tourabi, dans l'espoir de créer un État Islamiste Mondial.

Le premier Congrès populaire arabe et Islamique s'est tenu les 25 et 26 avril 1991, rassemblant, sous un même chapiteau, Pakistanais, Philippins, Malais, Afghans et Algériens ainsi que des représentants de nombreux pays arabes. Le siège de cette organisation se trouvait à Khartoum et Hassan Al Tourabi en était le secrétaire général. Elle se composait :

• d'un Conseil permanent (50 délégués représentant 50 pays), qui se réunit tous les trois ans ;

• d'un secrétariat général composé de 15 membres, dont Abbassi Madani et Ali Belhadj, chargé de l'application des recommandations élaborées par le Conseil permanent.

Très rapidement, cette organisation devient un important centre décisionnel pour les mouvements terroristes. Elle avait également tissé des liens avec d'autres organisations transnationales dont :

• La branche armée des Frères musulmans, organisation créée en 1940 et qui s'est largement implantée au Soudan, en Syrie, au Pakistan, en Jordanie, en Égypte, en Algérie, ainsi que dans d'autres pays du monde arabe et même en Europe, parmi les communautés musulmanes. En Algérie, ses adeptes ont contribué à former des cadres islamistes, que l'on retrouvera parmi les dirigeants du FIS, puis dans le GIA après la dissolution du premier.

• La Ligue islamique mondiale, créée en 1962 en Arabie Saoudite, par le prince Fayçal Ben Abdelaziz, dont l'objectif était de contrer le nassérisme et la promotion du wahhabisme dans l'ensemble du monde musulman. Elle est présidée par le chef des services secrets saoudiens, le prince Turki Ibn Fayçal, fils du fondateur de la Ligue. Le Conseil exécutif de la LIM compte 53 représentants dans l'ensemble des pays islamiques. Son secrétaire général est toujours saoudien. Lors de ses réunions annuelles, le conseil exécutif nomme les superviseurs régionaux des cinq continents qui ont pour mission de veiller à l'expansion de l'Islam et le contrôle des institutions islamiques aussi bien dans les pays musulmans que non musulmans.

• Le Commandement populaire mondial islamique (CPMI), organisation à vocation politico-religieuse fondée en 1989 par le « guide de la révolution libyenne », Maamar Al Guedhafi, qui avait pour objectif de promouvoir l'image de la Révolution libyenne dans les pays musulmans. Les importants capitaux dont elle dispose, lui permettent de mettre en place un important réseau immobilier (mosquées, bibliothèques, centres culturels arabo-islamiques...) ainsi que de nombreuses revues. Des bourses d'études sont offertes à des étudiants africains pour étudier en Libye, sous réserve qu'ils deviennent, eux-mêmes, par la suite, des relais du Conseil dans leur pays, contre rémunération assurée par la Libye. C'est à Chicago, aux États-Unis, que s'est tenu le premier congrès du CPMI au mois de juillet de l'année 1997, une année après la réunion de préparation qui s'est déroulée à Benghazi, en Libye. Les représentants du GIA algérien ont participé aux travaux du CPMI. Ils ont bénéficié d'un important soutien financier et logistique.

• L'Organisation mondiale du Secours islamique (OMSI), dont le siège se trouve au Pakistan, à Peshawar. Elle est présidée par Abdallâh Djaouid, un Afghan, qui est secondé par un vice-président de nationalité anglaise, le célèbre chanteur Cat Stevens, converti à l'islam. L'OMSI est soutenue par l'organisation siégeant à Khartoum, l'organisation de Oussama Ben Laden, l'organisation des Frères musulmans etc., ce qui lui permet d'assurer des formations politiques et militaires, aux différents mouvements islamistes et une assistance logistique aux membres de ces organisations dans leurs déplacements à travers le monde (faux documents, moyens financiers...). De nombreux islamistes algériens ont bénéficié de l'aide de l'OMSI, pour des séjours de formation en Afghanistan et au Pakistan.

• La Parti de Libération islamique (PLI), dont les bureaux se trouvent en Angleterre : à Birmingham, à Londres et à Liverpool. Il entretient des relations étroites avec le GIA algérien et son principal objectif majeur est l'instauration d'un califat en Algérie. Plusieurs de ses membres ont été arrêtés par la police britannique en possession des revues *El Ansar* du GIA.

• Le Groupe islamique militaire libre (GIML) active en Europe au niveau de la communauté émigrée marocaine. Il est dirigé par un chef appelé « Khalifat Allah Fi-l Ardh » (calife de Dieu sur terre).

• La Fraternité algérienne en France (FAF), dont le siège est à Paris, dans la mosquée Khaled Ibn El Walid. L'un de ses principaux responsables a été assassiné. Il travaillait en étroite collaboration avec Djaafar el Houari, Bounoua Boudjema' et Kamareddine Kherbane, membres de l'instance exécutive du FIS en Algérie.

• Human Concern International (HCI), dont le siège se trouve en Suède et qui a un bureau au Pakistan a pour mission d'aider les vétérans de la guerre d'Afghanistan et de fournir des armes aux Afghans. Elle assure une aide appréciable aux Afghans : armes, propagande, soutien financier.

LE SOUTIEN DE PAYS ÉTRANGERS AUX GROUPES ISLAMISTES ARMÉS EN ALGÉRIE :

Le terrorisme a trouvé, à l'étranger, un important soutien, aussi bien idéologique, que financier, logistique, et même, militaire.

• *Le soutien de l'appareil spécial iranien :*

En Iran, la chute du chah et la victoire de Khomeyni en 1979 furent un réel catalyseur de l'expansion de l'idéologie islamiste dans le monde. Par cette révolution, l'Iran espérait s'ériger en pôle politico-religieux face à l'Arabie Saoudite, qui en était, jusque-là, le pôle exclusif dans le monde arabo-musulman.

La guerre du Golfe a largement contribué à réduire le financement saoudien à la solidarité islamique, qui devient le cheval de bataille de l'Iran. L'appareil politico-idéologique iranien prend alors en charge différents mouvements islamistes (dont des mouvements islamistes algériens tant au plan du recrutement, que de la formation/entraînement et du financement, en collaboration avec le Soudan. Des armes sont envoyées aux terroristes algériens par des voies « protégées » et quasi secrètes. Grâce à l'aide prodiguée, les terroristes algériens disposent de documents de voyage, d'argent et de relais médiatiques pour défendre leur thèse dès leur retour au pays, après leurs stages au Soudan ou en Iran.

C'est en 1991 que le premier groupe d'Algériens se rend en Iran pour y bénéficier d'un stage, avec l'aide de la représentation diplomatique iranienne à Alger. D'autres groupes de « stagiaires » suivront. Parallèlement, les « Afghans algériens » désireux de rentrer en Algérie peuvent faire étape dans les bases-escales implantées par les réseaux du FIS en Syrie, à Damas. De cette manière, le Hezbollah semait les

graines de ses nouvelles bases en Afrique du Nord, plus particulièrement au Maghreb, afin de pouvoir exercer un contrôle sur les islamistes de tendance sunnite, voyant là, une première étape vers la
reconversion des sunnites d'Afrique en chiites. C'est pourquoi, dès
1993, des contacts étroits sont établis entre les groupes terroristes
algériens et le Hezbollah, ces contacts visaient à attirer les groupes
islamistes algériens dans le giron iranien, ce qui aurait constitué une
arme de pression privilégiée sur plusieurs pays d'Europe, en raison de
l'importance des échanges entre l'Afrique du Nord et l'Europe, en particulier avec la France, l'Angleterre, la Belgique et l'Italie.

Il est à noter que les groupes islamistes armés trouvent, dans le
Hezbollah libanais, un partenaire de choix en matière de formation
et de prestation de services. Ce dernier met à la disposition de ses
« stagiaires » ses camps de formation et d'entraînement aux pratiques
terroristes. L'Iran ne lésine pas sur les moyens mis à la dispositions des
branches activistes du Hezbollah.

• Le soutien de la filière afghane :

En 1979, la guerre d'Afghanistan contre l'Union soviétique
constitue l'occasion longtemps attendue par les Américains pour
contrer l'influence soviétique dans cette région stratégique du monde.
Dès 1981, des opérations conjointes entre le Pakistan, l'Arabie Saoudite et l'Égypte, sous le parapluie américain manœuvrent secrètement pour soutenir et aider les « moudjahidin » afghans, dont les
Hezb el Islami de Hekmatyar, qui en reçoivent la plus grosse part
(40 % de l'aide militaire occidentale). D'importants lots d'armes
sont acheminés vers l'Afghanistan *via* l'Arabie Saoudite et/ ou le
Pakistan, dont les fameux missiles « stinger ». Des camps d'entraînement sont créés spécialement pour former des commandos.
Des bureaux de recrutement sont ouverts par la CIA dans la quasi-
totalité des pays arabo-musulmans pour enrôler des jeunes et les
impliquer dans le « djihad » afghan. C'est dans les camps pakistanais installés non loin de la frontière pakistano-afghane, que sont
pris en charge les jeunes algériens qui se sont joints au mouvement.
Ils y reçoivent un entraînement militaire intensif et un endoctrinement à toute épreuve. C'est que plus de 2000 algériens recevront
une formation militaire, dont plus de 600 viendront renforcer les
groupes islamistes armés.

Lorsque la guerre d'Afghanistan s'est achevée, les « Afghans arabes »
retourneront dans leurs pays respectifs ou bien seront dispersés sur
d'autres sites pour d'autres guerres saintes. En effet, le « djihad » ne
s'arrête pas en Afghanistan. Ce pays ne constituait qu'une étape dans la

« libération » de l'ensemble des pays musulmans : la Palestine et les pays, comme l'Algérie et l'Égypte, dont les dirigeants sont déclarés impies. Ce déplacement arrangeait bien les affaires des États-Unis et d'autres puissances occidentales, c'est qu'à l'époque les « Afghans » n'étaient pas encore des « terroristes » mais des « combattants de la liberté ».

C'est ainsi, que bon nombre de « moudjahidines », après la guerre d'Afghanistan, se sont redéployés et sont venus en Algérie, pour combattre dans les rangs du GIA. Cette translation des « moudjahidines » de l'Asie centrale vers l'Afrique du Nord a été préparée longtemps auparavant par le palestinien « Abdellah Azzam », fondateur du « Bureau des Services aux Moudjahidines », et qui devait assurer le recrutement pour le « djihad ». Kamar Eddine Kherbae et plusieurs de ses compagnons (du futur FIS), y sont accueillis et contribueront activement à l'entraînement des jeunes algériens, entraînement militaire de qualité, qui dure plusieurs mois, les équipements militaires étant fournis par les américains. Des commandos sont également préparés à des opérations suicides, programmés pour l'Algérie, mais aussi contre les Israéliens et dans des pays occidentaux.

De retour en Algérie, les islamistes qui ont beaucoup appris de la guerre d'Afghanistan commencent par intégrer le parti le plus proche de leurs convictions : le FIS. Ce dernier constitue un partenaire privilégié pour les experts, qui le considèrent comme étant le noyau à même de préserver leurs intérêts en Algérie et soutiennent ouvertement et officiellement ce parti dès le succès qu'il connaît aux élections de 1990. Il est vrai que les Américains font de meilleures affaires avec les monarchies fondamentalistes du Golfe qu'avec les régimes nationalistes. Graham Fuller, ancien responsable de la CIA, dira en 1992 dans le *Washington Post* du 13 janvier « *l'intégrisme est un phénomène inévitable qui doit être accepté par l'occident* » et que « *il est important que les mouvements intégristes puissent être légalisés et participent à des élections car "l'opinion publique" ne pourra juger de la qualité d'un gouvernement intégriste qu'après les deuxièmes et les troisièmes élections* ». C'est ainsi que le FIS a pu bénéficier de la bienveillance de plusieurs centres de décision américains, voire de leur soutien actif, multiforme. Les USA qui accueillent Anouar Haddam, représentant de la délégation parlementaire du FIS et vont même jusqu'à fermer les yeux et se boucher les oreilles sur ses revendications publiques des actes terroristes du GIA en Algérie.

• *Le soutien de l'Arabie Saoudite :*

La montée du nationalisme arabe, incarné par Nasser, crée un vent de panique en Arabie Saoudite. À l'initiative du roi Fayçal, la Ligue

Islamique Mondiale est créée en 1962. Il organise la Conférence des Organisations islamiques mondiales en 1968 et la Conférence des chefs d'États islamiques en 1969, au Maroc.

L'aide financière apportée par les milieux officieux d'Arabie Saoudite et d'autres monarchies du Golfe est particulièrement appréciée par les organisations islamistes et les réseaux d'organisations caritatives transnationales. En effet, c'est sous couvert d'actions caritatives et d'opérations humanitaires, que des masses considérables de capitaux sont manipulées et transférées d'un pays à l'autre, alimentant les mouvements islamistes, en transitant par tout un réseau de banques arabes et occidentales. La « *Dar El Mal el Islami* », dispose de nombreux bureaux dans différents pays, dont la Suisse, les Bahamas, la Guinée, etc. Filiale du « Fayçal Islamic Bank Group » créé par le roi Fayçal, elle finance directement de très nombreuses organisations islamistes, dont un institut de réflexion installé en Angleterre, à Londres, et qui constitue le noyau et le pourvoyeur de fonds à l'ensemble du réseau mondial de propagande islamiste.

Par ailleurs, la banque « Al Baraka », dont les deux sièges se trouvent à Londres et à Manama, travaille en coordination avec la famille royale d'Arabie Saoudite et la famille Ben Laden qui, grâce à ses entreprises de travaux publics, détient le monopole de la construction des lieux de culte dans tout le royaume. Elle dispose de filiales dans de nombreux pays d'Afrique (Tunisie, Afrique du Sud, Algérie depuis 1990, Djibouti...), d'Asie (Thaïlande, Shangaï..) et même au États-Unis (Texas). Cela n'empêchera pas, le ministre de la Défense saoudien le sultan Ben Abdelaziz de préciser devant le Haut Conseil pour les Affaires religieuses que «... *notre objectif n'est pas politique mais il est de servir le musulman où qu'il soit* », propos adressés, entre autre, en raison de la montée de l'opposition islamiste en Arabie Saoudite, en particulier, le groupe « *Kataib el Iman* » (Phalanges de la foi), dont les chefs étaient emprisonnés et les militants menaçaient la famille royale.

L'aide financière provenant des états riches du Golfe au FIS et aux groupes islamistes armés est considérable, multiforme et permanente.

• *Le jeu du dirigeant islamiste soudanais Hassan Tourabi :*

À la fin des années quatre-vingt-dix, le Soudan est choisi pour être le carrefour des mouvements islamistes radicaux des pays arabes, africains, asiatiques. Une direction régionale est créée dans ce sens, son siège se trouvant à Khartoum. Des camps d'entraînement militaire pour les cadres des mouvements religieux sont créés. Ce succès obtenu par un pays fragilisé par une guerre civile est dû au stratège H. Tourabi, polyglotte et penseur de l'islam politique.

Les différents mouvements islamiques multiplient les rencontres. Lors de la réunion de Lahore, au Pakistan, les participants expriment clairement la nécessité, voire la priorité de recourir au « djihad ». Grâce à l'appui de l'Iran, qui dépose dans des banques islamiques, des sommes colossales (des dizaines de millions de dollars), destinées à aider les mouvements islamistes extrémistes, que le Soudan a pu ainsi soutenir. De ce fait, le Soudan devient un partenaire privilégié du régime des Ayatollahs, qui l'envisagent comme une porte d'accès donnant sur l'Afrique en général, et l'Afrique du Nord en particulier. Grâce à l'aide que devait assurer le Soudan, l'Algérie, du fait de sa position stratégique et de son importance, était programmée pour la première étape dans l'exécution d'un plan qui visait à l'instauration de la « Oumma » islamique. À cette fin, H. Tourabi arrive à trouver des points d'appui au Maroc grâce aux bonnes relations qu'il entretient avec les leaders de l'islamisme et des relais mafieux marocains. Le Maroc suivait attentivement l'évolution de la situation dans le pays voisin avec lequel il est en crise depuis un quart de siècle à cause du conflit du Sahara occidental.

D'importants lots d'armes étaient acheminés vers l'Algérie, passant par la Libye, le Maroc et le Soudan. En 1995, lors de la tenue de la conférence populaire arabe et islamique au Soudan, l'Algérie est l'un des principaux sujets du débat auquel participent plusieurs organisations islamistes extrémistes dont le « Hamas » palestinien, le « Hizb el Islami » pakistanais, « Ennahada » et le FIS d'Algérie. Le pouvoir algérien est alors sommé d'ouvrir le dialogue avec toutes les forces nationales et islamiques. Elle voit dans le contrat national signé à Rome en 1995, par les huit partis politiques algériens, dont l'ex-FIS, la base du dialogue nécessaire, en Algérie, pour une sortie de la crise.

La liste est longue. Les acteurs (pays et organisations), qui ont misé sur le terrorisme islamiste, pour régler leurs comptes avec l'Algérie sont légion. Prétendre à l'exhaustivité, sur cette question, serait une ambition démesurée. Un livre n'y suffirait pas. Mais on ne peut conclure ce chapitre sans rappeler l'aide apportée par les pays européens. Le territoire européen n'est pas en reste ; il est utilisé pour l'acheminement d'armes, de matériel de télécommunication et d'autres équipements destinés aux maquis algériens. Des réseaux de soutien aux terroristes algériens travaillent de manière quasi publique sans être inquiétés outre mesure par les autorités. Le même phénomène est observé sur le territoire marocain. D'autres pays laissent passer les terroristes et acceptent de les accueillir. Pendant près d'une décennie, l'Algérie, isolée et faisant l'objet d'un boycott qui ne disait pas son nom, a affronté seule le terrorisme, payant pour elle-même, mais aussi payant pour les autres.

* En août 1992, un attentat meurtrier à l'aéroport d'Alger fait des dizaines de morts et de blessés.

** La vague des massacres collectifs a commencé en janvier-février 1997. Elle culmine dans les bains de sang de la fin août et de septembre, à Raïs, Beni Messous et Bentalha où des centaines de civils sont massacrés.

1. GAUTIER (E. F.), *Passé de l'Afrique du Nord*, Paris, Payot, 2ᵉ édition, 1937, p. 24.

2. CAMPS (G.), *Aux origines de la Berbérie, monuments et rites funéraires*, Paris, 1961, p. 7.

3. JULIEN (C.-A.), *Histoire de l'Afrique du Nord*, Paris, Payot, 2ᵉ édition, 1951, p. 48.

4. Beaucoup d'historiens français et maghrébins ont fait ce travail. Citons, à titre d'exemple : LAROUI (A.), *L'histoire du Maghreb*, Paris, F. Maspero, 2 tomes, 1975 ; SALHI (M. C.), *Décoloniser l'histoire*, Paris, F. Maspero, 1965 ; LACOSTE (Y.), PRENANT (A.), NOUSHI (A.), *Algérie, passé et présent*, Paris, Éditions Sociales, 1960.

5. LACHERAF (M.), *Écrits didactiques sur la culture, l'histoire et la société*, Alger, Éditions Entreprise Algérienne de Presse, 1988, p. 156.

6. ALLEG 'H., (sous la dir.), *La Guerre d'Algérie*, Paris, Temps Actuels, 1981, tome 1, pp. 44-45.

7. Le Kharidjisme est né de la « Grande discorde » (al-fitna al-koubra), qui divisa la communauté musulmane à l'aube de son histoire. Après l'assassinat de 'Uthmân Ibn 'Affân en 656, un différend opposa le nouveau calife 'Ali à celui qui était alors gouverneur de Syrie, Mu'awiyya est cousin du calife assassiné. Mu'awiyya refusa de faire allégeance à 'Ali tant que les meurtriers de son cousin ne lui seraient pas livrés. En 657, les deux armées s'affrontèrent à Siffîn, sur la rive droite de l'Euphrate. Au moment où 'Ali semblait l'emporter, Mu'âwiyya, sur le conseil de son général 'Amr Ibn al-'As, ordonna à ses soldats de faire hisser des exemplaires du Coran sur leurs lances. Par ce geste, il suggérait la procédure d'arbitrage. Le recours à l'arbitrage humain (al-tahkîm) devait être à l'origine d'une scission profonde parmi les musulmans. Tandis que certains se firent les protagonistes de la neutralité et de l'abstentionnisme (imsâk) pour ne pas s'engager dans une lutte fratricide ; d'autres reprochèrent à 'Ali d'avoir accepté la convention d'arbitrage et s'insurgèrent contre l'institution d'un tribunal humain là, où, disaient-ils, « la décision appartient à Dieu seul » (lâ hukma illâ li-llah). Ils allèrent jusqu'à accuser le calife de s'être rendu coupable d'apostasie, en faisant fi de certains versets coraniques, notamment de celui qui dit « Et combattez-les jusqu'à ce qu'il ne subsiste plus de sédition et que la religion soit toute à Dieu, et s'ils cessent de combattre, Dieu sait parfaitement ce qu'ils font ». Ils abandonnèrent le camp de 'Ali et se retirèrent au village de Hârura, près de Kûfa (en Irak). Des défections successives dans l'armée de 'Ali vinrent grossir le nombre de ces premiers dissidents. Il faut compter parmi eux une forte proportion de lecteurs du Coran (Quarrâ). Ces derniers sortirent (kharajou, d'où le nom qui leur fut donné, khawâridj, pl. de khârijî).

8. LAROUI (A.), *op.cit.,* tome 1, pp. 88 - 89.

9. Le chiisme est un schisme qui considère que seuls les descendants du Prophète par sa fille Fatima et son époux 'Ali sont, par droit divin, les chefs légitimes (les Imâms) de la communauté musulmane. Ce sont les partisans de 'Ali contre Mu'awiyya. L'attitude du chiisme se résout dans l'attente d'un Mahdi (sauveur), qui doit se manifester dans la lignée légitime des descendants de 'Ali. Après ce dernier, ces deux fils Al-Hassan et Al-Hussein sont imâms incontestés, ainsi que 'Ali fils de Hussein. Mais, les chi'ites ne s'accordent pas sur la transmission de l' Imâmat après ce 'Ali ibn Al-Hussein. Il y a ceux qui considèrent que ce droit divin est transmissible dans la descendance de 'Ali jusqu'au douzième imâm. On appelle les membres de cette fraction, chi'ites duodécimains. C'est aujourd'hui la doctrine officielle en Iran. D'autres reconnaissent les sept premiers imâms, et sont qualifiés de chi'ites septimains. Le zaydisme ne reconnaît que les quatre premiers imâms et l'ismaélisme, que les six premiers.

10. Les Qarmates sont une branche de la secte des Ismaéliens, chi'ites qui reconnais-

saient pour Mahdi Ismâ'îl, fils du sixième imâm Dja'far. Cette branche fut fondée par un certain Hamdân Qarmat. Après avoir défait les armées du calife de Bagdad, les Qarmates s'établirent à Bahreïn. « *Les Karmates de Bahreïn, après avoir défait les armées du Khalife et coupé pendant 3 ans aux pèlerins de Perse la route de la Mecque, mirent le comble à la désolation des Musulmans, en commettant l'un des plus affreux sacrilèges que l'on ait jamais vu dans l'islam. En l'an 928, au moment où les caravanes de pèlerins venaient d'arriver à la Mecque, et où commençaient les cérémonies, 1.500 Ismaéliens, fantassins et cavaliers, parurent en armes aux portes de la ville.(...) ; ils s'ouvrirent avec le fer une route à travers la foule et se dirigèrent droit sur la sainte Ka'bah (...). Ils remplirent de carnage la cour de la Ka'bah, et ils souillèrent de meurtres les murs même et le sol de l'oratoire sacré.*
Ils pillèrent tous les trésors du temple (...) ; ils prirent la pierre noire encastrée dans le mur. Huit jours durant, ils saccagèrent la Mecque ; ils chargèrent sur cent mille bêtes de somme tout cet immense butin (...) ils gardèrent la pierre noire, et, parmi d'autres trésors, ils l'emportèrent au Bahreïn dans leur capitale el-Ahsa. La pierre noire resta 22 ans au Bahreïn ; après ce temps, sur l'ordre de leur Grand-Maître, les Karmates la reportèrent à la Mecque » CARRA DE VAUX, *Les penseurs de l'islam*, Paris, Éditions Geuthner, 1984, tome V, pp.39 - 41.

11. LACHERAF (M.), *op. cit.*, p. 74.

12. Sur cette période, le lecteur pourra consulter les ouvrages suivants : BOUABBA (Y.), *Les Turcs au Maghreb central du XVIᵉ au XIXᵉ siècle*, Alger, SNED, 1972 ; BOYER (P.), *La vie quotidienne à Alger à la veille de l'intervention française*, Paris, Hachette, 1963 ; GAID (M.), *L'Algérie sous les Turcs*, Alger, SNED, 1974 ; DE GRAMMONT (H.), *Histoire d'Alger sous la domination turque*, Paris, Leroux, 1887.

13. ALLEG (H.), *op. cit.*, pp. 57 - 58 .

14. Procès-verbaux et rapports de la Commission nommée par le roi le 7 juillet 1833, Paris, 1834.

15. Cité par Maspero (F.), *L'honneur de Saint Arnaud*, Paris, Librairie Plon, 1993, p. 192.

16. Colonel L. F. de Montagnac, *Lettres d'un soldat*, Paris, 1885.

17. *Ibid.*

18. Saint-Arnaud, « Lettre du 15 août 1845 », in *Lettres du maréchal de Saint-Arnaud*, Paris, Michel Lévy Frères, 1855.

19. Cité par F. Maspero, *op. cit.*, p. 249.

20. Colonel de Montagnac, *op. cit.*

21. *Moniteur universel*, t. 108, p. 1058.

22. Dès le 18 septembre 1830, un arrêté proclamait terres domaniales les biens du Beylik, les terres de nombreux fonctionnaires beylicaux et certains terrains « habous », tous considérés comme « vacants » ou « sans maître ».

23. Sous prétexte de garantir aux tribus la propriété des terres qu'elles exploitaient sans titre, la procédure dite de « cantonnement » fut mise en œuvre à partir de 1851. L'administration déclara reconnaître à chaque famille la possession de 8 à 10 hectares. Quant aux terres restantes, considérées comme « libres », il en fut disposé en faveur de la colonisation.

24. Le séquestre frappe les biens des tribus ou des individus considérés comme insuffisamment loyaux envers l'autorité française. Des tribus entières furent ainsi dépossédées de leurs terres et refoulées vers le Sud. Le séquestre des tribus kabyles après le soulèvement d'El Mokrani, en 1871, porta sur plus de 400 000 hectares.

25. En passant sous le régime juridique français - passage organisé par le sénatus-consulte de 1863, puis par la loi Warnier de 1873 - les terres algériennes devinrent aliénables, contrairement à leur situation antérieure (terres « 'arch. » ou bien « habous »).

26. À partir de 1873, tout possesseur d'un lot sur une terre collective ('arch) peut exiger de sortir de l'indivision et, de ce fait, faire vendre l'ensemble du domaine. D'où les ventes forcées (licitations) qui permirent de liquider la propriété collective et de fructueuses opérations.

27. Vendre sa terre en réméré, c'est la donner en gage sur un emprunt contracté par un fellah. Si l'emprunt est remboursé dans les délais, le gage est annulé. Dans le cas contraire, la terre est acquise au prêteur à vil prix.

28. Voir Barbe (R.), La question de la terre en Algérie, *Économie et politique,* novembre 1955, pp. 10 -38.

29. Lacheraf (M.), *L'algérie : nation et société,* Paris, Maspero, 1969, p. 145.

30. De 1830 à 1962, à plusieurs reprises, l'Algérie a été le théâtre de manifestations anti-juives organisées par les colons. À titre d'exemple : du 19 au 25 avril 1898, des émeutes anti-juives sont déclenchées à Alger par les colons menés par un certain Max Régis ; le 3 août 1934, des émeutes anti-juives sont provoquées à Constantine par la droite européenne fascisante...

31. Alleg (H.), *op. cit.,* p. 248.

32. Le décret Crémieux (24 octobre 1870) a octroyé la citoyenneté française en même temps que les droits politiques aux israélites d'Algérie.

33. Voir HARBI (M.), *La guerre commence en Algérie,* Bruxelles, Éditions Complexe, 1984 ; TEGUIA (M.), *L'Algérie en guerre,* Alger, Office des publications universitaires, s.d.

34. LACOUTURE (J .), *Algérie, la guerre est finie,* Bruxelles, Éditions complexe, 1985, p.165.

35. TEGUIA (M.), *op. cit.,* p. 569.

36. Cf. MALEK (R.), *L'Algérie à Evian-Histoire des négociations secrètes 1956-1962,* Paris, le Seuil, 1995, pp. 254-261.

37. AGERON (C.-R.), *Les Algériens musulmans et la France,* Paris, PUF, 1968, t.1, chap. XIV, pp. 367-393.

38. Cf. BENHASSINE (M.L.), BOUKRA (L.), Le processus historique de formation du secteur d'État en Algérie, *Revue Algérienne des sciences juridiques, économiques et politiques,* spécial 20e Anniversaire, 1982, pp.219-227.

39. Cf. BEN KHEDDA (B.), *L'ALGÉRIE à l'indépendance - La crise de 1962,* Alger, Éditions Dahlab, 1997.

40. Gouvernement provisoire de la République algérienne.

41. Ait Ahmed, Ben Bella, Boudiaf, Khider et M. Lacheraf se rendant de Rabat à Tunis à bord d'un avion, qui a été détourné le 22 octobre 1956, par les autorités françaises sur Alger où ils furent arrêtés.

42. Cité par Daniel GUERIN, *Anthologie de l'anarchisme,* Paris, Maspero, 1976, t. I, p. 167.

43. Pour plus de détails, lire MENY (Y.), *Le système politique français,* Paris, Montchrestien, 2e éd., 1993 ; TRICOT (B.), HADAS-LEBEL (R.), KESSLER (D.), *Les institutions politiques françaises,* Paris, Presses de la Fondation nationale de Sciences politiques & Dalloz, 1995.

44. Par « rente », nous entendons ici la « rente régalienne ». Lire, à ce propos, OLLIVIER (Marc), *Les rentes régaliennes,* CRISS, notes et rapports de recherche, n° 24, mars 1992.

45. HUBERT (M.), Administration et développement au Maghreb, in *Introduction à l'Afrique du nord contemporaine,* Paris, Éditions du CNRS, 1975, p. 299.

46. « Le néopatriarcat n'est à proprement parler ni moderne ni traditionnel – par exemple, il lui manque, en tant que formation sociale, à la fois les attributs communautaires de la Gemeinschaft (communauté) et les traits modernes d'une Gesellschaft (société). Une telle formation sociale, entropique, est caractérisée par sa nature transitoire et par des traits spécifiques de sous-développement et d'absence de modernité - observables dans son économie et sa structure de classe tout comme dans son organisation politique, sociale et culturelle. Elle est par ailleurs d'une extrême instabilité, déchirée par des contradictions et des conflits internes - par, comme le dit un auteur libanais actuel, "à nostalgie, le regret et le deuil" », SHARABI (H.), *Néopatriarcat,* Alger, Éditions Marinoor, s.d., p.23.

47. Charte nationale, 1976, p. 23.

48. Voir à ce propos, ADDI (L.), *L' impasse du populisme – l'Algérie : collectivité politique et État en construction*, Alger, ENAL, 1990.

49. DOBRY (M.), *Sociologie des crises politiques*, Paris, Presses de la FNSP, 1992, p. 150.

50. QUANDT (W.B.), *Société et pouvoir en Algérie*, Alger, Casbah éditions, 1999, p. 70.

51. CORM (G.), *Le Proche-Orient éclaté*, Alger, Éditions Bouchène, 1990, p. 122.

52. *Ibid,* pp. 126 - 127.

Chapitre II

« Debout devant la porte, Raskolnikov serrait la hache dans ses mains. Il semblait en proie au délire. Il était même prêt à se battre avec ces hommes quand ils pénétreraient dans l'appartement. En les entendant cogner et se concerter entre eux il avait été plus d'une fois prêt à en finir d'un coup et à les interpeller à travers la porte. Parfois il éprouvait l'envie de les injurier et de les narguer, jusqu'à ce qu'ils ouvrent. Il songea même : "Ah ! qu'ils en finissent au plus vite !".»

Fédor Dostoïevski, *Crime et Châtiment*,
Chapitre VII.

LE FRONT ISLAMIQUE DU SALUT

LA DA'WA COMME CADRE LÉGAL POUR LA PRÉPARATION DU DJIHAD

En l'an 623, vers la fin du mois de mai, dans une oasis d'Arabie, un Prophète venu s'installer là, fuyant sa Mecque natale, avec un groupe de fidèles, depuis moins d'un an, édicte un texte politique révolutionnaire pour le lieu et le temps où il s'inscrit : « *Tout en respectant les différences religieuses et claniques des habitants de cette palmeraie - peuplée d'Arabes et de Juifs - le législateur établit une citoyenneté commune où priment la responsabilité individuelle et le dévouement de chacun à la collectivité* »[1]. À la lecture d'une telle déclaration, on ne peut s'empêcher, à l'instar de Martin Gozlan, de se poser la question : comment les fidèles d'une religion, dont le fondateur a rédigé pareil texte, ont-ils pu se transformer en missionnaires de la haine et de la violence, comme c'est le cas aujourd'hui des groupes islamistes armés ?[2] La réponse, nous la trouvons chez Muhammad Saïd Al-Ashmawy, qui écrit : « *Dieu voulait que l'islam fût une religion, mais les hommes ont voulu en faire une politique* »[3]. En Algérie, ce « hold-up sur l'Islam » commence avec la naissance du Front Islamique du Salut (FIS), en 1989.

1. LA NAISSANCE DU FRONT ISLAMIQUE DU SALUT (FÉVRIER 1989).

Le 18 février 1989, à la mosquée « Es-Sunna » de Bab-El-Oued (Alger), des prédicateurs, représentant différentes régions du pays, ont proclamé, devant des milliers de personnes, la création d'un « Front Islamique du Salut » (FIS). Lors du débat sur la constitution du Front, son opportunité et ses modes d'action, deux points de vue opposés se sont affrontés[4]. Il y a ceux qui, comme Abassi Madani, Ali Benhadj et El Hachemi Sahnouni, estiment que le moment est venu d'unifier et d'organiser les rangs islamistes. À l'opposé, nous trouvons cheikh Ahmed Sahnoun et Mohamed Saïd, qui pensent que cette tâche est prématurée. Les discussions durèrent de 18 heures à 4 heures du matin et furent houleuses. Déjà des dissensions et des démissions – une dizaine de membres fondateurs comme Ali Djedi et A. Djaballah démissionnent – révèlent la complexité de cette nébuleuse naissante.

A. Madani situe la naissance du FIS dans le prolongement du mouvement national. « *La naissance du Front Islamique du Salut, dit-il, est un événement qui puise ses racines dans l'histoire du pays. Comment ? Le Front de Libération Nationale était après 1954, (...) le Front d'une phase historique qui a commencé avec la guerre contre le colonialisme pour finir sur la liberté et l'indépendance dans leur sens le plus large. (...) Ce qui reste à réaliser depuis, c'est la construction d'un État libre et indépendant sur la base des principes islamiques comme un principe de novembre. Le Front a été dévié de son projet historique pour un projet politique lié au pouvoir lui-même. Pour preuve, les documents qui confirment cette déviation telle la Charte de Tripoli qui contredit novembre, la Charte d'Alger du temps de Ben Bellac, celle de Boumediène et enfin la Charte du temps de Bendjedid. Ces documents n'ont pas de crédibilité par rapport aux idéaux de novembre qui constituent les pages les plus brillantes de cette nation. C'est la négation de l'histoire et des principes qui nous a fait tomber dans le travers du culte de la personnalité et les sentiers de l'improvisation... Le Front Islamique du Salut veut sauver les acquis de novembre qui ont été perdus.* »[5]

Pour cheikh Benazouz, le FIS est venu rétablir un ordre moral :

« *Nous avons vu les calamités morales qui n'ont aucun lien avec la religion, ni les traditions de l'Algérien. La consommation du vin est devenue licite, la mixité dans les écoles, les lycées et les universités ont eu pour conséquence la prolifération des bâtards. La dépravation s'est répandue et nous voyons la femme ne plus se cacher et étaler aux yeux de tout le monde son corps maquillé et nu, à l'intérieur et à l'extérieur. Où est donc la dignité de l'Algérien après que son honneur a été bafoué publiquement, après que le pays dont le sol a été arrosé du sang des martyrs participe au concours de production des vins et gagne la médaille d'or. (...) La bataille de notre Front et son terrain c'est la lutte contre la déliquescence et les maux ainsi que la recherche de l'édification d'une société islamique qui ne marchande pas ses principes fondamentaux ni ses intérêts matériels et spirituels.* »[6] Dans la même veine, A. Benhadj déclare : « *Si le pouvoir applique l'Islam et respecte la souveraineté de ce peuple, nous serons ses serviteurs. Seulement ce qui se passe contredit cela et c'est pour cette raison que le Front a été créé pour défendre l'Islam et édifier les intérêts de cette "Umma" dans le cadre de l'Islam* »[7].

Après la création du FIS, contestée par quelques prédicateurs importants, on apprend la mise en place d'un Comité préparatoire, sous l'égide de cheikh Sahnoun, pour la constitution d'une « Ligue de la Da'wa Islamique ». « *En réponse à une demande pressante*, précise le communiqué publié à l'issue de la réunion, *l'unification des efforts de ceux qui agissent dans le champ islamique est un vœu très cher à notre "Umma".* »[8]

La création du FIS a été annoncée officiellement, le vendredi 10 mars 1989, à la mosquée Ibn Badis de Kouba. « *Des dizaines de milliers de citoyens étaient au rendez-vous ce vendredi après-midi à Kouba pour assister à l'annonce de la proclamation officielle du Front Islamique du Salut (FIS). Bien avant l'heure prévue, l'artère principale de la commune était bloquée à la circulation. C'est sur la chaussée même que l'on a mis des tapis afin de permettre à tout ce monde venu de partout d'accomplir la prière du vendredi et d'assister dans l'après-midi à la proclamation du Front. La mosquée Ibn Badis qui a abrité les travaux était, selon des témoins sur place, pleine depuis les premières lueurs de l'aube...* »[9]

Ceux qui prirent la parole sont : Saharaoui Abdelbaki, Othmane Amokrane, Benazzouz Zebda, Ali Benhadj et El-Hachemi Sahnouni. Avant de donner la liste des membres du « Conseil de la Choura » du Front, le cheikh Abdelbaki Sahraoui a fait un prêche religieux dans lequel il a rappelé que « *le Front a pour sources le Saint Coran et la Sunna* ».

La demande d'agrément du FIS a été déposée auprès des services du ministère de l'Intérieur, le 22 août 1989. Les membres fondateurs dont les noms figurent officiellement sur la demande d'agrément sont au nombre de quinze (cf. annexe I, liste I) :

Le programme du Front a été lu par Othman Amokrane. Ce programme, en sept points, précise que l'action du Front portera sur « la préservation de l'unité de la Umma » et substituera l'Islam aux idéologies importées. Il y est précisé que le Front opte pour la « *voie médiane* » et la « *modération* ». Son « *action est collective* » et visera à « *encourager l'esprit d'initiative* » afin de « *sauvegarder le patrimoine civilisationnel et historique islamique* »[10]. On enregistre le retour de certains démissionnaires, comme Ali Djeddi.

De son côté, Mahfoud Nahnah, chef de file des Frères musulmans, refusera de s'associer à la création du FIS. Quelques mois après, le 30 novembre 1988, il fondera une association caritative, « El Islâh oua El Irchâd », qu'il confiera plus tard à un de ses lieutenants, M. Bouslimani avant de créer, en décembre 1990, son propre parti, HAMAS, utilisant le même acronyme que le mouvement islamiste palestinien, mais avec une signification différente : *Harakat al Moujtama' al islâmî (Mouvement de la société islamique)*. En 1996, Hamas prendra une autre significa-tion : *Harakat Moujtama' al Silm* (Mouvement de la société pour la paix/MSP)[11]. Comme A. Madani, M. Nahnah est enseignant à l'université. À Alger comme dans les autres régions du pays, il exerçait une autorité réelle sur une myriade de groupuscules islamistes. Lorsqu'il lança son association « El Islâh oua El Irchâd »[12], plus de trois associations y adhérèrent spontanément. Il est le relais en Algérie de l'Association internationale des Frères musulmans, et s'opposera, à ce titre, aux islamistes trop investis dans les enjeux locaux, qu'il affublera du quali-ficatif de « djazaristes ». Nahnah défend les positions classiques des « Frères musulmans ». « *Le caractère multidimensionnel de l'islam qui le distingue des autres religions et des doctrines positives fait de lui une religion et un État, une foi et un droit, un livre et une épée, des ethnies et une nation, une éthique et un comportement. Dans cette optique, il est impossible de dissocier le besoin spirituel du besoin matériel*[13] ».

De son côté, A.Djaballah, une autre figure de l'islamisme algérien, créera le parti ENNAHDA.

Une compétition s'engage entre ces trois partis islamistes, qui sera marquée par des heurts et des incidents multiples. Le FIS finira cepen-dant par l'emporter. Il sera officiellement agréé le 6 septembre 1989.

2. LE FIS EST « UN FRONT PARCE QU'IL AFFRONTE »

Dans une interview à l'hebdomadaire *Parcours Maghrébin* du 26 mars 1990, A. Madani définissait le FIS ainsi : « *C'est un Front, parce qu'il affronte ; et parce qu'il a un large éventail d'actions et de domaines ; c'est le front du peuple algérien avec toutes ses couches, et sur son vaste territoire. Il est ouvert à la variété des tendances et d'idées qui réalisent à travers la richesse de la diversité une unité cohérente... C'est l'unité du destin commun. Il est « islamique » d'appellation, parce qu'il a un contenu, une méthode, une fonction historique islamiques. L'Islam est un but auquel nous empruntons un modèle de changement et de réforme, et où nous puisons notre raison d'être... Quant au salut, il est représenté par la fonction apostolique, en tant que salut de la foi, celui qui mène à la voie droite et empêche l'erreur ; et par la fonction historique, économique, sociale, culturelle et civilisationnelle. C'est le salut pour tous... ».* Cette déclaration de A. Madani résume, on ne peut mieux, la double vocation de son parti : politique et religieuse ; les deux, participantes d'une même mission : la réconciliation des Algériens avec leur foi véritable restaurée à travers le rétablissement de l'État islamique.

• **« C'est un Front, parce qu'il affronte »**. Le FIS est d'abord perçu comme une machine de guerre, qui devra livrer bataille contre des forces hostiles. La violence est donc inhérente à sa mission. Un an plus tard, dans un prêche, le 5 avril 1991, à Koléa (Tipaza), Ali Benhadj confirme cette « vocation guerrière » du FIS , en déclarant : *« Je ne respecte ni les lois ni les partis qui n'ont ni le Coran, ni la Sunna. Je les piétine sous mes pieds. Ces partis doivent quitter le pays, ils doivent être réprimés »*[14].

• **« C'est le Front du peuple algérien avec toutes ses couches, et sur son vaste territoire »**. Il rassemble donc tout le peuple algérien, incarnant de la sorte l'unité de son destin. Comme le peuple algérien est Un, il ne peut donc avoir qu'un seul représentant : le FIS

• **« C'est le salut pour tous pour être tout »**. Il s'agit du salut de la foi et, là aussi, parce que le message divin est Un, il ne saurait avoir qu'un seul porteur : le FIS. Dès lors, quiconque s'oppose au FIS, s'oppose à l'Islam et à Dieu. Aussi, dans le même prêche, du 5 avril 1991, à Koléa, Ali Benhadj décrète l'interdiction de démissionner du FIS ; il assimile la démission à un acte d'apostasie, dont la sanction est la mort !

Cette vision nous renseigne sur les fondements à l'origine de la naissance du FIS : la propension à l'hégémonisme et la prédisposition à la violence. Ces deux caractéristiques expliquent la haine viscérale, que ce parti nourrit à l'endroit de toute forme de liberté. Pour ses dirigeants, liberté est synonyme d'offense à Dieu, à son autorité. Pour le FIS, *« le mot liberté dresse les hommes contre toute autorité, jusqu'à la Sunna de Dieu »*. Bien plus, *« le mot liberté est au nombre des poisons maçonniques et juifs, destinés à corrompre le monde sur une grande échelle »*.

Pire encore, « *il exprime l'idée de force brutale, qui rend la populace avide de sang comme le sont les animaux* ». « *C'est pourquoi, autant que nous le pourrons, nous effacerons ce mot du vocabulaire* », ne cessait de promettre Ali Benhadj. Ainsi, s'affirmant investi d'une mission divine, le FIS ne raisonne plus qu'en termes de force et de destruction. Tout ce qui s'oppose ou résiste à son projet doit être anéanti. « *Nous allons les mater avec la parole du juste... Nous ne sous-estimons pas la valeur des armes. Le pouvoir impie et les mécréants ne méritent pas d'être tués par des balles, car pendant la guerre de libération, on égorgeait les traîtres, on ne les fusillait pas* »[15].

Cette violence, consubstantielle à la nature du FIS – comme elle l'est de tout mouvement populiste à vocation totalitaire, se prétendant investi d'une mission historique, séculière ou divine – est toujours occultée par certains analystes occidentaux, qui s'évertuent à nous faire admettre que le FIS n'est pas ce qu'il prétend être et que la violence islamiste n'est qu'une réaction à celle de l'État. Il se trouve que le danger que représentait le FIS, dès sa création, du fait de son caractère violent, a été dénoncé par des cadres de sa propre direction. Une première fois, publiquement, à la télévision nationale, au plus fort de la grève insurrectionnelle de mai-juin 1991, par Bachir Fekih et Ahmed Merani. Ce dernier, dans une interview accordée, quelques mois plus tard, au quotidien français, *Le Figaro*, s'en prend violemment aux dirigeants du FIS ; « *leur langage*, dit-il, *sème la haine et la violence (...) ils vont à l'encontre du langage du Prophète, du langage islamique qui prône la tolérance sans prendre en compte ni le sexe, ni la religion, ni la race. L'Islam est une religion, pas un parti politique* »[16].

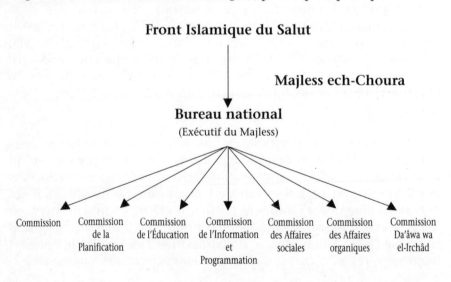

Front Islamique du Salut

Majless ech-Choura

Bureau national
(Exécutif du Majless)

Commission

Commission de la Planification

Commission de l'Éducation

Commission de l'Information et Programmation

Commission des Affaires sociales

Commission des Affaires organiques

Commission Da'âwa wa el-Irchâd

3. LE FIS EST UN PARTI TOTALITAIRE DE MASSE

3.1. Son organisation :

Le FIS, dont le siège se situait au 17, rue Hamani (ex-Charras), Alger, était dirigé par une instance suprême, appelée « Majless Ech-Choura » (Conseil consultatif), qui coiffait un « Bureau national » appelé aussi « Exécutif du Majliss ». Ce Bureau est composé d'un certain nombre de « Commissions nationales ». Au niveau local, ces « Commissions » avaient pour relais des « Bureaux de wilaya » « Djam'iâte el-hadhariyya li-tansîq » et des « Bureaux de communes » ou « Maktabât el-baladiyya el-islâmiyya »[17].

• Majless Ech-Choura El-Watani:
(Conseil consultatif national)

C'est l'instance suprême du FIS. Très restreint au départ, le Majless n'a cessé de s'élargir au gré des divergences de ses membres (cf. annexe I, liste 2) et de l'évolution de la conjoncture.

Ces membres ont été désignés à l'issue de l'assemblée générale, qui s'est tenue le 10 mai 1989. Le Conseil consultatif a désigné ABASSI Madani comme président et porte-parole du FIS. En réalité, le nombre des membres du Majless est beaucoup plus important. Les événements de juin 1991, avec leur lot de conflits internes et de dissidences ont permis de mieux connaître la composante du Conseil. Les membres du « Majless Ech-Choura » du FIS à la veille de la grève insurrectionnelle de juin 1991 sont au nombre de 35 (cf. annexe I, liste 3) :

Ce Majless est traversé par des courants et des tendances contradictoires et opposés, en lutte permanente pour le leadership. On y trouve les partisans du djihad immédiat (« Djihadiyyouns »), qui prédominent au sein de ce Majless, puisqu'ils représentent un peu plus du tiers des membres connus, soit un total de treize éléments. Ce courant « djihadiste » est représenté par deux tendances : les « bouialistes* » et les « takfiristes » (Tekfir oua-l-Hidjra). Les « algérianistes » (« el-Djaz'ara ») viennent en seconde position avec neuf membres, suivis des Frères musulmans radicalisés (tendance « qotbiste »), trois éléments. Le reste des membres se compose de salafistes traditionalistes[18]. Les alliances entre les différents courants et tendances changent en fonction du rapport de forces. Par exemple, durant la crise du Golfe, le Majless s'est trouvé divisé en deux grands camps : les partisans d'un soutien à l'Irak et à l'Arabie Saoudite et les partisans d'un soutien sans réserve à l'Irak.

• El Maktab et-Tanfidhi al-Watani :
(Le Bureau exécutif national)

Le Bureau exécutif national est composé des membres influents du Majless Ech-Choura auxquels ont été intégrés certains responsables des Conseils consultatifs de wilaya (cf. annexe I, liste 4).

Ce Bureau est composé d'un certain nombre de « Commissions » dirigées par des membres du Bureau et travaillant sous l'autorité directe de A. Madani. À son tour, chaque « Commission » comprend plusieurs « Départements ». Les responsables de ces Commissions sont membres es-qualité du Bureau exécutif national (voir annexe I, liste 5).

• Les Bureaux de wilaya :

Ces « Bureaux de wilaya » ont été créés après les élections locales de juin 1990 pour faire pendant aux structures administratives officielles. Chaque « Bureau » est composé des membres du Syndicat islamique du Travail (SIT), des Assemblées populaires communales (APC), des Assemblées populaires de wilaya (APW), ainsi que des Associations et des Ligues islamiques. À titre d'exemple, le « Bureau de wilaya d'Alger » est présidé par Kamel GUEMAZI, qui est aussi Président élu de l'APW et imam de la mosquée « El Taqwa ».

• Les Bureaux de communes :
(Maktabe el-Baladiyya el-Islâmiyya)

Ces bureaux existent sous deux formes différentes : l'une correspondant à l'APC traditionnelle, dirigée par un président, cinq vice-présidents et un exécutif ; l'autre correspondant à un « Majless Ech-Choura local », dirigé par un « émir » et regroupant les représentants des différentes organisations islamistes au niveau de la commune. Le siège de cette dernière est la mosquée.

3.2. Les ligues et les comités islamiques

Parallèlement à cette organisation traditionnelle, le FIS disposait également d'une structure militante horizontale, qui couvrait l'ensemble du territoire national et s'étendait aux divers secteurs de la vie sociale. Il s'agit du « Syndicat islamique du Travail » (SIT) des « Ligues » et des « Comités » islamiques.

• *Le Syndicat islamique du Travail :*

Après avoir imposé son hégémonie sur les universités, les mosquées et les quartiers populaires, le FIS investit le champ syndical. En août 1990, la création d'un Syndicat islamique du Travail est annoncée. En un laps de temps, relativement court, quelques mois tout au plus, le SIT parvient à s'imposer dans la plupart des secteurs de l'activité économique, notamment dans l'éducation nationale, la santé, les transports (Air Algérie, la CNAN, etc.), les hydrocarbures, les PTT et les entreprises locales (sous la tutelle des communes ou des wilayas).

Le SIT rejette l'idée de la lutte des classes. Il se limite à la préservation des intérêts des travailleurs dans le cadre de l'Islam et à la défense aussi bien des travailleurs que des patrons pour le bien commun. L'activité syndicale est perçue sous l'angle éthique/moral ; son objet est la réalisation de l'entente chefs d'entreprises/travailleurs, partant du principe, que dans une république islamique, un musulman ne peut exploiter un autre musulman.

Cette vision tronquée des choses ne l'empêchera de s'implanter dans le monde du travail et de menacer sérieusement la suprématie de l'UGTA. Comme le FIS dont il dépend, le SIT instrumentalise l'Islam. Said El Eulmi, doyen du SIT disait, dans une de ses déclarations : « *Faites-le savoir partout et dans toutes les entreprises, aucun musulman ne doit s'affilier à un autre syndicat que le SIT, car celui-ci tire sa légitimité du Coran et de la Sunna* »[19].

• *Les ligues islamiques :*

Parmi la multitude des « Ligues islamiques », nous pouvons citer :

- *La Ligue islamique des Enfants de Chouhadas,*
  (dirigée par Ahmed GHITHRI) ;
- *L'Association des jeunes Musulmans,*
  (dirigée par Kamareddine KHERBANE) ;
- *La Ligue islamique des Handicapés,*
  (dirigée par Mohamed Chérif Bourkouche) ;
- *La ligue islamique du Secours social,*
  (dirigée par Ahmed MERANI) ;
- *La Ligue des Lettres islamiques*
  (dirigée par Brahim MIHOUBI).

Ces ligues, dirigées chacune par un membre de la direction du FIS, notamment du Majless Ech-Choura, contrôlent des centaines de milliers d'associations locales caritatives, religieuses, culturelles...

On comptait, en 1990, environ 20 000 associations de ce type réparties sur l'ensemble du territoire national. À titre d'exemple, « l'Association des jeunes Musulmans » a été fondée le 7 mars 1991 à la mosquée « Sidi Ramdane » (Casbah-Alger). Son siège, à Alger, se trouvait au 10, rue Abdelhamid Maniouz. À l'est, son représentant était Belhadj Nourdine Hadjaz (adresse : 4, rue Khelifi, Ain Mlila). À l'ouest, son siège se trouvait au domaine Ibn Chaïb, n° 72, Cité El - Kiffan, Tlemcen.

Cette association a été créée dans la perspective d'investir le milieu lycéen. « *Sobriété, efficacité, sont les maîtres mots pour celui qui a en charge cette opération, Kamr Eddine Kherbane (...) qui, de la mosquée Sidi Ramdane (Casbah), qu'il a fait sienne, distille des consignes et conseils précis à l'adresse des militants du mouvement désireux de créer une section ou cellule du Front, à l'intérieur de leurs lycées : première priorité, "ne pas se faire remarquer", "agir discrètement", "situer politiquement" les camarades de classes, "convier aux halakates" ou... à un prêche d'A. Benhadj, ceux qui paraissent sympathiser. La cellule se doit de comporter quatre membres dont un chef, qui rend compte toutes les semaines au responsable du lycée qui, lui-même établit un rapport mensuel au siège du Front de la wilaya dont il dépend (...). Il est, en outre, recommandé à la cellule de repérer en particulier les "communistes" et "athées" (comprendre PAGS et RCD) et d'utiliser la rumeur pour les discréditer. Enfin, si l'usage de la violence ne fait pas partie des recommandations, il n'en demeure pas moins, qu'en cas d'"agression", les représailles sont autorisées, sous réserve importante précision, que le Front ait donné son aval... »*[20].

Dès 1990, un véritable réseau est tissé dans le milieu lycéen. Les responsables de l'association se targuent d'être en mesure, à la veille de chaque manifestation du FIS à Alger, de mobiliser plus de 50 000 lycéens, soit la moitié de l'effectif de toute la wilaya.

• *Les Comités de mosquées :*

En 1990, le FIS contrôlait environ 12 000 mosquées et salles de prières. Outre les mosquées déjà construites sur lesquelles ils ont fait main basse, les islamistes ont également construit des milliers de mosquées et de salles de prières, qu'ils qualifient de « mosquées libres ». « *Les mosquées dites libres (hurra) sont des mosquées construites à l'initiative des intégristes. Elles se révèlent être de véritables ribâts guerriers d'où résonne l'appel à la guerre sainte contre les infidèles et les impies, aussi bien extérieurs qu'intérieurs. Contrairement aux mosquées du peuple ou d'État, qui fonctionnent, les premières sur le mode de résistance passive, les secondes sur le plan contrainte idéologique, celles investies par les intégristes visent une lutte ouverte contre les potentats locaux, pour la résurgence de la première communauté du Prophète »*[21].

La mosquée présente des avantages comparatifs indéniables. Outre le fait qu'elle exclut d'emblée l'ensemble des partis politiques non-islamistes de son champ d'action, elle constitue, sous couvert de la manipulation du sacré, un espace favorable à la propagation des idées politiques et au recrutement de militants.

En effet, la mosquée n'est pas seulement une structure mais aussi et surtout un ensemble de liens qui, dans la vie quotidienne, tiennent ensemble des personnes qui se sentent faire partie d'une même communauté. Sous l'action réfléchie d'un ordonnateur affecté d'un puissant coefficient de légitimité, cette conscience d'appartenant devient progressivement un potentiel symbolique efficace pour garantir une mobilisation continue de ressources d'identité collective contre l'ennemi désigné. Le cas récent le plus comparable à rappeler est le rôle joué par l'Église polonaise. Qui plus est, les mosquées contrôlées par les islamistes sont structurellement organisées comme un ensemble de services (centre de distribution de médicaments pour les nécessiteux, collecte de sang pour les malades, agence matrimoniale, etc.).

C'est pour toutes ces raisons, que le FIS partira d'abord à la conquête des mosquées avant d'investir les autres espaces sociaux. Mais, dernier-né de la mouvance islamiste, il devra récupérer les mosquées qui étaient sous le contrôle des partisans et des sympathisants des organisations islamistes concurrentes, notamment des militants et des partisans de M. Nahnah. Ainsi, commence, dès 1990, la guerre des mosquées[22].

Des expéditions punitives sont organisées contre tous les imams réfractaires à l'ordre du FIS. La presse nationale a abondamment commenté ses « opérations commando ». À titre d'exemple, nous citerons quelques cas significatifs. En 1990, le cheikh El Hadj Mâasoum, imam à la mosquée Sidi Boumediène à Tlemcen, est agressé aux cris de « Allah Akbar ». Durant la même année, à la mosquée Ibn Badis d'El Mouradia (Alger), des incidents éclatent entre les partisans du FIS et ceux de Nahnah. Toujours en 1990, à Bou Ismail (wilaya de Tipaza), l'imam Bahria, qui occupait le logement de fonction de la mosquée Khaled Ibn El Walid est agressé chez lui ; des citoyens sont retenus en otage des heures durant à l'intérieur même de la mosquée par des militants du FIS.

Les mosquées servent non seulement de lieux de prêche, de lieux de réunion et de propagande politiques, mais aussi de caches d'armes et de fabrication de bombes artisanales. « *Elles sont également le lieu idéal où se pratiquent les arts martiaux, surtout le karaté et le judo. Dans certaines mosquées, des espaces sont exclusivement réservés à ces exercices ainsi qu'au maniement des armes blanches. La salle de prière de la mosquée de l'université centrale d'Alger, que les intégristes avaient transformée début 1980 en une mosquée de quartier, avait été utilisée dans les années 75 contre la révolution agraire et le volontariat étudiant. Un véritable arsenal (haches, couteaux, etc.) y était entreposé ! Les intégristes l'utilisent actuellement pour pénétrer dans l'université sans contrôle alors que l'ensemble de la communauté universitaire y est soumise »*[23].

À la base de la stratégie de pénétration de la société par le FIS se trouve donc la mosquée : « *Lieu de prière et de prédication – le système des cassettes inauguré à grande échelle par l'imam Khomeiny fait recette en Algérie, où les enregistrements de sermons se vendent par milliers – la mosquée est aussi un centre d'enseignement aux retombées extrêmement larges dans un pays où plus de la moitié de la population a moins de quinze ans. En dehors des écoles coraniques, les mosquées servent à abriter des cours complémentaires à l'enseignement "laïc", donnés bénévolement par des étudiants. Des camps de vacances sont organisés pour les jeunes (de sexe masculin) qui trouvent à leur disposition des équipements particulièrement attrayants et variés et qui y bénéficient d'un encadrement assuré par des animateurs dont le rôle essentiel est l'endoctrinement. Parti de la mosquée, relayé par des jeunes qui forment le gros – pour ne pas dire l'essentiel – des troupes du FIS, appuyé par une "action sociale" d'occupation du terrain, le message islamiste trouve une caisse de résonance dans le foyer familial. Il est, en effet, rare qu'à partir du moment où l'un des enfants a été sensible au message du FIS, tout ou partie de la famille ne succombe au bout d'un laps de temps plus ou moins court* »[24].

• Les Comités de quartiers :

Une fois le travail de récupération des mosquées terminé, le FIS se tourne vers la conquête d'un autre espace social : les quartiers populaires. Ce terrain est plus facile à investir que le premier tant, à la fin des années 80 et au début des années 90, la dégradation des conditions de vie, la misère, le chômage, la promiscuité, la marginalisation et la désespérance ont transformé ces quartiers en véritables « poudrières sociales »[25]. Depuis l'Indépendance, les effets cumulés de l'immigration rurale vers les centres urbains[26], de la pression démographique et d'un déficit chronique de logement – à la fin des années 80, on enregistrait un déficit de près de quatre millions de logements – ont provoqué une « bidonvilisation » dramatique des centres urbains. La formule des ZHUN (zone d'habitat urbain nouvelle), mise en œuvre à la fin des années 70, visait à créer des nouveaux ensembles résidentiels, à la périphérie des anciens noyaux urbains, dotés de tous les équipements. Dans les faits, seuls des immeubles d'habitation ont été livrés. Ces ensembles se sont transformés en immenses cités dortoirs, prolongement d'une ruralité en décomposition, qui prennent l'allure de véritables proliférations métastatiques...

Des cités, comme Ain Nâadja, à la périphérie d'Alger, devenue une petite ville dortoir où s'entassent plus de 100 000 habitants dans 12 000 appartements répartis sur 400 hectares. « *Les cités type Bab-Ezzouar, ont fleuri comme des champignons, causant des problèmes inimaginables allant de leur gestion catastrophique, aux problèmes de délinquance nés de la promiscuité des lieux ou de la perte de l'autorité parentale. Des cités comme celles de la "Montagne" à Bourrouba ou d'El-Hamri à Oran, se sont transformées aujourd'hui en de véritables ghettos. Malvie, violence, banditisme, égouts à ciel ouvert, absence d'équipements socio-culturels, etc., sont les lots quotidiens des habitants, de la jeunesse surtout, sans compter les problèmes de "zoning" et de transport* »[27].

« *Les banlieues du sud-est algérois n'ont rien de poétique. C'est un agrégat de maisons ayant un air de famille avec les bantoustans. Vestiges pour la plupart, du plan de Constantine, construits à la hâte, c'était la réponse du général De Gaulle qui a cru avoir "compris" que les Algériens ou "Français musulmans" de l'époque, réclamaient seulement un peu plus de justice, un peu plus de pain, dans le cadre des valeurs républicaines françaises. Ce fut sa réponse pour dégonfler la crise algérienne, et par là contrecarrer la révolution par d'autres moyens que les armes. Ironie du sort, ces quartiers : PLM, cité la Montagne, cité d'urgence, cité évolutive, les Eucalyptus, Dessolier, Oued Ouchaïah, Bob Sila . . . sont un concentré de haine contre tout ce qui représente le pouvoir, cette fois algérien. Ils échappent presque entièrement à l'autorité de l'État qui n'est représenté que par les commissariats de police et, à un degré moindre, les écoles.* »[28].

Ce sont ces « faubourgs de la haine », ces « banlieues hors-la-loi », que le FIS va investir. Les maîtres d'œuvre de cette opération sont les gens de la commission « *Al Da'wa wa El Irchâd* » dirigée par El Hachemi Sahnouni, secondé par Ali Benhadj, qui coiffe lui-même le « mouvement salafiste », relais du FIS dans les quartiers dont les membres travaillent au corps les délinquants notoires, appelés dès leur « rédemption » à servir de futurs moralisateurs ou de renforcer les milices parallèles du FIS. « *En fait, le mouvement islamiste n'a fait qu'exploiter les carences induites par trois décades d'exercice anarchique du pouvoir, qui a, tour à tour, réprimé, bâillonné, culpabilisé, voire dédaigné la frange la plus importante de la société. Aux exclus du système scolaire, aux exclus de la vie active, les islamistes du FIS ont offert de rejoindre la "famille", possibilité unique de briser le cercle vicieux "maison, mur, café", on leur a donné un but : la Révolution islamique, on les responsabilise en les impliquant dans la concrétisation de cet objectif. Peu à peu, dans l'inconscient collectif, au mirage d'une mythique Australie lointaine, s'est substituée l'image hypothétique de la cité islamique idéale, expurgée de toute injustice sociale »*[29].

Le FIS fut le seul parti à s'immerger dans le marais de la plèbe urbaine, à prendre en charge la haine sociale et les sentiments de revanche nourris par les exclus de tout partage à l'endroit du pouvoir. Fort des APC, conquises en juin 1990, le FIS utilisera les moyens de celles-ci au service de sa stratégie de « prise du pouvoir par le bas ». De manière pratique, comment s'y est-il pris ?

• LE FAVORITISME : ses militants et ses sympathisants tireront profit, durant son passage à la tête des communes, d'un favoritisme, qui leur a permis d'accéder à des emplois dans les administrations et les entreprises communales et de bénéficier de l'octroi de locaux commerciaux et de lots de terrain.

• L'ACTION CARITATIVE : dans ce cadre, plusieurs opérations seront lancées, dont celle des « marchés de la Rahma » (miséricorde) – qualifiés aussi de « Aswâk el-Fallâh » par opposition au « Aswâk el-fellah », centres commerciaux étatiques – qui commercialiseront des produits de large consommation (légumes, fruits, produits alimentaires, vêtements...) à des prix défiant toute concurrence. Outre le fait qu'elle a considérablement contribué à alléger le fardeau des dépenses pour les démunis, cette opération a permis la création de milliers d'emplois occasionnels. Elle sera suivie par l'ouverture de « restaurants populaires » au profit de tous les citoyens durant le mois sacré du Ramadan. Ainsi, des milliers de repas seront servis quotidiennement aux « jeûneurs » dans toutes les villes d'Algérie. Quelques-uns de ces restaurants continueront à fonctionner, après le mois du Ramadan, au profit des nécessiteux et des citoyens de passage. En même temps, les familles pauvres bénéficiaient de la même aide alimentaire durant le mois du jeûne.

Alger, mi-juin 1990, les ordures s'amoncellent dans les rues, des tonnes d'immondices jonchent les trottoirs exhalant une puanteur accrue par la lourde chaleur accablant la ville. Les éboueurs de la ville d'Alger sont en grève. Pourtant, peu à peu, les rues sont nettoyées, débarrassées des détritus et de leurs encombrantes poubelles, particulièrement dans les quartiers populaires. Les « jaunes » d'occasion portent barbes et kamis : des volontaires du FIS. Cette initiative aura un impact considérable. Il est d'autres actions moins spectaculaires mais tout aussi efficaces. En ce mois d'avril 1990, à l'hôpital

Mustapha d'Alger, en plein Ramadan, le personnel (médical et para-médical) pressé comme la plupart des Algériens de rentrer chez eux, de terminer une éprouvante journée de jeûne, déserte les lieux dès les débuts d'après-midi. Les malades sont livrés à eux-mêmes. Et, chaque jour, en fin d'après-midi, les « barbus » arrivent, prêts à toutes les cor-vées pour les soulager.

• LE CONTRÔLE SOCIAL : cette conquête des espaces sociaux est égale-ment synonyme de contrôle social. Parallèlement à l'action carita-tive, assortie d'un discours militant et, surtout d'un contrôle très strict de la bonne observance des injonctions de la charia, la multi-plication d'associations islamiques amplifie la pénétration de la société par le FIS : « *Centres culturels et associations de bienfaisance sont les relais d'une grande efficacité. Dotés de salles de prière et de bibliothèques, munis de magasins alimentés par des dons, utilisés pour des expositions et des conférences ou offrant aux étudiants des salles d'études, ces centres assurent un large rayonnement au discours islamiste. Ainsi va-t-il de cette association islamique de bienfaisance créée par un jeune prêcheur de vingt-six ans et sise dans l'un des quartiers les plus populaires d'Alger, Belcourt. À côté d'activités culturelles et sportives, en plus de l'aide matérielle qu'elle peut apporter en matière de logement, elle a, selon l'un des membres du bureau de l'association, assuré la fabrication et la distribution gratuite de quelque huit cents hidjabs (le fameux foulard islamique) à des femmes... Bien que l'on se défende de toute tutelle ou dépendance politique, bien que l'on y nie tout lien avec le FIS, les murs du petit bureau austère jouxtant ce qui doit devenir une salle de conférence sont décorés de photos de M. Madani, agrémentées du titre récent d'un hebdomadaire français : "L'homme qui fait peur à la France". Telle autre association islamique s'est, elle, lancée dans la distribution de boissons et de sandwichs aux lycéens passant le bac* »[30].

À l'aide d'un tel « maillage » de la société, tous les groupes sociaux sont soumis à un contrôle social continu et quotidien. L'action du FIS a débouché sur l'éclosion d'une « contre-société », libérée de la tutelle des pouvoirs publics, à partir des débris d'une société déstructurée, en proie à une grave crise multidimensionnelle et affaiblie par la régres-sion économique et la déliquescence de l'État.

• LA VIOLENCE RÉDEMPTRICE : La violence est inhérente à la nature même du mouvement islamiste. « *Les intégristes pensaient que si les prêches étaient nécessaires pour préparer les esprits en vue de la lutte finale contre le système "déviant", ils n'étaient pas suffisants. Parce que les prêches mettraient du temps ("beaucoup de temps") à faire sentir leurs effets, alors que l'action exemplaire serait d'un effet immédiat ; elle hâterait l'avènement d'une "République islamique"* »[31]. La violence islamiste a commencé à se manifester dès la fin des années 1970. En avril 1979,

111

des étudiantes, jugées vêtues de façon « indécente » sont vitriolées à l'université d'Oran et hospitalisées. En janvier 1980, à l'université d'Alger, les islamistes attaquent les étudiants « mécréants ». Les jours suivants, ces agressions se poursuivent à l'université de droit de Ben Aknoun (Alger). En mars 1981, un groupe d'islamistes fait une descente dans la ville d'El-Oued (sud-est algérien) et détruit une cave à alcool. Le 30 octobre 1981, un commando islamiste attaque un commissariat de police à Laghouat, s'empare des armes et se replie dans une mosquée de la ville.

Le 2 novembre 1982, à la cité universitaire de Ben Aknoun, à 20 heures, des étudiants proches du PAGS (communistes) sont attaqués par un groupe de choc islamiste masqué et armé de sabres, de chaînes de vélos, de couteaux et de barres de fer. Un étudiant, Kamal Amzal est tué à coup de sabre, tandis que plusieurs autres sont grièvement blessés[32].

Durant la même année, des agressions sont perpétrées par les islamistes contre les étudiants et les femmes : un étudiant est blessé à coup de hache à l'université de Bâb Ezzouar (à l'est d'Alger) ; des femmes sont agressées à Boumerdès (est d'Alger) et à Sidi Bel Abbès (l'Ouest algérien) ; des étudiantes sont passées à tabac, aux universités d'Oran et de Annaba, pour avoir préféré le décolleté au hidjab[33].

Au cours de la seule année 1989, des dizaines d'agressions et de tentatives d'intimidations sont signalées par la presse[34]. À Ouargla (sud), la maison d'une femme accusée de pratiquer « le plus vieux métier du monde » est incendiée. Dans l'incendie, son enfant, âgée de trois ans, est brûlé vif. Au cours de l'entretien accordé à un journal, le dirigeant du FIS, A. Madani affirme : « *C'est la femme qui s'est débarrassée de son enfant malade en le jetant dans le feu* »[35]. Dans l'Ouest algérien, à Mascara, une fille est brûlée vive par son frère, islamiste, parce qu'elle refusait de cesser de travailler. À Annaba, une enseignante, membre d'une association féminine, voit son domicile incendié. À Dellys, ville côtière, le port du short est interdit matraques et gourdins à l'appui. À Merouana (wilaya de Batna), le jeune GUENDOUZ Fayçal est arrêté et séquestré par la « milice » du FIS. Dans l'enseignement, le mot d'ordre principal est « non à la mixité ». Des enseignantes sont menacées partout où elles tentent de s'exprimer. Les deux concerts, que la chanteuse portugaise LINDA DE SUZA devait donner, les 13 et 14 décembre 1989, à la salle Atlas (Alger) ont été annulés suite à des menaces par téléphone qu'avait reçues le directeur du Centre culturel de l'Information (CCI), M. Sid Ahmed AGOUMI, ainsi que d'autres formes de pression telles que des prêches virulents dans les mosquées, l'arrachage des affiches dans les rues, affichage d'écrits contre cette forme de « gaspillage ».

Pour sa part, le journal bimensuel du FIS, *El Mounquid (le Sauveur)* titre, dans un de ses numéros, à propos de la chanteuse : « Une sioniste en terre d'Algérie » et s'interroge sur l'opportunité d'une telle manifestation culturelle dans le contexte du moment, « *le CCI*, écrit-il, *ne semble pas concerné par la crise économique et celle du logement, ignorant les conditions de vie des familles sinistrées par le dernier séisme, préférant verser à son invité 20 millions de centimes en devises fortes* ». Quelques jours plus tard, à Msila, la programmation de la pièce *El 'Ayta (le Cri)* est annulée sous la pression des islamistes locaux. En décembre, les boulangers reçoivent des lettres de menace, les mettant en garde contre la vente de « bûches de Noël » ou de chocolat. Des affiches sont placardées sur les murs d'Alger. Des tracts, glissés dans les boîtes aux lettres et/ou affichés, intiment l'ordre aux locataires de certaines cités de « refuser la parabole » pour « *sauvegarder leur honneur et celui de leur famille* ».

Dès le début du moi d'avril 1990, les islamistes ont tenté d'empêcher les activités culturelles programmées à la salle « Atlas » sise à Bâb el-Oued. Dans la nuit du 11 au 12 avril, quelque deux cents islamistes ont tenté d'interrompre un concert qui se déroulait dans cette salle. Les brigades anti-émeutes ont contenu pendant toute une partie de la nuit l'assaut des islamistes qui tentaient d'arrêter de force la représentation du groupe « Ideflawen », arguant du fait que « les soirées artistiques sont contraires à l'esprit du Ramadan »[36].

Le 17 avril 1990, le même groupe d'islamistes de la mosquée « Et-Takwa », de Bab El-Oued (Alger) ont décidé d'interdire les concerts du célèbre chanteur kabyle Lounis AIT-MENGUELAT, prévus à la salle « Atlas », du 18 au 21 avril 1990. Le président (FIS) de l'APC de Bab El-Oued a menacé le directeur de la salle « Atlas », en lui demandant de « prendre ses responsabilités ». La liste est encore longue. Dès la fin des années 70, les expéditions punitives sont fréquentes, à partir de la fin des années 80, elles se multiplient et deviennent quasi quotidiennes. La technique usitée est bien simple. Lorsque les adversaires ciblés sont en petit nombre, un groupe de jeunes agitateurs suffit pour semer la panique. Lorsque l'« ennemi » est en nombre important, comme dans les meetings de certains partis politiques, ces jeunes sont encadrés par les « Afghans » (vétérans de la guerre d'Afghanistan) armés de gourdins, de bâtons et de sabres...

Une autre tactique est utilisée, consistant à miner l'autorité de l'État et à donner l'impression que le mouvement est populaire. Les troupes du FIS, en raison d'une manifestation culturelle quelconque jugée illicite ou contre un espace de convivialité (par exemple, le Parc des loisirs du Caroubier, situé à l'est d'Alger), se rendent sur les lieux, toujours armées de gourdins, de bâtons, de sabres, d'épées et de chaînes, face aux forces de l'ordre (brigades anti-émeutes), et menacent d'attaquer. Quand la tension atteint son sommet, juste à ce moment, un dirigeant du parti, le plus souvent A. Madani lui-même, arrive en trombe, pour calmer les esprits de ses troupes et ramener l'ordre. L'impact de cette tactique est considérable. Aux yeux des populations, le FIS apparaît comme la seule force capable de maintenir l'ordre public, de réussir là où l'État échoue.

C'est la même démarche que nous voyons à l'œuvre dans les mouvements fascistes espagnols, italiens et allemands. « *Dans la pratique des mouvements fascistes, plusieurs aspects nous apparaissent à la fois complémentaires et inséparables : d'une part, les manifestations de propagande positive (destinées à convaincre les masses), dont la forme la plus spectaculaire est le rassemblement de masse, en plein air ou dans une salle, forment un tout avec l'action terroriste des groupes armés, que celle-ci s'exerce en dehors de ces manifestations, à leur occasion ou pendant leur déroulement : persuasion et coercition sont les deux volets complémentaires de la pratique fasciste* »[37]. D'où l'importance de cette autre technique de conquête des espaces sociaux, les démonstrations de force à travers les rassemblements islamistes, qui procèdent d'une véritable manipulation des multitudes.

• Les rassemblements islamistes : le FIS est passé maître dans l'organisation des rassemblements de masse où un montage élaboré amplifie l'effet souhaité de communion et/ou d'effroi. Ce montage repose sur l'action de plusieurs acteurs : les membres du service d'ordre, les chargés de la protection rapprochée des dirigeants, les responsables de l'animation et la mise en scène, minutieusement préparée, qui règle l'apparition et l'intervention des leaders du parti. M. Said BOUCHENAK[38], nous révèle les ressorts de cette stratégie islamiste de manipulation des foules à travers le cas concret d'un rassemblement islamiste dans la capitale (Alger).

• Rassemblement islamiste dans la capitale (Alger) : le jour fixé pour le rassemblement, des milliers d'individus arrivent de toutes les régions d'Algérie. Les sympathisants ou militants arrivés la veille sont hébergés soit chez les militants résidant à Alger soit dans les mosquées. Les commerçants et les « trabendistes » (spécialistes du marché noir) prennent financièrement en charge l'acheminement des personnes démunies, sans ressources, vers la capitale. Les aires de stationnement des véhicules sont « réservées » à l'avance par le service d'ordre.

Les groupes arrivent à Alger encadrés par le service d'ordre de la wilaya d'origine. « *Les responsables islamistes de la capitale et des wilayas limitrophes de celle-ci (Blida, Tipaza et Boumerdès) arrivent très tôt le matin accompagnés de leurs troupes du service d'ordre. Ces derniers à la queue leu leu, précédés par un ou deux éléments du service de protection sont positionnés tout au long du trajet à parcourir par la foule. Ils sont placés sur les trottoirs de part et d'autre, cinq mètres d'intervalle à peu près séparant deux membres du service. Très généralement, ils sont près des agents de police. Debout, ils ne quittent jamais leurs positions. Le service d'ordre de chaque wilaya se distingue des autres par des badges de couleurs différentes (vert pour Boumerdès, rouge pour Tipaza, etc.) sur lesquels sont inscrits les noms du parti et de la wilaya, et apposés de cachets humides du parti. La capitale se réveille le matin sur un service d'ordre installé d'une manière impeccable »* (p. 39).

Les islamistes de la capitale se rassemblent d'abord dans leurs quartiers avant de se mettre en branle vers le lieu du rassemblement. C'est à eux qu'il revient d'ouvrir la manifestation par des chants religieux. Les dirigeants des wilayas se dirigent, à leur tour, au lieu de rencontre des dirigeants nationaux du mouvement, suivis de près par les « émirs » de leurs troupes de protection. Les manifestants arrivent, toujours encadrés par le service d'ordre, pour prendre position au lieu fixé pour le rassemblement. Ce n'est qu'à ce moment-là, que les « cheikhs » avertis sortent, protégés de près par leur garde rapprochée.

La marche ou le meeting commence. Les membres du service d'animation se répartissent les tâches : les uns filment le rassemblement, les autres stimulent la foule par des chants religieux ou en criant des slogans, d'autres, enfin, reprennent les slogans, qui changent à des moments précis... Les « cheikhs » montent sur la « scène » et, à tour de rôle, prennent la parole. *« Les leaders du mouvement, se présentent habituellement ensemble. Les principaux chefs au milieu, alignés avec le reste des leaders. Aucun d'eux ne devance les autres (...). Cette présentation fait partie de la stratégie des islamistes. C'est une situation égalitaire, "modeste" (semblable à celle des premiers califes de l'Islam et laissant transparaître la collégialité du commandement, synonyme de « Choura »). Lorsqu'il s'agit d'une marche, ils se mêlent aux premiers rangs de la foule (juste pour quelques instants), favorisant quelques attouchements réservés aux saints dont on attend un miracle. »* (p.36).

Il était un seul concurrent en mesure de contrarier l'implantation du FIS dans les quartiers populaires : l'organisation El Hijra oua Takfir. Ses adeptes, *« frères en Islam, mais ayant choisi une autre voie »*, comme Abassi Madani aimait à les qualifier, acceptaient mal les prétentions hégémoniques du FIS, qui venait chasser sur leurs territoires. Léveilley, la Casbah, Bachdjarah, la Montagne, Belcourt, la Glacière, Hussein Dey, Bâb El-Oued, El Harrach, Larbaa, Baraki, Bordj el-Kiffan,

Khemis el-Kechna, Dar el-Beïda résonnent encore de l'écho des affrontements entre les adeptes d'El Hijra oua Takfir et les militants du FIS. C'est souvent sabre à la main que se sont dessinées les zones d'influence. Hormis, cette résistance, somme toute limitée dans l'espace et les quelques timides incursions du mouvement de Nahnah, le FIS, dans sa conquête des quartiers populaires n'a rencontré aucun autre obstacle.

• *La Police islamique :*

Confinés, à leurs débuts, dans des tâches d'encadrement des rassemblements, les « Mouslihines », membres de la Police islamique, étendent, progressivement, leurs compétences à l'ensemble de la société. « *Simples groupes armés de gourdins ou véritable armée de parti, les formations paramilitaires et militaires sont un signe distinctif essentiel des partis fascistes* »[39]. On pourrait même dire, que l'élément décisif dans le FIS n'est pas tant son appareil politique en comparaison avec ses organisations paramilitaires. La tâche de l'appareil politique était de permettre au Front d'utiliser les élections à titre de complément dans sa lutte pour le pouvoir. Le trait distinctif du FIS tient à ce qu'il a réussi à coaguler une multitude d'intérêts de classe contradictoires dans un mouvement de masse. Son originalité, par contre, tient au fait patent, qu'il a trouvé une forme d'organisation appropriée à des catégories sociales (les déclassés sociaux, les marginaux, les exclus, certains segments de la petite bourgeoisie et des couches moyennes), qui ont toujours été incapables de constituer une structure autonome et une idéologie unifiée/cohérente. Cette forme organisationnelle est la milice.

La Police islamique surveille les citoyens, rend la justice et présente les « contrevenants » devant les « tribunaux islamiques » siégeant dans les mosquées. Sa mission consistait à imposer le respect de la morale islamique ; imposer les comportements « *halal* » (licites) et réprimer les « *haram* » (les interdits). Elle était un instrument de « réislamisation » de la société par le bas. Placée sous la responsabilité des bureaux exécutifs du FIS, la Police islamique était chargée :
- d'imposer l'interdiction de la vente et de la consommation des alcools,
- d'imposer la séparation des sexes dans les écoles, sur les lieux de travail et dans les transports publics,
- d'imposer le port du hidjab réglementaire et d'interdire les tenues vestimentaires non conformes à la morale islamique,
- de réprimer les couples dits « illégitimes »,
- de réprimer la prostitution et l'homosexualité.

La Police islamique fera de la célèbre fatwa de Damas – « la commanderie du bien et le pourchas du mal » – d'Ibn Taymiyya, leur programme. Au lendemain d'octobre 1988, ces milices islamistes, naguère plus discrètes, prolifèrent et agissent à visage découvert. Elles s'en prennent essentiellement aux femmes vêtues à l'« européenne » *(mutabaridjah)* et aux consommateurs d'alcool ; leurs expéditions punitives, de plus en plus fréquentes, sont souvent meurtrières. Au printemps 1989, les islamistes entament une campagne contre la mixité dans les établissements scolaires et pour le port du hidjab. En 1990, les fêtes de fin d'année sont déclarées interdites : « *Cette habitude de fêter la naissance de Sidna Aïssa (Jésus Christ), que « le salut soit sur lui »*, dit A. Madani, *date du lendemain de l'Indépendance, et constitue une hérésie* »[40].

• *La presse du FIS :*

L'occupation de l'espace médiatique a été une des préoccupations essentielles du FIS. Il a été l'un des premiers partis politiques à éditer un périodique partisan et à en assurer la diffusion à grande échelle. De ce fait, ses publications multiples et l'acquisition d'un matériel d'impression sophistiqué lui ont permis d'investir le champ de la communication de masse.

Le FIS édite deux hebdomadaires dépendant directement de ABASSI Madani : *EL MOUNKID* principal organe du FIS, fondé le 5 octobre 1989, dirigé par Benazouz Zebda et Gouami Salah) ; *EL FORKANE*, périodique en langue française dont on attribue la paternité à Said Guechi. Sahnouni Hachemi, quant à lui, crée *EL HADAYA* avec comme adjoint Ali Benhadj et comme rédacteur en chef Said Makhloufi. Le FIS édite également *EL BALAGH* (hebdomadaire en langue arabe), *MINBAR EL DJOUMOUAA* (périodique arabe/français), *ESSALEF* (périodique en langue bilingue) et *EL INKAD* (hebdomadaire en langue arabe). Mohamed Said, quant à lui, serait l'inspirateur de l'hebdomadaire islamique indépendant, *ENNOUR*.

4. LE PROGRAMME POLITIQUE ET L'IDÉOLOGIE DU FIS

Le « Projet de programme politique du Front Islamique du Salut » a été publié dans son journal, *El Mounqidh, (le Sauveur)*, en mars 1989 (Cf. Annexe I). Notre examen dudit programme vise à mettre à jour quelques éléments fondamentaux constituant le projet islamiste. Dans cette visée, on risque de passer à côté de l'essentiel, sauf à considérer la logique, qui structure ce programme. Celle-ci renvoie à un procès de transformation, qui fait d'un corpus religieux une idéologie politique au sens fort du terme : un système cohérent d'idées, qui substitue à l'expérience commune une réalité politique autre/construite.

• *L'islam est une idéologie :*

Cette « déviation » est commune à tous les courants de la mouvance islamiste contemporaine. Par voie de conséquence, on ne saurait confondre l'islam avec l'islamisme. En effet, « *Contrairement à ce que l'on a tendance à croire, il n'est pas donné à tout musulman d'y adhérer du fait qu'il est musulman. Il n'est pas en outre une idéologie spontanée, à laquelle on adhère sans effort de réflexion. L'islamisme est comme toutes les autres idéologies ou interprétations, un fait idéal complexe qui contraste radicalement avec les tendances piétistes de l'islam classique* »[41].

De ce fait, il peut même paraître, aux yeux de beaucoup de musulmans pieux, comme une « innovation blâmable » comme en témoignent les propos de Muhammad Saïd Al-Ashmawy : « *La religion est générale, universelle, totalisante. La politique est partielle, tribale, limitée dans l'espace et dans le temps. Restreindre la religion à la politique, c'est la confiner à un domaine étroit, à une collectivité, une région et un moment déterminés. La religion tend à élever l'homme vers ce qu'il peut donner de meilleur. La politique tend à éveiller en lui les instincts les plus vils. Faire de la politique au nom de la religion, c'est transformer cette dernière en guerres interminables, en divisions partisanes sans fin, c'est réduire les finalités aux positions recherchées et aux gains escomptés. Pour ces raisons, la politisation du religieux ou la sacralisation du politique ne peuvent être que le fait d'esprits malveillants et pervers, à moins qu'ils ne soient ignorants. L'une et l'autre reviennent à fonder dans la religion l'opportunisme et la cupidité, à trouver des justifications coraniques à l'injustice, et à faire passer pour un acte de jihâd le sang injustement versé* »[42].

Après avoir précisé que le FIS vise à « *Présenter un substitut global et général à tous les problèmes idéologiques, politiques, économiques et sociaux dans le cadre de l'Islam selon les préceptes du Coran et de la Sunna...* », il est affirmé que « *Le peuple algérien est un peuple musulman, son islamité est aussi ancienne que véritable. Elle constitue sa vocation historique et civilisationnelle. En conséquence de quoi, l'Islam est le cadre de référence idéologique de l'action politique qui embrasse tous les aspects de la vie. Alors que le monde est en proie à une crise qui ébranle les civilisations et met à nu l'incapacité idéologique qui frappe les régimes et les nations, l'Islam s'avère être le recours idéologique le plus fiable pour fonder un projet politique à la mesure de la crise.* »

Ou bien encore : « *La faillite des différentes idéologies, occidentales et orientales, nous fait obligation d'appliquer notre religion pour sauvegarder, face aux périls externes et internes, nos acquis historiques et civilisationnels, nos ressources humaines et naturelles* ». L'islam apparaît comme une idéologie politique de substitution à des idéologies séculières déclarées inopérantes. En d'autres termes, la transformation de l'islam en projet politique se justifierait par l'effondrement des idéologies politiques séculières. Justification fallacieuse à plus d'un titre. En effet, l'islamisme est né, à la fin des années 20 et au début des années 30, dans un contexte historique marqué par la floraison des idéologies séculières (le nationalisme, le socialisme, le marxisme, le libéralisme et le panarabisme). La véritable raison à l'origine de ce « procès de substitution » tient au fait que le FIS inscrit sa démarche dans une perspective civilisationnelle : « *À l'heure où le pouvoir en place se trouve incapable de gérer correctement la crise multidimensionnelle qui secoue le pays dans ses profondeurs, le peuple algérien s'interroge sur les solutions les plus à même d'engager un processus de renouveau s'inscrivant dans une démarche résolument civilisationnelle, conduisant au terme d'une confrontation démocratique et pluraliste, à l'instauration d'une société islamique authentique.* » Ainsi transforme-t-il son projet politique en espace sacré, disqualifiant d'emblée, toute velléité d'opposition à ce projet. Dès lors, quiconque s'oppose au FIS s'oppose à Dieu. Pour Abassi Madani, « *Celui qui frappe le front (FIS) sera frappé par Dieu, car le FIS est la vérité et Dieu est pour la vérité* »[43].

• *Le peuple comme substitut à la Oumma :*

Même si, à travers son projet de programme, le FIS apparaît lié aux figures modernes de la démocratie et du pluralisme, qui donnent à ses pratiques expéditives la légitimité d'un programme politique, il est par là même pré-national et pré-démocratique ; l'histoire révèle assez à quel point les légitimations modernes peuvent être mêlées à des conceptions archaïques. La finalité du FIS n'est pas vraiment nationale, puisque : « *La naissance du Front Islamique du Salut (FIS) répond à ce besoin de canaliser l'appel islamique et d'organiser les croyants* » ou encore, quelques lignes plus loin, « *le Front œuvre pour l'unité islamique et de l'Oumma* ». C'est dire que le FIS, même s'il ne peut se penser que par rapport à ce qui constitue la politique dans le monde moderne, s'enracine, d'un autre côté, dans l'univers pré-démocratique, renouvelant l'appel religieux venu du passé lointain sous couvert de mots empruntés au vocabulaire politique moderne.

Là où il y a abstraction des rapports sociaux, des normes et des règles impersonnelles, des procédures complexes de socialisation/médiation et des conflits d'intérêts régulés pour mettre en forme les multitudes et mieux structurer leur effervescence, le FIS substitue l'univers concret d'une fraternité cimentée par l'unité de sa foi : *la Oumma* (Communauté des croyants). Pour justifier cette dilution du profane dans le sacré, les rédacteurs du projet se réfèrent à un verset, « *Ceci est votre Oumma et Moi Je suis Votre Seigneur, adorez-Moi* » et à un hadith, « *Le croyant pour son frère croyant, c'est comme une construction solide, l'un soutient l'autre.* »

Mais, la Oumma – l'ensemble des habitants de la planète, qui pratiquent la religion musulmane – est une réalité supranationale s'étendant sur « *le grand axe de la Méditerranée de Gibraltar aux Dardanelles et, prenant le Globe en écharpe, s'enfonce vers l'Orient jusqu'aux oasis chinoises de l'Himalaya.* »[44]. Aussi, pour justifier son action et tenter de reconstituer, contre cette forme abstraite de la volonté de la Oumma, une sorte de réalité *sui generis* exprimant réellement et concrètement cette volonté, il n'a d'autre choix que d'invoquer la « *volonté du peuple algérien musulman* ». Ce peuple est une entité collective dont la réalité est présupposée, puisque c'est elle qui fonde la convention d'où le FIS tire son principe : « *Une des spécificités du Front Islamique du Salut est la relation intime qui l'unit au peuple* » ; « *Toute initiative concrète se fait en phase avec le peuple et tous les acquis sont dus, en fait, à l'effort et au djihad populaire* ». Par conséquent, l'action du FIS se légitime elle-même par un accord ontologique avec la volonté du peuple : « *Se conformer aux aspirations du peuple algérien musulman* ». Cette volonté n'est plus à composer à partir de la somme des volontés individuelles qui la composent ; c'est elle, au contraire, qui, antérieurement à ces volontés individuelles, leur donne consistance, sens et cohérence. « *De ce fait, quiconque s'oppose au FIS, s'oppose à la volonté du "peuple algérien musulman"* ».

Le FIS est un parti populiste. Le « peuple » défini par sa foi occupe la première place dans son « Projet de programme politique ». Le peuple est synthèse suprême des valeurs islamiques, supérieur à toutes ses composantes individuelles et/ou collectives : individus, groupes sociaux, classes sociales ; il ne peut se confondre avec aucune d'elles parce qu'il est une réalité transcendante. « *Il (Le Front Islamique du Salut) est conscient que l'engouement renouvelé du peuple algérien pour la foi islamique, qui vient du fin fond de la conscience algérienne ne pourra qu'être récompensé par Dieu le Très Haut.* »

• La société algérienne n'est pas musulmane :

Comment le FIS justifie-t-il l'opportunité d'un parti islamiste dans une communauté dont il postule, au préalable, l'islamité (le caractère musulman) ? En fait, cette justification relève du non-dit. Il est postulé des prémisses sur lesquelles se fonde la « raison » du FIS comme sur des *a priori*. Ces prémisses sont au nombre de deux, que le « Projet de programme politique du FIS » précise dans sa partie introductive (en sept points) :

1) - « *Le Front emploie également la revendication pour mettre en évidence la légalité de la cause, selon le verset : "Dieu ne laisse point retourner à l'erreur ceux qu'Il a éclairés jusqu'à ce qu'Il leur ait manifesté ce qu'ils doivent craindre".* »

2) - « *De ses spécifications : le salut prophétique historique et civilisationnel global prenant comme modèle le prophète, que le Salut soit sur lui, le Sauveur de l'humanité selon le verset : "et vous étiez au bord du gouffre de l'enfer et il vous en a sauvé".* »

Il y a donc ceux qui « retournèrent à l'erreur », qu'il faut, impérativement, remettre sur le « chemin de la vérité » ; il y a ceux, qui sont « au bord du gouffre », qu'il faut empêcher de chuter. Qu'est-ce à dire, sinon que la société (algérienne), où le FIS opère, n'est pas musulmane, bien que la majorité des individus qui la compose soient des croyants. Il s'agit d'une société corrompue. Cette corruption est perçue comme un processus naturel. En effet, reprenant une idée centrale à la théologie musulmane, qui veut que l'homme livré à lui-même ne puisse être guidé que par ses passions et qu'il faut donc l'intervention de Dieu pour lui indiquer le droit chemin, les rédacteurs du « Projet de programme politique du FIS » se réfèrent au hadith suivant : « *Il restera toujours une communauté de ma Oumma qui démontrera la vérité que ni les opposants ni les lâches ne peuvent désorienter.* » Le FIS est évidemment cette communauté en charge de « démontrer la vérité ». Le FIS est un parti messianique. Sa mission est d'essence divine : assurer le salut de la communauté dans le « *contexte de la résolution islamique* », qui n'est rien d'autre que l'application de la *chari'a*.

• *L'application de la chari'a :*

L'application de la chari'a est l'alpha et l'oméga du programme politique et de l'idéologie du FIS. Pour pouvoir appliquer la chari'a, il faut disposer du pouvoir d'État. L'État est le but de la prédication et en même temps le moyen de « réislamiser » la société. En dehors d'un État fondé sur la chari'a, il n'y a pas de communauté musulmane : « *La charia (...), c'est la raison d'être du pouvoir et la finalité suprême du régime politique* ». Le retour de l'islam doit donc impérativement passer par l'instauration de l'État islamique.

L'instauration d'un État islamique se résume strictement à l'application des prescriptions coraniques et celles contenues dans la Sunna (la tradition du prophète) en matière de droit pénal et de statut personnel. Pour le reste (l'économie, l'information, l'éducation, etc.), le « Projet de programme politique du FIS » se contente des expressions suivantes : « équitable », « modéré », « équilibre », « harmonie », « complémentarité », etc. Cette obsession du « juste milieu » vise au refoulement des contradictions sociales au moyen de l'intégration des individus et des groupes sociaux dans une même communauté politico-religieuse. La solidarité islamique et la propriété privée limitée (le refus des monopoles) dissoudront l'appartenance à des classes sociales différentes. Comment l'application de la chari'a se traduit-elle dans les différents domaines de l'activité sociale ? Une interview accordée au journal *Horizons*[45], à la veille de la révision constitutionnelle de 1989, par Ali Benhadj, nous permet de répondre à cette question.

• *« Un pluralisme politique pour le compte de l'Islam »* :

« Nous sommes un pays musulman, une société musulmane qui a son histoire et ses origines et dont les enfants ont combattu pour que l'Algérie soit indépendante et musulmane. La Révolution s'est déroulée au nom de l'Islam pour que ce pays reste musulman. Tout cela pour vous dire que si le multipartisme signifie la pluralité pour le compte de l'Islam ou en d'autres termes que différents groupements se constituent pour œuvrer en faveur de l'Islam, nous sommes d'accord. Ainsi, si une association politique désire œuvrer en faveur de l'Islam sur le plan économique et une autre sur le plan éducationnel, social ou politique, ceci est tout à fait légal aux yeux de notre religion. Par contre, si le pluralisme permet à des partis politiques d'apparaître au grand jour, de propager l'athéisme, le blasphème et des opinions qui vont en contradiction avec les croyances de l'UMMA, ceci est illégal et il est admis que les gouvernements mettent fin à cet état de fait.[46]

Oui, au pluralisme dans le cadre de l'Islam. Mais, si aujourd'hui, le berbériste s'exprime, le communiste s'exprime, ainsi que tous les autres, notre pays va devenir le champ de confrontation d'idéologies diverses en contradiction avec les croyances de notre peuple. Le musulman ne peut admettre l'apparition de partis qui prônent la contradiction avec l'Islam. En résumé, il y a l'aspect acceptable du multipartisme, dans le cadre évidemment de l'Islam, et son aspect inacceptable du fait qu'il résulte d'une vision occidentale. »

• *Le djihad est une obligation pour tout musulman :*

« Je voudrais dire quelque chose et je tiens à ce que vous l'imprimiez en gras. Le musulman milite que l'État l'y autorise ou pas. Il s'exprime aux heures d'obscurité comme aux heures de clarté. Nous n'attendons pas qu'on nous accorde l'autorisation d'activer, parce que notre religion nous impose le djihad et la lutte pour l'Islam. »

• « ... Nous sommes des fanatiques... » :

« On nous accuse de fanatisme, de dogmatisme. Je pense que nous sommes des fanatiques en ce qui concerne la vérité. Si les Juifs sont fanatiques sur le plan de leur croyance et qu'ils arrivent par ce moyen à dominer le monde, pourquoi ne serions-nous pas aussi intraitables concernant notre religion ? »

• « La seule source du pouvoir c'est Allah à travers le Coran » :

« L'article 6 par exemple qui dispose que le peuple est la source de tout pouvoir. Cela veut dire que les partis politiques qui se présenteront pourraient, Dieu nous en préserve, entraîner le peuple sur des voies anti-religieuses. La seule source du pouvoir c'est Allah à travers le Coran. Le peuple intervient pour choisir le chef de l'État et c'est à ce niveau qu'il est la source de pouvoir. Si le peuple vote contre la loi de Dieu, cela n'est rien d'autre qu'un blasphème. Les oulémas ordonnent de tuer ces mécréants pour la bonne raison que ces derniers veulent substituer leur autorité à celle de Dieu. »

• « Des libertés non liées à l'Islam n'ont pas de sens... » :

« Des libertés non liées à l'Islam n'ont pas de sens alors qu'on prétend que l'Islam est la religion de l'État. »

• « La mixité est contraire à la morale islamique » :

« Dans nos institutions scolaires et universitaires est-il possible d'autoriser la mixité ? C'est contraire à la morale islamique. Il faut séparer les filles des garçons et consacrer des établissements à chaque sexe. Par ailleurs laisser un homme et une femme travailler dans un même bureau est en parfaite contradiction avec notre morale. »[47]

• « Le lieu naturel d'expression de la femme est le foyer » :

« Il faut savoir une chose. Le lieu naturel d'expression de la femme est le foyer. Si elle est contrainte de sortir, il y a des conditions : ne pas côtoyer d'hommes et que son emploi se situe dans un milieu exclusivement féminin. »

• « La femme est une productrice d'hommes » :

« Si nous sommes dans une société islamique véritable, la femme n'est pas destinée à travailler et le chef de l'État doit lui attribuer à travers « Beit El Mal » une rémunération. Ainsi, elle ne quitte pas son foyer afin de se consacrer à la grandiose mission de l'éducation des hommes. S'il y a des *problèmes actuellement dans la société ce n'est pas l'Islam qui les a créés. Comment voulez-vous que l'Islam solutionne des situations négatives dont il n'a pas la responsabilité ? La femme est une productrice d'hommes, elle ne produit pas des biens matériels mais cette chose essentielle qui est le musulman. Scientifiquement, il est admis qu'une femme ne peut concilier son travail et ses obligations familiales et de nombreux cas de divorce sont le résultat de ce constat. »*

En résumé, le programme du FIS apparaît comme une plate-forme d'action qui, se proposant d'instaurer l'« État islamique », réunit des éléments hétéroclites provenant de tous les horizons politiques, afin de rassembler le plus grand nombre de groupes et d'individus, sur la base de la satisfaction de leurs intérêts particuliers, ce qui est rendu possible par l'élimination des « extrêmes » (socialisme/capitalisme) et la proposition d'une « troisième voie » (islamique). Dans un entretien qu'il a accordé au journal *Horizon*, du 03.01.1990, Abassi Madani confirme l'hétérogénéité de la composante du FIS : *« Ce qu'il faut d'abord savoir c'est que le FIS est un front et non un parti comme les autres. Un front comprenant des éléments aux cultures et aux personnalités diverses. La diversité dans les opinions est une richesse du front. La présence de person- nalité, comme Ali Benhadj est l'un des plus édifiants signes de la force du FIS, de même que pour cheikh Zebda Benazouz et autres. En vérité, dans le front cohabitent l'ingénieur, le médecin, le théologien, l'homme de Daâwa porté vers l'activisme et l'homme de Daâwa incliné vers la Sunna et le Hadith. L'important c'est que nous soyons un front de lions et non un front de souris et de lapins. »*

Sur le plan idéologique, il en va de même. L'ensemble de son montage idéologique a une référence unique, totalement négative, servant de repoussoir et sur laquelle reposent les thèmes de la doctrine. *La modernité occidentale est ce repoussoir.* Dans notre société, l'intrusion des éléments de cette modernité est l'œuvre du colonia- lisme. La persistance de ces éléments, sous nos cieux, témoigne d'un contexte de décolonisation de la mouvance inachevée. À propos de la manifestation des femmes algériennes contre la violence des éléments du FIS, en 1989, Abassi Madani disait : *« Les récentes manifestations de femmes contre la violence et l'intolérance constituent un des plus grands dangers qui menacent le destin de l'Algérie... Ces manifestations sont un défi à la conscience du peuple algérien, et consacrent le reniement des valeurs d'une nation... (Il s'agit) d'une opération artificielle et de la pire des violences en contradiction avec les valeurs de notre nation. Ces femmes qui sont manipulées sont les éperviers du néo-colonialisme et l'avant-garde de l'agression culturelle »*[48].

L'occidentalisation est à l'origine de l'éloignement des peuples musulmans de l'Islam. Cette idée est partagée par l'ensemble des courants islamistes. C'est Mahfoud Nahnah, cet autre dirigeant islamiste algérien, qui nous en délivre la version la plus ramassée : « *Le colonialisme exerce une influence négative sur notre société. Ses actions se sont traduites par l'introduction de régimes, d'idées, de personnages et de positions qui ont contribué à la consécration de la pensée colonialiste et l'éloignement de l'Islam de la vie politique, sociale, économique et culturelle. Le colonialisme a ainsi officiellement limité le rôle de la mosquée, épargnant le code de la famille pour lequel des gens de notre société se sont mobilisés pour l'abolir. Ces gens ont, sans le savoir, été des dupes du colonialisme* »[49].

Un peu plus loin, il ajoute : « *Les Islamistes ne diagnostiquent pas uniquement une crise spirituelle... Ils mettent en évidence l'échec du modèle occidental instauré dans les pays islamiques... Les différentes formes de développement et les systèmes économiques et politiques – nationaux et internationaux – au lieu de contribuer au bien-être des individus, n'ont fait qu'aggraver leurs problèmes. Ils ont ainsi hérité d'une occidentalisation, qui s'accentue à mesure qu'ils s'éloignent de leur religion...* »[50].

Mais, précise-t-il, « *Les mouvements islamistes ne s'opposent pas au "modernisme" en tant que donnée objective, mais réprouvent plutôt le credo défaitiste chanté par certains déculturés qui appellent à l'abdication des composantes de notre personnalité au nom du "modernisme" ou de la "modernité". Notre désir est de vivre notre époque et tirer avantage des progrès de la civilisation moderne. Cependant, nous ne pouvons pas tolérer l'introduction des instruments de l'Occident et leurs fléaux qui rongent la société dans toutes ses profondeurs. Nous encourageons les progrès scientifiques et technologiques qui nous sont accessibles si nous faisons preuve d'esprit de discernement. Nous condamnons le crime, le sida, la dislocation de la cellule familiale, la consommation abusive, le matérialisme.* »[51]

Dès lors, tout ce qui est lié, d'une façon ou d'une autre, à l'Occident (la modernité, la laïcité, la sécularisation, le libéralisme, le marxisme, les arts, la philosophie, les sciences sociales, la démocratie, les modèles de consommation, etc.) doit être détruit.

Au cœur de ce montage idéologique, il y a la figure du Juif honni. Cheikh Yekhlef Cherati, l'un des membres fondateurs du FIS, et son principal idéologue, disait, dans sa fatwa intitulée, *Appel aux tyrans – le soulèvement contre les gouvernants*[52] et diffusée sur cassettes durant l'été 1992 : « *Les régimes qui sévissent aujourd'hui sont des régimes laïcs importés de l'Occident matérialiste... Nos dirigeants veulent se soumettre au nouvel ordre mondial imposé par les Américains et derrière eux les Juifs, afin que se réalise enfin l'État mondial juif dont rêvent les enfants des singes et des porcs depuis des lustres. Avec l'aide de Dieu, cela ne se fera pas. Nous extirperons les racines du mal comme Dieu le Tout-Puissant nous l'a promis, mais après que nous aurons détruit la progéniture du colonialisme, issue de notre propre sang. »*

Le rapport Islam/Occident est toujours perçu à travers le prisme des croisades. Sur cette base, les islamistes considèrent que les politiques de modernisation mises en œuvre, dans les pays musulmans, au lendemain des indépendances, n'ont été que le prolongement des croisades. Nous l'avons déjà dit, l'action islamiste s'inscrit dans une problématique de décolonisation inachevée. Mais, il faut maintenant préciser qu'aux yeux des islamistes, ladite décolonisation n'a rien à voir avec celle que les élites séculières ont inscrite aux frontons de leurs édifices ; ils considèrent que les politiques post-coloniales, à l'instar de la colonisation, n'ont été que des tentatives d'imposer une alternative à l'islam. « *L'accès au pouvoir des organisations libérales*, écrit un islamiste égyptien, *fut la première tentative d'imposer une alternative à l'islam ? Mais ces organisations ne tardèrent pas à démontrer leur incapacité à préserver la Oumma et à la renforcer dans sa marche nationale, et ce fut la défaite de 1948... Mais le courant laïciste et occidentaliste ne se laissa pas décourager par la défaite libérale et il entreprit d'assurer sa survie en même temps que de barrer la route à un retour en force de la solution islamique toujours présente. Et ce fut l'époque des coups d'État militaires dans lesquels le rôle de la CIA fut prépondérant. Ce qu'on a appelé les "socialistes révolutionnaires" reprirent en charge le rôle d'alternative à l'Islam... La défaite de 1967 ne devait pas tarder à dévoiler la même réalité que celle qui prévalait en 1948 : celle de l'affrontement majeur de la Oumma arabe et islamique d'une part, le néo-colonialisme et le sionisme, d'autre part, et la Xe croisade qui a commencé en 1948 et qui continue de faire rage »*[53].

L'idéologie du FIS (et des courants de la mouvance islamiste en général) apparaît comme un assemblage de quelques éléments assez simples, reposant sur des postulats se passant, par définition, d'explications et/ou de justifications. Tout l'édifice repose sur un constat indiscuté : les régimes politiques et les idéologies, qui dominent aujourd'hui dans l'aire islamique, sont des « produits » importés de l'Occident. À son tour, ce constat procède de l'idée préalable. La modernité occidentale est une agression contre l'islam et une « perversion » *(fassâd)* des valeurs islamiques ; elle est perçue comme une alternative à l'islam. D'où la réactivation d'une religion refuge instrumentalisée en idéologie de combat politique. D'où aussi cette quête éperdue d'une « authenticité » *(Asâla)* perdue, vecteur d'un discours de protestation radicale de l'ordre établi et support d'un repli frileux sur une identité fantasmée et une communauté fantasmatique. Le FIS refuse la sécularisation et la citoyenneté démocratique moderne.

Dans son projet, le droit est envisagé comme l'instrument de contrôle d'une communauté de croyants. En effet, les droits personnels ne sont jamais définis à partir d'une valeur ou d'une norme séculière, mais toujours par référence à la normativité de la *chari'a* : la somme des « droits de Dieu » qui limitent les « droits de l'homme », et qui exclut d'emblée toute idée de séparation entre espace public et espace privé. Dès lors, les libertés civiques, la liberté de conscience, la liberté d'expression, la liberté de création (culturelle et artistique), la liberté de disposer de son corps... se trouvent limitées, contrôlées, voire pour certaines carrément interdites. Dans la visée des concepteurs du FIS, la restriction de ces libertés fondamentales – perçues comme des « innovations blâmables » *(bida' pl. de bid'a)* – est au fondement de l'État islamique conforme à la chari'a et de la répression (légitime et légale) de toute velléité de résistance à l'ordre théocratique et totalitaire qu'ils entendent imposer à l'ensemble de la société.

Il s'agit donc bien d'une idéologie totalitaire, qui ne saurait s'accommoder de l'existence d'un espace politique autonome et indépendant des injonctions de la foi. Par voie de conséquence, pour les islamistes, la politique ne saurait être considérée comme le champ de l'invention démocratique, de l'alternance et de la régulation pacifique des conflits. En mettant au cœur de leur conception du monde, la notion de « *Hâkimiyyat Allah* »[54], ils s'interdisent de penser les catégories de démocratie, de pluralisme, de droit et de tolérance.

« C'est pourquoi, la perspective d'une prise de pouvoir par les islamistes (y compris par la voie des urnes, et même lorsqu'il s'agit de courants dits "modérés") ne manque pas d'inquiéter. Cette crainte est tout à fait fondée, quand on connaît leur aversion pour la "démocratie importée", les libertés fondamentales, publiques ou privées ou l'égalité des droits (en particulier pour les femmes).

Plus fondamentalement, en ce qui concerne le débat sur islamisme et démocratie, islamisme et droits de l'homme, la distinction entre islamistes modérés et radicaux n'est, en effet, pas toujours si pertinente qu'il n'y paraît. Il semble bien qu'il n'y ait pas de divergences de fond entre les courants islamistes sur ce sujet : l'"État islamique" (al-Dawla al-Islâmiyya) demeure, tout de même, leur objectif ultime, même s'ils divergent sur les moyens pour le réaliser.

Or le moins que l'on puisse dire de cet "État islamique" est qu'il est redoutablement liberticide. La lecture d'une vaste "littérature" des doctrinaires de l'islamisme l'atteste ; il n'y a aucun doute là-dessus. Et surtout, la situation désastreuse des droits de l'homme en Iran, Soudan, Arabie Saoudite... est là pour nous rappeler cette simple vérité : les régimes qui se réclament des différentes variantes de l'islamisme incarnent une idéologie antinomique avec la démocratie moderne et le respect des libertés et du pluralisme »[55].

5. LA BASE SOCIALE DU FIS

Sur ce plan, la naissance et l'évolution du FIS est la résultante de deux « renversements historiques ». Le premier eut lieu au lendemain de l'Indépendance, dès le début des années 70. Au lendemain de l'Indépendance, l'islamisme algérien était représenté par deux groupes. Un groupe d'islamistes francophones dirigé par Malek Bennabi, qui développait un discours par rapport à l'Occident où il trouvait ses ancrages idéologiques. Ce groupe était fortement engagé, sur le terrain idéologique, dans une lutte contre la « gauche ». Il a été pendant plusieurs années dominant au sein de la mouvance islamiste, notamment à l'université d'Alger. Un groupe d'islamistes arabophones, regroupé autour de Hachemi Tidjini, dans l'« Association El-Qiyam » (les valeurs), fortement marqué par l'idéologie des « Frères musulmans ». C'est avec l'arabisation, que le groupe francophone va perdre l'initiative. Privé de base sociale, il se trouvera réduit à la portion congrue. Par ailleurs, les prêches dans les mosquées faits, obligatoirement, en arabe, excluaient d'emblée les francophones, qui se sont marginalisés par leurs « halkates » (réunions) privées. Ainsi, le groupe arabophone, influencé par le discours des « Frères musulmans », va dominer la scène islamiste ; servis par l'arabisation et le repli des francophones, ses prédicateurs avaient le terrain libre. Nous assistons alors à la montée des cheikhs Soltani, Mesbah, Othmane, etc.

Le deuxième renversement eut lieu dans les années 80, avec l'arrivée sur scène des activistes, jeunes prédicateurs, issus des quartiers populaires et produits de l'enseignement général, qui supplantèrent la vieille garde des cheikhs, issus de milieux sociaux relativement aisés, d'extraction citadine et de formation théologique.

C'est à Alger, notamment à Kouba, que nous pouvons le mieux observer cette mutation. Dès l'Indépendance, Kouba est déjà le fief d'un mouvement de contestation religieuse, domicilié à la mosquée « El Atiq », sous la direction de cheikh A. Soltani. Ses prêches, véritables réquisitoires contre le pouvoir, lui valaient quelques démêlés avec les services de sécurité et l'admiration des Koubéens. En 1984, cheikh Soltani sera arrêté en compagnie de A. Madani et de A. Benhadj, alors qu'ils tentaient d'organiser une marche contre le pouvoir en place à partir de l'université centrale d'Alger. Il sera assigné à résidence jusqu'à sa mort.

Mais, dès le début des années 80, Kouba était devenue le centre de l'islamisme radical, dont la figure la plus représentative n'était autre que Ali Benhadj, un professeur de l'enseignement moyen (PEM), qui résidait à Haï el-Badr, un quartier populaire limitrophe de Kouba. Nous sommes témoins d'un renversement dans la hiérarchie de la mouvance islamiste algérienne, notamment au niveau de sa direction. À la place des vieux cheikhs traditionnels, issus du mouvement des oulémas de Ben Badis, liés à la bourgeoisie citadine et ayant une formation théologique, nous vîmes émerger, au devant de la scène, des jeunes, issus des couches populaires, habitant la périphérie urbaine, produits de l'école publique (l'enseignement général) et n'ayant pas fait des études théologiques. C'est la naissance d'un *nouveau type d'acteur social* : la jeunesse néo-urbaine marginalisée née à la jonction d'une éducation de masse déficiente et de l'exclusion scolaire, du chômage et de la fermeture des possibilités de promotion catégorielle.

Si l'histoire de l'islamisme protestataire fut inaugurée à Kouba , par cheikh Soltani, sa promotion en « produit de consommation de masse » fut assurée par des jeunes originaires des quartiers périphériques : Hai el-Badr, Badjarah, Oued Ouchaieh. C'est dans ces banlieues, que se recruteront les militants de la cause islamiste, qui constitueront plus tard la base sociale du FIS. Les jeunes Koubéens qui, dès 1980, avaient troqué leurs Jeans contre un « kamis » immaculé, étaient issus en majorité de la classe moyenne et de la petite bourgeoisie moderne qui, en 1977, représentait 38 % de la population totale de la commune. Du fait de leur condition sociale, plus proche de la bourgeoisie que des masses populaires, ils ne pouvaient objectivement se muer du jour au lendemain en porte drapeau de l'islamisme radical. À l'opposé, les jeunes de Hai el-Badr, de Badjarah, de Oued Ouachaieh, etc., y étaient prédisposés, d'abord du fait de leur position d'« exclus », ensuite, par leur composante sociale, à dominante plébéienne (jeune classe ouvrière, sous-prolétariat et lumpen prolétariat). C'est dans ces quartiers limitrophes, nés de l'exode rural et de la paupérisation, que va se développer un mouvement de sensibilisation de la jeunesse désœuvrée initié par des « intellectuels prolétaroïdes », jeunes prédicateurs, dont la plupart seront membres de la direction du FIS.

Ils prêchaient à la mosquée Ibn Badis. L'histoire de cette mosquée permet de saisir le rôle joué par un autre acteur, composante importante de la base sociale du FIS. Cette mosquée fut le centre d'une agitation islamiste bien avant la naissance du FIS. Sa construction a duré plusieurs années. Elle ne fut achevée que grâce aux dons offerts par quelques notables de Kouba. Ces dons traduisaient alors la volonté d'une fraction de la bourgeoisie koubéenne, les gros commerçants, de sceller une alliance avec le mouvement islamiste en gestation, pour faire échec à la politique socialiste de Boumediène. Quant à la bourgeoisie traditionnelle (petite et moyenne industrie) de souche citadine, elle refusa tout compromis avec les islamistes, malgré les rancunes tenaces, qu'elle nourrissait à l'égard du pouvoir en place. De tradition pacifiste, pratiquant un islam quiétiste et plus ouverte sur les valeurs modernes et occidentales que le reste de la population, elle éprouvait autant de répugnance pour « le fanatisme religieux » que pour la « dictature socialiste ».

Autrement dit, derrière le FIS se trouvaient, également, des puissances financières, qui se sont constituées dans la sphère de l'économie marchande informelle : le marché noir des produits et de la devise, induit par trois décennies de gestion administrée de l'économie. Cette économie informelle a fini par constituer l'une des plus importantes base matérielle du FIS. Ces milieux affairistes ont su mettre à profit la déréglementation de l'économie, amorcée en 1981 – autorisation d'importation de véhicules (AIV), autorisation globale d'importation (AGI), contre-remboursement, ouverture de comptes devises, etc. – pour mettre en place un tissu commercial dense, diversifié et à l'abri de tout contrôle étatique. Outre les « barons du marché noir », cette sphère de l'économie marchande informelle fait aussi vivre des centaines de milliers de familles socialement marginalisées. Elle est l'espace où, en vertu d'une solidarité d'intérêts cimentée par une idéologie simpliste, de type islamo-populiste, le petit revendeur se trouve dans le même camp que le gros affairiste, partageant une même vision du monde. C'est ce qui explique, selon G. Kepel, le succès du FIS : « *Le succès du FIS (...) tient à sa capacité à rassembler, à l'instar de Khomeini une décennie plus tôt, la jeunesse urbaine pauvre et la bourgeoisie pieuse, par l'entremise d'une intelligentsia islamiste dynamique qui sait produire une idéologie de mobilisation où chacun trouve son compte et qui parvient même à démarquer et à récupérer une partie du discours nationaliste qu'elle soustrait à l'emprise du FLN. Cette force (...) est servie par le caractère bicéphale du parti. Ali Benhadj, le petit instituteur et l'ancien compagnon de Bouyali (voir chapitre III), l'adepte du djihad, qui a 33 ans en 1989 et se déplace en vélomoteur, électrise la foule des "hittistes" qu'il sait faire pleurer ou rire, qu'il peut fanatiser ou refréner à son gré, grâce à ses talents incomparables d'orateur en arabe de mosquée comme en dialecte algérien. Abassi Madani, l'ancien du FLN, l'universitaire et le politicien madré âgé d'un quart de siècle de plus que son cadet, qui affectionne les Mercedes luxueuses – cadeaux des monarques de la péninsule arabique selon la rumeur –, sait s'adresser aux boutiquiers et aux commerçants ainsi qu'aux "entrepreneurs militaires", qu'il détache du régime et convainc qu'investir dans le FIS est une garantie pour l'avenir de leurs affaires* »[56].

Le FIS est un phénomène à prédominance urbaine et semi-urbaine, mais aussi, quoique plus faiblement, rural. L'analyse des résultats des élections législatives (scrutin du 26.12.1991) montre que le FIS est fortement représenté dans les métropoles[57]. Ce sont essentiellement des anciens ruraux qui vivent à la périphérie des grandes villes, dans des habitations précaires, en proie aux difficultés de la vie et à l'injustice sociale. Ils constituent l'élément principal du FIS[58]. Il y a ensuite les jeunes chômeurs. Les sondages ont montré que 48,60 % des jeunes chômeurs (18-29 ans) votent FIS. Nous trouvons aussi la jeune classe ouvrière (44 % des jeunes ouvriers ont voté FIS). Sur ce noyau viennent se greffer ou se rassembler d'autres catégories sociales. Ce sont généralement des éléments issus de petite bourgeoisie traditionnelle et moderne vivant à la limite de la pauvreté (artisans, petits commerçants, étudiants, instituteurs, petits fonctionnaires, cadres techniques, etc.). Mais il y a aussi et surtout les couches PARASITAIRES (gros commerçants, rentiers, courtiers, bijoutiers, et autres intermédiaires) contrôlant le marché noir, disposant de capitaux monétaires considérables, alimentant le trafic de devises, organisant la pénurie et généralisant la corruption. Ce sont les principaux bailleurs de fonds du FIS.

Il existe donc tout un espace de recouvrement entre le FIS et le vaste domaine de l'activité commerciale (du commerce des produits de consommation courante jusqu'au marché parallèle des produits de luxe) et ses « barons » avec lesquels sa hiérarchie de chefs politico-religieux se trouve en relation de vases communicants. Les commerçants sont par instinct et par intérêts hostiles à l'État et au secteur public. À la faveur de la conjoncture des années 80, un large marché parallèle (ou secteur informel) s'est constitué pour se substituer peu à peu au marché officiel. « *Source de profit intarissable, il a fallu aux commerçants protéger leurs biens de la tentation des plus pauvres à s'en emparer et payer à la force islamique, qui avait les faveurs des démunis, le prix de leur tranquillité illégitime (...), leur fortune a été redistribuée, d'abord pour le financement des mosquées, pour la paix de l'âme, ensuite pour le financement du Front Islamique du Salut, pour la paix tout court* »[59].

L'image du FIS, parti des masses paupérisées, des déshérités et des exclus sociaux est une fiction[60]. En effet, si la jeunesse néo-urbaine d'extraction plébéienne constitue l'élément principal de la composante humaine du FIS, l'élément dirigeant, quant à lui, est issu de trois fractions de classe :

• *Certains segments de la petite bourgeoisie* incarnée par cette intelligentsia plébéienne (Max Weber parle de l'intellectuel prolétaroïde) née du double processus de la démocratisation/arabisation de l'enseignement amorcé en Algérie dans les années 70.

• *Certaines fractions des couches moyennes.* Le blocage du développement et l'amorce d'une politique de libéralisation, dès le début des années 80, vont entraîner une atomisation des couches moyennes. À côté d'une couche moyenne, de formation francophone, peuplant les appareils d'État (civils et militaires) et dominant le secteur économique public, donc intégrée matériellement et culturellement au bloc dominant, apparaissent, grâce à l'extension de l'enseignement public, des individus qui pourraient, en raison de leur formation, s'adjoindre aux couches moyennes ; mais ne peuvent y parvenir en raison du blocage du développement et de la fermeture des possibilités de promotion catégorielle. Ces individus, des jeunes surtout, produits de l'arabisation de l'enseignement primaire et secondaire, issus des facultés et/ou des instituts des sciences et des technologies et provenant de milieux divers (des classes moyennes mais aussi des milieux populaires), sont pour les couches moyennes ce que sont les paysans « dépaysannés » pour la classe ouvrière. Cette frange des couches moyennes, non réalisée, frustrée dans ses attentes, alimente largement les rangs du FIS.

• *Certaines franges de la bourgeoisie,* investies dans les activités spéculatives et l'économie informelle. Cette bourgeoisie PARASITAIRE (ou « lumpen- bourgeoisie » selon l'heureuse formule d'André Gunder Frank) est issue de la politique de « libéralisation » mise en place au tournant des années 80. La logique de cette économie informelle s'accommode parfaitement avec la vision d'un libéralisme économique, à la limite sauvage, développée par le FIS.

Du point de vue sociologique, outre la prédominance, empiriquement vérifiable, des jeunes dans les rangs du FIS, il faut souligner la présence significative de deux autres groupes sociaux : les harkis et fils de harkis et les délinquants.

• *Le poids déterminant de la jeunesse dans les rangs du FIS :*

Les sondages[61] ont montré que sur l'ensemble des jeunes Algériens (de 18 à 29 ans) qui votent, 41 % votent FIS contre 25 % seulement pour le FLN, 13 % pour le RCD et 10,50 % pour le FFS. Ces mêmes sondages montrent que le FIS a les faveurs des jeunes célibataires (38,20 % d'entre eux votent FIS), des jeunes « mariés sans enfants » (51 % parmi eux votent FIS), puis des jeunes chômeurs (48,60 % votent FIS) et des jeunes ouvriers (44 % votent FIS). Parmi les jeunes électeurs du FIS, 34 % (soit le plus fort taux) ont un niveau primaire et 40 % (le plus fort taux aussi) ont un niveau secondaire. Selon le Recensement général de la Population et de l'Habitat (RGPH) de 1987, sur les 1,2 millions de chômeurs recensés, 849 000 sont des jeunes (de

16 à 29 ans). Le taux de chômage qui caractérise cette tranche d'âge est de 48,48 % contre 22,50 % pour le taux national. Sur les 686 034 chômeurs de 16 à 24 ans : 10 % n'ont jamais été à l'école, 48,50 % n'ont pas dépassé le niveau primaire, 32,50 % ont suivi un enseigne-ment moyen et 8 % seulement ont suivi un enseignement supérieur. Il faut ajouter que 73 % des jeunes chômeurs (de 18 à 26 ans) sont fils d'ouvriers et/ou de manœuvres et assimilés.

Compte tenu de ces données, le profil type dominant du militant/ sympathisant de base du FIS se présente comme suit : c'est un jeune de 16 à 29 ans, exclu du système scolaire, célibataire/marié sans en-fants, analphabète/niveau primaire ou moyen, chômeur/ouvrier, issu de la classe ouvrière ou du sous-prolétariat (fils de petits salariés, de manœuvres ou de chômeurs), résidant dans les zones suburbaines[62].

• Les harkis et les fils de harkis dans les rangs du FIS

Au lendemain de l'Indépendance, sur les 160 000 harkis et assimilés en activité sur le territoire national, seuls 35 000 ont été expatriés en France ; 125 000 d'entre eux, abandonnés par l'armée française, sont demeurés en Algérie[63]. Si certains, parmi eux, ont fait l'objet d'actes de représailles de la part des populations, d'autres, par contre, ont bénéficié des largesses, sinon, parfois, de la complicité de certaines institutions algériennes, qui se sont traduites par leur pleine et sereine intégration dans la société. À souligner qu'aucune mesure d'exclusion consacrée par des textes n'a été prise à leur encontre. Néan-moins, la conscience collective n'a pu effacer de sa mémoire leur comportement anti-national durant la guerre de libération. Si les actes de revanche individuelle sont restés rares et isolés, les harkis et leurs progénitures sont demeurés, aux yeux des populations, une catégorie honnie, haïe et marginalisée. Mépris, haine et marginalisation qui, à leur tour, ont engendré chez le stigmatisé encore plus de ran-cœur à l'endroit de ses compatriotes et de l'État algérien.

Pour comprendre ce phénomène, il faut revenir à la volonté déli-bérée du FIS, lisible, tant au niveau de ses pratiques – profanation et saccage des tombes des martyrs de la guerre de libération nationale – que de son discours – refus de reconnaître aux combattants de l'Indé-pendance, le titre de « chahid » (martyr) – de gommer le 1er novembre 1954 (date du déclenchement de la guerre de libération) comme source de légitimité historique. Très tôt, cette visée a été théorisée par les idéologues de l'islamisme algérien. Elle le fut par Abdelatif Soltani, qui affirme : « *Ceux qui se réclament du djihad sont nombreux. Nombreux aussi ceux qui luttent pour jouir des biens éphémères de cette vie et se déclarent moudjahidine, alors que la vraie lutte, le vrai moudjahid, c'est celui qui combat pour le triomphe de la parole de Dieu sur cette terre* »[64]. La guerre de libération nationale, parce qu'elle ne fut pas un combat pour l'instauration d'un État islamique, mais visait uniquement à libérer un territoire, ne peut être définie comme un « djihad ». Par conséquent, ni les combattants FLN-ALN ne sont des « moudja-hidines » ni les martyrs des « chouhada ».

Lever l'obstacle lié à la justesse du combat libérateur, les harkis et leurs rejetons se trouvent déculpabilisés, lavés de tout opprobre. Mieux encore, le FIS, « parti de Dieu », offrait un cadre rédempteur ; il suffit d'y adhérer pour se voir absoudre tous ses péchés. Les harkis et les fils de harkis profiteront de ce cadre pour se défaire du sceau de la trahison apposé sur leur front depuis l'Indépendance mais aussi et surtout pour détruire l'État national, dernière pièce à conviction de leur félonie.

Voici un tableau qui indique la présence des harkis et de fils de harkis dans les structures du FIS :

- Militants de base.. 86
- Membres de Bureaux exécutifs FIS/communes 141
- Membres de Bureaux exécutifs FIS/wilayas 05
- Présidents de Bureaux exécutifs FIS/communes.................... 60
- Membres responsables de commissions de
  Bureaux FIS/communes ou wilayas 06
- Présidents communes/FIS 38
- Vice-présidents communes/FIS... 44
- Membres communes/FIS 19
- Membres assemblées de wilayas/FIS 16
- Vice-présidents Assemblées de wilayas/FIS.......................... 01
- Secrétaires Syndicat islamique du Travail 02

Total 419

On note que c'est au niveau des Bureaux exécutifs de communes que l'on enregistre une plus grande concentration de harkis et de fils de harkis. Les données montrent aussi que sur les 334 harkis ou fils de harkis membres des groupes armés, seuls 12 sont en même temps militants déclarés ou responsables du FIS. À ce propos, le journal affirme que : « *Cette indication tendrait à prouver que le FIS a su s'adapter à la lutte clandestine en opérant une séparation nette entre son appareil politique et ses structures armées. Ces 12 éléments pourraient alors être des « relais » et des individus qui coordonnent le « politique » et le « militaire ».* »[65]

Répartition des harkis et fils de harkis entre les fonctions « militaires » et « politiques » au sein du FIS par wilaya

	Membres du FIS	Membres des groupes armés
- Tlemcen	35	2
- El Taref	14	1
- Aïn Temouchent	8	1
- Souk Ahras	5	1
- Sidi Bel - Abbès	16	6
- Mascara	40	3
- Guelma	14	2
- Sétif	13	1
- Bordj Bou Arréridj	15	6
- Chlef	9	2
- Tissemsilt	10	3
- Ghardiaïa	8	2
- Tiaret	1	32
- Boumerdès	6	22
- Ain Defla	1	28
- Médéa	4	11
- Msila	20	27

Nous remarquons que les wilayas où l'activité « militaire » des harkis et des fils de harkis prédomine largement sont celles de l'Ouest (Tiaret, Ain Defla) et du Centre (Boumerdès, Médéa, Msila) et sont, depuis le déclenchement du terrorisme islamiste à nos jours, les zones les plus meurtrières. C'est aussi dans ces wilayas, que nous enregistrons le plus grand nombre de « moudjahidin » (vétérans de la guerre de libération) assassinés par les groupes islamistes armés.

• Les délinquants dans les rangs du FIS

La promesse du « salut » et la promesse d'une « rédemption » incarnées par le FIS suscitent très rapidement l'adhésion massive d'éléments issus de la petite délinquance, des milieux du banditisme, de la drogue et du proxénétisme. Très tôt, le FIS sollicite et obtient l'adhésion de petits truands, casseurs, trafiquants de drogue et proxénètes, tous reconnus comme extrêmement dangereux. *« Véritables petits caïds des quartiers populaires de Léveilley, Bachdjarah, La montagne, Belcourt, la Glacière, Hussen-Dey, Bab-El-Oued, El-Harach, El-Madania et de la périphérie suburbaine d'Alger, Ben-Mered (Bordj El-Kiffan), Beni-Merad (W. de Blida), Khémis El-Kechna, Rouiba, Dar El-Beïda. Promus au rang d'"Emirs", ces derniers, qui ne cessent pas pour autant leurs activités (trafic de "zetla" et trabendisme) et dont le comportement en privé n'a rien à envier au "kuffar" qu'ils sont censés combattre, ont sous leurs ordres des groupes de dix à quinze éléments (...), loosers exclus de la société, fanatisés, au niveau d'instruction rudimentaire, souvent anal-phabètes et de person-nalité fragile, obéissant aveuglément aux ordres du chef »* [66].

Réhabilités par leur appartenance au FIS, ces éléments lui apportent la seule ressource dont ils disposent : la violence. Aussi, le FIS les enrôlent-ils dans ses différents « services d'ordre », dans sa « police islamique » et des « troupes de choc », qui entrent en action dès 1990. Ils dirigent les expéditions punitives contre les salles de spectacle, les parcs de loisirs, les bars et les discothèques. En juin 1990, à Belcourt, ils dirigent l'assaut contre un commissariat de police où étaient détenus des militants islamistes pour avoir agressé trois personnes (dont une fille) dont le comportement fut jugé non conforme à la morale islamique. Ils sont chargés de faire régner la morale islamique et de réprimer toute velléité de résistance. Les prostitués, les consommateurs d'alcools, les homosexuels, les filles ne portant pas le hidjab sont leurs victimes désignées. Par la suite, ils constitueront les « noyaux durs » des premiers groupes terroristes.

6. LES FINANCES DU FIS

Depuis sa création, le FIS s'est consacré à mettre sur pied des réseaux de collecte de fonds en Algérie et à l'étranger.

• En Algérie :

Les sources de financement du FIS, au niveau national, sont multiples et diverses. Le blanchiment de l'argent de la drogue, du « trabendo » (marché noir), les quêtes subversives maquillées en actions caritatives et les contributions financières de ses militants et/ou sympathisants au sein de la bourgeoisie commerçante sont autant de source de financement mises à profit par le FIS. Les associations à caractère religieux ont été l'un des moyens pour collecter des fonds. Les comités des mosquées ont transformé ces dernières en un lieu de financement des activités politiques du FIS. Ses responsables locaux ne faisaient aucune différence entre l'argent de la quête ramassé au nom de multiples prétextes (construction d'une mosquée, actions caritatives...) et celui du parti.

Le commerce des livres religieux, des cassettes audio et vidéo et du khol était également pratiqué au niveau des mosquées. Ces produits envoyés sous forme de dons par l'Arabie Saoudite, le Pakistan et l'Iran constituaient, pour le FIS, une source de profits considérables.

Le contrôle des communes par le FIS (après les élections communales de 1990) a permis à ce parti de se doter de moyens financiers colossaux. C'est à partir de là que l'idée de « Souk el-Rahma » (marché de la miséricorde) est né. Durant le Ramadan 1991, les bureaux locaux du FIS ont été amenés à brasser des dizaines de millions de dinars provenant de ces « marchés islamistes ». En utilisant les moyens de transport des communes et la foi des paysans, qui ont accepté à l'occasion du mois sacré d'offrir comme don certains produits de leurs récoltes, le FIS est parvenu à tirer des bénéfices considérables de la commercialisation de ses produits.

Le FIS a su également tirer profit des actions humanitaires. Défiant l'autorité de l'État lors du séisme, qui a endeuillé la région de Tipaza, en 1989, les militants du FIS ont récolté et détourné les dons de citoyens en faveur des sinistrés.

La « Zakat » (impôt canonique) est aussi utilisée par le FIS comme source de financement. De nombreux notables (gros commerçants, affairistes, propriétaires fonciers, certains industriels...) avaient versé la « Zakat » dans les caisses du FIS.

• *À l'étranger :*

Le nerf de l'islamisme, c'est l'argent. Et, aujourd'hui, les argentiers de l'islamisme sont connus : les pétro-monarchies du Golfe, l'Arabie Saoudite en tête, l'Iran, mais aussi les pays occidentaux, surtout les Américains et leur toute puissante CIA[67]. Concernant l'Algérie, la presse nationale (publique et privée) a publié une masse d'informations sur les bailleurs de fonds étrangers du FIS[68]. L'Arabie Saoudite était le principal financier du FIS grâce aux multiples relais dont elle dispose à l'étranger, notamment en Europe. À titre d'illustration, en Angleterre, seulement, l'Arabie Saoudite dispose de sept relais : le Conseil islamique mondial, la Ligue islamique mondiale, le Centre culturel islamique, l'Institut musulman, le Conseil de la Défense islamique, l'Académie du roi Fahd et le Comité d'Action des Affaires islamiques. Le FIS a également reçu des fonds du groupe saoudien « El-Mountada » dirigé par Abdelaziz El-Baz et cheikh Hamza Boubekeur.

L'Iran a été aussi un autre pourvoyeur de fonds au profit du FIS. Il faut ajouter la Libye. Une autre source de financement du FIS à l'étranger : la nébuleuse d'associations et d'organisations dites de bienfaisance en France, notamment les mosquées de quartiers et les foyers de résidence d'émigrés. Aujourd'hui les piliers de la structure logistique de l'ex-FIS à l'étranger sont :

- L'association « Fraternité des Algériens en France » (FAF) dirigée par Djaffar el Houari et Moussa Kraouche ;
- La « Ligue islamique algérienne », basée en Suisse et animée par Mourad Dehina dit Abou Abderahmane ;
- Le « Comité algérien de Secours », sis aux USA et présidé par Mohammed Lazzoun ;
- L'association « Hijra internationale » dont le siège est à Genève, créée par Mourad Dhina et Jamel Lounici ;
- L'« Association islamique suisse », dirigée par David Imhof ;
- La « Fondation internationale des Musulmans au Canada », dirigée par Gilles Breault dit Youssef Mouamar ;
- L'« Algerian Community in Britain », dirigée par Nadir Remli.

Le soutien financier et logistique au profit du FIS provient également d'une myriade d'organisations et d'associations islamiques internationales basées en Allemagne, aux États-Unis, en Malaisie, en Suède, au Pakistan, en Turquie, etc.

Les plus connus sont :
- La « Banque islamique de Développement » (BID) ;
- « Dâr el-Mâl al Islâmî » (DMI) ;
- « Islamic Takafol Gr Pragmy », (Luxemburg) ;
- La « Ligue islamique mondiale », dont le siège est Peshawar (Pakistan) et qui est présidée par l'Afghan Adellah Daoud ;
- La « Maison islamique du Royaume Uni » ;
- Le « Conseil islamique mondial » (Londres) ;
- Le « Centre islamique culturel » (Londres) ;
- Le « Conseil islamique d'Allemagne » dirigé par cheikh Salah ed-Dîn Dja'afraoui ;
- L'« Académie du roi Fahd », (Londres) ;
- Les « Centres islamiques » de Frankfurt et de Cologne, (Allemagne) ;
- Le « Centre islamique de Bruxelles », (Belgique) ;
- « Hizb et-Tahrir el-Islâmî », dont le siège est à Londres, présidé par un islamiste syrien, Omar el-Bakri ;
- L'« Union des Associations de la Communauté islamique », basée à Londres et qui regroupe l'ensemble des associations turques proches du Parti islamiste « Rafah » ;

- L'« International Islamic Rescue Organisation » présidée par le Saoudien Youssef el-Hamdâne et dont le siège se trouve à Peshawar (Pakistan)[69] ;
- « Human Concern International », créée en Afghanistan par un groupe d'Algériens volontaires dans ce pays[70].

7. LES DIFFÉRENTES TENDANCES AU SEIN DU FIS

Souvenons-nous des propos de A. Madani. Dans l'interview à l'hebdomadaire, *Parcours Maghrébin* du 26 mars 1990, il déclarait : « *C'est un Front, parce qu'il affronte ; et par ce qu'il a un large éventail d'actions et de domaines ; c'est le front du peuple algérien avec ses couches, et sur son vaste territoire. Il est ouvert à la variété de tendances et d'idées...* ». En effet, le FIS est un regroupement de plusieurs courants islamistes contradictoires et opposés. Pour comprendre la signification et le sens des clivages, qui traversent le FIS, et qui expliquent, en partie, sa trajectoire, quelques clarifications conceptuelles s'imposent. Il importe également de préciser de quoi nous parlons. D'abord, qu'est-ce que l'islamisme ? L'Algérie n'est pas la seule société concernée par ce phénomène. En effet, durant le dernier quart du vingtième siècle, toutes les sociétés islamiques[71] ont été secouées dans leurs fondements, à des degrés divers et selon des rythmes différenciés, par un phénomène global de résurgence du « religieux » et, en particulier, par la montée en puissance de mouvements islamistes de contestation sociale des pouvoirs établis. D'emblée, l'islamisme renvoie à deux réalités.

D'un côté, des États qui se définissent eux-mêmes comme « islamiques » : l'Arabie Saoudite depuis sa fondation en 1926, la Libye depuis 1969, le Pakistan depuis 1977, l'Iran depuis 1979, le Soudan depuis 1983 et l'Afghanistan depuis 1991. Ces États, qui se réclament d'un « islam fondamentaliste », impulsent la création d'organisations internationales, comme l'Organisation de la Conférence islamique[72], financent des lieux de culte, des associations de prédication et les mouvements islamistes de par le monde.

D'un autre côté, des mouvements et des groupes islamistes[73] qui, à l'œuvre contre des États en place, y compris des États islamiques, militent en faveur de l'islamisation des institutions, de la vie sociale, du droit et de l'économie. Ils cultivent une interprétation « néo-hanbalite »[74] du dogme, inspirée d'Ibn Taymiyya[75] et de ses disciples[76] qui, en politique, frisent un radicalisme proche des Kharijîtes et des ismaéliens extrémistes[77]. Ils entendent traduire leur doctrine en actes jusqu'aux extrêmes conséquences, en particulier certains courants[78], par le tyrannicide et les meurtres individuels ou collectifs. Avant d'essayer de démêler l'inextricable écheveau des courants islamistes, qui s'allient et s'affrontent au gré des conjonctures, définissons ce que nous entendons par « islamisme ».

Quelques clarifications conceptuelles

Tous ces courants sont désignés par des notions diverses, parfois même contradictoires : islamisme, intégrisme, fondamentalisme, néo-fondamentalisme, islam radical, islam militant, islam activiste, etc. Ces termes sont souvent utilisés sans discernement. Aussi faut-il s'interroger sur cette profusion langagière. Pourquoi des termes différents pour désigner un seul et même phénomène ? À quoi tient le fait que la dénomination du mouvement en question pose problème ? Certains imputent ces difficultés à ce que j'appellerais un « obstacle linguistique ». De la langue arabe aux langues européennes, disent-ils, les mêmes mots ne recouvrent pas les mêmes significations. Les difficultés tiendraient alors au seul fait que nous utilisons des catégories empruntées à un espace culturel étranger aux sociétés islamiques. Le problème serait d'ordre strictement lexicologique, lié soit à l'ambiguïté des traductions soit à l'usage incontrôlé de notions étrangères à l'espace sémantique envisagé.

Par ses présupposés comme par ses implications, cet argument est insoutenable. Ses défenseurs se réfèrent souvent à la notion d'« intégrisme ». Ce mot est, arguent-ils, d'extraction exclusivement française. Et, si on le trouve employé dans les autres langues européennes (« *integralism* » en anglais et « *integralismus* » en allemand) c'est par décalque du vocable français. Par ailleurs, ajoutent-ils, cette notion n'a pas d'équivalent en langue arabe, pas même par traduction ou par transposition. De là, ils concluent que l'intégrisme n'est pas une constante que l'on trouve dans toutes les religions et que, par conséquent, sa prétendue universalité n'est en réalité que le fruit d'une généralisation abusive. Conclusion parfaitement plausible, n'eut été le fait, de plus en plus avéré, que la relation entre les mots et les choses est une relation de « réfraction » et non de « reflexion ». La thèse positiviste d'un monde, qui se refléterait dans une langue repose sur une hypothèse d'ordre métaphysique.

Certes, le mot « intégrisme » est incontestablement d'origine française. Il renvoie à l'intransigeance catholique. Il est vrai aussi qu'il n'a aucun équivalent en langue arabe ni d'ailleurs en anglais ou en allemand, si ce n'est par traduction ou transposition. L'intégrisme désigne aujourd'hui la doctrine des catholiques qui refusent les réformes initiées par le Concile du Vatican II (1962-1965). Quant au mot fondamentalisme, il n'est que la transcription française du terme anglais « *fundamentalism* », qui désigne des courants théologiques d'extraction protestante, n'admettant que le sens littéral des Écritures. Le fondamentalisme est représenté aujourd'hui par le protestantisme évangélique aux États-Unis, le plus souvent d'origine revivaliste. Rappelons, d'autre part, que le fait d'exprimer le fonds culturel islamique à travers la langue qui lui est propre, en l'occurrence l'arabe, ne confère à l'analyste aucune immunité particulière contre l'ambiguïté sémantique engendrée par la pluralité des définitions.

En effet, la situation n'est guère plus reluisante dans la langue arabe, quand il s'agit de démêler l'écheveau des courants politico-religieux. Prenant l'exemple de la notion tant usitée de « *salafiyya* » (de « *salaf* », prédécesseurs/anciens). Pour certains, cette notion renvoie d'emblée à l'action de Jamâl al-Dîn al-Afghânî (1839-1897), de Muhamma' Abdhuh (1844-1905) et de Rashîd Ridha (1865-1935) ; ils qualifient alors les adeptes du wahhabisme de « *ouçouliyyoun* » (intégristes). Pour d'autres, par contre, la notion de « *salafiyya* » évoque d'abord les adeptes du wahhabisme ; ils se réfèrent, dans ce cas, à El-Afghânî et à ses disciples comme aux « *islâhiyyoun* » (réformistes). Enfin, il y a ceux pour lesquels « fondamentalisme » est simplement synonyme d'« orthodoxie ».

• *La définition de l'islamisme est un enjeu politique :*

En réalité, le problème qui se pose n'est pas celui de la « traduction » du fonds culturel islamique dans une langue étrangère. Exprimer celui-ci dans la langue qui lui est propre ou spécifique (l'arabe), nous l'avons vu, ne résout pas pour autant le problème ; laissant l'analyste sur sa faim. Aussi, même si les termes « intégrisme » et « fondamentalisme » se rattachent à certains courants catholiques et protestants, rien n'interdit *a priori* de les utiliser pour rendre compte des mouvements islamistes. À cela, il faut ajouter qu'au sein de l'islamisme, les différences sont nombreuses ; les divers courants qui constituent la mouvance islamiste s'opposent et s'affrontent : islamiser la société par le bas ou imposer par le haut, un « État islamique » ; privilégier la voie légale en combinant entrisme et compétition électorale ou s'emparer du pouvoir par la violence ; reconstruire la Oumma et restaurer le califat en s'inscrivant dans une perspective panislamique ou bien, au contraire, circonscrire ses visées dans le strict cadre de l'État-nation ; excommunier toute la société qui, de ce fait, devrait expier ses errements ou seulement les dirigeants, etc. Autant de questions qui divisent les islamistes.

Est-ce à dire que l'islamisme ne peut être défini, puisque selon le point du vue que l'on adopte, le camp où l'on se situe, l'intégriste ou le fondamentalisme des uns est le révolutionnaire des autres ? S'il n'est pas facile de donner une définition rigoureuse et satisfaisante de l'islamisme, c'est d'abord parce que celui-ci ne se réduit pas à la simple objectivité d'un phénomène. Il relève, également, de la sub-jectivité, des affects qu'il met en branle au sein de la société, des sentiments qu'il suscite. Dès lors, derrière chaque tentative de définition de l'islamisme se profile une appréciation sur son caractère légitime ou illégitime. La définition de l'islamisme est donc bien un enjeu politique. De ce fait, nous sommes d'emblée projetés sur un terrain balisé par les idéologies. Par exemple, en parler comme d'un « intégrisme », c'est lui conférer le caractère d'une excroissance, d'une dérive par rapport à la norme de référence (l'islam). À l'inverse, la définition qu'en propose François Burgat, ne va pas sans l'affecter d'un fort coefficient de légitimité : « *On nommera dès lors "islamisme", le recours au vocabulaire de l'islam opéré initialement (mais non exclusive-ment), au surlendemain des indépendances, par les couches sociales privées des bénéfices de la modernisation pour exprimer (contre ou, le cas échéant, depuis l'État) un projet politique se servant de l'héritage occidental comme repoussoir, mais autorisant ce faisant la réappropriation de ses principaux référents* »[79]. Et, ce n'est pas le recours à cette autre notion, « intégralisme », pour contourner la difficulté, qui résout le problème. Abderrahim Lamchichi, par exemple, écrit : « *On peut qualifier l'ensemble de ces mouvements d'intégralistes dans la mesure où – par-delà les nuances et certaines différences qui les caractérisent et les distinguent –, ils demeurent fermement attachés à ce qu'ils considèrent l'intégralité du message religieux. Ils entendent, en outre, imposer à l'ensemble de la société, et à l'État, leur vision totalitaire, théocratique, intolérante, non attentive à la pluralité culturelle, philosophique, sociale, politique. . . constitutive de toute société* »[80]. Cette définition sied aussi, à merveille, à l'intégrisme catholique. Pour s'en convaincre, il suffit de relire le commentaire, publié à la fin du XIXe siècle, par la *Civiltà Cattolica*, revue des Jésuites contrôlée par le Vatican : « *Les principes catholiques ne se modifient pas, ni parce que les années tournent, ni parce qu'on change de pays, ni à cause de nouvelles découvertes, ni par raison d'utilité. Ils sont toujours ce que le Christ a enseigné, que l'Église a proclamé, que les papes ont défendu. Ils convient de les prendre comme ils sont, ou de les laisser. Qui* les accepte dans toute leur plénitude et rigueur est catholique; celui qui balance, louvoie, s'adapte au temps, transige, pourra se donner à lui-même le nom qu'il voudra, mais devant Dieu et devant l'Église, il est un rebelle et un traître »[81]. C'est pourquoi, on qualifie souvent l'intégrisme catholique, de « catholicisme intégral »[82].

• Islamisme et intégrisme :

À notre sens, l'intégrisme (ou l'intégralisme) est la manifestation – que l'on retrouve dans toute religion – d'un système de dispositions, qui se traduit, dans tous les domaines, par des prises de position conservatrices, notamment en matière d'éthique et de politique et par un refus catégorique des attributs de la « modernité » (à ne pas confondre avec « modernisme »). Il y a un « intégrisme catholique » comme il y a un « intégrisme islamique » et un « intégrisme judaïque ». « Ils (les intégrismes) présentent un grand nombre de caractéristiques communes, par-delà la simple simultanéité historique de leur apparition. La disqualification d'une laïcité qu'ils font remonter à la philosophie des lumières les unit. Ils voient dans l'émancipation orgueilleuse de la raison par rapport à la foi, la cause première de tous les maux du XXe siècle... Pour l'ensemble de ces mouvements, c'est la légitimité de la cité séculière qui est ruinée. Mais s'ils s'accordent à considérer que seule une transformation fondamentale de l'organisation de la société peut refaire des textes sacrés la source d'inspiration première pour la cité à venir, chrétiens, juifs et musulmans divergent quant au contenu à donner à celle-ci »[83].

Compte tenu de ces considérations, il paraît alors juste de parler d'« intégrisme » à l'endroit des mouvements islamistes. D'abord, il s'agit comme chez les intégristes catholiques et juifs, d'organisations qui prétendent fonder la politique sur des textes sacrés, résoudre tous les problèmes de la cité au moyen de la loi révélée et, simultanément, restaurer l'intégralité du dogme. Ensuite, à l'instar de tous les autres intégrismes, l'islamisme est également une idéologie totalitaire, dans la mesure où il s'offre à régenter tous les aspects et tous les moments de l'existence des individus. À l'image de ses congénères chrétiens et juifs, l'islamisme est aussi fixiste et réducteur à travers sa volonté d'extirper et d'expulser tout ce qui est étranger à la révélation, laquelle ne saurait souffrir ni altération ni rajout. Tous ces mouvements prétendent œuvrer à la restauration de la cité idéale, qui est la mesure de toute chose. « L'intégrisme, c'est d'abord cela – une formidable tension vers la pureté, un effort de chaque instant, exigé de chacun, pour extirper, expulser, tout ce qui est étranger à la révélation et, par là, permettre la cité idéale, créée par le Prophète à Médine, il y a quatorze siècles, de revoir enfin le jour. Il s'agit que la vie du croyant redevienne un sacerdoce ; que la *totalité de ses actes, de ses pensées, de ses émotions, soit aimantée à nouveau par le message, en s'impliquant de plus en plus fortement dans l'apprentissage de la loi, en s'investissant dans le cycle permanent des rites religieux, prières, jeûnes, pèlerinage, et dans le cadre précis des règles de conduite personnelle et sociale »*[84].

Les convergences sont tellement frappantes, qu'un auteur, par ailleurs avisé et plus vigilant, comme Maxime RODINSON, n'hésite pas à affirmer que le qualificatif intégrisme est relativement juste s'il s'agit chez les islamistes comme chez les intégristes catholiques de l'aspiration à résoudre au moyen de la religion tous les problèmes sociaux et politiques et de restaurer l'intégralité de la croyance aux dogmes et aux rites[85]. En réalité, toutes ses similitudes ne relèvent que de l'ordre du « visible » ; entre l'intégrisme catholique et l'islamisme, des différences se situent à des niveaux de profondeurs autrement plus déterminants, notamment, en ce qui rapporte à l'origine sociale des militants et la relation vécue à la politique.

En ce qui concerne le premier niveau, précisons la base sociologique de l'intégrisme catholique. À ce propos, C. GRIGNON écrit : « *Les mouvements intégristes exercent surtout leur attraction sur les groupes et les fractions en déclin, arrière-gardes, plus ou moins anciennes de la classe dominante – aristocratie foncière, armée, vieille profession pas encore rénovée comme le notariat, patrons "vieille France" par opposition aux nouveaux "managers", etc. – sur des provinciaux plutôt que sur des parisiens et dans la petite bourgeoisie, sur les professions menacées dans leur avenir et dans leur conception du monde et du métier, petits artisans, petits commerçants, petits fonctionnaires, etc.* »[86] P. BERGER[87] et T. LUCKMANN[88] ont montré aussi que ce « type de religiosité » ne caractérise en Europe qu'une partie de la population, précisément celle qui se situe en marge de la société moderne : la paysannerie, la petite bourgeoisie traditionnelle et les reliquats de l'aristocratie. À l'inverse, les militants islamistes loin d'être issus des groupes sociaux et/ou des fractions de classes en déclin ou encore des milieux traditionalistes, proviennent, pour l'essentiel, des espaces modernisés : milieux urbains, jeunesse des banlieues, facultés des sciences et technologies, écoles normales, etc.

Quant au rapport au politique, les islamistes, contrairement aux intégristes catholiques, se réfèrent plus à l'idéologie religieuse qu'à la religion elle-même ; leur problème est de tirer de l'islam, un modèle d'organisation politique concurrent aux autres modèles. Autrement dit, si l'intégrisme est la manifestation en matière politique d'un système de dispositions religieuses qui se traduit dans tous les domaines par une attitude conservatrice ; l'islamisme ; quant à lui, est la manifestation en matière de religion, d'un système de dispositions politiques, qui traduit la volonté de transformation de l'ordre établi.

Certes, dans les deux systèmes, il s'agit d'une articulation du politique et du religieux ; la différence fondamentale réside dans le mode d'articulation entre les deux sphères. Dans l'intégrisme, la religion est une fin ; dans l'islamisme, elle n'est qu'un moyen, la fin étant la conquête du pouvoir politique.

• *Islamisme et fondamentalisme :*

La notion de fondamentalisme serait-elle plus appropriée pour qualifier la nature de l'islamisme contemporain ? Qu'est-ce que le fondamentalisme ? « *Le fondamentalisme (...) c'est l'idée qu'il faut effectuer un retour sur les textes, par-delà la tradition qui les a alourdis et déformés. C'est le "retour à...", la relecture, la quête des origines. L'ennemi n'est pas la modernité mais la tradition, ou plutôt dans le contexte musulman, tout ce qui n'est pas la tradition du Prophète (la Sunna). Il s'agit bien d'un réformisme. Le fondamentalisme n'est pas en soi une position politique car le "retour" peut prendre des formes diverses* »[89]. Il n'y a donc pas un fondamentalisme, mais des fondamentalismes. Ce fait qui consensus parmi les analystes, c'est la distinction nettement établie entre fondamentalisme et traditionalisme[90].

Il semble qu'on a commencé à utiliser ce vocable (fondamentalisme) dans les premières années de ce siècle, pour désigner certaines Églises et organisations protestantes, notamment celles qui n'admettent et ne reconnaissent que : (a) le sens littéral des Écritures ; (b) la Bible comme unique autorité et seul arbitre en matière de foi, de pratiques ecclésiastiques, sociales et politiques. D'extraction protestante[91], ce courant est actuellement représenté, aux États-Unis surtout, par une multitude de « mouvement de réveil ». La naissance de ces mouvements remonte au XVIIe siècle avec le piétisme et l'évangélisme[92]. Les fondamentalistes s'opposent aux théologiens libéraux et modernistes, qui penchent ou privilégient une lecture critique et historique des Écritures. Dans l'histoire de la pensée islamique, il n'y a pas eu, jusqu'à présent, une pareille lecture du Coran. Par conséquent, la naissance du fondamentalisme musulman ne résulte pas d'une opposition à une lecture critique et historique des Écritures. Historiquement, elle est l'expression d'un refus de toute pensée libre et autonome de la théologie. Le clivage fondamental, en islam, n'oppose pas, comme on le prétend communément, « *Ahl al-'aql* » et « *Ahl al-naql* », les deux pouvant se situer dans le cadre étroit des « sciences religieuses » ; il passe entre les *salafistes*, partisans de l'excroissance théologique, prétendant faire l'impasse sur toute pensée autonome et les tenants du dépassement théologique, favorables à l'émergence d'une pensée libre, rationnelle et séculière.

C'est au XIe siècle que s'intensifie cette vaste entreprise de restructuration idéologique initiée par l'aristocratie abbasside dès les débuts du IXe siècle. Tout commence, en effet, au cœur de cet empire abbasside en crise où les califes aux abois n'aspirent plus qu'à la conservation de l'espace conquis et des privilèges acquis. C'est d'abord la réaction du calife Al-Mutawakkil qui, en 850, imposa, dans les faits, la « fermeture des portes de l'*Ijtihâd* » (l'effort rationnel) en théologie. Cependant, la crise du pouvoir abbasside s'aggravant, sous la pression des soulèvements populaires (la révolte des *Bâbikiyyoûn*, des zendjs et des *Qarmates*), cette opération va s'étendre à tous les domaines où fleurissait une pensée libre, critique et autonome ou en voie de l'être de la théologie, elle-même en cours de domestication. Elle prit l'allure d'une offensive contre le « chî'isme ». Mais ce ne fut là que la partie visible de l'iceberg. En réalité, ce fut une réaction conservatrice contre les « lumières » de l'âge d'or (fin VIIIe siècle - première moitié du IXe siècle) de la pensée musulmane, contre la pensée libre des « *Mu'tazila* »[93] et des « *Falasifa* » (philosophes).

Au cœur de cette mise au pas de la pensée libre, l'œuvre de l'imam Abou Abdellah Ahmed Ibn Hanbal (780-855), son excommunication du « *'aql* » (la raison) et sa répudiation du « *ra'ï* » (l'opinion personnelle). Ibn Hanbal, après avoir été persécuté sous le règne du calife El-Mamoun, fera l'objet d'une grande sollicitude de la part d'El-Mutawakkil. En ce qui concerne la question du Coran, Ibn Hanbal ne l'envisage pas comme une matière à discussion, mais comme matière de foi absolue : « *On rapporte de beaucoup de ceux qui nous ont précédés*, écrit-il, *qu'ils disaient : Le Coran est la parole de Dieu non créée, et c'est ce que je crois. Je ne suis pas un théologien rationaliste (un partisan du Kalam) et je ne vois pas qu'on doive introduire la discussion rationnelle (le Kalam) en rien de cela ; qu'il nous suffise de connaître ce qui est dans le Livre de Dieu ou dans la tradition de son Prophète, des compagnons et des suivants ; pour le reste, la discussion n'est pas louable* »[94]. Sous le règne des Mameluks, le courant salafiste atteint son apogée avec Abou el-Wafa Ibn 'Aqîl (1040-1119), Ibn Taymiyya (1263-1328) et Ibn Qiyam al-Jouzia (129-1350). Il connaîtra un nouveau sursaut sous le règne de la dynastie ottomane. Les principaux leaders salafistes de cette période sont : Mohamed Ibn Abdelwahab Attamîmy (1703-1792) ; Mohamed Ibn Ali Senoussi (1787-1859), Mohamed Ahmed el-Mahdi (1844-1897), Djamel Eddine al-Afghânî (1838-1897), etc.

D'autres penseurs contribuèrent à cette contre-offensive conservatrice. Avec l'imâm 'Ach'ari (873-940), le *kalâm* orthodoxe prend sa forme définitive ; expurgé de la contamination *mutazilite* et plus proche du *hanbalisme*. Contre les *Falisifa*, c'est Abû Ahmed Al-Ghazali (1058-1111) qui, à travers des œuvres comme *Maqâsid al-falâsifa*,

Al-Mounqid et *Tahâfut al-falâsifa* entreprit de prouver l'impuissance radicale de la raison. C'est aussi al-Mawardi (mort en 1058) qui, dans son livre, *Kitâb al-ahkâm al-sultâniyya*, rejette toute idée d'un fondement rationnel à l'organisation de l'État. Toute cette entreprise d'excommunication et de répudiation de la pensée séculière, donc critique, autonome et indépendance du *fiqh* (théologie), sa source dans le hanbalisme, se déploie sous couvert d'un « retour aux sources », envisagé comme l'unique voie du salut spirituel et temporel. Tel est bien le projet des différents courants du salafisme musulman : le wahhabisme inspiré d'Ibn Taymiyya ; le réformisme d'Al-Afghanî, de Muhammad Abdû et de Rachîd Ridha ; l'*islahisme* (réformisme) d'Ibn Badis (1889-1940), l'islamisme de Hassan al Banna, etc.

En résumé, le salafisme résout la question du sens des énoncés coraniques à travers le prisme réducteur de deux postulats, corollaire du « mythe de l'âge fondateur » :

• Le postulat de l'enclosure épistémologique : la vérité ultime, éternelle, exclusive et totale est incluse dans le Coran, qui a été une parole, puis un texte ;

• Le postulat de l'*a priori* théologique : rien ne peut être connu et interprété en dehors des formes *a priori* de la sensibilité et/ou de l'intelligibilité religieuse.

L'islamisme d'aujourd'hui se fonde sur ces deux postulats. En ce sens, il s'inscrit dans la matrice salafiste (ou fondamentaliste).

• *La « Salafiya » :*

Étymologiquement, le mot signifie le « passé », les « aïeux » ou les « ancêtres » : Salafiya désigne alors « ceux qui se réfèrent aux pieux Anciens » *el-salaf al-sâlih*). En théologie, il désigne ceux qui se réfèrent dans leurs jugements comme dans leurs comportements au Coran et à la Sunna, rejetant toute autre loi. La Salafiya prône le retour à l'islam originel, partant de l'idée que l'islam a connu, au fil du temps, de graves déviations, des « innovations blâmables » introduites par les différents gouvernants qui se sont succédé. C'est la raison pour laquelle, les organisations islamistes d'obédience salafiste prônent le renversement des gouvernements établis, considérés comme impies.

L'objectif de la Salafiya est l'unification des États islamistes sous un commandement unique : le califat. Au-delà des divergences sur le modèle de califat à restaurer, tous les salafistes conviennent que le califat, qui existait durant le règne des quatre premiers califes (Abou Bakr, Omar, Uthman et Ali), qui ont succédé au prophète, représente le modèle de référence. Comme nous l'avons déjà souligné, le courant salafiste n'admet comme référence unique que le « texte du Coran » et rejette comme source d'« innovations blâmables » le « *ra'ï* » (l'avis personnel), le « *tawîl* » (l'interprétation), le « qiyâs » (le raisonnement analogique), « *al-'aqlâniyya* » (l'usage de la raison) et « al-sabâbiyya » (le déterminisme).

Cette tendance regroupe plusieurs courants. Pour comprendre le mouvement islamiste contemporain, nous limiterons sa comparaison avec le courant salafiste le plus représentatif à la fin du XIXᵉ siècle et du début du XXᵉ : « *al-Salafiya al-islâhiya* » (réformiste) dont les figures emblématiques sont El-Afghânî, R. Ridha et M. 'Abdû[95]. À la différence des réformistes, les islamistes proposent un programme politique radical, non pas pour réformer le dogme, mais pour en faire, par la violence si nécessaire, le fondement de l'ordre politique et social. Les islamistes aspirent non pas à moderniser l'islam, à l'instar de la *Salafiya al-islâhiyya*, mais à islamiser la modernité. Nous qualifierons l'islamisme contemporain, dont l'histoire commence avec la naissance de la « Société des Frères musulmans » (fondée par Hassan al-Bannâ, en 1928 à Ismaïlia, en Égypte) de SALAFIYYA HARAKIYYA (fondamentalisme activiste). Le mouvement fondé par H. al-Banna est, dans son essence, l'aboutissement du réformisme prôné par al-Afghânî, 'Abdhuh et R. Ridha, dont il simplifie à outrance les principes et les ramènent aux affirmations du Coran et de la tradition. Les Frères musulmans adoptent donc pour l'essentiel l'enseignement salafi, mais conçu en fonction de la question de l'État (du pouvoir politique)[96]. Qu'est-ce à dire sinon que si tous les islamistes sont des salafistes, tous les salafistes ne sont pas forcément islamistes.

• *Islamisme et néo-fondamentalisme :*

Dans son ouvrage, *L'islamisme en Algérie*, (édité en 1992), A. LAMCHICHI écrit : « *Partisans d'une relecture des textes fondateurs (Coran, Sunna prophétique) – en tant que sources, morales et politiques, constitutives de l'identité – en vue d'une renaissance (Nahda) ou d'une résurgence (Ba'ath) du monde musulman, les islamistes sont des néo-fondamentalistes. La différence essentielle avec leurs prédécesseurs réside dans leur lecture idéologique de l'islam, conçu comme un instrument de protestation sociale et de conquête du pouvoir* »[97]. Quelques années plus tard, dans un autre ouvrage, l'islamisme en question(s), paru en 1998, il établit une nette distinction entre islamisme et néo-fondamentalisme : « *Le néo-fondamentalisme, dit-il, désigne ainsi une nouvelle génération d'activistes et de militants dont le recrutement, la trajectoire, le discours, l'approche des problèmes sociaux diffèrent nettement de ceux des grands mouvements islamistes classiques... La différence fondamentale entre l'islamiste, le fondamentaliste classique et le néo-fondamentaliste porte sur le rapport à l'État et au politique* »[98].

La distinction islamisme/fondamentalisme a été explicitement établie par Olivier ROY, dans un ouvrage consacré à l'Afghanistan[99], paru en 1985. « *Le fondamentalisme, dit-il, est essentiellement une "idéologie" juridique et non politique* ». Il définit une société de droit ; c'est-à-dire une société régulée par des normes (la chari'a) objectives et indépendantes de l'arbitraire des princes. Quant aux islamistes, au lieu de vouloir comme les oulémas fondamentalistes gérer la société civile, ils prétendent reconstruire la société à partir de l'État. Leur fondamentalisme serait donc plus radical que celui des oulémas ; ce qu'ils visent, c'est l'application de la charia comme moyen et non comme une fin. Partant de là, l'auteur envisage l'islamisme comme un phénomène radicalement nouveau apparu dans les années trente, en Égypte et dans le sous-continent indien. Pour marquer cette radicale nouveauté de l'islamisme, O. ROY le qualifia de néo-fondamentalisme. Une décennie plus tard, notre auteur revient sur sa classification et distingue l'islamisme du néo-fondamentalisme[100]. Désormais, la notion de néo-fondamentalisme renvoie à un courant, qui peut être défini par deux caractéristiques essentielles : sa dimension communautariste et son refus de la logique stao-nationale. Les groupes néo-fondamentalistes, tels que les « *Jamâ'at at-Tabligh wa-d-Da'wa* », se déploient, selon les propos d'Olivier ROY, dans « *l'espace déterritorialisé des marges de l'islam* ».

Considérons les groupes *Jama'ât et-Tabligh*, pour juger de la validité historique de ces distinctions. *Jama'ât et-Tabligh wa-d-Da'wa*[101] a été fondée par cheikh Muhammad Ilyâss (1917-1977), à New Delhi, la capitale de l'Inde, alors sous domination britannique. Aujourd'hui, le centre de ce mouvement se trouve au Pakistan. Le « *Tablighî* » met l'accent sur un code minimum, ritualiste et prescriptif, commun à l'ensemble des musulmans à travers le monde. Extraire les normes juridiques de tout contexte culturel particulier, pour n'en retenir que le strict minimum, c'est-à-dire ce qui est explicité sans le moindre doute par la charia et le rituel islamique. Il se réfère au modèle éthique légué par le comportement exemplaire du Prophète. « *Les groupes de prédication, comme les Jamâ'at al-Tabligh, par exemple, insistent sur la dimension individuelle (al-Insân) plutôt que sur les institutions étatiques. Leur objectif prioritaire n'est pas explicitement politique ; il consiste à propager (tabligh) et à transmettre (da'wa) le message coranique. Ce dernier contient d'abord, selon eux, les principes d'un modèle vertueux de comportement du croyant (al-mouslim) quelles que soient ses multiples appartenances (culturelles, ethniques, sociales, etc.) ; mais imiter le prophète ne saurait évidemment se limiter à l'adhésion à une foi ou au respect des dogmes de la religion et des pratiques culturelles ; le modèle prophétique implique, selon eux, l'adoption d'un code vestimentaire (d'où le voile imposé aux femmes) et des interdits alimentaires, la conformité à un rythme particulier de la vie quotidienne, le port de la barbe, une gestuelle et des postures spécifiques »*[102].

Certes, ce fondamentalisme est différent de celui des oulémas, mais il ne l'est pas du wahhabisme. Bien au contraire, les *Jamâ'at al-Tabligh* (comme les Talibans afghans) s'inscrivent dans la matrice de l'idéologie puritaine et rigoriste wahhabite. En ce sens, il s'agit de groupes stricte- ment fondamentalistes (salafistes). À la limite, on peut parler à leur endroit de salafisme piétiste ou quiétiste, mais en aucun cas de néo-salafisme. En réalité, ce qui se cache derrière la distinction isla- misme/salafisme – qui conduit à parler de néo-salafisme – c'est la volonté de démarquer l'islamisme du « salafisme » afin d'en révéler la radicale nouveauté ; l'objectif étant de nous faire croire qu'il (l'isla- misme) porte en ses plis les ingrédients d'une modernité spécifique. À ce titre, l'islamisme ne saurait être considéré comme un simple retour au passé, comme un mouvement passéiste. Il serait la contestation de la modernité occidentale (allogène, déstructurant et aliénante), mais procédant, ce faisant, à la réappropriation de ses principaux référents afin de tracer les sillons d'une modernité endogène/spécifique. Dès lors, même si nous envisageons sa sublimation d'un certain passé comme une régression, il s'agirait d'une « régression féconde »[103] ou encore d'un mouvement procédant d'une logique de décolonisation inachevée[104].

• *Retour sur la notion de « Salafia » :*

C'est la notion de « salafia » qu'il faut clarifier, pour pouvoir démêler l'écheveau des divers courants islamistes apparentés et concurrents à la fois. À titre de rappel : par « salafia «, il faut entendre ceux qui se réfèrent aux « pieux anciens ». On appelle « pieux anciens » (*al-Salaf al-Salih*), les « compagnons du Pprophète » (*al-Sahaba*), ceux qui les suivirent (*al-Tabi'oun*), ceux qui suivirent ces derniers (Tabi'ou al-Tabi'in) et tous ceux qui vécurent durant les trois premiers siècles de l'islam, dont les quatre imams et ceux qui suivirent leurs enseignements[105]. Fait significatif : dans l'islam, toutes les entreprises de restauration de la foi sont conduites au nom d'un certain retour à la pureté originaire de l'islam. Il faut, cependant, préciser que ce retour et cette pureté sont différemment conçus par les diverses tendances. Cela va d'un retour aux normes canoniques et règles normatives jugées les plus opportunes par rapport aux exigences du moment jusqu'à l'appel d'un retour total aux sources.

Nous savons déjà que la tendance « salafîste » prend sa source dans cette vaste entreprise de restructuration idéologique initiée, au XIᵉ siècle, par l'aristocratie abbasside contre les « lumières » de l'âge d'or de la pensée musulmane, œuvre des « *Mu'tazila* » et des « *Falasifa* », vecteur d'une pensée libre et autonome du « *fiqh* » (la théologie). Au centre de ce dispositif d'étranglement de la « raison », nous l'avons vu, l'œuvre d'Ibn Hanbal. Ce dernier est né à Baghdad où il a suivi les enseignements de l'imam al-Chafi'i (mort en 820), disciple de Mâlik Ibn Anas. Il se sépare très vite de son maître, mettant à l'index sa « *Risâla* ». Sunnite, Ibn Hanbal est aussi un farouche défenseur de la tradition. Il devient très vite le chef de file de la lutte anti-mu'tazilite. Quelques années après sa mort, le calife abbasside, Al-Moutawakil (mort en 861) ferme les portes de l'*Ijtihâd*, interdit le mu'tazilisme et s'inspire du hanbalisme pour procéder à une restructuration doctrinale. Le hanbalisme peut être défini par deux caractéristiques essentielles : sa lutte sans merci contre les innovations (bid'a) et par son rigorisme scrupuleux en matière de mœurs. Dans son intransigeance doctrinale, il rejette le raï (l'opinion personnel) chère à l'école hanafite, l'*istihsân* (principe d'utilité) défendu par les malékites et l'*istislâh* (le principe de l'intérêt général) adopté par les chafi'ites. Il refuse également le *qiyas* (raisonnement analogique) pour statuer sur tel ou tel point de la doctrine.

Issu de l'école hanbalite, Ibn Batta (mort en 997), théologien et jurisconsulte, auteur d'une profession de foi notifiée dans un livre célèbre, Al-Ibâna al-Saghira, proscrit lui aussi toute innovation qui altérerait le dogme, le culte, le droit et la morale. Il s'oppose également à la philosophie d'inspiration grecque et au mu'tazilisme. D'autres figures pourraient encore être citées, comme Abou Dâoud al-Sijistâni (mort en 880), Ibn Hâtim al-Râzi (mort en 891), al-Barbahâri (mort en 940), Ibn 'Aqîl (mort en 1119). Mais, le disciple le plus célèbre d'Ibn Hanbal est un autre juriste, référence fondamentale de l'islamisme contemporain. Il s'agit d'Ibn Taymiyya qui, à son tour, sera suivi par Ibn Qayyim al-Jawziyya (mort en 1350) et l'historien Ibn Kathîr (mort en 1373). Le wahhabisme se greffe sur cette forme de pensée, que nous qualifierons de « salafiya bidâïyya » (fondamentalisme primitif) ; « primitif », au sens étymologique du terme : qui est au premier stade de son évolution.

Vers la fin du XIXᵉ siècle, face à l'hégémonie européenne, émerge un mouvement réformiste (la Nahda)[106], qui, lui aussi, prône « un retour aux sources » comme propédeutique indispensable à une renaissance possible. « *Apparaissant en partie à la fois par réaction à l'encontre et par désir d'égaler l'Occident où triomphe alors un rationalisme linéaire, le mouvement salafi fut élaboré par des savants et des publicistes dans les universités et la presse : dans les villes du XIXᵉ siècle finissant. Schématiquement sa démarche fut telle : il confronta, il "compara" d'abord l'Islam concrètement vécu par les masses à la rigueur et à la simplicité des quelques grandes obligations canoniques et des principes d'orientation éthique de la pensée musulmane. Il préconisait l'abandon de multiples comportements et croyances a/ou anti-islamiques. Pondérant ensuite l'ensemble des règles normatives tirées au cours des siècles de commentaires et interprétations les plus avérés et des sources canoniques, il détermina les normes et les modèles sociaux musulmans paraissant les mieux adaptés aux situations sociales, économiques et intellectuelles contemporaines* »[107].

Au départ de la pensée islahiste (réformiste) est le constat de l'état de décadence des pays musulmans, à la fin du XIXᵉ siècle. Les indices de cette décadence sont : (1) ils sont tous dominés par l'étranger (l'Occident) ; (2) ils sont divisés entre eux ; (3) ils sont laminés par de fausses dévotions, qui altèrent la pureté de leur foi ; (4) ils vivent dans l'ignorance. Deuxième temps, une question : « d'où proviennent ces maux ? ». La réponse : « de ce que les musulmans se sont éloignés/écartés du véritable islam ». La solution préconisée : il faut revenir aux sources véritables et inaltérées de la foi (le Coran et la Sunna) et à la pureté première des « pieux ancêtres ». À l'islam vécu, la pensée réformiste oppose un islam révélé[108]. Sur cette base, les oulémas réformistes proposent un programme de réforme en vue de moderniser l'islam. Pour toutes ces raisons, nous qualifierons ce mouvement de Salafiya islâhiyya (fondamentalisme réformiste).

Le mouvement des Frères musulmans, la matrice fondamentale de l'islamisme contemporain, n'est, quant à lui, que la conclusion poussée à l'extrême (radicalisée) du mouvement réformiste, à partir de la pensée de Rashîd Ridha, qui infléchit l'enseignement de ses maîtres (Al - Afghani et 'Abdhuh), dans un sens plus conservateur. Un « retour aux sources » dogmatique qui, dans l'application de la charia, ne tient compte ni de l'évolution de la société, ni des nouvelles conditions de la vie moderne. La rupture entre le mouvement réformiste et l'association des Frères musulmans procèdent d'un renversement lourd en conséquences théoriques et pratiques. Si les premiers aspiraient à moderniser l'islam, les seconds prétendent islamiser la modernité, à partir du postulat que l'islam est à la fois « *dîn wa dawla* » (religion et État). Ce renversement induit une double conséquence : d'une part, il implique un glissement d'une position spirituelle (religieuse) et morale (éthique) sur la société à une position politique, qui nourrit une dynamique contestataire de l'ordre établi. D'un autre côté, il détermine un rapport original au passé islamique : restaurer l'âge d'or de la société musulmane ; celui de la « cité-État de Médine »

(622-660)[109]. Nous l'avons déjà souligné, au travers de ce « renverse-ment », la religion (l'islam) cesse d'être une « fin » pour devenir un « moyen ». C'est pourquoi, nous qualifions l'islamisme de « Salafiya harakia » (fondamentalisme activiste).

Les groupes à l'image des « *Jamâ'ate al-Tabligh wa al-Da'wa* » re-prennent à la « *Salafiya al-bidâ'iya* » (fondamentalisme primitif) l'idée que la charia est l'instrument de régulation par excellence pouvant conduire au modèle du « musulman idéal ». Les deux courants pro-duisent donc un discours à prétention universel, qui s'articule autour de l'idée d'un code normatif a-historique (indifférent aux aléas de l'his-toire vécue et aux réalités socio-culturelles). Néanmoins, tandis que le registre sur lequel s'inscrit la vision du « fondamentalisme primitif » reste celui des cultures traditionnelles ; les *Jamâ'ates al-Tabligh*, quant à elles, mettent l'accent sur un code minimum, ritualiste et prescripteur, commun à l'ensemble de la communauté musulmane. Expurger le code juridique et ritualiste de toute contamination culturelle précise, s'en tenir au strict minimum, à ce qui est explicité et ne fait l'objet d'aucune controverse, voilà qui définit la conduite de ces groupes. Pour ces derniers, tous d'obédience wahhabite, il faut le préciser, le « musulman vertueux » est celui qui, par sa conduite et ses actes quotidiens, reproduit le modèle éthique légué par le comportement exemplaire du prophète. Cette quête du modèle du « musulman parfait » ne conduit pas à privilégier la dimension politique. Il n'est pas impératif d'attendre que l'État se conforme à la charia pour se conformer soi-même à ses prescriptions. Sur cette base, nous quali-fions de type de mouvements de « Salafiya mekkia » (fondamenta-lisme piétiste/quiétiste).

• Définition de l'islamisme :

Nous pouvons maintenant déterminer l'islamisme avec plus de précision. Convenons, pour commencer, d'appeler « islamistes », tous les mouvements politico-religieux qui proposent une alternative « révolutionnaire islamique », une sorte de « troisième voie » excluant tous les modèles politiques existants, et dont la matérialisation est conditionnée par la création d'un « État islamique », c'est-à-dire un État fondé sur l'application de la charia. L'islamisme renvoie donc, essentiellement, à l'idée que l'ordre politique et l'ordre religieux doi-vent être congruents. C'est en fonction de ce principe que l'islamisme peut être le mieux défini. Il traduit le refus (ou la contestation) de la violation de ce principe et l'engagement (ou l'action) en faveur de sa réalisation. Ce principe dérive de l'idée que l'islam est simultanément foi et loi (*'aqîda wa chari'a*), religion et État (*dîn wa dawla*) et système de valeurs spirituelles et temporelles (*dîn wa dounia*). Cette affirmation et sa justification théologique sont communes à tous les mouvements islamistes. Ils affirment tous, du Maroc à l'Indonésie, que l'islam et l'État sont destinés l'un à l'autre, que l'un sans l'autre est incomplet et constitue en soi une « innovation blâmable ».

Cette thèse est présente, explicitement formulée et systématisée dans l'œuvre de Hassan al-Banna. Aussi, par « islamisme » (en arabe *islâmaoui* par opposition à *islâmî*, islamique), nous entendons tout mouvement qui en sue de la profession de soi (*shahâda*), la prière (*salât*), le jeûne (*ramadan*), l'aumône canonique (*zakat*) et le pèlerinage (*hadj*), fait du pouvoir politique (*imâmat*), un sixième pilier de la foi islamique. C'est ce petit rajout, gros en conséquences, que résume le leitmotiv, tiré des *Lettres* de Hassan al-Banna : « *L'islam est religion et État, Coran et glaive, culte et commandement, patrie et citoyenneté* ».

En d'autres termes, dans la tradition sunnite, les « piliers » (*arkâne*) de l'islam sont au nombre de cinq ; l' « *imâmat* » (le pouvoir politique) n'est pas compté dans les traités de la « *'Aqida* » (dogme) et de « *Uçûl al-fiqh* » (les sources du droit), parmi ces « piliers ». Ce qui distingue l'islamisme de tous les autres courants « salafistes », c'est précisément le fait qu'il érige l' « *imâmat* » en sixième pilier de l'islam, partant du postulat suivant : toute société gouvernée autrement que conformément à la loi révélée (la charia) est une société infidèle et, de ce fait même, personne ne peut mener la vie d'un musulman authentique, si ce n'est dans le cadre d'un État islamique. La question du pouvoir politique est érigée en dimension structurante du dogme. C'est exactement ce que dit Ibn Taymiyya dans son Traité du droit public : « *Il faut savoir que l'exercice d'une fonction publique constitue l'un des devoirs les plus importants de la religion ; la fonction publique, ajouterons-nous, est indispensable à l'existence même de la religion* »[110]. Quelques lignes plus loin, il inclut explicitement l'« *imâmat* » dans la liste des obligations religieuses : « *Le prophète, écrit-il, a ordonné qu'il y eût un chef à la tête du groupe de voyageur le plus réduit. Il a voulu avertir les hommes du devoir qui leur incombe dès qu'ils se trouvent en société. Dieu a, en effet, imposé le devoir d'ordonner le bien et d'interdire le mal, et cela n'est possible que grâce à la puissance et à l'autorité d'un chef. De même, tous les autres devoirs qu'il a dictés, comme le jihad, la justice, le pèlerinage, la prière en commun, les fêtes, l'assistance fraternelle, l'application des peines, etc., ne peuvent être observés que grâce à la puissance et à l'autorité d'un chef* »[111]. Ou encore, plus explicitement : « *C'est donc un devoir que de considérer l'exercice du pouvoir comme une des formes de la religion, comme l'un des actes par lesquel l'homme se rapproche de Dieu* »[112].

C'est donc bien la question du pouvoir politique (de l'État), située au cœur du projet islamiste, qui le distingue radicalement des autres fondamentalismes. État et religion sont dans un rapport d'intériorité, l'un ne va pas sans l'autre.

• Tendances et courants dans l'islamisme contemporain :

L'islamisme se définit donc par deux références fondamentales : le retour aux sources et la réislamisation de la société par l'État. Tous les courants islamistes, par-delà leur diversité, se réclament de la fidélité au Coran et à la « Sunna » et revendiquent l'instauration d'un ordre politique islamique fondé sur les principes suivants : (1) autorité absolue et exclusive de la révélation et intangibilité de la « charia », (2) obligation pour le pouvoir politique d'appliquer intégralement les prescriptions de la « charia ». Mais, au-delà de ce lot de références minimales, il existe, entre les différentes tendances et courants islamistes, des différences relatives à la formalisation doctrinale de ces principes (niveau théologique) et aux modalités concrètes de leur mise en œuvre (niveau politique).

Deux grandes tendances dominent : d'une part « Es-Salafiya al-Mekkia » (fondamentalisme piétiste/quiétiste), qui accepte la séparation de la religion d'avec la politique ; d'autre part, la « Salafiya al-harakia » (fondamentalisme activiste) qui, sur la base d'une idéologisation de la foi, usent des textes sacrés comme d'un instrument de combat politique. Sur la base de ce clivage fondamental, l'islamisme se présente aujourd'hui, dans le monde musulman, sous quatre formes, incarnées pas les associations missionnaires et apostoliques :

• « Es-Salafiya al-Mekkia » tendance, qui essaie de réislamiser la société par le bas. Son action est centrée sur la réforme des mœurs. Celle-ci privilégie la pratique individuelle. Ce type de « Salafiya » est bien représenté par les « Jamâ'at el-Tabligh wa al-Da'wa ».

• « Es-Salafiya al-harakiyya » représentée par tous les courants qui affirment que l'islam est à la foi religion et État. Pour ce qui est des modalités concrètes de mise en œuvre de ce postulat, il existe plusieurs courants au sein de cette tendance :

1. « Es Salafiya al-harakiyya al-mu'tadila » (fondamentalisme activiste modéré), dont l'histoire commence en Égypte, à la fin des années vingt, avec la naissance de l'association des Frères musulmans dont les deux figures emblématiques sont Hassan al-Banna (le fondateur) et Sayyed Qat (le doctrinaire). L'autre segment de ce courant est né dans l'espace indo-pakistanais, à la même époque, sous l'impulsion de Abû al-'Alâ al-Mawdoudi (1903-1979), fondateur, en 1941, d'un parti politique, la « Jama'at-e-islami ».

2. « *Es-Salafiya al-harakiyya al-djihâdiyya* » (fondamentalisme activiste djihadiste) : il s'agit des groupes radicaux issus du mouvement des Frères musulmans mais dissidents, qui se réclament de Sayyid Qutb et s'inspire de la brochure de Muhammad Amara, *Al-faridha al ghâiba* (l'obligation absente). Ces groupes font du « djihâd » une obligation individuelle, pas seulement collective. Ce courant, qui prône le « djihâd », ne taxe pas pour autant la majorité des musulmans d'infidélité (kofr). Le « *Jihâd al-islâmî* » égyptien incarne parfaitement ce courant.

3. « *Es-Salafiya al-harakiyya al-Takfiriyya* », qui regroupe les courants les plus extrémistes. Ils poussent les idées de Sayyid Qutb jusqu'au bout de leurs conséquences. Ils taxent toute la société d'impie, qui, de ce fait, devient passible d'excommunication.

• *Retour sur le FIS :*

Nous pouvons maintenant percer le mystère de la nébuleuse que représente le FIS et identifier les différents courants qui le traversent. En effet, le FIS tentera de rassembler le plus de monde possible en intégrant tous les courants islamistes à l'œuvre en Algérie. Dès le début, ces courants vont s'engager dans une lutte féroce pour le contrôle du parti. D'ailleurs, formé d'anciens « bouialistes » (le « Mouvement de la jeunesse islamique » d'Ahmed Kerfah, compagnon de Bouiali), de vétérans de la guerre d'Afghanistan (appelés les « Afghans »), d'éléments issus de « *Takfir wa al-hijra* », de « *Djaz'aristes* » (Algérianistes) , de Frères musulmans radicalisés et de « sala-fistes » comme le mouvement « Es-Sunna oua ech-Chari'a » de Ali Benhadj, « Ahl et-Talli'a » (les gens de l'avant-garde), « Jam'ât el-jihâd », « Jama'ât et-tablîgh » et « al-Da'wa » le FIS ne pouvait constituer qu'un cadre légal provisoire né d'alliances tactiques. Au sein du « Mejless Ech-Choura » (Conseil consultatif national), on trouvait les tendances et les courants suivants :

- La tendance « algérianiste » (la Djaz'ara) :

« Djaz'ara » : le terme vient du mot « al-Djazaïr » (Algérie), et signifie, littéralement, « algérianiste ». En effet, les « djaz'aristes » entendent « nationaliser » l'islamisme afin de l'adapter au contexte algérien. Ils appellent à l'édification d'une République islamique dans un cadre strictement national. En ce sens, ils inscrivent leur action en rupture avec la stratégie de l'« Internationale islamiste », dominée par les « Frères musulmans ». En Algérie, l'« International islamiste » est représentée par Mahfoud Nahnah, dirigeant du « *Mouvement social pour la Paix* » (MSP ou Hamas, en arabe), qui, justement, fut le premier à utiliser ce terme, pour désigner les membres de ce courant, plus exactement pour les stigmatiser et dénoncer, ce qui, à ses yeux, n'était qu'une « innovation aberrante », une grave « régression nationaliste ».

La « djaz'ara » s'est constituée, clandestinement, vers la fin des années soixante-dix et le début des années 80, à l'université, autour d'un noyau d'universitaires et de « chouyoukh » (prédicateurs), sous la couverture légale de l'« Association islamique pour l'édification civilisationnelle ». Certains analystes inscrivent la « djaz'ara » dans le prolongement du mouvement réformiste de Ben Badis, d'autres y décèlent l'influence de Malek Bennabi. En réalité, il n'en est rien de tout cela. Contrairement aux « salafistes », les « djaz'aristes » n'ont pas d'ancrages intellectuels déterminés et spécifiques, ni une conception du monde cohérente. Ils n'ont pas systématisé leur point de vue particulier. Et, il n'existe aucun texte de référence, qui permettrait de déterminer avec précision le contenu idéologique de cette tendance. La « djaz'ara » n'est, quant à son fond, que la manifestation d'un « bricolage idéologique » qui, dans une perspective exclusivement tactique et une visée purement « pouvoiriste », procède d'une somme d'emprunts à des idéologies contradictoires et opposées, qui prend la forme d'un compromis entre le nationalisme et l'islamisme. C'est un islamisme mâtiné de nationalisme, qui, en Algérie, se situerait à l'extrême droite du courant islamo-nationaliste. Dans les années 80, la « djaz'ara » se développe et se radicalise sans perdre pour autant ses traits distinctifs, ceux d'une société secrète, élitiste, faisant, principalement, dans l'entrisme, le noyautage et la prise de contrôle des appareils. Les salafistes qualifient la « djaz'ara » de « loge maçonnique ».

Pour comprendre la naissance et l'évolution de la « djaz'ara », il faut revenir aux conséquences de l'arabisation de l'enseignement. En effet, dès 1969, c'est un plan d'arabisation totale de l'enseignement qui avait été élaboré. En 1977, pour des raisons qui demeurent inexpliquées à ce jour, le président Boumediène décida d'une « pause de l'arabisation », sans pour autant aller jusqu'à ratifier en Conseil des ministres ce changement de cap. Entre-temps, les enseignements primaire et secondaire ont été arabisés avec le maintien de certaines « enclaves francophones » (dites sections bilingues). Ce dualisme linguistique (arabophones/francophones) s'est progressivement transformé en problème politique, parce qu'il se recoupait avec une différenciation de classe : d'un côté les couches populaires et la petite bourgeoisie traditionnelle dans les sections arabisées, de l'autre, les milieux dirigeants et certains segments de couches moyennes (cadres supérieurs et moyens de l'armée, universitaires, médecins, ingénieurs, cadres des grandes entreprises publiques, professions libérales, etc.) dans les sections francophones (bilingues).

À la fin des années soixante-dix, arrivent à l'université, de nouvelles cohortes d'étudiants, titulaires du baccalauréat sciences et/ou mathématiques, qui ont suivi un cycle secondaire entièrement arabisé. Contrairement aux anciennes promotions, qui n'avaient d'autres alternatives que le droit et les sciences sociales, ces nouveaux bacheliers pourront s'inscrire dans les filières « scientifiques et technologiques » : technologie, électronique, informatique, chimie, médecine, architecture, hydrocarbure, etc. Mais, dans ces filières, l'enseignement est toujours dispensé en langue française et la généralisation de l'enseignement n'a pas été réalisée comme promis par les pouvoirs publics.

Ces étudiants arabisés contraints et forcés au français ont désormais la conviction d'avoir été trahis, sacrifiés sur l'autel d'une politique affichée, qui n'était que fiction. À leurs yeux, le fait prend vite l'allure d'un paradoxe : une longue et pénible guerre de libération a été menée contre les Français, alors que les Algériens qui dominent aujourd'hui sont ceux qui parlent davantage le français que l'arabe. Ils se sentent victimes d'une logique de décolonisation inachevée, ce qui les conduit à politiser leur rejet et à radicaliser leur opposition. Ce sentiment se déplace progressivement du politique à l'éthique et de l'éthique au religieux sous l'influence du discours des Frères musulmans, qui dominent déjà la mosquée et la multitude des associations estudiantines. La « djaz'ara » est née de la jonction entre le nationalisme et l'islamisme. Mais, cette jonction entre l'un et l'autre a joué sur l'un et l'autre. Le nationalisme se cristallise sur l'achèvement de la décolonisation par l'islamisation et l'islamisme se concentre sur la refondation de l'État national par l'application de la « charia ».

En définitive, ce « bricolage idéologique » n'est que l'habillage conforme aux modes du moment d'un profond sentiment de haine sociale à l'encontre des élites francophones (civiles et/ou militaires) identifiées au système. C'est le sentiment de gens, qui ont joué le jeu de la « fiction scolaire » – celle de la promotion catégorielle et du prestige par l'école – mais qui constatent que le système, qui les a fait fonctionner dans cette fiction, ne respectait plus les règles du jeu. Pour eux, victimes d'une discrimination linguistique, qu'ils pensaient révolue, l'école n'est ni vecteur d'ascension sociale ni dispensatrice de prestige. Du coup, la « djaz'ara » n'est que l'expression d'une logique de reclassement sociale, qui n'a pas été respectée.

Honnie par les nationalistes et vouée aux gémonies par les « salafistes », élitiste et secrète, la « djaz'ara » développera une stratégie de noyautage et d'entrisme, qui lui vaudra la réputation d'une « loge maçonnique ». Elle jouera un rôle de premier plan dans la constitution du FIS et finira par en prendre le contrôle après la Conférence nationale des cadres du FIS, qui s'est tenue à Batna les 25 et 26 juillet 1991. Au sein du « Majless Echourra », la « djaz'ara » occupe la deuxième position après les « djihadistes », avec neuf (09) membres sur les trente-cinq (35) officiellement reconnus : Aissa ATHMANE, Kamel BOUKHADRA, Mokhtar BRAHIMI, Hassan DHAOUI, Abdelkader HACHANI, Abadellah HAMOUCHE, Mohamed Larabi MARICHE, Abd El Kader OMAR et Aberrazak REDJEM.

- La tendance « takfiriste » :

« Ettakfir oua el-Hidjra » (Excommunication et Exil) est une secte extrémiste dont les origines remontent aux années 1960. Le courant de la « Djama'ât el-mouslimîn » (groupe islamique) ou « Mouwahidîn » (unitarismes) est né vers la fin des années soixante, dans la prison égyptienne de Limane Tara, dans un contexte historique marqué, d'un côté, par la politique d'« *infitah* » (libéralisation) et de rapprochement avec Israël prôné par le Président Annouar Sadate et, d'un autre côté, par le premier grand mouvement de dissidence au sein de l'organisation des « Frères musulmans », suite à l'abandon par le nouveau « Guide suprême », Hassan el-Hudeïby, de la violence comme moyen de restaurer le califat.

L'initiateur de la doctrine de la « djama'ât el-mouslimîn » est un jeune théologien issu de l'Université d'El-Azhar, Ali Abdou Ismaël, qui finira par abandonner le principe de l'excommunication de la société pour apostasie. Il sera remplacé à la tête du groupe par Choukry Ahmed Mustapha, un jeune étudiant en agronomie originaire de la région désertique d'Assiout. Appartenant à l'aile radicale, qui contestait la nouvelle orientation de la « Confrérie des Frères musulmans », ce dernier purgeait une peine de prison, pour avoir distribué des tracts subversifs. La nouvelle doctrine, dont l'élaboration première peut être datée entre 1966 (date de l'exécution de Sayyid Qutb) et 1971 (date de la libération de prison de Choukry Ahmed Mustapha), sera systématisée dans le livre « al-Khilafa » (le califat). Elle repose sur deux principes fondamentaux :

- Le principe prôné par Sayyid Qutb (membre fondateur de la « Confrérie des Frères musulmans ») et par l'indo-pakistanais Abou Al-'Ala al-Mawdoudi (fondateur des « Djama'ât al-Islâmiya »), selon lequel l'apostasie se répand à partir de l'État pour s'étendre aux multitudes ; l'excommunication peut donc être prononcée contre un État et une société, qui ne sont pas fondés sur la loi révélée ;

- Le principe fondé sur une interprétation d'un « hadith » (propos du Prophète), qui annonce l'éclatement de la communauté musulmane en plusieurs factions (entre 71 et 73 selon les exégètes) dont une seule, qui demeurera dans la voie véritable, sera sauvée et préservée de l'enfer.

Depuis sa libération (en 1971) et après cinq années de prosélytisme, Choukri Ahmed Mustapha réussira à enrôler dans son groupe près de 500 membres, endoctrinés et convaincus qu'ils sont, à l'exclusion du reste des musulmans, cette faction « élue », qui sera « sauvée de l'enfer ». Aussi, sont-ils tenus de fuir la société qu'ils tiennent pour « djahilienne » (de *jahilia*, qui signifie ignorance et désigne la période pré-islamique, celle du paganisme). Le groupe avait trouvé refuge dans les grottes d'une montagne du désert égyptien, le Sa'yd. Mais l'enlèvement puis l'assassinat en juillet 1977, d'un ancien ministre égyptien des affaires religieuses, le Dr Hussein Zahabi, fournira aux forces de l'ordre l'occasion de démanteler les cellules clandestines de ce groupe. Arrêté, dans la banlieue du Caire, le leader et fondateur du groupe, Choukry Ahmed Mustapha, sera condamné à la peine capitale et exécuté en 1978.

La stratégie du groupe, en fait une application des thèses du Sayyid Qutb, peut se résumer en deux points :
- Lors de la phase régressive, le groupe devra adopter une stratégie défensive, qui consiste à rompre avec la société « djahilienne » (païenne) et à s'exiler pour aller vivre dans une sorte de « bulle islamique », préfigurant la société musulmane authentique. Durant cette période, l'adepte doit refuser de résister au côté de l'État impie contre une invasion étrangère, y compris israélienne, même si les juifs sont considérés comme les « ennemis de Dieu ».
- Dans la phase ascendante (offensive), le groupe devra attaquer la société en vue de la détruire, la cible prioritaire étant l'institution religieuse (qui légitime l'État impie) et l'institution militaire (qui défend et protège l'État impie).

Ce sont les services de sécurité égyptiens, relayés par les médias, qui rendront populaire l'appellation « Takfir oua al-Hidjra » sous laquelle le groupe des « Mouwahidîn » est aujourd'hui connu. La référence théologique des « Takfiristes » n'est pas comme d'aucuns le prétendent d'Ibn Taymiyya, mais de Youssef Abdelmadjid Chahine, auteur du livre *Hadd el-Islam*.

Trouvant dans l'université de Aïn Chems, un terrain fertile à son développement, notamment, grâce aux enseignements de certains professeurs, qui en furent d'ardents propagandistes, la doctrine de Choukry Ahmed Mustapha survivra à son géniteur et connaîtra son apogée durant les années 90 lors des grandes migrations des volontaires arabes vers l'Afghanistan pour participer au « djihad » contre l'Union soviétique. Durant cette décennie, la CIA soutenue par les services secrets britanniques, pakistanais et saoudiens ont entraîné, dans des bases secrètes en Arabie Saoudite et à Oman, quelque 10 000 volontaires arabes dont près de 3 000 algériens. Sur ce dernier chiffre, on estime à 1 000 ou 1 500, le nombre de ceux qui ont été infiltrés en Algérie pour renforcer les groupes terroristes à partir de 1991. En effet, concernant l'Algérie, déjà, dès le début des années 80, on estime à un millier le nombre de volontaires – originaires surtout d' El-Oued et d'Alger – qui se rendent à Peshawar (Pakistan) *via* Londres, Genève et Frankfurt. Financé par les pays du Golfe, à leur tête l'Arabie Saoudite, un réseau d'accueil est mis en place au Yémen, en Jordanie et en Arabie Saoudite pour convoyer les volontaires jusqu'au Pakistan. À Peshawar, ces derniers sont pris en charge par un Palestinien Abdellah Azzam, qui les place dans les « Beït el-Ansar » avant de les soumettre à une formation idéologique (enseignement du Wahhabisme) et à un entraînement militaire.

La première action connue du groupe en Algérie remonte à octobre 1988, quand plusieurs dizaines de ses membres portant bandeau noir sur le front, à la manière des « Chiites » du Hezbollah libanais prennent d'assaut et saccagent entièrement le siège du ministère de la Jeunesse et des Sports sur la Place du 1er Mai. Après une période de mise en veille, la branche algérienne du « Takfir oua al-Hidjra » fut réactivée, en décembre 1989, à l'occasion d'un conclave, qui avait réuni, sous l'autorité de l'émir Kamel Assameur, ancien étudiant en Syrie, plusieurs adeptes, dont cheikh Hasnaoui, Hassan Khaladeche, Messaoud Boudoud, Samir Achouri, Ben cheikh Kadimi, Aït Abdesselam, Ramdani Hocine, Mohamed Bouzeraïb. L'objet de la réunion était de mettre en œuvre les grandes lignes du plan de « jihad », élaboré par Mohamed Bouzraïb et Aït Abdesselam.

Le groupe se manifeste et passe à l'offensive dès le mois de janvier 1990. « *Fanatisés à l'extrême, ils sont environ 50 000 en Algérie dont une vingtaine de mille à Alger, selon des militants islamistes. Armés de sabres et de couteaux et parfois de pistolets de différents types, achetés au marché noir et de fusils de chasse, ils n'hésitent devant rien quand ils passent à l'action. Leur détermination a été frappante quand un commando suicide de six jeunes dont un adolescent de 14 ans, avait attaqué en janvier 1990, le tribunal de Blida. La plupart des membres du groupe (18) ont été capturés. (...). Il y a quelques mois, un autre groupe d'une quarantaine de personnes dirigé par un certain "Moh al-Wahrani", habitant à Arbaâtache, dans la région de Réghaia, près d'Alger, avait contraint la police à dresser des barrages durant deux mois dans un périmètre d'environ 80 kilomètres. Ce groupe, auteur de la fusillade sanglante contre un bar de Bologhine et un autre établissement à El Harrach, avait attaqué également une entreprise communale de Zéralda, et traqué les couples qui sillonnaient en voiture, le littoral ouest. Un couple avait été même kidnappé et séquestré dans un fourgon de type Renault l'été dernier* »[113]. En 1991, à l'occasion du mois de Ramadan (avril 1991), ils se manifestent avec plus de violence encore : « *Plus spectaculaire est encore la manifestation de cette organisation durant l'actuel Ramadan. Sabres au clair et à coups de pierre et de cocktails Molotov, ils ont assiégé la salle Harcha où s'est déroulé un paisible gala de "châabi", animé par le pacifique et jovial Meskoud. Leur intervention violente contre les forces de l'ordre (plusieurs blessés) avait tétanisé les spectateurs et les habitants du coin* »[114].

De 1988 à 1991, l'organisation, évoluant dans une semi-clandestinité, a beaucoup recruté, notamment dans les milieux de la délinquance, des petits « caïds » des quartiers populaires d'Alger et de sa périphérie suburbaine. Autre terrain de recrutement, les « vétérans afghans » qui, de par leur formation militaire et leur expérience de la guérilla, représentent des recrues de choix. Des « Afghans » algériens, tels Abdenour Allem alias l'émir Nouh, Nourredine Seddiki et Abd El Kader Hattab furent recrutés à cette époque pour encadrer les « fidâ'iyins » du « Takfir ». Parmi ces « vétérans afghans » recrutés par l'organisation, figure le groupuscule « *Harakat el-Djihad el-Islâmï al-Djazâ'irî* » (Mouvement du djihad islamique algérien), auteur de l'attaque du poste frontalier de Guemmar en 1991. Les groupes armés du Takfir se sont déployés, dès 1991, sur le terrain, dans des fiefs à Maala (Lakhadaria, ex-Palestro), à Boussalah (Sour el-Ghozlane, ex-Aumale) et à Hay Galloul à Bordj el-Bahri ex-Cap Matifou).

Dès 1990, les militants de l'organisation ont pris leurs distances à l'égard du FIS. En janvier 1991, un communiqué signé par Ahmed Bouamra[115] alias Dr Ahmed el-Pakistânî – dentiste de formation – alors dirigeant de l'aile algérienne du « Takfir », s'en prend violemment à Ali Benhadj, lui reprochant de s'être inscrit dans une logique électoraliste. Au début du mois de mars 1991, l'imâm takfiriste, prêchant à la mosquée de Brossette (Hussein dey/Alger), taxe Abassi Madani, Ali Benhadj et Mahfoud Nahnah d'« hérétiques ». Depuis, les militants de l'organisation vont s'opposer, par les armes, à la mainmise du FIS sur les mosquées. À la fin du même mois, à Belcourt, les habitants des quartiers de « el-'Aqiba » et du Musset Supérieur sont témoins d'un affrontement à sabres tirés entre les militants takfiristes de la mosquée « Djamel el-Kilânî » et de la mosquée « Salah Eddinne » surnommée « Kaboul » et des militants du FIS. Quelques jours plus tard, un commando du « Takfir » chasse les militants du FIS d'une mosquée d'el-Madania, à coups de couteau.

Au sein du « Majless ech-Choura » du FIS, la tendance « Takfir oua el-Hijra » est représentée par El-Hachemi Sahnouni et relayée par Kamer ed-Dîn Kherbane (un « Afghan ») et Saïd Mekhloufi (un ancien bouailiste).

- La tendance « djihadiste », (Djihadiyouns) :

C'est la tendance dominante au sein du « Majless Echoura ». Les « Djihadiyyouns » représentent plus du tiers des membres, soit un total de treize (13) : Ali Benhadj, Sahli Benkaddour, Yahia Bouklikha, Abdelhak Dib, Bachir Fekih, Said Guechi, Mohamed Kadri Kerrar, Kamer Eddine Kharbane, Abderahmane Khettib, Said Makhloufi, Achour Rebihi, Hachemi Sahnouni, Bachir Touil.

Partisans du « djihad » immédiat sans pour autant excommunier toute la société, tous les « djihadistes » conviennent que la « charia » doit être la source essentielle du gouvernement et le Coran, l'axe fondamental de la vie politique, la seule et unique référence de la légitimité de l'État. Ils s'accordent, également, tous pour abattre le régime en place. Ils fondent leurs « fatwas » (décrets théologiques légaux) sur une immense production théologique, qui trouve sa source chez Ibn Hanbal et Ibn Taymiyya, ses prolongements dans le wahhabisme et la pensée radicalisée de Sayyid Qutb, notamment dans son ouvrage phare, *Ma'alim fi-l-Tariq* (*Signes sur la voie*) et son achèvement chez Abdessalem Faraj, auteur de l'opuscule célèbre, *Al-Faridha al Ghaïba* (l'*Obligation absente*), qui ajoute aux cinq obligations reconnues de l'Islam, une sixième : le « djihad » contre les mécréants. Leur idéal politique est la cité-État de Médine du temps du Prophète et des quatre premiers califes. Exécrant le nationalisme, ils pensent que le cadre de vie idéal pour un musulman est la « Oumma », conduite par un calife.

Dominante au sein du « Mejless Echoura », cette tendance était également un mouvement de masse, très implanté dans les quartiers. C'est elle qui mobilisait les foules, pour les manifestations de masse et les grands meetings.

Le reste des membres de ce « Mejless » se compose de « salafistes » traditionalistes relativement éloignés de la politique et de Frères musulmans radicalisés comme Abdelkader Boukhamkham, Ali Djeddi et Ahmed Merani.

Il reste que la forte présence des partisans du « djihad » immédiat (les salafistes) au sein du « Mejless Echoura » (instance dirigeante du FIS), contrairement à la liste des membres fondateurs, est significative à maints égards. Les « Djihadiyouns » envisageaient d'utiliser le FIS comme cadre légal pour préparer et lancer le « Djihad ».

Dissoute dans sa base, activant sous sa couverture, absente au niveau de ses instances dirigeantes, mais utilisée, au besoin, par ses cadres, la tendance chiite est aussi présente au sein du FIS.

• « Les chiites sont parmi nous »[116] :

Il existe en Algérie trois groupuscules chiites. Choisissant la ceinture algéroise pour proliférer, les deux principaux groupes chiites : « Abtal al-Qods » et « Al-Sunna oua Charia » occupent une zone qui s'étend de Boumerdès à l'Est jusqu'à Tipaza à l'ouest, ayant ainsi en amont le Piémont et en aval les régions peuplées.

• « Abtal al-Qods » :

S'inspirant de « l'imamisme duodécimain »[117], doctrine officielle dans la République islamique d'Iran. Ce courant est né à Blida (ville au sud d'Alger) et dans ses environs immédiats, vers la fin des années 70, sous l'influence des enseignants arabes, égyptiens et syriens, installés en Algérie à titre de coopérants techniques. Ils sont parvenus à diffuser la pensée chiite auprès de certains notables de la ville et des étudiants, auxquels ils fournissaient ouvrages de références, manifestes et journaux. C'est un mouvement armé. À son actif, l'attaque d'un poste de la Gendarmerie nationale, le 23 décembre 1991 à Beni-Mered (à quelques kilomètres de Blida).

• « Al-Sunna oua al-Charia » :

Ce groupe est la réplique algérienne du Hezbollah libanais (pro-iranien). Ses adhérents ont calqué le mode d'organisation et de fonctionnement clandestin. De ce fait, ils sont difficilement repérables. Ils sont présents dans quelques quartiers de la capitale : Climat de France, El Harrach, Bourouba, Diâr el-Djemaa, Dar el-Beida, les Eucalyptus et Notre-Dame d'Afrique. Eux aussi, ont bénéficié du passage d'enseignants chiites, notamment libanais et irakiens pour se développer. Des Algériens émigrés, rentrés au pays, notamment d'Angleterre, ont eux aussi contribué à consolider les assises de ce groupe, grâce à leurs contacts et l'expérience acquise auprès des représentants clandestins du Hezbollah à Londres ou à la faveur de leur déplacement en Iran et en Afghanistan.

• El-Bahaïsme :

C'est une secte qui a vu le jour au milieu des années 70. Le Bahaïsme a été introduit en Algérie, grâce à un docteur iranien qui travaillait au centre hospitalo-universitaire de Mustapha Bacha (Alger centre), durant de longues années, réussissant à recruter des centaines d'adeptes, notamment médecins, avocats et enseignants.

« *Longtemps traqués par les services de sécurité, ils ont préféré se dissoudre dans la base du FIS, pour avoir plus de garanties quant à leur anonymat. Ils (les chiites) ont été utilisés plusieurs fois par certains salafistes du FIS, à Ouled-Eich, pour l'affaire des étudiantes de la cité universitaire de Blida ou pour créer la psychose dans le parc des loisirs de Kharouba, ou les rumeurs d'attentats, lors du réveillon 1991, disant qu'ils allaient faire exploser le Centre des Arts de Riad El Feth* »[118].

8. LE FIS À TRAVERS QUELQUES-UNES DE SES FIGURES DE PROUE

Abassi Madani

- Membre fondateur et porte-parole du FIS
- Président du Bureau exécutif national (FIS)
- Membre du Conseil consultatif national (FIS)
- Licence de philosophie (université d'Alger - 1968)
  + Doctorat troisième cycle (Londres)
- P.H.D. en Sciences de l'Éducation (Londres- 1975/78)
- Maître de conférence à l'Institut de Psychologie de l'université d'Alger (Bouzaréah).

Né le 28 février 1931, près de Biskra, Abassi a fréquenté l'école coranique où, en même temps que le Coran, il apprit l'arabe. Après avoir milité au PPA/ MTLD, il a rejoint les rangs du FLN, dès le déclenchement de la guerre de libération en octobre 1954. Arrêté, il a été détenu plusieurs années dans les prisons coloniales, il ne fut libéré qu'à la veille de l'Indépendance en 1962.

Instituteur à Alger, il milita dans l'association « El - Qiyam » qui se situait dans la mouvance de la « Confrérie des Frères musulmans » et qui dénonçait le FLN et son adoption au printemps 1962, de la Charte de Tripoli préconisant le choix de l'option socialiste. En 1966, Abassi est chargé de structurer le mouvement « Frères musulmans » dans l'Ouest algérien : collecte de fonds et création de cellules clandestines.

À partir de 1970, il sort de la clandestinité et ses actions de sensibilisation en faveur de l'islamisme étaient publiquement affichées.

Il commença à donner des conférences sur l'islam, à travers tout le territoire national, tout en dénonçant à travers ses interventions la « déviation » du régime dont il contestait l'islamité parce qu'il n'appliquait pas la « charia ».

Entre-temps, militant du parti FLN, il fut élu, en 1971, membre de l'Assemblée populaire de wilaya (APW) à Alger. Son séjour à Londres a été déterminant dans son évolution politique et sa conversion au « wahhabisme » d'extraction hanbalite.

Sa personnalité est complexe, sinon contradictoire. Froid et calculateur, manipulateur et adepte du double langage, conservateur et autoritaire, il n'est mû que par « une volonté de puissance », qui déifie le pouvoir. Abassi n'a pas de convictions, passant du FLN à l'association « el-Qiyam », pour revenir ensuite au FLN où, membre élu de l'APW, il a en charge le dossier « révolution agraire », qu'il dénonçait dans ses prêches. Il maîtrise la langue française tout en affectant le contraire. Partisan farouche d'une arabisation totale, il envoie ses enfants étudier au lycée français d'Alger[119].

De retour à Alger, il est enseignant à l'Institut de psychologie, sis à Bouzaréah (Alger), tout en prêchant dans les mosquées. Il fit la connaissance de Ali Benhadj. C'est au début des années 80, avec la catastrophe économique que fut la chute brutale des prix des hydrocarbures, alors que le Président Chadli lançait une politique de réforme tendant vers une « libéralisation » de la société, accordant notamment une plus grande liberté aux imams qui prêchaient dans les mosquées, que l'islamisme apparut de plus en plus comme une réponse à la crise. C'est alors qu'Abassi se signala, en novembre 1982, comme initiateur d'un manifeste (comportant 14 points) adressé au président de la République. Il fut le principal animateur de la démonstration de force à la Faculté centrale d'Alger, où des centaines d'islamistes avaient occupé le campus et les rues adjacentes pour accomplir la prière du vendredi.

En décembre 1982, il est arrêté et condamné à deux ans de prison pour :

- constitution et participation à une organisation subversive en vue de troubler l'ordre public,

- rédaction et distribution de tracts de nature à nuire à l'intérêt national,

- provocations et attroupements.

Il fut libéré le 14 mai 1984, suite aux mesures de clémence décidées par le chef de l'État Chadli Bendjedid. Il reprit ses activités au profit du mouvement islamiste sillonnant le territoire national, prêchant dans les mosquées où il dénonçait l'orientation socialiste de l'Algérie et stigmatisant la presse nationale et les dirigeants politiques qu'il qualifiait de « communistes » en perte de crédibilité.

En 1984, il prend contact avec Ben Bella à l'étranger ; en 1987, il participe au Congrès de la Ligue des États islamiques, qui s'est tenu à la Mecque, en Arabie Saoudite.

Il réapparut au devant de la scène lors des émeutes du 5 octobre 1988 ; une tragédie nationale dans laquelle s'engouffrèrent les islamistes sous sa férule, entouré de Ali Benhadj. Mettant à profit, l'instauration du pluralisme politique, A. Madani va s'atteler à fédérer les divers courants islamistes algériens. Le 8 janvier 1989, il se rend à Skikda, sur invitation de Saad Djaballah Guettaf. Dix jours plus tard, lors d'une conférence donnée à la mosquée « Es-Sunna » de Bab El-Oued accompagné, entre autre, de A. Benhadj, Hachemi Sahnouni et Benazouz Zebda, il annonce la création prochaine d'une association dénommée, « Rabita li-l-Inqâdh oua el-Islâh fî al-Djazaïr » (« La ligue pour le salut et la réforme en Algérie »).

Le 10 mars 1989, Abassi Madani et Abdelkader Sahraoui ont annoncé, lors de la prière du vendredi à la mosquée Ibn Badis (Kouba/Alger), les objectifs du FIS : « prise du pouvoir et instauration d'une république islamique ». Lors d'une autre conférence de presse, le 22 avril 1989, Abassi accompagné de A. Benhadj déclare que le « djihad » sera leur arme au cas où le FIS ne serait pas reconnu. Plus tard, à Oran, ils annoncent que « les capacités humaines du FIS sont évaluées à trois millions d'adhérents et que, par conséquent, il est à même de s'imposer par la voie du « djihad » s'il venait à ne pas être « agréé », la lutte de s'arrêtera jamais quel qu'en soit le prix. »

Après l'agrément du FIS (le 12 septembre 1989), Abassi mènera une intense activité à travers tout le territoire national dans le but d'imposer le FIS comme seule et unique alternative : prêches dans les mosquées, déclarations à la presse, interviews accordées à la presse nationale et étrangère, meetings, etc. Le 15 octobre 1989, à la mosquée « Khoulafa Er-Rachidîn » d'El Biar (Alger), il évoque le procès des « bouialistes » détenus, en déclarant : « *Nous ne tolérerons pas que les religieux soient traités en criminels et avec l'aide de Dieu, ils seront libérés. Après les événements d'octobre 1988, nous sommes devenus des associés du pouvoir...* »

Durant les mois qui suivent, des appels au « jihad » au cas où une République islamique n'est pas instaurée après les élections législatives sont lancés par M.Abassi lors du meeting à Boussaâda, Tipaza, M'Ghaier (El Oued). Lors d'un autre meeting, à Biskra, le même jour, il déclare : « *l'Algérie serait un deuxième Afghanistan à défaut de l'instauration d'une République islamique d'ici 1991.* » Durant le colloque sur « El 'Aqida al-islâmiyya », qui s'est déroulé à Djelfa, le 3 janvier 1991, en présence de Abassi Madani et de Benazouz Zebda, les intervenants ont souligné que seul le « djihad » permettra l'instauration d'une République islamique en Algérie.

Au lendemain des résultats du scrutin du 12 juin 1990 (élections municipales) marqués par une victoire du FIS, Abassi radicalise son discours. Désormais, il exige la dissolution du parlement et la tenue d'élections législatives anticipées. À l'occasion du 1er novembre, lors d'un rassemblement populaire à Constantine, Abassi se fait menaçant à l'égard du pouvoir : « *Par le dialogue, nous changerons le régime. Si celui-ci recule, alors ce sera le « djihad ». Peuple algérien, ta position est cruciale. Ou la victoire ou le martyr au nom de Dieu. Cette année-là sera celle de l'instauration de la république divine* ».

La loi électorale votée le 1er avril 1990 a été perçue par Abassi Madani, qui contestait le découpage électoral, comme une occasion de surenchère et une opportunité d'accélération de sa stratégie de prise du pouvoir. Le 14 avril 1991, en réponse à l'armée qui avait mis en garde le FIS contre « *une vaste conspiration visant à la dislocation du monde musulman* », Abassi Madani déclare que si celle-ci empêche le FIS de recourir à une grève générale de protestation, ce dernier « *combattra l'armée jusqu'à l'anéantissement* » et menace d'appeler au « djihad » si le président de la République refuse d'organiser des élections présidentielles anticipées.

Le vendredi 24 mai 1991, Abassi Madani annonce le déclenchement d'une grève générale illimitée pour le lendemain. Sur le terrain, la grève se traduit par l'occupation de nombreux espaces publics. C'est surtout sur Alger que se concentreront tous les efforts. Ce sont les Places du 1er Mai et des Martyrs, qui ont constitué les pôles les plus importants de cette grève aux allures insurrectionnelles. A. Madani s'attèle à radicaliser la grève générale.

Le 28 juin 1991, au cours de son prêche à la mosquée « Ibn Badis » de Kouba (Alger), A. Madani s'en prend violemment à l'armée et aux services de renseignements, les menaçant d'appeler au « djihad » au cas où les revendications du FIS ne sont pas satisfaites : « *Si l'armée ne regagne pas les casernes, dit-il, le FIS a le droit d'appeler à la reprise du djihad* ». Le 29 juin 1991, il sera arrêté au siège du FIS et placé sous mandat de dépôt par le Tribunal militaire de Blida. Il est poursuivi pour les chefs d'inculpation suivants :

- organisation d'un mouvement insurrectionnel,
- attentat et complot contre l'autorité de l'État,
- atteinte au bon fonctionnement de l'économie nationale,
- détention et distribution de tracts de nature à nuire à l'intérêt national,

- rapt, séquestration et torture des personnes kidnappées.

Traduit devant ledit tribunal, une première fois, son procès a été reporté à la date du 12 juillet 1992. Il a été condamné à douze ans de réclusion criminelle. Il a été mis en liberté conditionnelle, le 15 juillet 1997, puis assigné à résidence, le 31 août 1997.

Belkacem Lounis (dit « Mohamed Saïd »)

- Membre du Conseil consultatif national du FIS
- Porte-parole de la « Ligue de la Da'wa Islâmiya »
- Enseignant au lycée « Émir Abd El Kader » (Alger).

Belkacem Lounis est né le 8 juillet 1945 à Bouakache (wilaya de Tizi Ouzou). Son père, Said Ben Ahmed, fils de Caïd, qui exerçait comme garde-champêtre à Ait-Sadka, a été exécuté, en 1956, par une unité de l'Armée de Libération nationale (ALN), dirigée par le Commandant Mira Abderahmane. Sa collaboration avec l'armée coloniale a été découverte, suite à l'opération sanglante menée par les troupes françaises contre l'état-major de la wilaya III, réuni à l'intérieur du moulin appartenant à Belkacem Mohamed, parent de Belkacem Said. À cette réunion étaient présents Krim Belkacem et le colonel Mohammedi Said.

Autodidacte, il est titulaire d'une licence en Lettres arabes et d'une post-graduation. Il était chargé, dans le cadre de ses activités politiques, d'animer des conférences religieuses et de rédiger des « fatwas » pour la revue, *Et-Tedhkir* du « Conseil consultatif islamique » mis en place, en 1981, par Abassi Madani et Boudjelkha Mohamed.

Impliqué, en 1982, dans l'affaire « Amzal », du nom de l'étudiant assassiné par les islamistes, à la Faculté de droit de Ben Aknoun (Alger), il est traduit devant la Cour de sûreté de l'État de Médéa, le 28 avril 1984. Détenu à la prison de Berrouaghia (Médéa), il bénéficiera des mesures de clémence décidées par le Président Chadli. Sitôt libéré, il reprend ses activités politiques.

En 1990, il anime une conférence aux Ouacifs, en Kabylie, au cours de laquelle, il déclare n'appartenir à aucun parti politique. C'est pourtant lui, qui créa la première association culturelle islamique au niveau de son village, et qui, plus tard, demandera au président de l'APC des Ouacifs, un local au profit du FIS.

Proche de cheikh Sahnoun dont il est le fils spirituel, Belkacem Lounis est désigné membre du « Mejless Echoura » du FIS. Il fait partie de la tendance dite « dza'ariste » qui, après avoir infiltré les rouages de l'État, est également parvenue à prendre le contrôle du FIS. Il est considéré comme le véritable chef de cette tendance.

Après avoir pris contact avec les groupes armés, suite à l'interruption du processus électoral (le 26 décembre 1991), Belkacem Lounis est devenu, avec Redjam Abderazak, autre militant du FIS ayant rejoint les groupes islamistes armés, un des principaux responsables de la « Commission politique » du GIA. Il fut exécuté, en décembre 1995, avec 17 autres terroristes, dans la région de Médéa, par Zitouni Djamel, chef du GIA, après avoir été condamné à mort par un procès sommaire.

Benhadj Ali (dit « Ali Kobbi »)

- Membre fondateur du FIS
- Membre du Conseil consultatif national (FIS)
- Directeur adjoint de l'hebdomadaire du FIS, *El-Hidaya*
- Ex-maître d'éducation physique et sportive (EPS) à l'École des Cadets de la Révolution de Koléa.
- Professeur d'enseignement moyen (PEM) à Bachdjarah.
- Imam à la mosquée « Es Sunna » de Bab El-Oued (Alger).

« Quelle autorité dans la voix pour un corps aussi frêle et fragile ! Abassi lui même l'écoute, fasciné, le visage dans la paume des mains, quelques fois gêné par tant de sincérité, absolument incompatible avec les calculs politiques. Benhadj n'est guidé que par une seule loi, une seule certitude : sa foi. Il ne connaît ni tiédeur, ni demi-sentiments »[120]. Une phrase résume la personnalité de A. Benhadj : « *Tout ce qui n'est pas loi divine*, dit-il, *nous marchons dessus* ».

Ali Benhadj est né en 1956 à Tunis ; il s'appelait alors Ali Ben Mohamed Ben Hadj Habib. Orphelin de père, il a été élevé par son oncle maternel. Il commence ses études primaires à Tunis et poursuit ses études secondaires à Kouba (Alger). Après avoir échoué au baccalauréat, il devient PEM dans un collège à Bachdjarah et imam à la mosquée « Es-Sunna » de Bal El-Oued (Alger). C'est à Kouba, qu'il acquiert les premiers rudiments de l'idéologie islamiste sous la férule des cheikhs Sahnoun et Soltani.

Il est arrêté en 1982, dans le cadre de l'affaire Bouiali Mustapha et est condamné à cinq ans de prison. Libéré en septembre 1987, il reprend ses prêches dans les mosquées d'Alger et de Blida. Il appelle ouvertement au « djihad ». Il émerge vraiment sur le devant de la scène politique lors des événements d'octobre 1988, qui renforcèrent son audience. Lors d'une conférence à Constantine, le 22 avril 1989, il déclare : « *Le djihad sera notre arme au cas où le FIS ne sera pas reconnu* ». À la mosquée de Kouba, le 28 juillet 1989, il lance un appel aux fidèles de « *ne pas travailler au sein des services de sécurité et de l'armée* ».

Après la reconnaissance officielle du FIS, Ali Benhadj redouble d'activité (prêches, meetings, rassemblements, conférences, réunions). Le 27 octobre 1990, à Alger, il appelle à la création d'une armée islamique. Lors d'un prêche, dans une mosquée d'Alger, il lance une « fetwa » : « *L'obéissance à la Constitution et aux lois en cours est une désobéissance à Dieu et à son prophète* ».

Mettant à profit la guerre du Golfe, il prend attache avec des ex-membres de l'ANP, pour les recruter en tant qu'instructeurs. Le 19 janvier, Ali Benhadj a présidé à Hussein-Dey (Alger), une réunion des chefs des Bureaux exécutifs communaux, pour leur annoncer que les entraînements des volontaires pour l'Irak débuteront, le 26 janvier 1991, dans chaque commune. Le 3 février 1991, il se rend à Bagdad *via* Amman à la tête d'une délégation du FIS. Dans une interview qu'il accorda au bimensuel du FIS, « Al-Forqane », du 15 février 1991, Ali Benhadj s'en prend à l'armée : « *Nous estimons que notre armée nationale populaire n'a plus les moyens et les possibilités de s'opposer à toute agression externe. Nos éducateurs militaires ne possèdent aucune qualité morale, religieuse ou spirituelle. La plupart des appelés ont été utilisés à des fins personnelles par les généraux* ».

Plus loin, il ajoute : « *Nous souhaiterions, quant à nous, introduire dans l'ANP des cours religieux. Des imams pourraient donner des cours de "fiqh" en sus de la stratégie et du paramilitaire en général. Mais pour le moment, nous confirmons notre volonté d'exiger des entraînements militaires, d'éducation physique et des arts martiaux, même si le pouvoir s'y oppose* ».

Au cours de son prêche, du 21 juin 1991, à la mosquée « Es-Sunna » (Bab El-Oued), A. Benhadj a demandé à ses militants de stocker tout genre d'armes en prévision d'un éventuel affrontement, en précisant que les militants islamistes ne craignent pas l'armée. Il met en garde l'ANP, la sommant de quitter le champ politique, dans le cas contraire, dit-il, les islamistes sauront riposter. Dans un autre prêche, au stade de Kouba, à l'occasion de la prière de l'Aïd El Adha, Ali Benhadj a déclaré : « *Je jure par Dieu, que si la charia de Dieu n'est pas appliquée sur la terre de Dieu, si la loi de Dieu n'est pas appliquée dans les pays musulmans, les guerres seront cycliques. Elles s'éteindront puis ressurgiront. Elles cesseront une année pour reprendre l'année suivante, car c'est une lutte entre le bien et le mal, entre la loi de Dieu et celle de l'homme. C'est une lutte entre la loi divine et la loi terrestre, entre le don de Dieu et celui du diable* ».

Le 30 juin 1991, Ali Benhadj est arrêté au siège de l'ENTV. Il est

171

placé sous mandat de dépôt par le tribunal militaire de Blida et poursuivi pour les chefs d'inculpation suivants :
- organisation d'un mouvement insurrectionnel,
- attentat et complot contre l'autorité de l'État,
- troubles par le massacre et la dévastation,
- atteinte au bon fonctionnement de l'économie nationale,
- détention et distribution de tracts de nature à nuire à l'intérêt national,
- rapt, séquestration et torture de personnes kidnappées.

Traduit devant le tribunal militaire de Blida, le 27 juin 1992, son procès a été reporté à la date du 12 juillet 1992. Il a été condamné à douze ans de réclusion.

Boukhamkham Abdelakader

- Membre fondateur du FIS
- Membre du Conseil consultatif national.
- Employé administratif à l'université d'Alger.
- Responsable de la bibliothèque de l'université de Constantine.
- Assistant de recherche à l'université de Constantine.

Né en mars 1940 à Taher (Jijel). Il étudie à l'université d'Alger puis de Constantine (de 1973 à 1977) où il obtient une Licence *Lettres arabes*. Durant ces années, il est responsable de la cellule islamiste de l'université de Constantine. En 1978/1979, il effectue un stage en Irak puis son pèlerinage en Arabie Saoudite. De retour en Algérie, il a bénéficié d'une bourse d'études (bibliothéconomie) en Égypte où il a séjourné jusqu'en 1985. À partir de novembre 1987, il est imam à la mosquée « El-Fourkane » de la cité du 20 août, à Constantine. Le 18 février 1989, il fait partie des fondateurs du FIS.

Le 23 février 1989, il appelle au boycott du référendum. C'est un proche de Abassi Madani. Certains le soupçonnent d'être de tendance chiite à cause du contenu idéologique de ses prêches où il ne cesse de répéter qu'il n'y d'islam que celui de Khomeyni.

Il est arrêté en juin 1991 et placé sous mandat de dépôt par le tribunal militaire de Blida. Il a été condamné à quatre ans d'emprisonnement en date du 12 juillet 1992.

Djeddi Ali

- Membre fondateur du FIS
- Chargé de la commission politique générale.
- Chargé des relations extérieures.

- Proviseur au lycée mixte de Berrahal (Annaba).
- Professeur en Sciences exactes à Koléa (Tipaza).

Il est né le 22 décembre à Cheria Originaire de Tébessa, il vécut de 1957 à 1963 en Tunisie où sa famille se réfugia durant la guerre de libération nationale. En 1970, il s'inscrit à l'École polytechnique d'El-Harrach (Alger). Il bénéficie d'une bourse d'étude à l'étranger. Jusqu'en 1974, il est étudiant à l'université des Sciences de Damas (Syrie) où il obtient un DESS en « probabilités et statistiques ». En 1980, il accomplit sont pèlerinage aux lieux saints de l'islam (Arabie Saoudite). De 1982 à 1985, il est professeur à l'École des Cadets de la Révolution (ECR) de Koléa (Tipaza).

Membre fondateur du FIS, il est chargé, au cours du mois de janvier 1990, d'une tournée à travers les wilaya de l'Est (Annaba, Skikda et Tarf) pour prendre contact avec les représentants locaux du FIS. Le 28 mars 1990, il préside une réunion des membres dirigeants du FIS de la région de Khenchela. En avril 1991, il est désigné à la tête de la commission politique du FIS

Arrêté en juin 1991, il est traduit devant le tribunal militaire de Blida. Il a été condamné, le 12 juillet 1992, à quatre ans de prison ferme.

Guechi Saïd

- Membre fondateur du FIS
- Responsable de la Commission de l'organisation et de la coordination au sein du Bureau National du FIS
- Employé à la régie des transports urbains de Sétif.
- Commerçant (propriétaire d'un café et d'une station-service à Ain-Tbinet/Sétif).
- Ministre du Travail et de la Formation professionnelle.

Né en 1945 à Sétif, il est impliqué, en 1972, dans une affaire de mœurs et de détournement de mineurs. Il est arrêté en 1982, pour son implication dans le mouvement insurrectionnel lancé par Bouiali et condamné par la Cour de sûreté de Médéa. Bénéficiant de la grâce présidentielle, il est libéré le 29 avril 1985.

Il fait partie du groupe dissident (avec Fekih Bachir, Merani Ahmed et Sahnouni Hachemi) qui s'est opposé à la ligne M. Abassi/A. Benhadj durant la grève insurrectionnelle de juin 1991 et rejoint le groupe Brahimi, Daoui, Hammouche et Boukhadra, qui tente de récupérer le FIS.

Guemazi Kamel

- Membre fondateur du FIS.
- Membre du Conseil consultatif national.
- Président du Conseil populaire de la ville d'Alger (CPVA).
- Imam bénévole à la mosquée « Et-Takoua » de Bab El-Oued.
- Employé à l'université d'Alger.

K. Guemazi est né le 19 janvier 1962 à Guemmar (El-Oued). C'est l'un des cadres les plus virulents du FIS. Après les élections municipales du 19 juin 1990, il déclare : « *Notre détermination pour l'instauration d'une République islamique est irréversible et nous sommes prêts à subir toutes les conséquences* ».

Lors de la grève insurrectionnelle déclenchée par le FIS (mai-juin 1991), Kamel Guemazi s'est particulièrement distingué par :
- La fermeture du CPVA,
- La fermeture des abattoirs.
- La fermeture des jardins d'enfants et des centres de couture,
- L'utilisation des moyens matériels du CVPA au profit des mani-
festants (citernes d'eau, camions, ambulances, talkies-walkies),
- Diffusion des informations par tableaux lumineux,
- Utilisation de l'imprimerie du CPVA pour la confection des tracts.

Arrêté en juin 1991, il est placé sous mandat de dépôt par le tribunal militaire de Blida et poursuivi pour les chefs d'inculpation suivants :
• Complicité d'organisation d'un mouvement insurrectionnel contre l'autorité de l'État,
• Atteinte au bon fonctionnement de l'économie nationale,
• Usage volontaire de moyens et de fonds d'une collectivité locale à des fins partisanes.

Traduit devant le tribunal militaire de Blida, le 27 juin 1992, son procès est reporté à la date du 12 juillet 1992. Il a été condamné à six ans de réclusion.

Hachani Abdelkader

- Ingénieur en transport des hydrocarbures.
- Membre fondateur du FIS
- Membre du « Mejless Echoura » (Conseil consultatif national).
- Président du Bureau exécutif provisoire national du FIS
- Ingénieur en transport des hydrocarbures.
- Chargé du projet de sécurité industrielle de la Sonatrach à Skikda.

Il est né le 26 janvier 1956 à Constantine. À l'âge de la scolarité, il a été pris en charge par son père, qui s'est installé à Alger, suite à son second mariage en Tunisie où il a été évacué pendant la guerre de libération pour une grave blessure de guerre. Il s'installe, par la suite, à Constantine où il obtient son baccalauréat au lycée Jugurtha. Il s'inscrit à l'Institut national des Hydrocarbures (INH) de Boumerdès où il obtient un diplôme d'ingénieur en transport des hydrocarbures.

Qualifié, par ses proches collaborateurs, comme l'un des plus « cartésiens et rationalistes » des dirigeants du FIS, Hachani est un transfuge du mouvement En-Nahda (d'obédience Frère musulman) de cheikh A. Djaballah, pour lequel il a accompli un travail de structuration impressionnant à Skikda et à travers d'autres wilayas de l'Est algérien.

Hachani a été découvert, pour la première fois, par la base du FIS à la mosquée « En-Nour » de Climat de France, le jour même de l'audition de Abassi Madani et Ali Benhadj. Il a été présenté aux nombreux militants, désemparés par les conflits et les ruptures provoqués par la grève insurrectionnelle, comme le co-signataire de l'appel de l'« opposition constructive », qui serait un texte dicté rédigé selon les dernières instructions de Abassi Madani, transmises à Mohamed Saïd.

Membre de la tendance « djaz'ariste », il parvient à prendre le contrôle de l'appareil du FIS lors de la « Conférence de la fidélité », qui s'est tenue à Batna, le 26 juillet 1991. Depuis, et fort du soutien de A. Madani, à travers ses fils Selmane et Okba et du reste de la famille, A. Hachani a commencé à manœuvrer à l'intérieur d'un « Mejless Ech-Choura » totalement éclaté. Résultats de ces manœuvres : cinq membres supendus, dont Benazouz Zebda – fondateur du FIS ; c'est dans sa maison qu'a été décidée la constitution du FIS – deux exclus (Ahmed Merani et Bachir Fekih) et dix autres membres, qui ont signé l'appel des « 17 » dénonçant l'emprise d'une seule tendance sur les destinées du FIS et ce, en marge de la deuxième conférence des élus FIS, le 3 octobre 1991.

Cette conférence, regroupant la majorité des élus APC/APW, a été un tournant décisif dans l'histoire du FIS. Au cours de cette conférence, un message verbal a été lu, à huis clos, par un des avocats des dirigeants islamistes incarcérés à Blida : « Les cheikhs se félicitent des résultats de la conférence de Batna et demandent aux participants de s'en tenir aux directives de la direction provisoire, issue du Congrès des Aurès ». Hachani venait d'être intronisé numéro 1 du FIS, par une direction derrière les barreaux. Lui-même était absent, puisqu'arrêté, le 27 septembre 1991, soit une semaine avant la tenue de la Conférence et une journée avant la levée de l'état de siège, le 29 septembre 1991. Il a été libéré le 29 octobre 1991.

Le 22 novembre 1991, il préside un meeting à Msila. Il a entre autre déclaré que « le FIS envisage de former une armée pour libérer la Palestine notamment El Qods ». À propos des élections législatives envisagées, il a indiqué que le « *Mejless Ec-Choura n'a pas encore décidé de la participation du FIS aux législatives. Néanmoins, au cas où il ne serait pas présent à ces élections, il agira dans les règles pour les empêcher de se tenir* ». Au cours d'un meeting à Lakhdaria, le 13 novembre 1991, Hachani a exigé la libération des leaders du FIS ainsi que la réintégration des travailleurs licenciés, seules conditions pour une participation du FIS aux prochaines législatives.

Le 4 décembre 1991, Hachani donne « instruction » aux militants du FIS de tenir des manifestations de masses dans tout le pays autour des mots d'ordre suivants :
- Libération des détenus,
- Restitution d'El-Qods aux musulmans,
- Levée de l'embargo contre l'Irak.

Le 6 décembre 1991, il déclare, lors d'un prêche à la mosquée « Es - Sunna » de Bab El-Oued : « *Nous voulons la victoire de l'islam après l'instauration d'un État islamique et, par conséquent, il faut écarter les opportunistes et les pragmatiques de nos rangs. Nous sommes intéressés par la victoire de l'islam et non par la victoire du FIS. Il est question de l'application de l'islam et d'intérêt national et non de législatives et de sièges* ». Il développe, par la suite, les thèmes suivants :
- Les pratiques du pouvoir sont antidémocratiques,
- Le FIS incarne une légitimité et restera fidèle à ses cheikhs,
- Le peuple algérien votera pour l'islam,
- Le FIS choisira sa bataille lui-même, dans le temps et l'espace choisis par lui,
- La libération des détenus,
- L'indemnisation des victimes de juin 1991,
- Le complot des Juifs contre l'Algérie.

Après la décision de participer aux élections législatives, Hachani anime un meeting, qui s'est tenu au niveau du parking du Palais des Sports face à une assistance estimée à 4 000 personnes environ. Dans son intervention, il développe les thèses suivantes :
- La participation du FIS aux élections n'est qu'un moyen pour accéder au pouvoir,
- L'affaire de Guemmar n'est qu'un scénario réalisé par le pouvoir pour discréditer le FIS,
- Les ennemis du FIS sont ceux qui se trouvent à la tête du pouvoir, de l'ANP et des services de sécurité.

Après la victoire du FIS au premier tour des législatives, Hachani prononce un prêche à la cité « Ibn Badis » de Kouba, le 10 janvier 1992, au cours duquel il met en garde les autorités contre d'éventuelles entraves au second tour du scrutin prévu le 16 janvier 1992. Il affirme que, désormais, l'instauration d'un État islamique est entre les mains du peuple et que, dorénavant, il y aurait une « Algérie de l'islam authentique » et une « Algérie de la djahilia ».

Suite à la démission du Président Chadli et à l'interruption du processus électoral (début janvier 1992), le 13 janvier 1992, dans un communiqué signé Abdelkader Hachani, la direction du FIS appelle le peuple algérien et l'armée à faire bloc contre les autorités qui ont annulé les élections législatives : « *Nous appelons tous les anciens combattants, les penseurs, les dirigeants religieux, les officiers et les djounouds, les fils de chahid, les organisations sociales, et tous ceux qui aiment l'Algérie à se dresser contre le pouvoir. La démission du président de la République est anticonstitutionnelle et ne constitue qu'une étape supplémentaire du complot global visant à exécuter un crime contre l'Algérie et le projet islamique.* »

Sur plainte du ministère de la Défense nationale, il est arrêté le 22 janvier 1992 et, présenté, le 27 janvier 1992, au juge d'instruction près du tribunal d'Alger, accusé d'avoir appelé l'ANP à la désobéissance. Libéré, il sera assassiné, le 22 novembre 1999, à Alger, par un terroriste de GIA, Bouhamia Fouad.

Merani Ahmed (dit cheikh Ahmed)

- Membre fondateur du FIS
- Membre du Conseil consultatif national du FIS.
- Chargé de la Commission des affaires sociales.
- Niveau scolaire : primaire.
- Diplôme de Dactylographie.
- Successivement vendeur, standardiste, receveur de bus, secrétaire dactylographe à la SONELGAZ (1977) puis à l'institut Pasteur (1982), chauffeur chez un marchand de tissu à la Casbah d'Alger.
- Chargé de mission auprès du chef du gouvernement (1992)
- Ministre des Affaires religieuses.

A. Merani est né à Beni-Flik (Tizi-Ouzou). Il est interpellé en 1986 par les services de sécurité dans le cadre de l'affaire Bouiali. Lors des événements de juin 1991, il manifeste son désaccord avec le duo A. Madani et A. Benhadj. Il est exclu de l'instance suprême du FIS.

Après l'interruption du processus électoral et l'installation du Haut Conseil de l'État (HCE), il dénonce la politique aventureuse et extrémiste des dirigeants du FIS. Le 17 décembre 1991, il est condamné à un an de prison par défaut, suite à une plainte pour diffamation déposée à son encontre par Louiza Hanoun, dirigeante du parti des travailleurs (P.T).

Le 17 mars 1992, il a été proposé au poste de chargé de mission auprès du chef du gouvernement. Il terminera ministre des Affaires religieuses.

Redjem Abderrezak

- Membre fondateur du FIS
- Membre du Conseil consultatif national.
- Président de la Commission d'information.
- Chef de cabinet de A. Madani.

Il est né le 18 novembre 1956 à Alger. Le 4 février 1992, il signe le Communiqué n° 12 du FIS, dans lequel il déclare : « *Face à cette politique qui a bafoué la légitimité, usurpé le peuple et violé nos valeurs, nous appelons toutes les consciences vives, tous ceux qui sont affectés par les malheurs de l'Algérie et qui restent jaloux de son unité et de sa paix, à agir...* »

« *Nous réitérons :*
1 - La non-reconnaissance de la légitimité de ce qui a été appelé HCE et de tout ce qu'il promulgue, car il ne dispose ni de la légitimité constitutionnelle, ni de la légitimité populaire ;
2 - La libération de tous les détenus politiques et à leur tête les dirigeants du FIS ;
3 - La poursuite du processus électoral pour permettre au peuple de choisir son projet social et ses hommes de confiance ;
4 - Nous demandons à tous les partenaires de l'Algérie d'éviter de signer des accords ou traités internationaux avec la junte au pouvoir tant qu'elle méprisera le peuple à qui elle refuse de restituer la parole. Le FIS détenteur de la légitimité rappelle qu'il ne reconnaîtra pas lesdits accords ;
5 - Rompre l'encerclement des mosquées et mettre un terme à la poursuite des imams et des prédicateurs qui protègent la charia et la doctrine.
En conclusion, nous t'invitons, cher peuple combattant, à rester fidèle à ta religion et à tes martyrs. Ne te soumets pas au désespoir, ne sois pas faible car tu as instruit d'autres peuples en matière de djihad et de

sacrifices. Le Communiqué du FIS n° 13, signé A. Redjem, diffusé le 5 février 1992, considère que : « *Le rétablissement de la confiance, de la stabilité, de l'unité du peuple et de la mobilisation des énergies passait par le respect de la volonté du peuple.* » Redjem indique que « *le FIS réaffirme ses choix politiques, fondés sur l'islam et la charia, par opposition au marxisme pourri et au modèle occidental.* »

Le 6 février 1992, il signe le Communiqué n° 14, dans lequel il est dit que « *Le pouvoir a déclaré la guerre au peuple, à l'intérieur des mosquées et des universités.* » Il rappelle que « *La seule issue à la crise que traverse le pays résidait dans la reprise du processus électoral.* »

Il sera liquidé par Zitouni dans les monts de Chréa, en décembre 1995, en compagnie de plusieurs autres, dont Mohamed Said, Lamara Abdelkader, Tadjine Mahfoud.

Saharaoui Abdelbaki

- Membre fondateur du FIS
- Membre du Conseil consultatif national du FIS
- Retraité de l'enseignement.

A. Sahraoui est né le 25 août 1910 à Constantine. Émigré en France, il a regagné l'Algérie en 1964. Il exerce la fonction de chef de section à l'ONACO/Alger.

Il apparaît sur la scène dès le début des années 1980. En février 1983, il tient plusieurs réunions avec les islamistes de Bordj Menaiel au cours desquelles il fait l'éloge de Abassi Madani et de Ferhat Abbas, auxquels il voue une admiration sans bornes. Il a également abordé la révolution iranienne qu'il présente comme le modèle pour tous les pays musulmans, notamment par l'Algérie dominée par le communisme. Il a demandé à l'assistance de se consacrer à enraciner l'islam dans la jeunesse, victime de l'influence occidentale.

À la même année, il est licencié par le ministère des Affaires religieuses pour détournement des fonds destinés à la construction de la mosquée « En-Nasr » de Bab El-Oued, dont il était le président de l'association religieuse. Condamné à une peine de prison, il est transféré, le 24 novembre 1963 de la prison d'El-Harrach au Centre de rééducation de Tizi - Ouzou.

Il a été candidat du FIS aux élections législatives du 27 juin 1991. En mars 1992, aidé par Kamareddine Kherbane, il se rend en Afghanistan, *via* Karachi et Peshawar. Il se rend finalement en France où il active dans une mosquée à Paris. Il y sera assassiné le 11 juillet 1995.

Benazouz Zebda Mohamed El Amine

- Membre fondateur du FIS
- Membre du Conseil consultatif national du FIS
- Vice-président du Bureau exécutif national.
- Titulaire d'une Licence.
- Titulaire d'un Doctorat (1972)
- Directeur du journal *El-Mounquid*
- Imam à Hussein-Dey.

Benazouz Zebda est né en 1943 à Boussaâda. Après des études coraniques, il accède à l'université en 1966.

Le 20 avril 1981, dans le cadre de la quinzaine économique et culturelle de Boussaâda, il a donné une conférence sur le thème : « La préparation des jeunes musulmans », au cours de laquelle, il a dénoncé le communisme avant de s'attaquer aux intégristes. Il a notamment déclaré que « *Les mosquées doivent être un lieu de prière et de rencontre des musulmans et ne doivent en aucun cas être utilisées en champ de bataille.* »

Le 8 novembre 1989, lors d'un prêche prononcé à la mosquée de « Nador » (Tipaza), il a dénoncé l'inefficacité des autorités lors du séisme qui a secoué la région et affirmé que le FIS continuera à collecter des fonds au profit des victimes et qu'il ne se conformera pas à la loi.

En mai 1990, au cours d'un prêche qu'il prononça à la mosquée de Hadjout, il a annoncé la création de tribunaux islamiques à travers le territoire national.

Trois mois plus tard, il se rend à Tripoli (Libye) où il a des contacts avec un cadre responsable des services spéciaux iraniens.

Durant l'année 1991, Zebda entretient des relations suivies avec certaines ambassades étrangères à Alger et certains hauts responsables libyens. Le 27 mai 1992, Zebda se rend au siège de l'ambassade d'Arabie Saoudite à Alger.

Il vit actuellement à Alger.

En résumé, Le FIS est une nébuleuse hétéroclite, qui rassemblait divers courants de l'islamisme algérien autour de ses deux figures de proue : Abassi Madani, « l'intégriste à la Mercedes », froid, calculateur, expert en double langage et sans convictions profondes, simplement mû par une soif inextinguible du pouvoir, qui représentait la face politique de son parti ; Ali Benhadj, imam autodidacte et « intellectuel prolétaroïde », prédicateur fougueux, puisant son inspiration dans une éthique de conviction, qui n'avait de cesse d'appeler les jeunes désœuvrés, avant même l'interruption du processus électoral, à la lutte armée.

Par sa nature (identique à celle des grands partis fascistes allemands et italiens de l'entre-deux guerres), son caractère de masse, son implantation dans les « banlieues de la haine », son ancrage social (la jeunesse urbaine marginalisée, les secteurs du gros commerce et de l'économie informelle/souterraine), ses milieux de recrutement (les harkis et leurs progénitures, les milieux de la délinquance, les vétérans de la guerre d'Afghanistan) et, enfin, le profil et la trajectoire de ses dirigeants ainsi que leurs objectifs prioritaires (la prédominance des partisans du djihad immédiat dans ses instances dirigeantes, notamment des éléments issus du Mouvement islamiste armé), le FIS apparaît pour ce qu'il fut réellement : un cadre légal pour la préparation de l'action armée (le djihad).

La victoire du FIS aux élections locales (juin 1990) a provoqué au sein de sa direction une prise de conscience de l'impossibilité de gérer les communes dans le cadre de la législation en vigueur sans décevoir les attentes de la principale composante de sa base sociale : certains segments des couches populaires (la jeune classe ouvrière et le sous-prolétariat) et la jeunesse urbaine marginalisée. Cette contradiction entre l'exercice du pouvoir, qui convertit l'utopie au réel parce qu'il procède d'une « éthique de la responsabilité » forcément plus sensible à la nécessité du compromis et au radicalisme d'une base sociale, qui carbure, exclusivement, à l'« éthique de conviction » plus prédisposée au djihad qu'à la patience, amena le FIS à privilégier l'option insurrectionnelle pour la prise du pouvoir. Ainsi, furent lancés la grève générale illimitée et le mouvement de désobéissance civile (mai - juin 1991). L'échec de cette démarche, qui entraîna l'éclatement de la direction du FIS et l'arrestation de ses principaux dirigeants, contraignit la nouvelle direction, issue de la Conférence de Batna, à accepter la participation aux élections législatives tout en lançant l'action armée comme en témoigne l'attaque contre le poste frontalier de Guemmar (la nuit du 29 au 30 novembre 1991).

Mais, qu'est-ce qui explique l'irruption forcenée de l'islamisme en Algérie ? Pourquoi et comment le FIS est-il devenu, en l'espace d'une année, la principale force politique du pays ? Pourquoi l'islamisme, qui est apparu dans toutes les sociétés musulmanes, ne prendra l'allure d'un véritable mouvement de masse, qu'en Algérie seulement ? La réponse à ces questions renvoie à l'histoire du mouvement islamiste algérien, qui fera l'objet de notre prochain chapitre.

1. Cf. DELCAMBRE (A.-M.), « Hold-up sur le Coran », *L'Événement du Jeudi*, 11-17 février 1993.
2. GOZLAN (M.), *Pour comprendre l'intégrisme islamique*, Paris, Éditions Albin Michel, 1995.
3. AL-ASHMAWY (M.S.), *L' Islam politique*, Alger, Laphomic/Bouchène, 1990, p. 11.
4. Voir le compte-rendu de ce débat par DJILALI (A.), « Islamistes : en quête d'unité », *Algérie - Actualité*, n° 1220, semaine du 2 au 8 mars 1989, p. 9.
5. *Ibid.*
6. *Ibid.*
7. *Ibid.*
8. Voir, *Algérie - Actualité*, n° 1221, semaine du 9 au 15 mars 1989.
9. Voir *Horizon*, 12 mars 1989, p. 2 .
10. Voir *El Moudjahid*, 10-11 mars 1989, p. 24.
11. À propos des positions politiques et idéologiques de M. Nahanah, le lecteur pourra se référer à ses premiers entretiens avec la presse, *El Massa*, 29 mars 1989 et *El Djamhouria al ousbou'iya*, du 5 au 12 juillet 1989.
12. « *La salle Harcha Place du 1er Mai, était archi-comble en cette mémorable journée du lundi 27 mars, où s'est tenue la cérémonie officielle pour annoncer la naissance de l'association "El islah ouel Irchad" dont le siège provisoire se trouve à El Mouradia. De prime abord cheikh Nahah un des principaux fondateurs de cette association affirme que cette dernière n'est pas à caractère politique. Son programme d'action consiste à s'occuper des domaines culturel, social, éducatif, scientifique et civilisationnel, tout cela dans un cadre islamique s'inspirant du Coran et de la Sunna du Prophète* », Horizon du 30 mars 1989.
13. *Horizon*, 9 avril 1989, p. 2.
14. *Alger Républicain*, 6 avril 1991.
15. Ali BENHADJ, prêche à la mosquée Es-Sunna de Bab-El-Oued, (Alger), le 10 mai 1990.
16. Voir, *El Watan* du 12 janvier 1992.
17. Pour cette partie, nous nous sommes inspirés du dossier réalisé par *L'Hebdo Libéré*, n° 15.
18. Pour plus de précisions sur ces différents courants, voir Infra.
* Voir chapitre III.
19. AL AHNAF (M.), BOITIVEAU (B.), FREGOSI (F.), *L'Algérie par ses islamistes*, Paris, Éditions Karthala, 1991, p 195.
20. K. BEN, « Les rets du front... », *L'Hebdo Libéré*, n° 15, p. 14.
21. ROUADJIA (A.), *Les frères et la mosquée*, Alger, Éditions Bouchène, 1991, p.91.
22. Les mosquées deviennent un enjeu politique. À ce propos Abassi MADANI dit : « *La mission de la mosquée n'est pas la même que celle de l'Église. Elle est le lieu de tous les actes du bien, lieu dans lequel on traite les affaires de la Oumma... Les appels à séparer les mosquées des activités politiques datent de l'époque colonialiste. Même la France n'a pas pu nous empêcher de prêcher, d'orienter et de traiter les affaires politiques... Cet appel est un appel à la laïcisation de la mosquée* », in *Algérie Actualité*, n° 1264, semaine du 4 au 10.01.1990.
23. ROUADJIA (A.), *op.cit.*, p. 259.
24. HELLER (Y.), « Les bonnes œuvres des islamistes algériens », *Le Monde,* 27 juin 1990.
25. L'expression est empruntée à un journaliste, HAYANE (A.), « Les poudrières sociales », *El Watan,* du 3 décembre 1992, pp. 13-14.
26. Voir BENACHNOU (A.), *L'exode rural en Algérie*, Alger, 1979.
27. HAYANE (A.), *art. cit.*, p. 14.
28. BENMEHDI (S.), « Les faubourgs de la haine », *Algérie Actualité,* n° 1374, Semaine du 13 au 19 février 1992, p. 16.

29. BEN (K.), *op. cit.*, p.15.

30. HELLES (Y), « Les bonnes œuvres des islamistes algériens », *Le Monde,* 27 juin 1990.

31. ROUADJIA (A.), *op. cit.*, p. 255.

32. *« Ceux qu'on appelle ici pour simplifier "Frères musulmans" ont fait un retour violent à l'université d'Alger, tuant mardi 2 novembre un étudiânt de 19 ans et en blessant une dizaine d'autres dont deux grièvement. Un groupe d'intégristes armés de barres de fer et de couteaux s'est attaqué à des étudiants de la cité de garçons de Ben Aknoun, sur les plateaux d'Alger à propos des listes d'élections aux Comités de cité. Cette attaque d'une rare violence n'est pas la première à l' Université d'Alger. En fait, les "porteurs de la parole divine" comme ils se nomment eux-mêmes, ont établi dans cette même cité universitaire un certain climat de terreur, monopolisant la plupart des activités culturelles. En 1980, sur le campus d'El Harach, dans la banlieue est d'Alger, ils avaient blessé des dizaines d'étudiants »,* La Croix*, du 17 novembre 1982.

33. La liste de ces agressions figure dans l'ouvrage cité de A. ROUADJIA.

34. Voir *Algérie Actualité*, n° 1264, du 4 au 10 janvier 1990.

35. Voir *Algérie Actualité* du 24 décembre 1989.

36. Voir *« Des islamistes s'attaquent à la salle "Atlas" »*, El Moudjahid, 14 avril 1990.

37. BOURDERON (R.), *Le fascisme idéologie et pratiques*, Paris, Éditions sociales, 1979, p. 137.

38. BOUCHENAK (S.), *La foule dans la stratégie des islamistes - Essai d'analyse comparée avec le fascisme,* thèse de Magistère, Institut pour les Études de Sécurité Nationale, Alger, s.d.

39. BOURDERON (R), *op. cit.*, p. 122.

40. In *Algérie Actualité*, n° 1264, semaine du 4 au 10.01.1990, p.8.

41. GHALIOUN (B.), *Islam et politique, la modernité trahie*, Alger, Casbah Éditions, 1997, p. 47.

42. AL - ASHMAWY (M. S.), *op.cit.*, p. 11.

43. Voir *Algérie Actualité*, n° 1264, semaine du 4 au 10.01.1990.

44. BERAUD - VILLARS (J.), *L'islam d'hier et de toujours*, Paris, B. Arthaud, 1969, p. 5.

45. Voir *Horizons* du jeudi 23 février 1989, p. 4.

46. ABASSI MADANI défend la même position : *« Si la démocratie est un cadre de dialogue et de respect de l'opinion, nous sommes d'accord avec ce concept. Par contre, nous n'accepterons pas que l'élu . . . soit en contradiction avec l'Islam, la chariâa, sa doctrine et ses valeurs »,* in *Algérie Actualité* du 24.12.1989.

47. La même position est défendue par les autres dirigeants du FIS *« La mixité dans les écoles, les lycées et les universités, a eu pour conséquence la prolifération des bâtards. La dépravation s'est répandue, et nous voyons la femme ne plus se cacher et étaler aux yeux de tout le monde son corps maquillé nu »* (BENAZOUZ ZEBDA, *Algérie Actualité* du 01.03.1989) ; *« En Islam, la mixité est interdite »* (ABASSI MADANI, *Algérie Actualité* du 24.12.1989).

48. Déclaration faite à l'AFP le 10.12.1989.

49. Voir *Algérie Actualité*, n° 1252, semaine du 12 au 18 octobre 1989, p. 12.

50. *Ibid.*, p. 13.

51. *Ibid.*, p. 14.

52. Traduite par TOUATI (A.), *Les Islamistes à l'assaut du pouvoir*, Paris, L'Harmattan, 1995.

53. ABD AL-AZIZ (F.), *Al-Khumayni, al-hall al-islâmî wa-l-badîl*, (Khomeyni, l'alternative islamique, Le Caire, 1979, pp. 24-25.

54. *« Dieu seul est souverain »* : ce sont les kharidjites qui brandirent ce slogan lors de la bataille de Sifîn, qui opposa le Calife 'Ali b. Abî Taleb et Mu'awiya b. Abû Sufyân, signifiant par-là, leur refus de l'arbitrage (*tahkîm*). Dans la mouvance islamiste contemporaine, le représentant le plus connu de cette notion est Abû Al 'Alâ Al-Mawdûdi, auteur du livre, *Al-Hukûma al-islâmiyya (le gouvernement islamique).*

55. LAMCHICHI (A.), *L'islamisme en question(s)*, Paris, L'Harmattan, 1998, p. 92.

56. KEPEL (G.), *Expansion et déclin de l'islamisme*, Paris, Gallimard, 2000, pp. 174-175.

57. Voir KHEAR (O.), « Scrutin du 26 décembre, attitudes politiques », *El Watan*, 08.01.1992.

58. Voir KHELLADI (A.), *Les islamistes algériens face au pouvoir*, Alger, Éd. Alfa, 1992, p. 102.

59. *Ibid.*, p. 104.

60. Voir, par exemple, VIEILLE (P.), DHAOUADI (Z.), « Pour une approche anthropologique de l'islamisme », *in L'islamisme en effervescence,* Peuples Méditerranéens, n° 21, Oct.-Déc. 1982, pp. 199 - 213.

61. Cf. le sondage d'opinion réalisé par le CENEAP.

62. Cf. BOUKRA (L.), « Le mouvement islamiste algérien », in GOSSELIN (G.) et VAN HAECHT (A.), *La réinvention démocratique*, Paris, L'Harmattan, 1994, pp. 51-66.

63. Ces données statistiques sont tirées d'une étude publiée par le quotidien national (non gouvernemental) *Le Matin*, n° 1184, du jeudi 23 novembre 1995 , qui a repris les résultats d'une enquête menée par la Gendarmerie nationale.

64. ES -SULTANI (A. A.), *Siham El Islam*, Alger, Éditions- SNED, 1980, p. 181.

65. *Le Matin*, n° 1184, jeudi 23 novembre 1995.

66. BEN (K.), « Entre djihad et voyoucratie », *Hebdo Libéré*, n° 43, du 22 au 28 janvier 1992.

67. Voir LABEVIERE (R.), *Les dollars de la terreur*, Paris, Éditions Grasset & Fasquelle, 1999.

68. Voir, à titre d'exemple, « Qui finance les partis intégristes ? », *Alger Républicain*, n° 408, 12 avril 1992.

69. Cette organisation, implantée dans plus de vingt pays, a pris en charge la majorité des volontaires algériens pour la guerre en Afghanistan.

70. Cette association dispose d'un bureau à Khartoum (Soudan) et bénéficie d'une importante aide financière de la part de Oussa ma Ben-Laden.

71. Cf. BALTA (P.), *L'Islam dans le monde*, Paris, La Découverte, 1986 ; DELACAMBRE (A.-M.), *L'Islam*, Paris, La Découverte, 1980.

72. L'Organisation de la Conférence islamique (O.C.I) a été fondée en 1969 en réaction à la tentative d'incendie de la mosquée El-Aqsa de Jérusalem, le 21 juillet 1969. Depuis, l'OCI a considérablement élargi ses domaines d'intervention. Elle s'est dotée d'une banque islamique de développement, d'un fonds de solidarité islamique, d'une agence internationale de presse, d'une organisation des radiodiffusions des États islamiques, etc. Son siège se trouve en Arabie Saoudite. Fédérant 42 États membres, elle est avec la Ligue islamique mondiale, l'organisation la plus importante du monde musulman.

73. Cf. *Atlas mondial de l'islamisme activiste*, Paris, la Table Ronde/Stratégies, 1991.

74. De « *Hanbalisme* », l'une des quatre grandes écoles (ou *madhahib*, pl. de *madhab*) d'interprétation de la jurisprudence islamique. Elles ont pour fondateurs les quatre imâms : Abû Hanifa (mort en 767), Malek Ibn Anas (mort en 796), El-Châfi'i (mort en 820) et Ahmed ibn Hanbal (mort en 855). Ce dernier fonda l'école la plus rigoriste de l'islam, qui entend lutter contre toute forme « d'innovation blâmable » (bid'a). Il n'admet pas l'usage du *qiyâs* (le raisonnement analogique) et refuse l'*ijtihâd* (l'effort d'interprétation rationnelle).

75. Ibn Taymiyya (1263-1328) a vécu à l'époque des Mameluks. Il prônait la résistance à l'injustice par la « désertion individuelle », par la prière, le jeûne et la retraite. Il fustigeait les Ulémas soumis aux princes et dénonçait sans relâche la corruption d'une administration éloignée de la charia. Adoptant la doctrine hanbalite, il privilégiait une lecture littérale de la tradition islamique et s'opposait à toute innovation considérée comme une « hérésie ». Il était absolument opposé à la philosophie hellénistique, au christianisme, au judaïsme et au soufisme musulman.

Il est l'inspirateur principal du mouvement wahhabite et des groupes islamistes contemporains. Son livre, *Es-Siyâssa al-char'îyya* a été traduit par Henri LAOUST sous le titre de *Traité de droit public d'Ibn Taymiyya*. Il a été réédité, en 1990, dans les deux langues (arabe/français), par les éditions ENAG, à Alger. Voir, également, H. LAOUST, *Essai sur les doctrines sociales et politiques d'Ibn taymiyya*, Le Caire, 1939. Sur son influence aujourd'hui, lire KEPEL (G.), *L'Égypte d'aujourd'hui, mouvement islamiste et tradition sunnite*, Annales ESC, n° 4, 1984 et SIVAN (E.), *Ibn Taïmiya, father of the islamic revolution*, Encouter, mai 1983.

76. Parmi les disciples d'Ibn Taymiyya, nous trouvons Ibn Kathir (mort en 1375) et surtout Muhammad Ibn Abd al-Wahab At-Tamîmî (mort en 1762), fondateur du mouvement wahhabite.

77. À propos des schismes dans l'islam, le lecteur pourra consulter LAOUST (H.), *Les schismes dans l'islam*, Paris, Payot, 1965. Concernant les kharidjites, voir MA' ROUF (N.) , *Al-Khawârij fî al-'asr al-oummawi*, Beyrouth, Dâr At-Tali'a, 1977, (2ᵉ éd., 1981). À propos des ibadîtes, principale branche du kharidjisme, qui continue d'exister de nos jours à Oman, en Afrique orientale, en Tripolitaine et en Algérie, voir IBN BAKIR (S.A.), *Dirâssât islmâmiyya fî usûl al - Ibâdhiyya*, Alger, s.d.

78. Il s'agit des groupes islamistes radicaux issus du mouvement des Frères musulmans, mais dissidents depuis les années 1970, et qui se réclament de Sayyid Qat (1906 - 1966) . Il semble que cette rupture avec les Frères musulmans provient de l'influence considérable et directe de l'Indo-pakistanais Abu al - 'Ala al - Mawdudi (1903 - 1979) sur Sayyid Qutb. Voir à ce propos, CARRE (O.), « De Banna à Qutb vers la Révolution islamique », in *L'Utopie islamique dans l'Orient arabe,* Paris, Presse de la FNSP, 1991, pp. 167 - 191 et *Mystique et politique : lecture révolutionnaire du Coran par Sayyid Qutb, Frère Musulman radical*, Paris, Le Cerf/Presse de la FNSP, 1984.

79. BURGAT (F.), *L'islamisme au Maghreb*, Paris, Karthala, 1989, p. 55.

80. LAMCHICHI (A.), *L'islamisme en question (s)*, Paris, l'Harmattan, 1998, p. 62.

81 Cité par POULAT (E.), in *Encyclopeadia Universalis,* Paris, Corpus 9, 1984, p. 1247.

82. Voir par exemple la définition de l'intégrisme dans l'*Encyclopédie Philosophique Universelle - Les notions philosophiques*, Paris, PUF, 1990, t. 1, p. 1325. Voir également, POULAT (G.), *Intégrisme et catholicisme intégral. Un réseau international anti-moderniste : la Sapinière*, 1909 - 1921, Paris, Tournai, 1969.

83. KEPEL (G.), *La Revanche de Dieu. Chrétiens, juifs et musulmans à la reconquête du monde*, Paris, Le Seuil, 1991, p. 260.

84. MAHMOUD HUSSEIN, *Versant sud de la liberté*, Paris, La Découverte, 1989, p. 141.

85. RODINSON (M.), « Réveil de l'intégrisme musulman », *Le Monde*, 6.12. 1978, p. 4.

86. GRIGNON -C.), « Sur les relations entre les transformations du champs religieux et les transformations de l'espace politique », *Actes de la Recherche en Sciences sociales,* septembre 1977, p.9.

87. BERGER (P.), *La religion dans la conscience moderne*, Paris, Éditions le Centurion,1971.

88. LUCKMANN (T.), *Das Problem der Religion in der Modern Gesellschaft*, Freiburg, Rombach, 1963 (trad. Fr., *La religion invisible*, Paris, Éditions le Centurion, 1971).

89. ROY (O.), *Afghanistan. Islam et modernité politique,* Paris, le Seuil, 1985, p.12.

90. Voir à ce propos, BURGAT (F.), « De la difficulté de nommer. Intégrisme, fondamentalisme, islamisme », *Les Temps Modernes*, mai 1988, p. 126 ; LAMCHICHI (A.), *L'islamisme en Algérie*, Paris, l'Harmattan, 1992, pp. 35 - 36 ; *L'islamisme en question(s)*, Paris, l'Harmattan, 1998, pp. 58 - 60 et ROY (O.), *op. cit.*, pp. 12 - 13.

91. À propos du protestantisme, voir l'excellent ouvrage de CHAUNU (P.), *Le temps des réformes*, Bruxelles, Éditions Complexes, 1984, 2 tomes.

92. Voir VERNETTE (J.), *Les sectes,* Paris, PUF, coll . Que sais-je ?, 1997, (5ᵉ édition), pp. 35 - 58.

93. À propos de la pensée mutazilite, voir NADER (A.N.), *Le système philosophique des mu'tazila (premiers penseurs de l'islam)*, Beyrouth, Dar el - Machreq, 1984.

94. Cité par CARRA DE VAUX, *Les penseurs de l'islam*, Paris, Éditions P. Geuthner, 1984, tome IV, p. 150.

95. Pour une lecture critique de ce courant, lire MALEK (R.), *Tradition et révolution, le véritable enjeu*, Alger, Éditions Bouchène, 1991, chapitre III, *réformisme musulman et ses limites*, pp. 56 - 68.

96. Pour s'en convaincre, il suffit de lire *Majmu'ate rasaïl al-imam al-chahid Hassan al-Banna*, Alger, Charikate el-Chihâb, s.d. et *Ahadith al-Djoumou'a li-l-imam al-chahid Hassan al-Banna*, Batna, Dâr el-Chihâb, s.d.

97. LAMCHICHI (A.), *L'islamisme en Algérie*, Paris, L'Harmattan, 1992, p.36.

98. LAMCHICHI (A.), *L'islamisme en question(s)*, op. cit., pp. 64 - 65.

99. ROY (O.), *l'Afghanistan. Islam et modernité politique*, op. cit.

100. ROY (O.), *Généalogie de l'islamisme*, Paris, Hachette, 1995 ; « Le néo-fondamentalisme islamique ou l'imaginaire de l'Oummah », Esprit, avril 1996.

101. Voir AL- HAFNI (A.), *Mawssou'at al-firaq wa al-jamâ'at wa al-madhahib al-islâmiyya* (*Encyclopédie des sectes, des groupes et des écoles jurisprudentielles islamiques*), Le Caire, Dâr al-Rachâd, 1993, pp. 148-150.

102. LAMCHICHI (A.), *L'islamisme en question(s)*, op. cit., p. 68.

103. « *De ce point de vue, l'avènement du FIS n'est pas une catastrophe car il est parfois des "régressions fécondes" dans l'histoire d'un pays* », ADDI (L.), « L'Algérie, le FIS et la construction démocratique », (2ème partie), *El Watan*, 08. 01. 1992, p. 5.

104. C'est la thèse défendue par un groupe d'intellectuels français, sympathisants du mouvement islamiste : F.BURGAT, B.ETIENNE,A. ROUSSILLON, M.SEURAT, O. ROY, etc.

105. Voir A. AL-HAFNI, op. cit., pp. 245 - 247.

106. Concernant la Nahda, voir ANAWATI (G.C.), BORRMANS (M.), *Tendances et courants de l'islam arabe contemporain*, vol. 1 : « Égypte et Afrique du Nord », München, Kaiser-Grünewald, 1982 ; ARKOUN (M.), *La pensée arabe*, Paris, PUF, coll. Que sais-je ?, 3e éd., 1985 ; BOUAMRANE (C.), GARDET (J.), *Panorama de la pensée islamique*, Paris, éd. Sindbad, 1984 ; DJAIT (H.), « Islam et politique », in *Islam et politique au Maghreb*, Paris, Ed. CRESM/CNRS, Paris, 1981 ; MERAD (A.), *Le réformisme musulman en Algérie : de 1925 à 1940. Essai d'histoire religieuse et sociale*, Paris, La Haye, Ed. Mouton, 1967 ; MERAD (A.), *L'islam contemporain*, Paris, PUF, 1984 ; MERAD (A.), « Islâh », in *Dictionnaire des religions*, sous la dir. De POUPARD (G.), Paris, PUF, 1985.

107. CHARNAY (J.-P.), *Sociologie religieuse de l'islam*, Paris, Éditions Sindbad, 1977, p. 28.

108. Voir à ce propos LAROUI (A.), *L'idéologie arabe contemporaine*, Paris, F. Maspero, 1970.

109. Voir ARKOUN (M.), *L'islam dans l'histoire*, Revue Maghreb - Machrek, n° 102, oct.-déc. 1983.

110. IBN TAYMIYYA, *Traité du droit public*, Alger, ENAG, 1990, p. 231.

111. *Ibid.*, p. 232.

112. *Ibid.*, p. 233.

113. EL YOUSSOUF (M.), « Ettakfir wal Hidjra, Islam sabres au clair », *L'Observateur*, semaine du 2 au 9 avril 1991, p. 5.

114. *Ibid.*, p. 4.

115. Le dentiste Ahmed Bouamra est rentré en Algérie en provenance de Peshawar à la tête d'un important groupe d'« Afghans ». Il fut arrêté en juin 1991. Au début de 1992, il parvient à diffuser sa Lettre *el-houjaj al-jalia fi kafr etba' al-jabha el-islâmiyya wa koullou min zâwalla dîn el-dimocratia* (*Les preuves évidentes de l'apostasie du Front islamique et de tous ceux qui pratiquent la religion de la démocratie*) par laquelle il a décrété mécréant et apostat tout le peuple algérien. Son successeur, l'émir Nourredine Sadiki a rédigé, à son tour, une autre Lettre, *Kachf al-dhounoun 'an 'aqidate kheïr al-qouroun*, qui représente toujours la référence des groupes dissidents takfiristes du GIA dans la région de Aïn Defla.

116. C'est le titre d'un article rédigé par MOUNIR (B.), *Nouvel Hebdo*, semaine du 29.01.1992 au 04.02.1992.

117. Le chiisme duodécimain se fonde sur le paradigme des « douze premiers imams héritiers du secret divin, source de pouvoir absolu ». Les autres tendances du chiisme sont le « chiisme septimain », la « Zidiya » (au Yémen et en Syrie), les « Azariqa », « sofrite » ou encore « ghoulât » (extrémistes).

118. MOUNIR (B.), *op.cit.*

119. « Détenteur d'un Doctorat d'État en philosophie, obtenu à Londres, Madani est marié - son épouse est d'origine britannique - et père de six enfants. D'eux d'entre eux étaient au début des années 80, inscrits dans un établissement de l'Office universitaire et culturel français », *L'Humanité*, 14 juin 1990. « Ancien élève d'une école coranique, il passe dans les années 60, une licence en philosophie et obtint un doctorat de troisième cycle . . . L'un de ses cinq fils ayant fréquenté quelque temps le Lycée français d'Alger, il fut accusé de *"double langage"* par les autorités avant son procès », *Le Monde*, 14 juin 1990.

120. AKEB (F.), « Une idole à part », Algérie Actualité, n° 1340, semaine du 20 au 26 juin 1991.

Chapitre III

« J'ai presque perdu le goût de l'inquiétude. Il fut un temps où mes sens se seraient glacés au moindre cri nocturne, où mes cheveux, à un récit lugubre, se seraient dressés et agités comme s'ils étaient vivants. Je me suis gorgé d'horreurs. L'épouvante, familière à mes meurtrières pensées, ne peut plus me faire tressaillir. Pourquoi ces cris ? ».

William Shakespeare, *Macbeth*,
acte V, scène v.

GENÈSE DE LA VIOLENCE ISLAMISTE

DE LA PRÉDICATION (DA'WA)
À LA GUERRE SAINTE (DJIHAD)

La longue marche du mouvement islamiste algérien, commence durant la période coloniale, dans les années 40 et 50. C'est dans le creuset de l'« Association des oulémas algériens »[1], fondée par Abdelhamid Ibn Badis en 1931, que vont se développer des courants divers liés au wahhabisme et aux « Frères musulmans ». *« À partir de la fin des années 30, les Frères musulmans commencent à créer des ramifications dans plusieurs pays : au Soudan, au Maghreb, où ils entrent en contact avec la société des oulémas de l'Algérien Ben Badis, en Palestine, en Syrie »*[2]. Depuis, un courant de la tendance des Frères musulmans a commencé à se constituer au sein de l'« Association des oulémas algériens » sous l'impulsion de Mohamed Bachir El Ibrahimi et de Fodhil El Wartilani. Ce dernier s'installe au Caire, au début des années 40, pour ouvrir un bureau de l'association qui, « *en apparence, agit dans le sens de l'assistance aux étudiants algériens et, en catimini, noue des relations avec les organisations islamiques agissantes à cette époque sur la scène politique égyptienne comme l'Organisation des Jeunesses musulmanes, Ibâd Errahmân et, de manière particulière le mouvement des "Frères musulmans"* »[3].

Le bureau des oulémas algériens au Caire a été un relais de l'organisation des Frères musulmans dans le milieu des jeunes étudiants algériens en Égypte. À ce propos, M. Issami note : « *Le bureau des oulémas au Caire a été un instrument pour encourager les jeunes étudiants algériens à adhérer dans l'organisation de Hassen El Benna et en même temps il est difficile de ne pas voir un lien direct entre ce travail et l'émergence des premières organisations de Frères musulmans en Algérie, dès cette période, et surtout derrière le bureau cairote des oulémas. Le premier parti islamiste algérien verra le jour en 1947, créé justement par un azhariste et la première section algérienne directement affiliée à la Jama'ât égyptienne sera créée en 1953* »[4].

À propos du premier parti islamiste algérien, il s'agit du « Parti de l'unité algérienne » créé, en 1947, par des étudiants issus de l'Université d'El Azhar (Égypte) et de Zitouna (Tunisie). Cheikh El Oqbi a joué un rôle de premier plan dans la naissance de ce parti. Il en fut le principal propagandiste. Il met à sa disposition sa plume et son journal *El Islâh* dans lequel il écrit : « *Voilà, les partis nationaux en Algérie sont au nombre de trois : le Parti de l'unité, le Parti du peuple et le Parti du manifeste. Pour ce qui est du Parti du manifeste, il revendique l'autonomie dans le cadre de l'unité avec la France. Le Parti du peuple, quant à lui, sa revendication est l'indépendance interne avec la constitution d'un gouvernement algérien souverain et un Parlement algérien élu au suffrage universel par l'ensemble des Algériens sans distinction entre autochtones et Européens. De son côté, le Parti de l'unité revendique l'indépendance totale, c'est-à-dire interne et externe, pour que l'Algérie ne reste pas en retrait par rapport à ses sœurs Marrakech et Tunis qui ont les mêmes revendications et il n'oublie pas l'adhésion dans le concert des États arabes. Sa devise est la religion, la langue, la patrie. En ce sens, il est le premier du genre dans notre pays de même qu'il est une copie du Parti des Frères musulmans renommé au Machrek, brandissant l'étendard de l'islam, l'arabité et porteur du flambeau de la religion et du nationalisme juste* »[5].

Les cercles, les « medersas » et les mosquées animés par les ténors de l'association des oulémas ont été les autres sources de propagation de l'islamisme en Algérie durant la période coloniale. Il y avait le siège de l'association à la rue Pompée (Alger) où des conférences religieuses étaient données périodiquement, surtout pendant les veillées du mois de Ramadan par cheikh El Bachir Ibrahimi, cheikh Larbi Tebessi, Toufik El Madani, cheikh Kherredinne, cheikh Sahnoun. Il y avait également le « Cercle du progrès » (Nadi Et-taraqi), qui était animé par cheikh Tayeb El Oqbi, qui était d'obédience wahhabite. La section algérienne des Frères musulmans se constitua en 1953. Un de ses membres écrit : « *Au début, nos réunions avaient lieu dans des mosquées, des cafés ou dans la rue. Nous organisions même des sorties à cet effet, à la campagne. Mais avec l'adhésion de Cheikh Sahnoun, directeur de la mosquée et de la médersa de Saint Eugène (Bologhine), la mosquée en question devient notre quartier général. Les réunions de ce qui était devenu le comité directeur de la section, et qui se composait de cheikh Sahnoun, Arbaoui et Benyattou, de Fettal, Aniba et moi, avaient lieu périodiquement dans le bureau de cheikh Sahnoun qui était attenant à la mosquée. Les assemblées générales, plus espacées, avaient lieu dans des salles de classe de la médersa qui dépendait de la mosquée* »[6].

Créée à la veille du déclenchement de la guerre de libération (1er novembre 1954), la section n'a pu mener à terme son travail. Parmi les fondateurs de cette section, deux personnalités, cheikh Sahnoun et cheikh Arbaoui, vont devenir, au lendemain de l'Indépendance, des figures de proue de la mouvance islamiste en Algérie.

1. PREMIÈRE ÉTAPE :
LE TEMPS DES ÉLITES (1962 - 1966)

Quelques mois seulement après l'Indépendance (juillet 1962), l'action des prédicateurs isolés dans les mosquées avait fini par trouver un cadre d'expression structuré : « Djam'iyat El-Qiyam » (l'association des valeurs), fondée en 1964 et présidée par cheikh El Hachemi Tidjani, assisté des cheikhs Abdellatif Soltani, Mohamed Sahnoun et Mesbah Houidek. Très rapidement, cette association va s'imposer sur la scène politique grâce à son intense activité dans les mosquées, ses conférences au « Nadi El-Taraqi » (Cercle du progrès) et la publication d'une revue mensuelle, « Ettadhib El Islâmî » (L'éducation islamique).

Le conflit ne tarda pas à éclater entre l'association et le pouvoir en place. L'orientation socialiste contenue dans la Charte d'Alger (1964) va accentuer davantage l'opposition entre Ben Bella et les dirigeants de l'association. Le premier heurt entre l'association et le pouvoir eut lieu, en 1964, lorsque son président, cheikh H. Tidjani, fut destitué de son poste de secrétaire général de l'université d'Alger. Le 22 septembre 1965, elle fut interdite par le nouveau régime de H. Boumediène, en raison de son soutien aux « Frères musulmans », jugés en Égypte par les tribunaux de Nasser. Le mouvement islamiste entre alors en clandestinité.

Cependant, son aile « francophone », dirigée par un ingénieur, Malek Bennabi[7], comblera le vide, notamment à l'université d'Alger et dans certains appareils de l'État. Malek Bennabi organise des débats (djalassâte khassa) dans son domicile à El-Biar (Alger).

Malek Bennabi est entouré de trois hommes : Nourredine Boukrouh[8], Rachid Benaïssa[9] et Sadek Sellam. Sous l'impulsion de Bennabi, ses disciples (N. Boukrouh, R. Benaissa et Ait Hamouda) créeront, en 1969, la mosquée de la faculté centrale (Alger). Elle constituera un lieu de ralliement de tous les étudiants hostiles à l'Union nationale des Étudiants algériens (UNEA) dominée par les communistes. La création de ce lieu de prière et les prêches qui étaient dits en français[10] ont marqué le début de l'implantation du mouvement islamiste au sein de l'université. Ils allaient également inaugurer une longue période de confrontation entre étudiants islamistes et étudiants de gauche. Tandis que la gauche recrutait essentiellement dans les facultés de Philosophie, de Lettres et de Sciences humaines, le mouvement islamiste imprégnait en profondeur les étudiants francophones des facultés de Médecine et de Sciences exactes. Par la suite, fut fondé le « Bureau d'études sociologiques musulmanes » (BESM) et, enfin, le « Séminaire sur la Pensée islamique », que M. Bennabi avait organisé au lycée Amara Rachid (Ben Aknoun/Alger), le 10 janvier 1969[11]. « *Et lorsque Abassi Madani faisait partie de la Commission de la révolution agraire, selon des informations jamais démenties, les intellectuels islamistes se regroupaient autour de Malek Bennabi, devenu la figure de proue du mouvement après sa démission de son poste au ministère de l'Enseignement supérieur, terrain de prédilection des cadres du PAGS. Durant de longues années et jusqu'à l'avènement du président Chadli Bendjedid en février 1979, son discours allait dominer l'enceinte universitaire pour former des centaines de cadres islamistes.* »[12]

Cette période se caractérise par deux aspects essentiels. Le mouvement islamiste était bicéphale : une tendance francophone dirigée par Malek Bennabi et une tendance arabophone regroupée dans l'« association El Qiyam ». L'influence de l'islamisme se limitait à l'Université, d'abord dans les facultés de Médecine, de Sciences exactes et de Technologie, pour s'étendre par la suite aux facultés des Sciences humaines, notamment celle de Droit. En d'autres termes, dans les années 60-70, l'islamisme était confiné dans de petits cercles d'intellectuels, de cadres et d'universitaires. Deux facteurs vont contribuer à la marginalisation de son aile francophone : la montée de la gauche et la politique d'arabisation de l'enseignement.

2. DEUXIÈME ÉTAPE : LE TEMPS DE LA CLANDESTINITÉ (1966 - 1980)

Dès la fin des années 60 et le débutsdes années 70, une multitude de groupes islamistes, souvent de tendance « Frères musulmans », s'organisent dans la clandestinité : les « *Ansar Allah* » (Partisans de Dieu), « *Djounouds Allah* » (Soldats de Dieu), « *Jama'ât Mawdoudi* » (Groupe Mawdoudi), « *El Muwahidûn* » (Unificateurs), etc. Dans tout le pays, prolifèrent les groupes dits « *El Amr bil ma'rouf wa an-nahy 'an el-mounkar* » (Commanderie du bien et pourchas du mal). C'est le passage au stade de l'action, qui se donne pour mission de moraliser la société.

C'est à partir de 1971, année de la promulgation de la « Charte de la révolution agraire », que le mouvement islamiste va manifester, dans la clandestinité, son opposition politique au régime de Boumediène. C'est alors que les islamistes font jonction avec les gros propriétaires fonciers, les absentéistes et les mandataires. Ils vont manifester leur opposition à la « révolution agraire » par des tracts, des casettes audio et des « fatwas » dont la plus célèbre, à l'époque, déclarait illicite la prière sur une terre nationalisée. Cette alliance les propulsera au rang de premier mouvement de contestation du pouvoir en place. En effet, en l'absence de forces d'opposition susceptibles d'exprimer et de défendre leurs intérêts, tous les groupes sociaux dont les intérêts sont menacés par l'orientation socialiste du régime (les gros propriétaires fonciers, les gros commerçants, certains segments du capital privé, etc.) se sont naturellement tournés vers le mouvement islamiste auquel ils ont fourni une aide matérielle et financière substantielle. De son côté, le mouvement islamiste passe à la revendication politique en intégrant dans son répertoire idéologique, la critique du socialisme. C'est à cette époque, que cheikh Abdelatif Soltani s'affirmera comme un des plus virulents pourfendeurs du socialisme à travers une série de prêches réunis dans un livre, El Mazdaqiya hiya assâs al - ichtirakiya (*le mazdéisme est à la source du socialisme*), paru au Maroc . Il assimile le socialisme au « masdaqisme », une hérésie « libertine » et « communiste » du XVe siècle dans la Perse sassanide.

L'opposition islamiste au régime de Boumediène allait atteindre son point culminant, en 1976, lors du débat populaire sur la « Charte nationale », véritable manifeste idéologique où seront consacrées les orientations politiques, économiques et culturelles du pays. Rachid Benaissa a été un des adversaires les plus résolus de ce texte. « *Benaïssa n'était pas le seul islamiste à rejeter la "Charte nationale" de 1976. Un professeur de Lettres arabes, admirateur de Sayyid Qotb, théoricien du mouvement des "Frères musulmans", désormais célèbre, cheikh Mahfoud Nahnah allait payer pour son opposition bruyante à la ligne idéologique du régime. Cheikh Mahfoud qui avait mis en place des groupes de sabotage qui avaient notamment détruit des pylônes électriques, se verra condamné à 15 ans de prison par la « Cour révolutionnaire « du tribunal militaire d'Oran »*[13]. À partir de là, les islamistes passent à la violence pour s'emparer du contrôle des universités.

Entre 1976 et 1980, des affrontements éclatent entre les étudiants communistes du PAGS et une coalition d'islamistes et d'arabophones. « *Ce climat de tension et de lutte s'étendra aux grandes universités du pays, débouchant toujours sur les mêmes affrontements. Les islamistes après avoir réussi à implanter leurs mosquées au niveau des universités du pays commencent à sortir de l'isolement dans lequel ils s'étaient volontairement confinés pour entamer un long travail de sensibilisation et de mobilisation. Ils créent ainsi leurs propres activités culturelles et sportives, se dotent d'une organisation semi-clandestine à même de répondre à la propagande distillée par les éléments de la gauche et qui va prendre en charge le recrutement et l'élargissement de la base militante. De plus en plus organisés, ils mèneront des opérations commandos contre les étudiants lors des bal de fin d'année, fêtes... sous couvert d'une moralisation de la vie universitaire jugée trop libertine et contraire aux mœurs et à la religion. Les islamistes vont imposer leur vision à l'ensemble de la communauté universitaire par la force et la dissuasion* »[14].

Dès la fin des années 70, le mouvement islamiste sort de l'université, déborde sur la rue et amorce sa conquête de la société. Nous disposons, sur cette période, du témoignage d'un journaliste, F. Ourabah, qui publia, en 1979, dans le quotidien national (gouvernemental) un reportage sous le titre, *Au fief des « antiques fanatiques », Intégristes névropathes ou apprentis sorciers ?*, où il relate l'apparition publique des premiers groupes islamistes dans la région, qui s'étend de Médéa à Ksar El Boukhari (ex-Boghari), au sud-ouest d'Alger.

« *Depuis quelques temps et plus*, écrit-il, *et plus particulièrement depuis le début de l'année on a remarqué dans la région une activité souterraine mais intense de certains milieux conservateurs, ou plutôt franchement réactionnaires. Sous le couvert de la défense des valeurs religieuses, des petits groupes d'individus plus ou moins localisés à Médéa et à Ksar El Boukhari se manifestent par un travail de propagande insidieuse parmi les fidèles qui font la prière dans les mosquées... L'attitude de ces nouveaux zélateurs frise le fanatisme le plus aveugle et finit par excéder de nombreux imams. Il arrive souvent qu'à la prière du vendredi le prêche soit perturbé par ces énergumènes qui reprochent aux imams d'être des fonctionnaires de l'État... Deux groupes de cette sorte se sont constitués à Ksar El Boukhari et à Médéa qui ont des ramifications à Alger – à l'Université notamment et dans une mosquée de Châteauneuf – et à Blida* »[15].

La décennie 1980 se termine par la publication du livre de A. Soltani, *Sihâm El Islâm*[16], à travers lequel il tente de récupérer au profit de la mouvance islamiste, en mal de légitimité historique, le mouvement de libération nationale. Selon lui, la révolution algérienne s'inscrirait dans le prolongement du mouvement des oulémas réformistes. Prolongement, mais, surtout, déviation par rapport à sa source originelle, car, dit-il, « *L'Islam n'a pas ordonné aux musulmans de combattre leur ennemi pour un lopin de terre, de pierres ou d'arbres, ni pour la possession de biens dans cette vie. Ceci relève de la jalousie et de la colère.* » Il conclut, à ce propos, que la guerre menée contre le colonialisme français n'était pas un djihad, mais la manifestation d'une simple réaction de jalousie. Sur cette base, il introduit la distinction entre ceux qui sont morts pour la foi et ceux qui sont morts pour « la terre » (l'Algérie), auxquels ils dénient le statut de « chahid » (martyr).

Cette révision de l'histoire nationale a des conséquences pratiques considérables. Elle conduit à la désacralisation de la guerre de libération nationale, ruinant, de la sorte, toute idée de « légitimité historique » dont se prévalait à l'époque le régime en place. Elle entraîne, également, la négation de l'État-nation territorialisé, considéré comme la résultante de la logique coloniale, au profit de l'État transnational regroupant l'ensemble de la communauté des croyants (la Oumma), disqualifiant ainsi l'idéologie nationaliste, qui est au fondement du mouvement national algérien depuis la fin des années 20.

Dans ces deux livres anathèmes de A. Soltani, se trouvent les racines intellectuelles de la violence islamiste en Algérie. « *On entrevoit ainsi en quel sens l'idéologie est importante dans la constitution du terrorisme : le problème n'est pas tant de considérer quels thèmes précis déterminent le "passage à l'acte" terroriste que d'analyser une structure formelle qui articule la négation de la réalité commune, la cohérence logique et la réduction de la politique à la violence* »[17]. Ces racines intellectuelles de la violence, communes à toutes les formes dégradées/décomposées de mouvement social[18] sont :

- LA RUPTURE AVEC LA PERCEPTION COMMUNE ET LE SYSTÈME ÉTABLI DE VALEURS : le discours de Soltani procède d'une rupture avec le nationalisme, le socialisme, la figure de l'État-nation, la catégorie de légitimité historique/révolutionnaire, la vision de l'histoire du mouvement national ;

- LA CONSTRUCTION D'UNE IDENTITÉ MÉTA OU INFRASOCIALE : dans le discours de A. Soltani, le groupe au nom duquel il prétend s'exprimer n'est pas défini en référence à une identité sociale concrète, mais comme une figure abstraite et sacralisée (la communauté des croyants) ;

- LA RÉDUCTION DU CHAMP POLITIQUE À UN CHAMP DE FORCE : dans la vision de notre prédicateur, il n'y a pas d'adversaire, mais seulement un ennemi, qui devient une entité hostile incluant indistinctement la société (impie), les communistes, les laïcs, l'armée, les « moudjahidin » (anciens combattants de la guerre de libération), l'ordre établi, le système, le régime, l'État ;

- LA CONSTRUCTION D'UNE UTOPIE COMMUNAUTAIRE (LA DIMENSION MESSIANIQUE) : pour A. Soltani, il ne s'agit pas de contrôler la société présente, mais de la détruire au nom d'une utopie communautaire, d'où l'appel à l'absolu, à la nécessité impérieuse de briser l'ordre établi.

En résumé, nous pouvons affirmer qu'à la fin des années 70 / début des années 80, le mouvement islamiste algérien est en phase de structuration avancée. Les contours d'un cadre organisationnel sont déjà assez affermis. Il est encore, à dominante, de tendance « Frères musulmans » avec ses principaux leaders (M. Nahnan, M. Bouslimani et A. Djaballah), qui entretiennent des liens solides avec les branches du mouvement implantées dans les différents pays arabes. Plus organisé, il commence à imposer son projet et sa vision à l'ensemble de la communauté universitaire par la « da'wa » (prédication/propagande) et la violence. C'est à cette période, que son action se déplace des campus universitaires vers les mosquées et la rue. Dès lors, sa visibilité sociale est plus grande ; la tenue islamiste (barbe et « kamis » pour les hommes et foulard ou « hidjab » pour les femmes) fait son apparition vers 1980.

Au plan idéologique, les ingrédients susceptibles de mener les militants islamistes à opter pour une stratégie de violence sont déjà disponibles. « *Tout devenait possible. Et les islamistes allaient s'enhardir et se manifester, parfois par la violence. À Sidi Bel Abbés, des centaines d'islamistes courroucés par l'arrestation d'un des leurs, prirent d'assaut la sûreté de la wilaya. C'était la première fois que les islamistes affrontèrent directement la police. À Batna, à Tébessa, armés de fusils de chasse, ils s'opposèrent aux forces de police. À Laghouat, ce fut carrément le choc. Le 28 mars 1978, suite à l'arrestation d'un des principaux animateurs du mouvement dans cette ville du sud, les islamistes, après avoir pris d'assaut le commissariat et saccagé le local du FLN, se réfugièrent dans la mosquée de la cité. Ce n'est qu'au prix de combats au corps à corps, d'un mort et de plusieurs blessés, que la police parvint à les déloger »*[19].

À côté de courants (les oulémas radicalisés), qui ont préexisté à la tendance « Frères musulmans » dominante, nous assistons, à la fin des années 70/début des années 80, à la naissance d'autres courants : la djaz'ara et le salafisme djihadiste. La mort du Président Boumediène (1979) et l'arrivée au pouvoir de Chadli Bendjedid vont créer les conditions favorables à l'irruption de l'islamisme comme première force politique sur la scène nationale.

3. TROISIÈME ÉTAPE : IRRUPTION SUR LA SCÈNE ET RECOURS À L'OPTION ARMÉE (1980-1988)

En Algérie – comme dans les autres pays du Maghreb et du Moyen-Orient – c'est avec le grand tournant des années 80, que le mouvement islamiste émerge comme force politique dominante. Après la prédication (le prône contestataire) et la mobilisation de la communauté estudiantine, le mouvement passe à l'intervention publique. Nous retrouvons aussi, durant cette période, cette constante caractéristique de l'islamisme : une combinaison entre une stratégie de prise du pouvoir par le bas et une stratégie de confrontation violente. D'un côté, tout en évitant de recourir au vocabulaire de la politique, il tisse, au moyen de l'action sociale et culturelle, la trame d'une contre-société en rupture avec l'État, entamant de la sorte la crédibilité du régime. D'un autre côté, en parallèle, il actionne les leviers de l'option armée. La décennie 1980 est celle de la jonction entre l'élite islamiste et le mouvement de masse, qui donnera au mouvement islamiste algérien les moyens de s'imposer sur la scène politique nationale comme principale force d'opposition.

Un ensemble de facteurs, aux niveaux national, régional et international, ont joué un rôle dans la montée du mouvement islamiste :

1) AU PLAN INTERNATIONAL :
- la Révolution iranienne (février 1979),
- l'entrée des Soviétiques en Afghanistan (décembre 1979),
- conflit Irak-Iran (septembre 1981),
- crise dans les pays socialistes et reflux de la gauche.

2) AU PLAN RÉGIONAL :

- accord de Camp David (mars 1979),
- attaque de la grande mosquée de la Mecque (20 novembre 1979),
- assassinat du Président Sadate (6 octobre 1981),
- entrée de l'armée israélienne à Beyrouth (juin 1982),
- le massacre de Hama perpétré par le Président syrien Assad (1982).

3) AU PLAN NATIONAL :

- remise en cause de l'« orientation socialiste » par le Président Chadli Bendjedid[20]. Une politique de libéralisation larvée est mise en œuvre. Dès lors, commence le règne des « libéraux ». Néanmoins, ce n'est pas la bourgeoisie algérienne qui va dominer, mais une fraction de celle-ci : celle de la spéculation, des affaires, du gros commerce (affairistes, intermédiaires, courtiers, spéculateurs, gros commerçants, mandataires, etc.) et une partie de la bourgeoisie rurale, produit du démantèlement des coopératives (de production et de service) de la révolution agraire et de la libéralisation de la commercialisation des produits agricoles.

- La chute des prix du pétrole, qui érode les capacités financières de l'État et se traduit par l'abandon de sa politique sociale et de redistribution du revenu national. Tout cela se traduit par un vaste processus de paupérisation des masses populaires et de certaines fractions de la petite bourgeoisie (enseignants, employés, artisans...), qui se double d'un procès d'atomisation des couches moyennes, dont certaines fractions rejoignent la bourgeoisie, alors que d'autres chutent dans l'échelle sociale.

- La nouvelle direction politique s'engagera très vite dans une politique de « dé-boumediènisation », qui prendra l'allure d'une purge contre les opposants à sa nouvelle orientation, présents dans les appareils d'État, dans le parti FLN et dans les organisations de masse. C'est dans le but de neutraliser cette opposition, que le pouvoir va s'allier aux islamistes. Cette instrumentalisation du mouvement islamiste, si elle a permis de casser la gauche et les berbéristes, donnera à ce dernier (le mouvement islamiste), l'opportunité et les moyens d'asseoir son hégémonie à l'université. L'université deviendra ainsi une redoutable force, qui alimentera la mouvance islamiste et lui donnera l'occasion de capitaliser politiquement l'exigence d'une arabisation généralisée affirmée par les étudiants arabisants lors de la grève de novembre 1982. À titre de concession aux islamistes, le régime accentue l'islamisation du pouvoir (le XVIIIe Séminaire de la pensée islamique, juillet 1984, est consacré au « réveil de l'islam » ; en août 1984 est promulgué le décret portant création de l'université des Sciences islamiques « émir Abd El Kader », dont le recteur n'est autre que M. Ghozali, l'idéologue du mouvement des Frères musulmans égyptiens ; la même année, le chef de l'État effectue en grande pompe le pèlerinage aux lieux saints).

LA CHARTE DE L'« ÉTAT ISLAMIQUE ».

Sans cette alliance entre une composante du pouvoir et la mouvance islamiste, on ne comprendrait pas l'ascension fulgurante de cette dernière. Ahmed Merrah[21], premier lieutenant de M. Bouiali – chef du premier mouvement islamiste armé en Algérie – parle d'unaccord secret entre les principaux leaders islamistes (M. Nahnah, A. Madani et A. Benhadj) et le président Chadli Bendjedid pour l'instauration graduelle de l'État islamique. Cet accord était conditionné par des engagements mutuels : le pouvoir devant garantir l'abandon de l'option socialiste, les cheikhs assurant la prise en main des troupes islamistes.

A. Merrah explique l'alliance entre la présidence et les islamistes, par la volonté de Chadli de contrebalancer le FLN afin d'opérer la mue politique qu'il souhaitait, parce que, précise-t-il, sa seule issue possible était d'obtenir le soutien populaire par le biais de l'opposition islamiste, qu'il devait lui-même constituer en récupérant/manipulant ses trois principaux leaders. Après un accord conclu, séparément, entre la présidence et les dirigeants islamistes, d'où les rivalités qui permettraient de les contrôler, ces derniers étaient chargés d'animer la mouvance islamiste avec l'autorisation de critiquer ouvertement le pouvoir.

En conséquence de quoi, le 11 novembre 1982, un meeting est organisé à la faculté centrale d'Alger. A. Madani et A. Soltani convainquirent cheikh Sahnoun, doyen des islamistes algériens, d'organiser une manifestation de tous les courants islamistes. Lors de ce meeting, un appel sera lancé à un rassemblement pour le lendemain, qui regroupera plus de 5 000 personnes. Au cours de ce rassemblement, une Charte de l'État islamique[22], signée A. Sahnoun, A. Soltani et A. Madani, sera lue devant l'assistance et envoyée à la présidence.

Après avoir rappelé que les événements survenus à l'université de Ben Aknoun (Alger)[23] « *ont été provoqués par le cartel formé par le communisme international, la franc-maçonnerie, la juiverie et l'impérialisme américain, et avec la collaboration de ses agents, propagateurs du communisme, du racisme et du bâthisme* », dans le but d'« impliquer les rouages de l'État dans l'exécution du plan ourdi et qui entre dans le droit sillage des atroces massacres des musulmans du Liban, de Palestine et d'ailleurs de par le monde musulman » et de « mettre l'État au service du colonisateur, dans son entreprise de lutte contre la religion... ».

Les cheikhs demandent des explications claires sur :
- L'existence au sein des rouages de l'État, d'éléments hostiles à la religion, qui ne sont que des agents du colonialisme et des vecteurs d'immoralité et de déperdition.
- La désignation de femmes et d'éléments suspects dans les corps de la magistrature et de la police.
- La perpétuation de la mise à l'écart des commandements de Dieu.
- L'empêchement du citoyen à jouir de sa liberté en le privant de l'exercice de son droit à la sécurité de sa personne, de sa religion et de ses biens.
- La persistance des pratiques tendant à éloigner la famille de la charia islamique.
- La mixité dans les écoles, les administrations et les entreprises publiques.
- La corruption et les actes immoraux pratiqués dans le secteur éducatif.
- La falsification du concept de culture.
- Le rejet de l'éducation islamique à l'école.
- La campagne de presse orchestrée par les medias nationaux et occidentaux pour freiner le renouveau islamique par l'État.

Enfin, ils exigent :
- De donner au développement économique, une orientation islamique.
- L'interdiction des opérations d'échanges illicites.
- La libération des personnes arrêtées.
- La réouverture des mosquées fermées à l'université, dans les lycées, collèges et établissements publics.
- La punition de tous ceux qui s'attaquent à la religion.

Ce rassemblement constitue un virage important dans l'histoire du mouvement islamiste algérien et un moment crucial dans le processus de maturation de son projet politique : l'instauration d'un État islamique. Le pouvoir réagit en arrêtant les leaders. Quelque part, un des protagonistes de l'alliance n'a pas respecté les clauses du contrat. Parallèlement à l'action politique des leaders, d'autres militants préparaient le passage à l'action armée. En effet, à peine un mois après le rassemblement devant la faculté centrale d'Alger et la distribution du *Manifeste islamiste*, un communiqué de l'agence algérienne de presse (APS), publié le 21 décembre 1982, a annoncé le démantèlement d'une organisation secrète spécialisée dans la fabrication de bombes à l'aide d'explosifs volés dans une carrière située à soixante kilomètres au sud d'Alger. Outre des armes à feu, précise le communiqué et neuf bombes fin prêtes à l'emploi, cette organisation disposait d'une panoplie de faux documents[24].

Comme nous le constatons, l'option armée a toujours été présente chez les islamistes algériens. D'abord parce que les islamistes considèrent le « djihad » comme un des piliers de l'islam (l'« obligation absente »). Ensuite, parce que la mouvance islamiste, alliance hétérogène de forces sociales différentes et d'intérêts divergents, produit, invariablement, à sa périphérie immédiate, des courants radicaux, qui font de la violence un moyen ultime d'accéder au pouvoir pour l'instauration de la République islamique, dès que les conditions et les rapports de force leur sont favorables. Dès lors, en ce qui concerne l'Algérie, affirmer que l'arrêt du processus électoral (en 1991) a été à l'origine de la violence islamiste (du terrorisme) serait faire preuve d'une totale méconnaissance de l'histoire de l'Algérie contemporaine et de la nature de l'islamisme. Le cycle de la violence islamiste a commencé dans les années soixante-dix pour aboutir, une décennie plus tard, à la naissance du Mouvement islamique armé (MIA).

LE MOUVEMENT ISLAMIQUE ARMÉ : NAISSANCE, ÉVOLUTION ET DÉMANTÈLEMENT (1982 - 1987).

Première organisation islamiste armée en Algérie, le Mouvement islamiste armé (MIA) a été constitué par Mustapha Bouiali, un ancien moudjahid, qui a rejoint les rangs de l'Armée de Libération nationale (ALN), en 1957, à l'âge de 17 ans. Arrêté en 1958, il sera relâché deux années plus tard, après avoir bénéficié d'une liberté provisoire. Au lendemain de l'Indépendance, en 1963, il participe au maquis du Front des Forces socialistes (FFS). Il adhère par la suite au FLN et devient coordinateur de la fédération FLN de Chéraga (Alger). Ecarté de son poste par les instances dirigeantes du FLN, on dit qu'il avait conçu une haine féroce contre ce parti[25].

À partir de 1976, Bouiali était devenu un simple employé de l'unité Sonelec d'Al-Achour (Alger), membre de la section syndicale et responsable de la commission « Hygiène et sécurité ». Il résidait à Oued Romane. À cette époque, il mit sur pied un comité de mosquée, jusqu'au jour où Abdelhadi fait son apparition. En effet, tout commença avec l'arrivée, en 1978, dans la petite mosquée d'El-Achour (Alger) de ce jeune imam originaire du Sud algérien. Ceux qui le connurent affirment qu'il était né en Tunisie, de père algérien et de mère égyptienne. M. Bouiali, alors président du comité de la mosquée, le sollicita pour des prêches. Il fut séduit par les talents oratoires du jeune imam, mais surtout par ses critiques acerbes contre l'État.

Abdelhadi, de son vrai nom Doudi Mohamed, n'était en fait qu'un jeune homme, qui accomplissait son service militaire dans une caserne qui se trouvait près de la mosquée El-Arkam de Châteauneuf (Alger). Là, il venait le soir écouter les sermons de Abassi Madani, mais dès que l'occasion lui fut donnée d'intervenir, il fit montre d'un talent oratoire indéniable et d'une grande hardiesse. Il devient très vite un prédicateur populaire. Sollicité par les mosquées de la région, il choisit de s'installer à la mosquée d'El-Achour. Ce fut un grand tournant dans la vie de Bouiali. Fasciné par le discours de ce jeune imam, qui défiait l'autorité de l'État, il découvrit lui-même, francophone de formation et dont les connaissances en théologie étaient plus que rudimentaires, une autre facette de l'activisme islamique, qui répondait davantage à son tempérament et à sa haine féroce du système. Après le départ de ce jeune imam en France, en 1980, Bouiali lui succéda à la tête de la mosquée d'El-Achour.

Dans une première étape, Bouiali organisa quelques expéditions punitives contre les débits de boissons alcoolisées et « autres lieux de débauche ». Il regroupa autour de lui quelques fidèles et créa le « Groupe de lutte contre le mal ». « *Nous sommes alors en 1980, Chadli venait d'accéder au pouvoir, on sentait qu'avec lui quelque chose allait changer. Dieu envoie des signes pour ceux qui savent les déchiffrer. Les islamistes avaient pris le pouvoir en Iran. Tout était possible. À Sidi Bel Abbés, un millier d'islamistes suite à l'arrestation d'un des leurs, assiégèrent la sûreté de wilaya et affrontèrent pour la première fois en Algérie directement la police. À la mecque des Algériens sont tombés sous les balles des policiers (allemands, français, saoudiens...) lors de la tentative d'occupation de la Kâaba. À Batna, à Tébessa les confrontations entre islamistes, parfois armés de fusils de chasse et les forces de l'ordre se multiplient. À Laghouat ce fut carrément l'explosion... Devenu leader actif et résolu Bouiali était au fait de toutes ces actions. Il comprit alors qu'entre le pouvoir et lui, l'épreuve devait se faire les armes à la main. Il s'arma du mieux qu'il put (...) et créa son parti "le mouvement islamique algérien". Ce mouvement sera pour lui la branche armée de la Daoua et la seule voie possible d'instaurer enfin en Algérie, une république islamique* »[26].

À la suite d'une affaire - dite « Affaire d'El-Achour » - au sein de l'unité Sonelec d'El-Achour où il était employé, Bouiali a fait l'objet d'une tentative d'arrestation, en date du 3 octobre 1981. Il réussit à s'enfuir et à se cacher. Quelques jours plus tard, par l'entremise de Youcef Yalaoui, secrétaire général de l'Organisation nationale des Moudjahidines (ONM) et de deux de ses anciens compagnons de la Guerre de libération, il rencontre El Hadi Lekhdiri, directeur général de la Direction générale de la Sûreté nationale (DGSN), qui lui donne toutes les garanties. Tranquillisé, Bouiali retourne à ses prêches à El-Achour, à Notre-Dame d'Afrique et au Ruisseau. Il dénonce l'État communiste, la nationalisation des terres, la corruption et cite des noms. Quelques mois plus tard, une autre tentative d'arrestation le pousse à replonger dans la clandestinité. Les tentatives de réconciliations n'aboutiront pas. Une véritable chasse à l'homme est déclenchée. En décembre 1982, un réseau terroriste spécialisé dans la fabrication de bombe est démantelé.

Par l'intermédiaire de B. Djaffar, qui connaissait Bouiali, Mansouri Meliani lui offre asile dans la région de Larbaa (Blida). À partir de là, les événements vont s'enchaîner les uns aux autres selon la logique d'un engrenage, qui va déboucher sur la création d'une organisation armée, le MIA, dont les objectifs seront l'instauration d'un État islamique par la violence[27]. « *Avec le concours des frères Mansouri, qui lui recommandent les services de Chebouti Abdelkader, connu dans la Mitidja pour ses sermons enflammés, Mustapha Bouiali décide de "franchir le Rubicon" et de passer à l'action : rédaction d'un guide (...) et création d'une organisation* »[28].

Toutefois, pareille décision requérait l'aval des oulémas et des principaux leaders de la mouvance islamiste. Bouiali tentera de se rapprocher d'eux dans le but de réunir un « Mejless ech-Choura » (Conseil consultatif), seul habilité à décréter le djihad. Un de ses lieutenants, A. Merrah, rapporte dans son livre, déjà cité, *L'Affaire Bouiali*, que celui-ci prendra langue avec A. Benhadj, M. Nahnah, cheikh Sahnoun, A. Sahraoui, A. Soltani et A. Madani, toujours dans le but de convoquer ce « Mejless » qui, finalement, ne verra jamais le jour, parce que la plupart de ces dirigeants seront arrêtés après le rassemblement à la faculté centrale d'Alger (fin 1982).

Anticipant l'approbation des cheikhs, Bouiali avait commencé à structurer les premières sections de l'organisation et se procurer les armes nécessaires. La première opération fut le vol d'une quantité d'explosifs à la carrière de Cap Djenet. L'opération fut exécutée dans la nuit du 7 au 8 novembre 1982. Les participants à ce vol sont Mustapha Bouiali, Ahmed Merrah, Mohamed Bousnina, Omar Ferrah, Abdelkrim Ramdane et Abdelaziz Ouali. Ils se sont emparés de 161 kilos d'explosifs[29]. La seconde opération surviendra quelques jours plus tard, le 17 novembre 1982 à Ben Aknoun (Alger), au lieu dit Moncada et visera un barrage de la Gendarmerie nationale. Suite à cet attentat, le quotidien , *El Moudjahid,* publie un avis de recherche à l'encontre de Mustapha Bouiali, Ahmed Merrah et Abdelkrim Benramdane, qui ont été identifiés. Toujours selon le témoignage de A. Merrah, l'organisation avait élaboré un programme d'attentats comprenant deux volets :

- L'assassinat de plusieurs responsables politiques et militaires dont le Président Chadli Bendjedid, le Premier ministre A. Ben Ahmed Abdelghani, le responsable du Parti FLN, Chérif Messaâdia et le colonel Attailia ;
- La destruction de certains édifices publics tels que l'aéroport international Haouari Boumediène d'Alger, le siège du Parti FLN, le siège de l'APN, le Palais de justice, l'immeuble de la Radio Télévision algérienne (RTA) et le siège du quotidien *El Moudjahid*.

Une vaste opération de recherches est déclenchée. Elle aboutit à l'arrestation de certains cadres dirigeants du MIA. Ainsi, le 16 décembre 1982, Mahfoud Haya (dit « Boualem ») est arrêté par les services de sécurité à Ben Hamdane, localité proche de Boufarik (wilaya de Blida). Cette arrestation permettra de remonter la filière jusqu'au groupe de Notre-Dame d'Afrique dont l'émir est Mohamed Bousnina (dit Hamoudi), chargé de la fabrication des bombes. Il sera arrêté le 17 décembre 1982 alors qu'il se trouvait au domicile de Mme Kezadri Zoubida, sœur de Bouiali et membre, elle aussi, de l'organisation. Cette arrestation permettra l'identification de la quasi-totalité des membres du MIA et le début de son démantèlement. Une ultime tentative de règlement pacifique sera cependant mise en œuvre par deux officiers de la Gendarmerie nationale, qui réussirent à établir un contact avec Bouiali. Mais, le 3 janvier 1983, son frère est abattu. Désormais, aucune négociation n'est possible.

Tandis que son prestige dans la clandestinité s'accroissait du fait de ses apparitions publiques dans des mosquées, pendant les heures de prière, et de l'incapacité des forces de l'ordre à l'arrêter, les rangs de son organisation grossissaient par l'arrivée de nouvelles recrues. Le passage à l'action demandait de l'armement et de l'argent. À la fin du mois d'août 1985 (dans la nuit du 21 au 22 août), un commando attaqua une entreprise publique (la DNC) à Ain Naâdja (Alger). Quatre-vingts millions de centimes furent dérobés lors de cette opération. Après avoir rempli les caisses, l'organisation armée est passée à l'étape suivante : l'acquisition de l'armement. Dans la nuit du 26 au 27 août 1985, la veille de l'Aid Al-Adha, qui marque la fin du mois de Ramadan, le MIA attaque l'école de police près de Soumaâ, située à quelques kilomètres de Boufarik, dans la wilaya de Blida. À la tête d'un groupe de seize personnes parmi lesquelles figuraient Mansouri Méliani, Abdelkader Chebouti et Abderahmane Hattab, qui seront à l'origine de la création des groupes islamistes armés dans les années 90, Bouiali investit l'école et s'empare d'un important lot d'armes et de munitions. Au cours de l'attaque, un policier sera assassiné.

Cette attaque sonna le glas du MIA. Le 22 octobre 1985, un groupe de 17 personnes est arrêté parmi lesquelles figuraient Azzedine Baâ, Abderahmane Hattab et Mansouri Méliani, futurs dirigeants des groupes islamistes armés après l'interruption du processus électoral en janvier 1992. Le 24 octobre 1985, une action massive des services de sécurité, appuyée par des hélicoptères, eut lieu contre une position repérée de Bouiali. Elle se solda par la mort d'une douzaine de gendarmes, mais permit d'anéantir l'essentiel du groupe de fuyards.

L'embuscade finale eut lieu le 3 février 1987. « *C'était un jour extrêmement pluvieux. Il faisait déjà nuit et Bouiali préféra dîner, avant de prendre le départ pour Bougara. De l'endroit où il se trouvait (Larbaâ), il pouvait voir la piste se perdre dans l'obscurité. Plus bas, à plusieurs centaines de mètres, elle aboutissait à la route nationale. C'est au carrefour, à l'abri des bosquets, des arbres et divers autres obstacles, que des dizaines d'hommes en uniforme et en civil, armés jusqu'aux dents, attendaient patiemment et silencieusement le signal. Ce signal, c'étaient des coups de phares que l'agent, conducteur du véhicule, devait leur donner. Bientôt, ils virent la masse noire de l'estafette, dévaler lourdement la piste, puis une fois, deux fois, trois fois, le phare de l'engin s'alluma. Alors, de partout, les armes retentirent. La camionnette de Bouiali fut criblée de balles ; Bouiali, l'agent et presque tout le groupe, ainsi qu'un officier de police, furent tués sur le coup* »[30].*

À maints égards, l'affaire de Bouiali reste une énigme. Certes, depuis, beaucoup a été dit et écrit, des faits cachés révélés et des complicités susurrées, mais beaucoup de zones d'ombre persistent, que rien, jusqu'à présent, ne vient dissiper. En effet, les tractations qui entourèrent l'action de Bouiali et l'irruption de son mouvement laissent deviner l'existence d'un contrat entre la présidence et les principaux leaders islamistes. Bouiali aurait-il été sacrifié sur l'autel de cette concorde nationale autour du projet libéral porté par le Président Chadli ; projet auquel les islamistes ont toujours été favorables ? « *Cet ancien maquisard (Mustapha Bouiali), âgé de 44 ans (...) était déjà condamné par contumace à la réclusion à perpétuité lors du procès de 135 fondamentalistes devant la cour de sûreté de l'État au mois d'avril dernier. En fait, comme beaucoup d'inculpés qui avaient recouvré la liberté à l'issue du procès, leur peine couvrant la détention préventive, Bouiali a bénéficié de l'indulgence des autorités, décidés à tirer un trait sur les frasques de 1982 et à s'appuyer sur le fort courant religieux pour mener à bien les réformes économiques (les intégristes sont favorables au "privé"). Malgré les appels à la réconciliation nationale autour du projet modéré porté par le Président Chadli, Bouiali et ses compagnons ont à nouveau caressé le rêve d'une "vraie" République islamique. Profitant de la relative liberté d'action qu'on lui laissait (ses voisins d'El Achour, dans la banlieue d'Alger, s'étonnaient parfois de le rencontrer dans les rues du village et sa femme a, paraît-il, accouché récemment d'un enfant parfaitement légitime). Bouiali a pu préparer son passage au maquis »*[31].

Après les événements d'octobre 1988 et l'ouverture démocratique, une mesure d'amnistie générale fut décidée par le Président, en faveur de tous les détenus d'opinion jugés avant le mois de février 1989. Cette mesure sera entérinée par l'APN, le 31 juillet 1990. Ainsi, la plupart des bouialistes seront relâchés en juillet et novembre de la même année. Plus tard, certains adhéreront au FIS, d'autres resteront à sa périphérie, mais la plupart en useront comme cadre légal pour relancer, une fois encore, le djihad. À noter, qu'au même moment où Bouiali se préparait à l'action armée, d'autres militants islamistes en faisaient autant, notamment à Bab El Oued et à Sidi Bel Abbés[32]. L'islamisme, parvenant à un niveau de puissance appréciable et à un stade de mobilisation avancé, ne peut déboucher que sur l'action armée.

4. QUATRIÈME ÉTAPE : ENTRE LA DÉSOBÉISSANCE CIVILE ET LA LÉGITIMITÉ PAR LES URNES (1988 - 1991)

S'il faut dater le début de la crise politique actuelle, c'est probablement aux années 85-88, qu'il faut remonter. C'est durant ces trois années, que les acteurs se positionnent, les stratégies s'affinent et l'intrigue se noue. La politique de « libéralisation » mise en œuvre par le régime va accroître les disparités sociales du fait de l'enrichissement sélectif d'une minorité. Une analyse étiologique de la crise algérienne conduit à souligner le rôle déterminant d'un certain nombre de facteurs économiques dans son déclenchement.

- LA CHUTE BRUTALE DES PRIX DES HYDROCARBURES : au début des années 80, l'Algérie bénéficiait d'une excellente santé financière grâce à des revenus pétroliers conséquents. Mais en 1985, de 43 dollars/baril, le prix chute brutalement la même année à 7 dollars.

- LE POIDS DE LA DETTE EXTÉRIEURE : en 1988, la dette extérieure algérienne s'élève à 26,067 milliards de dollars. En soi, ce n'était pas considérable, car rapportée au PNB, elle représente un peu plus de 40 % (contre 100 % pour le Maroc et environ 115 % pour l'Égypte). C'est surtout le service de la dette qui consommait 66 % des revenus annuels en devises.

- LA SÉCHERESSE : en 1988/1989, une sécheresse particulièrement sévère rendit plus insupportable la criante pénurie d'eau et entraîna une augmentation substantielle des prix des produits agricoles.

Une généreuse politique de redistribution du revenu national – allocation touristique, programme anti-pénurie (PAP), achats contre-remboursement, etc. – a été pour Chadli et son équipe, un moyen de domestication du mouvement social. Les effets pervers (effondrement de l'appareil économique, affaiblissement du pouvoir central, accroissement des disparités sociales, dégradation du niveau de vie des populations), qui découlèrent des restructurations/ réformes introduites, ne manqueront de provoquer le mécontentement. En effet, dès 1986, alors que le pays traversait une grave crise financière, conséquence de la chute brutale des prix du pétrole et de la diminution drastique des réserves en devises, éclataient à Constantine et à Sétif les « émeutes du pain ».

Les débuts des années 80 marquent l'avènement d'un nouveau cycle de violence dans un cadre historique nouveau caractérisé par la naissance de nouvelles formes d'identification collective faiblement marquées par l'intérêt ou l'appartenance de classe, mais solidement rivées sur des pôles plus culturels/idéologiques. Nous sommes alors témoins d'une mutation dans la nature et le caractère du mouvement social qui, désormais, ne prend corps et consistance qu'en dehors de tout cadre organique et politique, s'offrant de la sorte à toutes les manipulations possibles. C'est dans ce contexte, que surviennent les événements d'octobre 1988.

LES ÉVÉNEMENTS D'OCTOBRE 1988

Au mois de juillet 1987, le nouveau ministre de l'Intérieur, El Hadi Lekhdiri, présente devant l'Assemblée nationale populaire (l'APN) un projet de loi sur les associations. Les députés FLN y virent d'abord un subterfuge visant à contourner en catimini le monopole de leur parti. Un mois auparavant, un communiqué du Conseil des ministres annonçait une batterie de mesures économiques (l'introduction de l'autonomie de gestion des entreprises publiques et la redistribution des terres des domaines agricoles à de petits groupements de paysans). Conçues par la présidence sans consultation du parti, ces mesures montraient que le Président court-circuitait le FLN en dépit de la réaffirmation de son rôle dirigeant, lors du Congrès de 1985.

Dès lors, c'est l'affrontement déclaré. L'enjeu : le VIe Congrès du FLN, prévu pour décembre 1988, qui aurait à désigner le candidat unique aux élections présidentielles. Le Président Chadli était candidat à sa propre succession mais, ne pouvant s'autodésigner, il lui fallait impérativement obtenir l'investiture du parti. Le courant dit conservateur pouvait faire échec à la poursuite des réformes présidentielles et même à la candidature de Chadli par l'injection de ses partisans dans la commission de candidature que présidait un proche du Président, El Hadi Lekhdiri.

Voulant forcer le rapport de force, le Président, qui vient d'être éclaboussé par les accusations d'implication d'un de ses fils dans une vaste escroquerie bancaire, contre-attaqua, le 19 septembre 1988, dans un discours public qui, pour la première fois, porta à la connaissance de la rue, le différend qui l'opposait au FLN. D'une certaine façon, il désigna ce dernier à la vindicte populaire, en l'accusant de s'opposer, par esprit de système, à toutes les réformes. Dans les jours qui suivirent, une rumeur se répandit, de plus en plus persistante au fil des jours : « grève générale mercredi ». Ce mercredi annoncé arriva : ce fut le 5 octobre 1988. Très vite, les manifestations se transforment en émeutes ; les animateurs, jeunes pour la plupart, s'attaquent aux bâtiments officiels et édifices publics (sièges du parti FLN, mairies, galeries, souks El Fellah, tribunaux, ministères...), sans que les forces de l'ordre n'interviennent. Les émeutes s'étendent peu à peu à l'ensemble du territoire national. Le gouvernement, pour la première fois depuis l'Indépendance, proclama, le 6 octobre 1988, l'état de siège et fit appel à l'armée pour rétablir l'ordre. L'affrontement entre les manifestants et les forces de l'ordre et de l'armée firent, selon un bilan officiel des autorités, 313 victimes parmi lesquelles 159 morts et des milliers d'arrestations

L'IRRUPTION DES ISLAMISTES SUR LA SCÈNE ET LEUR RÉCUPÉRATION DES MANIFESTATIONS

Dès le premier jour des événements, les islamistes ont tenté de récupérer les manifestations. À cette fin, ils mirent en place une cellule de crise[33]. Le 6 octobre 1988, une déclaration signée Ahmed Sahnoun est rendue public. Il propose une issue à la crise en plusieurs points :
- l'instauration de la « choura » dans le pouvoir,
- la justice dans la répartition des richesses nationales,
- l'égalité de tous devant la loi,
- la pureté des mœurs et la sécurité de la religion,
- la liberté d'expression.

Le 7 octobre 1988, les islamistes organisent une marche[34] à partir de Kouba et Bab El-Oued vers l'hôpital Mustapha Bacha pour exiger la remise des corps des victimes entreposés à la morgue de cet hôpital. Après des discussions entre les représentants des manifestants et des éléments de l'armée, la foule se disperse dans le calme.

Le 10 octobre 1988, suite à un appel anonyme[35] à une marche, près de 20 000 islamistes investissent la rue. Cheikh Sahnoun qui avait lancé un contre-appel diffusé le matin même dans toute la capitale, tenta avec l'aide de cheikh Bouslimani et Mohamed Said de disperser la foule dans le calme. Ils y réussirent, mais une partie des manifestants habitant Bab El-Oued, arrivés à hauteur du siège de la Direction générale de la Sûreté nationale (DGSN), suite à un coup de feu d'origine inconnue, essuient des tirs de la part des forces de l'ordre. On a enregistré une dizaine de morts. Dans une lettre[36] adressée au Président, A. Sahnoun proteste et demande l'ouverture d'une enquête pour déterminer les responsabilités : « *Jamais je n'aurais cru vivre assez longtemps pour voir les protecteurs de la nation tuer les enfants de la nation. Je m'étais déplacé au quartier de Sidi M'hamed pour faire venir le calme dans l'esprit des jeunes qui aiment la religion et leur pays ; ils se sont dispersés vers leurs domiciles dans un calme et un ordre parfait. Et pendant qu'ils revenaient chez eux, les forces militaires leur ont coupé le chemin ; des morts sont tombés et des blessés. Vous êtes, Monsieur le Président, responsable de la sécurité des gens, pour cela nous vous demandons d'enquêter pour délimiter les responsabilités concernant ce massacre, parce que des pratiques pareilles ne vont pas dans le sens de la volonté générale pour le rétablissement de l'ordre, ni de l'intérêt de la nation. Dieu vous demandera des comptes sur chaque goutte de sang versé. Arrêtez la violence.* »

Le soir même, le Président prendra la parole. Dans son discours télévisé à la nation, il endossera la responsabilité de la répression des manifestants et annoncera la préparation d'un projet de réformes politiques. Ainsi, le Président parvient à doubler ses opposants et à récupérer les événements. « *Le discours présidentiel et les événements de la rue semblent se situer aux antipodes. Si aucun des slogans scandés par les manifestants d'octobre ne fait référence à une démocratisation de la vie publique, le discours présidentiel, lui, axera ses réponses sur l'introduction prochaine de réformes politiques et ne répondra à aucune des revendications populaires (injustice, chômage, logement...) dont les actes de déprédation à l'encontre de bâtiments et édifices publics restent le symbole* »[37].

Le 8 octobre 1988, une entrevue a eu lieu entre le Président et des dirigeants islamistes. Deux jours plus tard, le 10 octobre 1988, une délégation composée de A. Benhadj, M. Nahnah, A. Madani et A. Sahnoun est officiellement reçue par Chadli auquel elle remet un cahier de doléances. Ces rencontres consacrent les islamistes comme force d'opposition légitime et légale au pouvoir. Elles révèlent également la volonté du Président d'avoir des alliés en dehors des appareils, qui contrôleraient la rue et appuieraient ses réformes. C'est ainsi, qu'entre le Président et les islamistes, les contours d'une alliance objective, amorcée au début de la décennie, se précisent. Le 10 octobre 1988, le Président annonce un référendum pour le 3 novembre portant sur un projet de révision de la Constitution. Le 29 octobre 1988, le général Lakehal Ayat, directeur des services de renseignement (ex-sécurité militaire) et M. Chérif Messaadia, secrétaire permanent du FLN sont limogés. Le 25 novembre 1988, de nouvelles réformes, prévoyant l'ouverture du FLN à diverses sensibilités et la liberté des candidatures aux élections locales et législatives, sont présentées à l'APN. Le 27 novembre 1988, le VIe Congrès du FLN approuve les réformes engagées et désigne Chadli Bendjedid comme candidat unique à la présidence de la république et comme président du FN. Le 22 décembre 1988, Chadli est réélu pour un troisième mandat de cinq ans à la présidence de la République.

Le 5 février 1989, le texte de la nouvelle Constitution est publié. On y relève la suppression des références au socialisme, la reconnaissance du droit de créer des associations à caractère politique et syndical, l'institutionnalisation d'un Conseil islamique. Le 23 février 1989, la nouvelle Constitution est adoptée par référendum à une très large majorité. Le 5 juillet 1989, la loi relative aux associations à caractère politique est promulguée. Dans le dernier alinéa de l'article 5 de cette loi, il est stipulé : « *Aucune association à caractère politique ne peut fonder sa création et son action sur une base et/ou des objectifs comportant : un comportement contraire à la morale islamique et aux valeurs de la Révolution du 1er Novembre 1954. Dans ce cadre, l'association à caractère politique ne peut, en outre, fonder sa création ou son action sur une base exclusivement confessionnelle, linguistique, régionaliste, d'appartenance à un seul sexe, à une seule race ou à un statut professionnel déterminé* ». Faisant fi de cette disposition légale, Chadli imposera la légalisation du FIS, qui obtiendra son agrément le 6 septembre 1989.

Chadli s'est donc engagé dans une stratégie de « démocratisation surveillée/contrôlée ». En effet, immédiatement après la promulgation de la loi portant création des associations à caractère politique, l'Algérie est prise d'une fièvre partisane avec la naissance de plus d'une soixantaine de partis politiques (voir Annexe II). S'étant fait réélire président de la République, ayant éliminé ses adversaires dans les appareils de l'État et du parti et imposé la légalisation du FIS, il avait les mains libres pour mener à terme son projet. Ce projet s'inscrivait dans une visée « cohabitationniste », inspiré en cela par la formule mitterrandienne, à travers la cooptation d'une opposition islamiste, notamment le FIS, qui se traduirait par l'arrivée au pouvoir de ce dernier dans une coalition avec un FLN rénové.

À l'instar de M. Gorbatchev, Chadli a su déconstruire[38] – et ce n'est pas une mince affaire – mais à un prix exorbitant (des centaines de morts, une dette extérieure faramineuse, une économie totalement désarticulée, des appareils d'État en pleine déliquescence, un pouvoir discrédité et une société atomisée) ; générant de la sorte une fragilité structurelle effarante, qui a laminé les capacités immunitaires de la société dans son ensemble. Il a cherché à se placer au-dessus de la mêlée, comme l'homme de l'ouverture démocratique, mais les limites de ses capacités personnelles de refondation partisane autour d'un projet de société lui interdisaient d'entrer dans une logique de reconstruction. Là, gisent les raisons qui l'ont conduit à négocier avec le FIS. « *Sa loi sur les partis et les dispositions portant sur leur financement par l'État favoriseront à dessein, l'émergence d'une pléthore de micro-formations qui, dans la plupart des cas, sont des satellites de l'ex-parti unique. Non content de morceler ainsi les énergies démocratiques, les décideurs accorderont l'agrément à un parti religieux, le Front Islamique du Salut, en violation de la Constitution. Deux autres partis islamistes, Hamas et Ennahda, recevront à leur tour un agrément. Les décors étant alors campés pour la représentation macabre* »[39].

LES ÉLECTIONS COMMUNALES (JUIN 1990)

Le 20 avril 1990, le FIS organise une marche silencieuse vers la présidence de la République, regroupant des dizaines de milliers de personnes venues des quatre coins du pays. C'est au cours de cette marche, que les observateurs relèvent un changement dans le discours du FIS. La critique du système dans son ensemble est abandonnée et la personne du Président est préservée.

À l'issue de multiples tractations, le processus électoral est lancé, qui commence par les élections communales du 12 juin 1990. À propos des élections, des divergences profondes divisent le FIS en deux camps. D'un côté, les « pragmatiques », qui arguaient de l'incontournabilité du passage par les urnes. Leur référence religieuse est l'expression attribuée au Prophète : « *al-harb khida'* » (la guerre est ruse), qui veut que le recours à la « ruse » est licite dans les « batailles » contre l'« ennemi ». Ils envisagent les élections comme un simple moyen d'accéder au pouvoir. De l'autre, les « radicaux », qui déclarent illicite la participation aux élections.

Pour la participation du FIS aux élections communales, Ali Benhadj a été chargé de trouver la justification dans le Coran. Pour cela,

A. Benhadj se réfère au prophète Youssef, en se basant sur les exégètes de la sourate portant le même nom. Sous le titre de *Kechf enniqâb hawl dhawabite doukhoul el intikhâb* (*Levée du voile sur les conditions de la participation aux élections*). Dans son argumentaire, il établit, en huit points les conditions qui rendent licite, conforme à la charia, la participation à la gestion des communes. Les cinq premières sont d'ordre général, les trois suivantes sont étroitement liées au projet islamiste et révèlent qu'il n'est pas soluble dans une démarche démocratique :

- le candidat élu doit veiller à ordonner et à être obéi, mais à ne pas recevoir des ordres et obéir ;

- il ne doit pas être un exécutant de la « *jahiliya* » (le paganisme), mais œuvrer à son élimination conformément à une politique « chariatique » ;

- il doit refuser toute situation en contradiction avec la charia.

Cette vision conduit naturellement à nier la légalité républicaine. Il est donc évident que pour le FIS, le jeu démocratique n'est qu'une « ruse », un moyen d'accéder au pouvoir pour imposer un système politique conforme à la charia, c'est-à-dire un totalitarisme à la saoudienne ou à l'iranienne. La preuve en est que A. Benhadj ne cesse de répéter que le concept de démocratie est étranger à la langue et à la culture arabes, que les systèmes qui s'en réclament sont des ennemis irréductibles de l'islam, que son importation constitue un complot ourdi par les « judéo-maçonniques », le « sionisme international », les « occidentaux » et les « communistes » dont la visée est d'affaiblir la « Oumma » et d'anéantir l'islam. Dans un article paru dans l'organe du FIS, *El-Mounqidh*, A. Benhadj est très explicite à ce propos : « *L'idée démocratique est au nombre des innovations intellectuelles néfastes qui obsèdent la conscience des gens. Ils l'encensent du matin au soir, oublient qu'il s'agit d'un poison mortel dont le fondement est impie (...). Ce vocable importé du monde des infidèles, cache des croyances corrompues et des conceptions licencieuses, qui heurtent l'islam au plus profond et distillent leurs idées fausses auprès de la jeunesse musulmane en particulier et des gens en général (...). Nous devons quand même nous demander : que signifie le libéralisme démocratique ? Il s'agit d'une expression d'origine européenne, qu'il nous faut étudier dans le contexte de cette seule culture (...). Nous refusons tout le dogme démocratique impie, sans la moindre faiblesse (...). Derrière ces idéologies occidentales, qui se réclament d'une liberté totale, se cachent de dangereux mobiles dont le plus grave est la victoire du matérialisme et du marxisme et d'une idéologie licencieuse et athée. Tout cela répond aux objectifs contenus dans les protocoles des Sages de Sion. Selon les termes du premier protocole, "nous avons été les premiers à en appeler aux peuples au nom de liberté, égalité, fraternité". Ces mots n'ont cessé d'être serinés jusqu'à aujourd'hui par des perroquets. Ils ont corrompu le monde comme ils ont corrompu les vraies libertés de l'individu.*

Le mot liberté dresse les groupes humains contre toute autorité jusqu'à la "sunna" de Dieu. C'est pourquoi, autant que nous le pourrons, nous efface-rons ce vocabulaire. Le mot liberté est au nombre des poisons maçonniques et juifs, destinés à corrompre le monde sur une grande échelle. Pour nous, au contraire, en islam, la liberté est enchaînée par la "charia" et non par le droit ni, comme ils disent, par le souci de ne pas nuire à autrui.

Au musulman, il est interdit de changer de religion : "Celui qui change de religion, tuez-le", a dit le Prophète. On lui applique le châtiment de l'apostat. La liberté d'expression ne permet pas au musulman de blasphé-mer, de contester sa religion ni de se révolter contre ses normes (...). Il ne doit pas consommer d'alcool ni avoir des relations sexuelles illicites, sous peine de se voir appliquer, sans pitié et publiquement, les châtiments prévus pour ces transgressions (...). Une femme s'expose à être châtiée si elle sort légèrement vêtue ou maquillée. De même le musulman doit se limiter aux nourritures qui lui sont permises (...).

Compte tenu de ce qui vient d'être dit sur la liberté en islam, nous considérons que la liberté absolue, au sens où l'entend la démocratie, contredit la condition de l'être soumis à Dieu (...).

La démocratie impie considère que l'homme construit son destin indé-pendamment de son créateur. La formule immorale "Donnez à César ce qui revient à César et à Dieu ce qui revient à Dieu" est à l'origine du principe de séparation de la religion et de l'État, fondement philosophique de la démo-cratie.

J'ai déjà écrit ailleurs que la séparation de la religion et de l'État équi-vaut très exactement à la prétention des juifs et des chrétiens de couper la vie de la religion, ce que Dieu a formellement condamné »[40].

C'est cet homme, qui émet une « fatwa » déclarant « licite » la par-ticipation du FIS aux élections municipales. Les résultats (avec un nombre de votants égal à 8 366 760 et un taux de participation de 65,15 %) confirment l'irrésistible ascension du FIS. Sur les 1 539 communes dotées d'un nouveau conseil communal, 853 (soit 55,42 %) reviennent au FIS (voir Annexe III, les scores obtenus par le FIS par wilaya et la répartition géographique). « *En effet, toutes les grandes mé-tropoles et toutes les villes intermédiaires de l'intérieur ont été conquises par le FIS. C'est parmi les citadins cultivés, la classe ouvrière, les couches mar-ginalisées, les intellectuels arabisants et les ouvriers vivant dans les fiefs traditionnels des grandes sociétés nationales, les déclassés, les plébéiens et tous ceux qui sont "clochardisés", socialement marginalisés que le mou-vement islamiste recrutait ses sympathisants et a trouvé les voix qui ont exprimé la contestation de la bureaucratie »*[41].

ÉTÉ 1991 : ÉCHEC DE LA STRATÉGIE INSURRECTIONNELLE ET DE LA CAMPAGNE DE « DÉSOBÉISSANCE CIVILE »

N'ayant aucune expérience dans la gestion des affaires publiques, n'ayant pu tenir aucune de leurs promesses électorales, notamment en matière de logement et de travail, ce qui n'a pas manqué d'influer sur leur popularité, les islamistes craignaient, à l'approche des législatives prévues fin juin, un grave désaveu de la part de leurs électeurs déçus. Conscients de ce risque, les islamistes prêtaient au pouvoir des intentions de mettre le FIS en difficulté dans la gestion des communes, afin de porter atteinte à sa popularité. Cette prise de conscience et les effets induits par la guerre du Golfe ont provoqué une radicalisation du FIS. Lors d'un rassemblement à Constantine, à l'occasion du 1er Novembre, A. Madani affirme : « *Par le dialogue, nous changerons le régime. Si celui-ci recule, alors ce sera le djihad* ». Il poursuit, « *Peuple algérien, ta position est cruciale. Ou la victoire ou le martyr au nom de Dieu. Cette année sera celle de l'instauration de la république divine* »[42].

Par ailleurs, le 1er avril 1991, la loi électorale est votée par l'Assemblée ; une loi, concoctée dans les bureaux du ministère de l'Intérieur, taillée sur mesure pour assurer la victoire du FLN. Dès lors, l'épreuve de force est déclenchée. Le 2 avril, A. Madani, dans une conférence de presse agite le spectre d'une grève générale illimitée. Le 14 avril 1991, en réponse à l'armée, qui avait mis en garde le FIS contre « *une vaste conspiration visant à la dislocation du monde musulman* », déclare que si celle-ci tente d'empêcher le FIS de recourir à une grève générale, ce dernier « *combattra l'armée jusqu'à l'anéantissement* », menaçant d'en appeler au « djihad » si le Président refuse d'organiser des élections présidentielles anticipées. Les choses s'accélèrent. En effet, le vendredi 24 mai, A. Madani annonce le déclenchement d'une grève générale illimitée pour le lendemain. Ses principales revendications sont la révision du découpage électoral et la tenue d'élections présidentielles anticipées en même temps que les législatives. En réalité, dans sa vision des choses, il ne s'agit pas d'une grève, mais d'une « campagne de désobéissance civile » illimitée jusqu'à l'effondrement de l'État. Le texte – fixant la forme, les étapes, les objectifs et explicitant les fondements théologiques – rédigé par Saïd Makhloufi, sous le titre de « *La désobéissance civile, fondements, objectifs, moyens et méthodes* », circulait, déjà, sous le manteau, à l'intérieur du parti et dans les mosquées, depuis le mois de janvier 1991.

En effet, la prétendue grève générale est en réalité une « campagne de désobéissance civile », une insurrection programmée.

De l'utilisation du Coran aux contenus des slogans, l'objectif est clair : déposer le chef de l'État et son gouvernement, remplacer les textes constitutionnels par la charia et instaurer une République islamique « *tout de suite et maintenant, pas besoin de passer par des élections* » vocifèrent les manifestants. On entendait ou on lisait, sur les banderoles et les pancartes brandies par la foule, les slogans suivants :
- « *Chadli barra* » (Chadli dehors),
- « *dawla islâmiyya* » (État islamique),
- « *la mithâk la destour qâla Allah qâla Errassoul* »
  (ni Charte ni Constitution, Dieu a dit, le Prophète a dit »,
- « *Li tasqout ed-dimoucratiya* » (À bas la démocratie),
- « *dawla islâmiyya bla ma n'voti* » (État islamique sans voter).

Sur le terrain, l'opération se traduit par l'occupation de tous les lieux ou espaces publics. Les mosquées deviennent des postes opérationnels et des centres de propagandes. À défaut de paralyser le pays, le FIS paralyse les rues. Les marches sont permanentes dans les rues des grandes et moyennes agglomérations urbaines. Le Coran brandit haut la main, les drapeaux noirs frappés du sceau de la profession de foi musulmane, à la manière saoudienne, agités dans tous les sens, huant le pouvoir, scandant des slogans et entonnant le chant du « djihad », les manifestants sont dans un état second. C'est surtout sur Alger, que se sont concentrés les efforts du FIS. Des dizaines de milliers de personnes occupent les places publiques. À la Place du 1ᵉʳ Mai (à proximité de l'hôpital Mustapha Bacha) comme à la Place des Martyrs on dort à la belle étoile. Quelques tentes y sont dressées, quelques femmes aussi sont cachées derrière des tentures faites de bâche, de couvertures ou des sachets en nylon. Des haut-parleurs diffusent en permanence les dernières nouvelles et les prêches. En face, les brigades anti-émeutes sont prêtes à intervenir. À partir du 1ᵉʳ juin, à Alger, la « grève politique pacifique » vire à l'insurrection. 200 000 individus sont dans les rues ; entre El Harrach et Bologhine (ex-saint Eugène), plus de deux milles barricades sont érigées. Tous les bâtiments publics, militaires et de police compris, sont encerclés. Une tentative d'attaque contre le siège de la sûreté de wilaya d'Alger par des manifestants criant « Chorta islâmiyya » (Police islamique) et « dawla islâmiyya bi es-seif oua bi eddem » (État islamique par l'épée et par le sang) est signalée. Dans plusieurs quartiers d'Alger des affrontements éclatent entre manifestants et forces de l'ordre.

Le mardi 25 juin 1991, le soir, l'Algérie entière a appris en suivant en direct à la télévision la prestation des trois membres du « Conseil consultatif national » du FIS, Bachir Fekih, Hachemi Sahnouni et

Ahmed Merrani, que « Abassi Madani est le principal danger pour l'Algérie et le FIS ». Ils invitent les militants du FIS à ne plus obéir à ses instructions[43]. En réaction à ces révélations, Abassi Madani signe deux communiqués : le premier présente une série de douze recommandations destinées à toutes les instances du parti. Il ordonne la préservation du caractère pacifique de la grève et le maintien d'un service minimum dans les communes dirigées par le FIS. Mais dans les faits, c'est l'inverse qui se produit. Le deuxième communiqué, qui allait provoquer l'instauration de l'état de siège et l'intervention de l'armée (le 5 juin 1991) précise que « *Le comité de direction et de suivi de la grève a appris que le FIS allait cesser la grève, nous informons l'ensemble du peuple algérien que cette nouvelle n'est qu'une rumeur intentionnelle dont le but est de perturber les rangs des grévistes. Le Front saisit cette occasion pour confirmer de nouveau que l'arrêt de la grève ne peut provenir d'aucune autre partie, quelle qu'elle soit, que cheikh Abassi et Ali Benhadj. Prenez garde, ô masses, des rumeurs...* »

Le premier juin – jour de lancement officiel de la campagne électoral pour les élections législatives prévues pour le 27 du mois –, fut le premier jour où des actions terroristes sont enregistrées. Après l'échec de la grève insurrectionnelle, le retour à l'option armée prônée par les « djihadistes « se confirme. Des militants islamistes armés organisent des barrages et filtrent la circulation dans certains quartiers. Un gendarme est tué. Des policiers et des militaires sont enlevés. Un commissariat de police d'Alger est pris d'assaut avec vol d'armes et incendie des locaux. Les agents des forces de l'ordre et les militaires enlevés sont séquestrés et jugés par un « tribunal islamique » installé dans le principal hôpital d'Alger, Mustapha Pacha occupé par les islamistes, notamment au niveau du pavillon des urgences pour contrôler les entrées et les sorties des blessés et des médecins. Une attaque des bâtiments du Trésor public a été déjouée *in extremis*.

Dans la nuit du 3 au 4 juin, les services d'ordre interviennent pour évacuer les places publiques. Les affrontements qui s'en suivent font plus d'une dizaine de morts. Le 5 juin, le président de la République décrète l'état de siège pour une durée de quatre mois, reporte les élections législatives et annonce la démission du gouvernement de M. Hamrouche. Un couvre-feu est instauré dans quatre wilayas du centre : Alger, Blida, Boumerdès et Tipaza.

Réagissant à ces mesures, le FIS répond par le maintien de la grève. Le 6 juin, un document, « instruction en 22 points », signé, conjointement, par A. Madani et A. Benhadj, au nom du « Comité national du suivi et de la gestion de la grève », est adressé aux Bureaux exécutifs locaux. On y relève les recommandations des « chefs » relatives à la poursuite de la grève amorcée (voir annexe IV).

Ainsi, l'insurrection est officiellement entérinée. Les rédacteurs de ladite « instruction » sont A. Madani, A. Benhadj et Kamerdine Kherbane[44]. L'évacuation des places publiques tourne au drame : 95 morts et 481 blessés (dont 18 morts et 181 blessés parmi les agents des forces de l'ordre), 16 sièges d'institutions publiques détruits, 360 véhicules endommagés et plus de deux cent cinquante milliards de dinars de perte.

Plusieurs initiatives sont prises pour désamorcer la situation de plus en plus explosive. Le 7 juin 1991, après une entrevue avec le nouveau chef du gouvernement, M. Sid Ahmed Ghozali, A. Madani annonce officiellement la fin de la grève générale. Mais l'arrêt officiel de la grève ne met pas un terme à l'insurrection. Loin s'en faut, le FIS maintient le cap et poursuit sa campagne de « désobéissance civile ». A. Merani, membre fondateur du FIS et dissident, révèle, dans son livre, *La fitna* (La discorde), édité en 1999, à compte d'auteur, que A. Madani réunissait en secret les présidents des bureaux communaux du FIS pour les inciter à provoquer des troubles en usant de tous les moyens et avait chargé Boukhamkham et A. Djeddi de prendre attache avec les bureaux départementaux afin d'entretenir le « désordre » dans le reste du pays.

Sur la base de cet ordre et en application du 11e point de l'« instruction en 22 points », que les militants, qui devaient rejoindre les maquis ou plonger dans la clandestinité, prirent leurs dispositions. Le 12 juin 1991, un Français converti à l'islam est arrêté avec plusieurs armes automatiques et des produits explosifs dans le coffre de son véhicule. Il aurait rencontré A. Benhadj pendant la guerre du Golfe. Il avait déclaré, qu'il était venu en Algérie pour se battre aux côtés du FIS contre les « attaques des laïcs et des athées ». Les choses s'enveniment le 24 juin, quand l'armée intervient pour rétablir sur le fronton des mairies la devise officielle de l'Etat, « *la révolution par le peuple et pour le peuple* », que le FIS avait remplacé par « *Commune islamique* ». En effet, avant cette date, les autorités avaient lancé au FIS un ultimatum afin qu'il procède lui-même au rétablissement de la devise officielle. Ce dernier a refusé d'obtempérer. Il a opté pour la confrontation avec l'armée ; ses dirigeants locaux se sont opposés, les armes à la main, aux forces de l'ordre. L'ex-responsable FIS de la ville de Lakhdaria, Omar Chikhi, qui avait rejoint le maquis à cette époque, révélera plus tard à la presse nationale que « *les affrontements entre nous et les forces de sécurité qui sont venues enlever la "devise islamique" du fronton de la mairie de Lakhdaria ont duré deux journées entières. Nous, nous étions armés de fusils de chasse mais les forces de l'ordre avaient pris des positions de tirs meilleures que les nôtres. Beaucoup de blessés sont tombés des deux côtés. Nous détenions un policier, kidnappé au début des affrontements, que nous avions placé en "bouclier humain" devant nous pour nous prémunir des grenades ou des lacrymogènes pour nous obliger à sortir des positions que nous avions occupées. Cependant après deux jours d'affrontements, la situation nous échappait d'entre les mains et nous ne maîtrisions plus nos éléments les plus zélés pour la violence qui s'étaient armés de poignards et d'épées qu'ils ont utilisés pour tuer le policier que nous avions en otage »*[45].

Ce qui, poursuit, ce responsable local du FIS, l'a amené à prendre la fuite avec son groupe pour s'installer à Zbarbar, où s'est constitué, vers la fin du mois de juillet, le premier maquis islamiste armé. En réalité, dès le lendemain de l'arrêt de la grève insurrectionnelle (le 7 juin 1991), des petits groupes armés se sont constitués sous la férule des éléments djihadistes, qui récusaient la démarche légaliste du parti et refusaient à l'avance le verdict des urnes. A titre d'exemple, le 26 juin 1991, K. Kherbane est déjà à la tête d'une organisation armée, « El baqoun 'Ala al-'Ahd » (les Fidèles au serment) qu'il crée avec Said Makhloufi, auteur de l'opuscule sur la « désobéissance civile ». Ce mouvement de création de groupes armés s'inscrit dans le prolongement de la stratégie mise en œuvre par le FIS, dès 1990, avec la constitution, par des éléments d'« El Hijra oua Ettakfir », d'une organisation armée dénommée, « Youm El Hissab » (le jour de la Rédemption).

Le 30 juin, A. Madani et A. Benhadj sont arrêtés avec cinq autres dirigeants. Mais les troubles continuent ce qui entraînera une vague d'arrestations dans les milieux islamistes du FIS. Cette opération s'est soldée par plus de 2 000 interpellations. Beaucoup parviennent à échapper aux arrestations. Ils rejoindront l'une des deux organisations armées du FIS : celle que Abdelkader Chabouti était en train de se mettre en place et qui se manifestera comme branche armée du parti que six mois plus tard et celle de Kamerdine Kherbane et Saïd Makhloufi. D'autres encore, rejoindront les noyaux déjà structurés sous les ordres de Mansouri Miliani, qui constitue l'ossature de ce qui deviendra, plus tard, le GIA. *« Pour tous ces petits groupes qui refusent à l'avance le verdict des urnes, l'attaque de la caserne de Guemmar est la première bataille de la guerre sans merci contre la "junte" qu'un congrès secret, réuni en juillet sur le mont Zbarbar, entre l'Algérois et la Kabylie, a décidé de proclamer. La plupart des futurs responsables des groupes armés participent à cette réunion clandestine. On y trouve notamment, autour d'Abdelkader Chebouti et de Mansour Meliani, anciens lieutenants de Bouyali, Abderahime Hocine, directeur de cabinet de Abassi Madani, Saïd Makhloufi, ancien capitaine de l'armée de terre, auteur du manuel de résistance civile distribué pendant la grève insurrectionnelle du printemps, Qamar Eddine Kherbane, ancien pilote de Mig, vétéran de l'Afghanistan et Omar El Eulmi, président du SIT.*

Comme on peut le voir, l'interpénétration entre le FIS et les groupes armés est déjà un fait. Elle va devenir, au fil des ans, si inextricable qu'on finira par ne plus savoir où finit le parti et où commencent les organisations militaires. Quant aux militants, ils passeront de l'un aux autres, au gré des circonstances politiques, des ralliements et des alliances. »[46]

5. CINQUIÈME ÉTAPE : DU PREMIER MAQUIS À L'INTERRUPTION DU PROCESSUS ÉLECTORAL (Juillet 1991 - Janvier 1992)

Les arrestations opérées dans les milieux islamistes visaient la dislocation du FIS et sa recomposition autour d'un pôle d'éléments modérés capables de réinsérer le parti dans le jeu démocratique, d'un côté, et la neutralisation des groupes terroristes en formation, de l'autre. C'est ce qui explique le caractère ciblé des arrestations, qui ont touché les éléments radicaux sans mordre sur les modérés ni remettre en cause l'existence du FIS. Cette stratégie de gestion procède de la volonté du pouvoir de poursuivre le processus électoral et de sa conviction que l'islamisme est soluble dans la démocratie. Tout cela explique le fait que « *L'armée prit en main la gestion politique de la crise afin de contrôler la relance de la transition et d'en établir les limites ; mais elle ne prit pas le pouvoir. Tout en réprimant la ligne insurrectionnelle du FIS (ses leaders Abassi Madani et Ali Benhadj furent arrêtés), on ne s'en prit pas à la base du mouvement* »[47]. L'affaiblissement de la tendance « djihadiste » a permis aux « djaz'aristes » de s'emparer de la direction du FIS. En effet, le surlendemain de l'arrestation des « chouyoukhs », Mohamed Saïd apparaît porteur d'un message de A. Madani le désignant comme son successeur. Le 2 juillet 1991, A. Hachani signe avec lui un communiqué qui les place *de facto* comme les nouveaux chefs du FIS. Selon ce communiqué, A. Madani « *Lors de la dernière rencontre avant son arrestation a insisté sur la préservation de la voie du FIS en tant que parti politique qui se donne pour objectif la solution islamique globale sur la base de la revendication et la lutte victorieuse dans le cadre de la légitimité et la légalité* ». Le communiqué insiste sur la fidélité à la ligne du FIS pour la concrétisation de son projet islamique par la voie pacifique et légale et annonce une réunion prochaine des représentants de wilaya pour examiner la situation et élaborer un programme de travail.

L'auto-proclamation des chefs de file de la tendance « djaz'ariste » suscite l'ire des autres membres du « Mejless ». C'est à ce moment-là qu'une « cellule de crise » clandestine est mise en place, afin de parer à toute éventualité, tout en continuant à se préparer pour le second tour des élections. Sa création fut décidée sur proposition de A. Hachani. Face aux désaccords sur le choix des membres qui devaient faire partie de cette cellule, A. Hachani, alors président du Bureau Exécutif Provisoire (BEP) du parti, depuis le Congrès de Batna du 25 juillet 1991, a le pouvoir de désigner les membres de cette structure clandestine.

Sous la direction de A. Hachani, ladite « cellule de crise » se composait des membres suivants : Mohamed Saïd, Aderrezak Redjem, Yekhlef Cherati, Kacem Tadjouri, Mohamed Aoun, Ahmed Zaoui, Nasserdine Terkmane, Ahmed Bouadjlane, Annouar Haddam, Mohamed Saïd Moulay et Rabah Kebir. L'existence de cette « cellule » n'a jamais été rendue publique, ni les noms de ses membres. Cependant, au lendemain de l'interruption du processus électoral (11 janvier 1992), ce fut elle qui est devenue l'instance dirigeante du parti, sous la présidence de Hachani, jusqu'à son arrestation, le 22 janvier 1992, puis celle de R. Kebir, quelques jours après.

Revenons à la façade légale du FIS. La course pour le contrôle du parti débouche sur la réunion des présidents des Bureaux exécutifs de wilaya, le 7 juillet 1991, au cours de laquelle, un « Bureau exécutif provisoire » (BEP) a été désigné dont Mohamed Saïd est le porte-parole officiel et Abdelkader Hachani, l'adjoint. Mais, à l'issue de cette réunion, Mohamed Saïd a été arrêté en pleine conférence de presse, pour un prêche au ton extrêmement menaçant qu'il avait tenu, l'avant-veille, lors de la prière du vendredi. Moins de trois semaines plus tard, Hachani présidera, les 25 et 26 juillet 1991, une rencontre nationale du FIS, qui a regroupé les représentants de l'ensemble des wilayas. Une nouvelle direction est désignée et Hachani est officiellement le nouveau patron du FIS (voir annexe V).

Nous sommes donc face à deux « directions » du FIS : Une « Direction » légale issue du Congrès de Batna, qui prépare les élections législatives et une « Direction » clandestine organisée en « cellule de crise » chargée de la préparation de la lutte armée. Dès lors, du Congrès de Batna (juillet 1991) à la dissolution du FIS par voie de justice (mars 1992), l'histoire de ce parti se décline sur deux registres différents (politique/légale et militaire/clandestine) et à travers trois structures distinctes : le « Bureau exécutif provisoire » (face légale), la « cellule de crise » (instance clandestine de préparation du « djihad ») et les groupes armés formés autour de Abdelkader Chebouti, Saïd Makhloufi et Omar Eulmi.

La jonction/coordination entre ces deux registres et ces trois cadres était assurée par Yekhlef Cherati : l'idéologue de la « cellule de crise » et l'homme clef du « Bureau exécutif provisoire » au sein de la branche armée. « *C'est par Cherati que l'ex-parti aura la haute main sur cette organisation. Ce "cheikh" a une carte de visite qu'il aurait pu pourtant utiliser pour éclairer le commun des croyants. Il est considéré comme l'un des meilleurs connaisseurs du Coran en Algérie, sachant le réciter des sept manières différentes connues, ayant eu une formation religieuse en Arabie Saoudite, mais il a choisi d'être un salafiste pur et dur et préféré atterrir à la mosquée de la cité la Montagne (Alger), où il se fera connaître par ses prêches incendiaires. Il deviendra membre de la commission centrale de prédication ("daâwa wa irchad") du parti dissous, où il aura un certain prestige du fait que c'est lui qui faisait l'ouverture des grands rassemblements par la lecture du Coran. Il n'est pas inutile de préciser qu'il est devenu membre du Bureau exécutif provisoire (BEP), issu du congrès de Batna, et président de la commission en question. Ce dirigeant donc, de ce que Merani appelle le MIA, s'est retrouvé au lendemain du premier tour des législatives, membre de la "cellule de crise". C'est même sans doute pour cette raison qu'il y a été intégré. Autrement dit, au moment de la création de la "cellule", le bras armé qui deviendra plus tard l'AIS y était représenté* »[48].

Cherati est entré en clandestinité dès l'échec de la « grève insurrectionnelle » de mai-juin 1991. Depuis, avec Chebouti, Saïd Makhloufi, Azzedine Baâ et Miliani Mansouri et Omar Eulmi, il avait commencé à mettre en place une organisation armée. C'est-à-dire qu'au moment où il fut choisi par Hachani comme membre de la nouvelle structure dirigeante du FIS, le BEP, Cherati est déjà un chef terroriste.

En effet, au même moment où se tenait le « Congrès de Batna », les 25 et 26 juillet 1991, Abdelkader Chebouti – ancien marchand ambulant, imam de formation avant de rejoindre l'organisation terroriste de Bouiali dans les années 80 – tenait, quelque part, dans les monts de Zbarbar (wilaya de Bouira), un autre « congrès » dont l'objectif était de donner un cadre et une direction à la branche armée du FIS C'est alors la résurrection du « Mouvement islamique armé » (MIA). Pour les bouyalistes, ce fut l'occasion de prendre leur revanche sur l'histoire et de continuer l'œuvre de Bouiali. Leur objectif, en relançant dans la hâte le MIA, était de supplanter les autres tendances pour être l'unique force représentative du « djihad » en Algérie. En effet, à ce même moment, Saïd Mekhloufi est non seulement un des principaux fondateurs du MIA, mais il est déjà à la tête d'une organisation terroriste, « El-Bâqoun 'Alâ al-'Ahd » (les Fidèles au serment), qu'il a créé, avec Kamer Eddine Kherbane et Oussama Madani (un des fils du président du FIS), un mois auparavant. De leur côté, les « djaz'aristes » craignant de perdre tout contrôle sur les groupes armés, déjà dominés par les salafistes, activent au sein de la « cellule de crise » pour se doter de leur propre organisation armée. C'est ainsi que le « Front islamique pour le djihad en Algérie » (FIDA) a été créé sur ordre de cette même « cellule de crise », qui a chargé Abdelwahab Lamara, dit Larbi, de l'organisation de ce groupe armé.

Ainsi, quand se tient le « Congrès de Batna », chacune des tendances, représentées au sein du FIS, disposait déjà de sa branche armée : le FIDA pour les « djaz'aristes », le MIA pour les bouyalistes (anciens « salafistes djihadistes ») et « Al bâqoun 'Ala el-'Ahd » pour les « néo-djihadistes ». À cela, il faut ajouter, plusieurs autres groupes armés, totalement hermétiques à l'idée d'une action politique légale, qui s'étaient constitués sous la direction des membres d'organisations déjà clandestines comme « El Takfir oua el-Hijra » ou certains vétérans de la guerre d'Afghanistan (appelés les « Afghans »).

Au plan idéologique, une somme de « fetwas » ont déclaré le « djihad » licite. Yekhlef Cherati a édité treize cassettes audio au nom de la cellule de crise. En septembre 1991, Ali Benhadj fait parvenir de sa détention sa première lettre *Lettres de derrière les barreaux* au parti[49]. Le manuscrit sera saisi sur micro en 22 pages et diffusé en 20 000 exemplaires. L'échec de la grève insurrectionnelle de mai-juin 1991 s'expliquerait, selon lui, par la « volonté de Dieu d'imposer au FIS, une épreuve ». Ensuite, puisant abondamment dans l'argumentaire des maîtres à penser de la « salafiya djihadiste » (Ibn Taymiyya, Ibn Jawzia, Sayyid Qotb, etc.), il justifie la guerre contre les « gouvernements tyranniques qui ne dirigent pas selon la loi révélée ». Ensuite, un fait nouveau, qui annonce les massacres à venir des populations civiles par les groupes islamiques armés. A. Benhadj divise la société en deux grands camps opposés : les musulmans, lui et ses partisans, qui se sont rangés du côté de Dieu et de son Prophète ; au pôle opposé, les tyrans. Il n'y a pas de place pour ceux qui refusent de s'impliquer dans l'affrontement. Ils sont assimilés à ceux qui délaissent les obligations canoniques. À ce titre, ces « abstentionnistes » (el moumetani'a) doivent être également combattus.

Dans le prolongement de cet « *Ijtihâd* » (effort personnel d'interprétation) pour justifier le « djihad », le quotidien du gouvernement *El Massa* (Le Soir) publie, le 2 octobre 1991, un communiqué de Saïd Mekhloufi où il est dit que « *l'instauration d'un régime islamique pour sortir le pays et la Oumma du malheur et de la misère qui lui sont imposés par cette bande tyrannique et criminelle* » est une obligation religieuse. Quelques jours plus tard, il récidive dans une interview accordée au journal arabophone (privé), *El Khabar* (du 8 octobre 1991) à travers laquelle il appelle le peuple algérien à prendre les armes contre le pouvoir qui a pris les armes contre le peuple.

Cependant, de cet ensemble de fait, il ne faut guère déduire que l'idée de création d'une branche armée n'aurait germé au sein du FIS qu'à l'issue de l'échec de la « grève insurrectionnelle » de mai-juin 1991. D'abord, parce que cette « grève insurrectionnelle » n'est, elle-même, qu'une étape dans la préparation du « djihad ». Ensuite, parce que des maquis islamistes existaient depuis bien longtemps. Dès sa création, le FIS a installé dans diverses régions du pays, en zones rurales, des camps d'entraînement aux arts martiaux, aux sports d'endurance (courses à pied, marches, escalades d'obstacle) et aux techniques du close-combat. L'existence de ces camps d'entraînement était connue de tous.

À partir de 1990, nous assistons à la préparation logistique des maquis notamment à la construction de casemates souterraines. Dans les communes contrôlées par ses cadres, au lendemain des élections locales (juin 1990), le FIS a utilisé les moyens des communes (transport, matériaux de construction, véhicules BTP, etc.). *« La référence au "djihad" a caractérisé, dès les premiers jours de sa création, le discours public du parti dissous (le FIS). L'on se souvient, dès la première conférence de presse du 22 août 1989, à l'occasion de son dépôt d'agrément, Abassi n'hésite pas à déclarer : "Le peuple mènera une révolution si l'agrément n'est pas accordé à mon parti". Ce sera le début d'une escalade qui finira dans le sang (...). De la première manifestation publique autorisée (20 avril 1989) à la dernière (1er novembre 1991), pas une seule fois le slogan dominant n'a été autre chose que : "Pas de charte, pas de Constitution ; Dieu a dit, le Prophète a dit". Aujourd'hui le slogan du GIA n'est pas autre. Cela signifie en clair que le parti, une fois installé au pouvoir, ne comptait jamais plus aller de nouveau aux urnes. Il avait fait le choix d'aller, tôt ou tard, vers la confrontation. Que la toute première marche sur la présidence (20 avril 1989) a été organisée pour revendiquer la libération des bouyalistes, dont des condamnés à mort pour des actes terroristes (et non pour délit d'opinion), est déjà un signe qui ne devait pas tromper sur la nature du parti »*[50].

Le 15 octobre 1991, le président Chadli annonce la date des élections législatives pour le 26 décembre 1991. La décision du FIS de participer aux législatives a été prise dès le 28 novembre 1991, le jour même de la libération de Mohamed Said. Mais, ce n'est que le 14 décembre, alors que la campagne électorale était ouverte depuis deux jours, que le FIS annonce officiellement sa participation. Saïd arrêté le 7 juillet. Pourquoi la direction du BEP a-t-elle attendu le 7 juillet pour rendre public une décision prise le 28 novembre ? C'est que, entre-temps, la « djaz'ara » tentait de récupérer l'aile armée. Elle commença par noyauter les groupes armés autonomes et finit par créer sa propre organisation armée : le FIDA. En effet, malgré l'entrée en force des djaz'aristes aux postes de commande du FIS, notamment dans le « Mejless Ech-Choura » et les Bureaux exécutifs locaux, les salafistes, qui leur étaient hostiles, contrôlaient l'aile armée. Ce que l'on a appelé, à la suite de Merani, le MIA, était sous le contrôle de A. Chabouti, bouyaliste de la première heure. L'organisation armée « El Baqoun 'Ala el-'Ahd » était dirigée par S. Mekhloufi, un salafiste, qui avait sa propre vision et ne voulait s'encombrer d'aucune considération politique. « *Parallèlement, des centaines de groupuscules informels, dirigés par des émirs de quartiers, surgissent partout. Autonomes, sans autre projet que le désir de se battre pour le djihad, ils n'obéissent qu'à leur chef et cantonnent leur action à un périmètre urbain qu'ils connaissent sur le bout des doigts. Le plus souvent, ils sont composés de jeunes désœuvrés et de délinquants, ce qui n'empêche pas leur émir, de faire figure de protecteur et de vengeur dans le quartier. Ce sont eux qui "règlent les comptes" avec la police, et "protègent" le quartier de ses incursions. À mi-chemin de la milice et de la bande, ils ne relèvent d'aucune autorité, mais peuvent être les sous-traitants de telle ou telle organisation, pour un meurtre ou un attentat* »[51].

Les efforts des « djaz'aristes » se sont avérés vains ; ils ne parviendront jamais à contrôler les divers groupes armés, qui refusent à l'avance le verdict des urnes. L'attaque de la caserne de Guemmar, le 29 novembre 1991, est la première opération d'envergure du « djihad », que le Congrès de Zbarbar, réuni en juillet 1991, a décidé de proclamer. La quasi-totalité des futurs chefs des groupes armés a participé à cette réunion clandestine. On y trouve, autour de Abdelkader Chébouti et de Mansour Meliani, anciens lieutenants de Bouiali, Abderrahim Hocine, directeur de cabinet de A. Madani, Saïd Mekhloufi, auteur du manuel sur la désobéissance civile distribué pendant la grève insurrectionnelle de mai-juin 1991, Kamer Eddinne Kherbane, vétéran de l'Afghanistan et Omar Eulmi, président du Syndicat islamique du Travail (SIT). Comme on le constate, l'interpénétration entre le FIS et les groupes armés est déjà un fait. Autrement dit, le « djihad » a été proclamé et déclenché, bien avant même, que la date du premier tour des élections législatives ne soit connue.

La « djaz'ara » ne contrôlait que l'appareil du parti. Les organisations armées étaient menées par les salafistes et sa propre branche armée (le FIDA) se trouvait encore dans les langes. Dès lors, les djaz'aristes devaient impérativement prémunir le parti contre toute mesure d'interdiction. C'est pourquoi, sans prendre position contre les militants du FIS et du SIT impliqués dans le massacre de Guemmar, ils prirent la décision d'engager le parti dans la compétition électorale. Alors que les salafistes avaient déjà engagé le « djihad », les djaz'aristes cherchaient à gagner du temps. Parallèlement à la mise en place de la machine électorale mise en œuvre par la « djaz'ara », la tendance « djihadiste » multipliait les actes terroristes. Des attentats meurtriers sont commis dans différentes régions du pays. Les forces de sécurité sont particulièrement visées, notamment dans la région algéroise, par des tirs à la mitraillette et/ou des bombes artisanales. Le jour même des élections, le 26 décembre 1991, un policier est abattu. Dans la semaine qui suit, un réseau terroriste est démantelé dans la wilaya de Mascara (à l'ouest du pays). Le réseau appartient au MIA, tout comme celui de Guemmar dont les membres arrêtés, après quinze jours de poursuite dans les palmeraies de Biskra, révèleront que leur mouvement est implanté également dans l'ouest du pays, notamment dans les régions de Sidi Bel Abbés et Tiaret, et au centre, dans la wilaya de Djelfa.

Les élections se sont déroulées dans une ambiance de terreur. S'appuyant sur les APC (communes) sous son contrôle, sur la fidélité de ses militants embusqués dans toutes les administrations et corps d'État et sur des moyens financiers considérables en provenance de l'Arabie Saoudite, le FIS a organisé la fraude électorale à une échelle jusque-là jamais égalée. C'est ainsi, par exemple, que les militants du FIS, employés dans les « Postes et Télécommunications » (P & T) ont permis à la direction de leur parti de prendre connaissance, au moyen d'écoutes clandestines, des ordres et des orientations des autorités (walis/préfets et chefs de Daïra/ sous-préfets) en charge de l'organisation des opérations de vote, pour les détourner ou manipuler à leur profit. Au niveau des communes, le fichier électoral est manipulé par les employés acquis au FIS. Cette manipulation consista à favoriser l'électorat potentiel du FIS au détriment de celui des autres partis politiques. Ainsi, les militants et sympathisants du FIS se retrouvaient avec plusieurs cartes et votaient autant de fois dans différents bureaux. La veille du scrutin, ordre a été donné aux militants du FIS de voter très tôt le matin afin de pouvoir, par la suite, mener des actions permettant la victoire des candidats de leur parti. Des opérations ont été organisées pour ramener les personnes ne pouvant pas se déplacer, ainsi des moyens de transport des communes ont été utilisés pour ramener des malades hospitalisés.

De nombreuses fraudes et irrégularités (voir annexe VI) soigneusement préparées ont entaché de ce premier tour d'élection qui se déroule, à l'issue duquel le FIS arrive largement en tête (voir annexe VII, scores obtenus par le FIS en décembre 1991, par wilaya), suivi de très loin par le Front des Forces socialistes (FFS) de Ait Ahmed et le Front de Libération nationale (FLN). Sur les 13 258 554 électeurs inscrits, 7 822 625 (soit un taux de participation de 59 %) ont participé aux élections, avec 6 897 719 voix exprimées contre 924 906 bulletins nuls. 5 435 929 inscrits (soit 41 %) ont choisi l'abstention. La répartition du nombre des sièges a été la suivante :

- FIS : 188 sièges (3 260 222 voix),
- FFS : 25 sièges (510 661 voix),
- FLN : 16 sièges (1 612 947 voix).

À noter, au passage, l'aberration du mode de scrutin (uninominal à deux tours), qui a permis au FFS d'obtenir 25 sièges avec seulement 510 661 voix alors que le FLN, avec 1 612 947 voix, n'obtient que 16 sièges. Par ailleurs, le nombre de sièges en ballottage fait ressortir une présence des candidats du FIS dans 186 circonscriptions électorales sur les 198 à pourvoir, dont 136 se trouvent en situation favorable pour l'emporter au second tour. La perspective d'une majorité absolue, pour le FIS, au deuxième tour, se confirme.

En réaction, le 30 décembre 1991, plusieurs organisations de la société civile créent le « Comité national pour la Sauvegarde de l'Algérie » (CNSA), dont la présidence fut confiée à Abdelhak Benhamouda, secrétaire général de l'Union générale des Travailleurs algériens (UGTA). Outre l'UGTA, le CNSA regroupait également l'« Association nationale des Cadres de l'Administration « (ANCAP), la « Confédération nationale des Entrepreneurs privés » (CNEP), l'« Union nationale des Entrepreneurs publics « (UNEP), la « Confédération Générale des Entrepreneurs privés » (CGEP), la « Fédération nationale des Gestionnaires du Secteur public » (FNGSP), etc. Dès sa création, le CNSA sera soutenu par des partis politiques, notamment le « Rassemblement pour la Culture et la Démocratie » (RCD) et le « Parti de l'Avant-Garde socialiste » (PAGS), et sera rejoint par une multitude d'organisations professionnelles et de mouvements de femmes, d'artistes et d'intellectuels. Des comités locaux de CNSA naissent dans toutes les régions du pays.

Le 30 décembre 1991, le CNSA rend public un appel dans lequel il affirme l'impossible sauvegarde de la démocratie sous le règne de ceux qui l'ont toujours niée et demande à l'armée d'intervenir pour mettre un terme à la dérive. À partir de là, l'armée avait pris sa décision. « *Elle ne pouvait se résoudre à voir le FIS disposer de la majorité absolue au Parlement* »[52]. Donc face à la perspective d'une victoire certaine du FIS, l'armée, forte du soutien de pans entiers de la société, a opté pour l'annulation du deuxième tour et la suspension du processus électoral. Le 11 janvier 1992, le Président Chadli Bendjedid remet sa démission. Le 14 janvier, le Haut Conseil de Sécurité (HCR) constate la vacance du pouvoir – l'assemblée nationale a été dissoute par décret présidentiel, le 4 janvier – et installe le Haut Comité d'État (HCE) : une direction collégiale constituée de cinq membres, chargée de gérer une période de transition fixée à trois années. La Présidence du

HCE a été confiée à Mohamed Boudiaf, une figure historique du 1er Novembre 1954, qui sera assisté de Ali Kafi (secrétaire général de l'Organisation nationale des Moudjahidin), Ali Haroun (avocat et ancien dirigeant de la Fédération de France du FLN), Tidjani Haddam (recteur de la mosquée de Paris) et le général major Khaled Nezzar (ministre de la Défense).

Dès l'annonce de la démission du Président et de l'interruption du processus électoral, Abdelkader Hachani réactive la « cellule de crise » mise en place après l'arrestation de A. Madani et A. Benhadj. « *Au lendemain du coup d'État, le Bureau national a ordonné aux cadres du FIS de disparaître et de constituer des cellules de crise. Toutefois, nous avons constaté que certains Bureaux de wilayas n'ont pas respecté les consignes, tout comme d'ailleurs certains cadres nationaux. Le frère Abdelkader Hachani a été arrêté avant Rabah Kébir et il ne restait du Bureau national que les frères Yekhlef Cherati, Nasredine Terkmane, Athmane Aissani et Abderezak Redjem. C'est alors que la cellule de crise nationale s'est constituée avec les membres déjà cités auxquels il faut ajouter Ahmed Bouadjlane et Abdelkrim Ghemati, qui l'ont quitté sans jamais la réintégrer. Rabah Kébir, sollicité au lendemain de sa libération, a refusé et a préféré rejoindre l'Allemagne* »[53]. Mais, cette fois, la « cellule de crise » avait pour mission d'intensifier le « djihad », que les groupes armés avaient déjà déclenché bien avant la date du premier tour des élections législatives. « *Dès lors, le FIS s'est vu obligé de composer avec les nouvelles données et il ne lui restait plus aucun prétexte pour calmer les jeunes furieux contre le régime militaire. Au plan politique, le FIS a cautionné, à travers ses moyens de communication - la lettre du FIS*, Mihrab El Djoumou'âa, Minbar El Djoumou'âa, Ennafir, *les cassettes de Yekhlef Cherati – l'action armée en tant que devoir religieux. Au plan organique, le contact était permanent avec les frères Said Mekhloufi, Azzedine Baa et Abdelkader Chebouti ainsi qu'avec l'organisation dirigée par Hocine Abderahim. Les contacts se résumaient à des orientations politiques et militaires et concernaient le soutien financier (argent, armes, munitions, habillement, moyens de communication et refuges). Les contacts avec les chouyoukh de Blida n'ont jamais été interrompus. Cependant les intermédiaires n'étaient pas honnêtes* »[54].

Le 16 janvier 1992, une réunion clandestine se tient dans les monts de Zbarbar. Elle regroupe les chefs des groupes armés comme Abdelkader Chébouti, Mansouri Meliani, Said Mekhloufi, Hocine Abderahim et des dirigeants du FIS dont Hachemi Sahnouni et Benazzouz Zebda. Cette réunion va consacrer la tutelle du FIS sur la quasi-totalité des groupes terroristes. Au lendemain de cette rencontre, Yekhlef Cherati, responsable de la Commission de la prédication et de l'orientation au sein du FIS et membre influent de la « cellule de crise » lance sa « fetwa » pour le « Djihad » : « *Dès le moment où l'on nous a interdit d'instaurer l'État islamique, dès le moment où l'on s'écarte de la "charia" islamique, il nous est permis de proclamer le "djihad" contre ceux qui se placent du côté du pouvoir ».* Elle est affichée dans toutes les mosquées contrôlées par le FIS.

L'application des dispositions de cette « fatwa » ne va pas tarder. En février 1992, un groupe terroriste, dirigé par Yacine Amara, dit « Napoli », organise un guet-apens dans lequel va tomber une patrouille de police. Répondant à un appel téléphonique, qui signale, en pleine nuit, une dispute entre voisins, dans la Casbah, une patrouille de police s'enfonce dans les ruelles du quartier pour se retrouver dans un cul-de-sac face aux hommes de « Napoli », armés de Kalachnikov. Les huit agents de la patrouille sont tués. Pendant que les renforts arrivent pour boucler la Casbah, un autre groupe terroriste dirigé par Mourad El Afghani, alias Hani Mourad, attaque le bâtiment de l'Amirauté. La fusillade dure jusqu'à l'aube. Elle fera dix morts, sept militaires et trois terroristes.

Le 22 janvier 1992, paraît sous forme de placard publicitaire, dans le quotidien arabophone, *El Khabar*, un communiqué signé par A. Hachani « au nom du FIS et du peuple qui a voté le 26 décembre », daté du 18 janvier et intitulé, « À l'armée nationale algérienne », dans lequel il appelle les militaires à la désobéissance. Il sera arrêté. Rabah Kébir prend sa place à la tête de la « cellule de crise », mais il sera arrêté, à son tour, une semaine après, le 28 janvier. Il fut alors décidé d'intégrer Abderrezak Redjam à la « cellule de crise » et lui déléguer la charge de signer les communiqués au nom du parti, sans pour autant en être le président et avec la condition d'entrer immédiatement dans la clandestinité. Désormais, la cellule de crise est l'instance suprême du parti.

À l'issue d'une longue phase de préparation, qui a commencé en 1990, le MIA tient son congrès constitutif, en février 1992, pendant le mois du Ramadan, à Zbarbar. La majorité des membres présents à ce congrès sont des bouyalistes. Lors de ce congrès, A. Chabouti sera désigné « émir » national, Hocine Abderahim, « émir » du Centre chargé de la coordination au niveau d'Alger, Bellabdi Derradji, « émir » de l'Est et Ahmed Boulagnou, « émir » de l'Ouest. Mansouri Meliani et Said Mekhloufi seront chargés, respectivement, des liaisons intérieures et des affaires militaires. Les relations extérieures seront confiées à un vétéran de l'Afghanistan, Kamer Eddine Kharbane. « *Chebouti foncièrement salafiste et particulièrement attaché à la direction incarnée par Abassi et Benhadj, craignait de voir le courant "djaz'ariste" (Mohamed Said) prendre la tête de la "cellule de crise". Il prit les devants en créant l'organisation armée en collaboration avec un membre fondateur du parti (Said Mekhloufi) connu pour ses positions salafistes et qui, en plus, pouvait compter sur Kharbane, installé à l'étranger, en matière de soutien logistique »*[55].

Cependant, la naissance du MIA n'aura que peu d'impact sur la réalité du terrain caractérisé par une prolifération de groupes armés « autonomes ». Aussi, en septembre 1992, à l'instigation de la « cellule de crise », un sommet des principaux chefs des groupes armés se tient à Tamesguida (W. de Blida). L'objectif de cette rencontre était de réorganiser les innombrables groupes armés et de créer un commandement unifié. Mais, le sommet sera perturbé. Des commandos héliportés des troupes spéciales encerclent la forêt où les chefs terroristes sont réunis. Mekhloufi et Chébouti parviennent à s'enfuir. Moh Léveilley est abattu. L'échec de cette première tentative d'unification va aggraver les dissensions entre les différents groupes armés et favoriser l'émergence de plusieurs organisations armées. L'Algérie sombre dans le chaos. La population vit dans la terreur. Le 26 août 1992, à 11 heures du matin, une énorme explosion ravage le hall des départs de l'aéroport international Houari Boumediène (Alger). Premier attentat à la bombe : 9 morts et 182 blessés ; les civils, à leur tour, sont devenus des cibles. D'ailleurs une « fatwa », enregistrée sur cassette et diffusée à partir des mosquées, rend désormais licite l'assassinat de tous ceux qui « *ne se dressent pas contre la junte* ». En d'autres termes, de tous ceux qui ne sont pas des terroristes. Ikhlef Cherati est l'auteur de cette « fatwa » qui circule depuis avril 1992. C'est dans ce contexte de terreur, au printemps 1992, que va naître le Groupe islamique armé (le GIA). Le règne de la terreur sacrée entre dans une nouvelle phase ; c'est désormais toute la société qui est visée.

---

1. Lire MERAD (A.), *Le réformisme musulman en Algérie de 1925 à 1940*, Paris - La Haye, Mouton et Cie, 1967.
2. *Arabe, alternative à l'intégrisme*, Alger, éditions Marinoor, SAINT-PROT (C.), *Le Nationalisme* 1996.
3. AROUS (Z.), *Fî ba'dhi qadhâya el-minhaj wa tarîkh el harakat el islâmiyya bi-el-Jazâïr (Sur quelques questions de méthode et d'histoire du mouvement islamiste en Algérie*, Naqd, oct. 1991 - janv. 1992, Alger.
4. ISSAMI (M.), « Les précurseurs de l'intégrisme islamiste en Algérie », *El Watan*, 6 - 7 février 1998, p. 7.
5. Cité par ISSAM (M.), *op. cit.*, 8 février 1998, p. 7.
6. CHAIB (H.), *Sans haine ni passion*, Alger, Editions Dahlab, 1992.
7. Malek Bennabi est né en 1905, dans l'Est algérien. Il acquiert en France, une forma-

tion d'ingénieur. Membre du FLN et réfugié au Caire pendant la guerre de libération, il se consacre à la réflexion sur la civilisation musulmane. Au lendemain de l'Indépendance, il occupe plusieurs postes de responsabilité en Algérie. Il meurt le 31 octobre 1973. Parmi ses œuvres, nous pouvons citer : *Le problème des idées,* (Tipaza, Société d'Édition et de Communication, s.d.) ; *Les conditions de la renaissance*, (Tipaza, Société d'Édition et de Communication, s.d.) ; *Vocation de l'islam*, (Tipaza, Société d'Édition et de Communication, s.d.) ; *Le problème des idées dans le monde musulman*, (Alger, Éditions El Bayi' yinate, 1990), *Le musulman dans le monde de l'économie,* (Alger, Éditions El Borhane, 1996). Malek Bennabi publia également son auto-biographie sous le titre, *Mémoire d'un témoin du siècle,* Alger, Enal, 1990.

8. Avec l'avènement du pluralisme, après 1988, N. BOKROUH fondera et dirigera le Parti du Renouveau algérien (PRA). Il est actuellement ministre dans le gouvernement du Président Bouteflika.

9. Francisant, il fit ses études au lycée franco-musulman de Tlemcen. Envoyé à Damas comme étudiant boursier du gouvernement algérien, il y vit la période de la rupture de l'Union syro-égyptienne que Nasser avait constituée en 1958. L'échec de l'entreprise l'amena à prendre conscience de ce qu'il appela « l'échec de l'arabité ». Déçu par le nationalisme arabe, l'islam restera sa référence fondamentale. Néanmoins, la littérature des Frères musulmans ne lui semble pas de taille à contrecarrer efficacement le marxisme. En quête d'une « modernité islamique », c'est dans les œuvres des sociologues et politologues français qu'il puisera. En 1963, il retourne à Alger. À l'époque, sur le campus de l'université d'Alger dominé par les courants de gauche, notamment l'Union nationale des Étudiants algériens (l'UNEA), les étudiants islamistes étaient minoritaire. Il se consacre à la lutte contre la « gauche ». En 1972, il est envoyé à Paris pour y enseigner l'arabe. Il est détaché auprès de l'Amicale des Algériens en Europe. Il se rapproche de l'« Association des Étudiants islamiques en France ». À partir de 1977, il s'installe définitivement en France et travaille à l'UNESCO.

10. Pendant les trois premières années, le sermon du vendredi était prononcé en français.

11. Par la suite, le pouvoir allait prendre en charge cette manifestation qui sera supervisée par le ministre des Affaires religieuses, Mouloud Nait Belkacem (l'un des idéologues de l'islamo-nationalisme et fervent partisan de la politique dite de récupération de la langue nationale). Cette action sera suivie par la création de la revue gouvernementale, *Al Açala,* en 1971. À ce propos voir l'excellent ouvrage de DEHEUVELS (L.- W.), *Islam et pensée contemporaine en Algérie,* Paris, Éditions du CNRS, 1991.)

12. EL YOUSSOUF (M.), « La longue marche du mouvement islamiste », *L'Observateur,* semaine du 02 au 09 avril 1991.

13. EL YOUCEF (M), op. cité. P. 7.

14. « Islamisme algérien, de la genèse au terrorisme », *La Nouvelle République,* n° 335, mercredi 10 mars 1999, p. 7.

15. OURABAH (F.), « Au fief des "antiques fanatiques". Intégristes névropathes ou apprentis sorciers ? », *El Moudjahid,* 22 avril 1979.

16. SOLTANI (A.A.), *Sihâm El Islâm,* Alger, SNED, 1980, (édité à compte d'auteur).

17. RAYNAUD (P.), « Les origines intellectuelles du terrorisme », in FURET (F.), LINIERS (A.), RAYNAUD (P.), *Terrorisme et démocratie,* Paris, éditions Fayard, 1985, p. 40.

18. Voir à ce propos l'ouvrage de WIEVIORKA (M.), *Sociétés et terrorisme,* Paris, éditions Fayard, 1988.

19. EL YOUCEF (M.), *op. cité,* p. 7.

20. C'est la révision constitutionnelle soumise au peuple algérien le 23 février 1989 qui consacra la disparition définitive de la référence explicite au socialisme et, en même temps, l'insistance accrue sur l'islamité de l'État.

21. MERAH (A.), *L'affaire Bouiali,* Alger, Imprimerie El Oumma, 1998.

22. HARBI (M.), (Coord.), *L'islamisme dans tous ses états,* Alger, éditions Rahma, 1992, pp. 140 - 143.

23. Quelque temps auparavant, des affrontements violents à la faculté de Droit de Ben Aknoun entre les étudiants islamistes d'un côté, les étudiants communistes et berbéristes de l'autre, firent un mort, un jeune étudiant de première année, originaire de la Kabylie, Kamel Amzal, assassiné à coup de sabre par un certain Fethallah Lassouli, non universitaire et marin de profession. À la suite de cet incident, les pouvoirs publics procédèrent à la fermeture des mosquées au sein des campus universitaires, qui servaient à introduire des éléments étrangers à l'université pour renforcer les étudiants islamistes. À rappeler, qu'une année auparavant, un policier, Abd El Kader Chenini, a été poignardé à Laghouat lors d'affrontements entre les policiers et un groupe d'islamistes retranchés dans la mosquée de la ville, sous le commandement d'un certain Said Bensayah, ex-étudiant à l'université d'Alger.

24. Cf. MULLER (M.), « Organisation criminelle démantelée, un projet politique démasqué », *l'Humanité,* 22 décembre 1982.

25. Cf. KHELLADI (A.), *Les islamistes algériens face au pouvoir,* Alger, Éditions Alfa, 1992.

26. KHELLADI (A.), « Mustapha Bouiali, La clé de l'énigme I », *La Nation,* n° 23, 1ère année, semaine du 28 au 4 décembre 1990, p. 10.

27. Pour un compte rendu détaillé de cet épisode, voir BEN ALLEM (A.), « Procès de Médéa. Radioscopie d'un complot », *Algérie Actualité,* n° 1132, semaine du 25 juin au 1er juillet 1987, p. 13.

28. *Ibid.*

29. Cf. MERRAH (A.), *op. cité.*   .

30. KHELLADI (A.), « L'affaire Bouiali. La clé de l'énigme II », *La Nation,* n° 24, 1ère année, semaine du 5 au 11 décembre 1990.

31. STOLZ (J.), « Le robin des bois algérien a été arrêté », *Libération,* 24/10/1985.

32. Voir *Algérie Actualité,* n° 1428 du 23/02 au 01/03/1993.

33. KHELLADI (A.), *Les islamistes algériens face au pouvoir,* Alger, Éditions Alfa, 1992, p.93.

34. LAYACHI (H), *Al islâmiyyoun al-djaza'iriyyoun beyna al-solta oua er-rassas (Les islamistes algériens entre le pouvoir et les balles),* Alger, Éditions Dâr al-Hikma, 1992, p. 265.

35. Cet appel anonyme, on le sait maintenant, fut l'œuvre de Ali BENHADJ.

36. Cf. KHELLADI (A.), ouv. cité, pp. 96-97.

37. « Islamisme algérien, de la genèse au terrorisme (VIII) », *La Nouvelle République,* n° 338, 14 mars 1999.

38. Lire à ce propos l'excellent article de P.R.BADUEL, « Éditorial : l'impasse algérienne de la transition démocratique », in *L'Algérie incertaine,* sous la direction de P.R.BADUEL, *Revue du Monde Musulman et de la Méditerranée,* CNRS, Institut de Recherches et d'Études sur le Monde Arabe et Musulman (IREMAM), Aix en Provence, 65, 1992/3, pp. 7 - 19.

39. « A.B., Violence et islamisme. Les ambiguïtés du pouvoir », *L'Événement,* n° 207, du 04 au 10 mars 1995.

40. Cité par AL - AHNAF (M.) BOITIVEAU (B.) et FREGOSI (F.), *L'Algérie par ses islamistes,* Paris, Éditions KARTHALA , 1991, pp. 87-100.

41. LAMCHICHI (A.), *L'islamisme en Algérie,* Paris, L'Harmattan, 1992, p. 76.

42. El Mounkid, organe du FIS, 8 novembre 1990.

43. Le lecteur trouvera l'essentiel de leurs déclarations à la télévision dans le quotidien gouvernemental, *El Moudjahid,* du jeudi 27 juin 1991, p. 3.

44. Ancien officier de l'armée de l'air algérienne, il est membre fondateur du FIS. Il a été exclu des instances du parti lors du Congrès de Batna, fin juillet 1991. Il a quitté l'Algérie en 1992 pour la France. Après son expulsion, il s'est rendu au Pakistan, à Peshawar (Pakistan), où il prend en charge, avec son ami Boudjemaâ Bounoua, le

« Bureau », qui s'occupait des « volontaires » algériens pour faire la guerre aux Soviétiques, sous les ordres de Gulbuddin Hekmatia ou de Chah Massoud. Par la suite, il a encadré des éléments algériens et arabes en Bosnie. Il a séjourné en Croatie, en Bosnie, à Tirana, pour s'installer définitivement à Londres où il a acquis un passeport britannique. Il est le fondateur de l'organisation terroriste, « Al baqoun 'ala al-'ahd » (les Fidèles au serment).

45. Entretien paru dans le quotidien *El Youm* du 13 février 2001.

46. AINOUCHE (F.), BACKMAN (R.), « Enquête sur les GIA », *Le Nouvel Observateur,* n° 1608 , 31 août - 6 septembre 1995, p. 46.

47. MUNOZ (G.M.), *Les États arabes face à la contestation,* Paris, A. Colin, 1997, p. 53.

48. KHADRA (N.), « Qui est l'AIS ? II. Option pour le terrorisme », *Le Matin,* n° 2231, lundi 5 juillet 1999.

49. Cette lettre datée du 3 septembre 1991 est intitulée *Es-Sâ'ida el-fâtia mîn wara'i es-soudjoûn el-'askâriyya (la génération montante dans les prisons militaires).* Elle est signée, Benhadj Ali Abou'Abd El-Fettah.

50. KHADRA (N.), *Ibid.*

51. AINOUCHE (F.), BACKMAN (R.), *op. cit.,* p. 46.

52. NEZZAR (K.), *Algérie - échec à une régression programmée,* Paris, Éd. Publisud, 2001, p. 167.

53. Témoignage de Youcef BOUBRAS, ex-responsable du Bureau exécutif du FIS de la wilaya de Bouira

54. *Idem.*

55. KHADRA (N.), « Qui est l'AIS ? III. L'AIS avant l'AIS », *Le Matin,* n° 2232, 6 juillet 1999.

Chapitre IV

CHRONIQUE DES ANNÉES DE SANG

ÉVOLUTION DU TERRORISME ISLAMISTE 1992-2000

Comme nous l'avons déjà précisé, au moment de l'interruption du processus électoral (le 13 janvier 1992), plusieurs organisations armées étaient déjà structurées à l'échelle nationale. L'attaque du poste frontalier de Guemmar (le 28 novembre 1991) marque le coup d'envoi du djihad en Algérie. Au lendemain de l'interruption du processus électoral, la nébuleuse islamiste armée comprenait les tendances suivantes :

LE MOUVEMENT ISLAMIQUE ARMÉ (MIA) : 1991-1994

Créé au lendemain de la « grève insurrectionnelle » (mai - juin 1991), par des salafistes (djihadistes) refusant l'option légaliste et récusant d'emblée le verdict des urnes, le MIA a tenu son congrès constitutif au courant du mois de février 1992, durant le mois du Ramadan, dans les monts de Zbarbar. La majorité des éléments présents à ce congrès a appartenu au mouvement armé de Bouiali. A. Chebouti a été désigné émir national ; Hocine Aberahim, émir du Centre chargé de la coordination au niveau d'Alger ; Bellabdi Derradji, émir de l'Est et Ahmed Boulagnou, émir de l'Ouest. Deux autres bouailistes, Mansouri Meliani et Said Mekhloufi seront chargés respectivement des liaisons à l'intérieur et des affaires militaires. Les relations extérieures seront confiées à un vétéran de la guerre d'Afghanistan, Qamer Eddine Kharbane. (voir organigramme du MIA, annexe VIII).

Le MIA a obtenu après l'interruption du processus électoral la « bénédiction » des principaux dirigeants du FIS. Toutefois, sa politique de recrutement sélective, pour ne pas dire élitiste et son refus d'intégrer les nombreux marginaux ont favorisé l'irruption d'une multitude de groupes islamistes armés rivaux. Malgré plusieurs tentatives, A. Chebouti n'est pas parvenu à unifier les différentes fractions armées en raison de permanents conflits d'intérêts. Lorsque plusieurs cadres influents, comme Mohamed Said et Said Mekhloufi font allégeance au GIA en mai 1994, le mouvement se retrouve considérablement affaibli. La mort du chef historique du MIA, Abdelkader Chebouti, en décembre 1993, à Tamezguida, près de Médéa, sonne le glas pour ce mouvement armé.

LE MOUVEMENT POUR L'ÉTAT ISLAMIQUE (MEI) : 1991-1998

Le MEI a été fondé en 1991, par Said Mekhloufi, ancien bouiailiste, membre fondateur du FIS, rédacteur en chef de la publication *Al Mounqid* (de 1989 à 1991) et auteur du célèbre opuscule intitulé *La désobéissance civile*, qui fut très largement distribué pendant la grève insurrectionnelle de mai-juin 1991.

Le MEI, présent dans le Centre (l'Algérois et la Kabylie) et dans les hauts plateaux de l'Ouest, a recruté de nombreux militaires déserteurs. Le MEI s'est rallié au Groupe islamique armé (GIA) suite à la publication du communiqué *De l'union, du djihad et du respect du livre et de la Sunna* signé, notamment, par Said Mekhloufi.

À la suite de la purge de novembre 1995 et de graves dissensions avec Djamel Zitouni, le MEI reprend son indépendance organique et militaire. Néanmoins disposant de faibles effectifs, répartis dans les régions proches de la frontière marocaine et dans le massif de l'Ouarsenis, le MEI a été décimé lors d'une série de ratissages menée par les forces de l'ordre et par des désertions au profit du GIA. En 1996, le mouvement ne comptait guère plus qu'une soixantaine d'hommes. Depuis 1998, aucune organisation armée clandestine, opérant sur le territoire national, ne s'est manifestée.

AL BAQOUN 'ALA AL 'AHD
(LES FIDÈLES AU SERMENT)

Fondée en juillet 1991, sur l'initiative de S. Mekhloufi, Q. Kharbane et Oussama Madani (fils de Abassi Madani), cette organisation a revendiqué ses premiers actes terroristes en février 1992. Peu actif, ce groupe est présent essentiellement à Alger et dans sa banlieue durant les premières années. Il bénéficiera de l'apport de nouvelles recrues à la suite de l'évasion massive de la prison de Tazoult (ex-Lambèse) en janvier 1994.

Dirigée par S. Mahdi dit Abderahmane Abou Djamil, l'organisation rejette en 1997 le principe d'une trêve tout en condamnant la terreur appliquée par le GIA. Elle a revendiqué plusieurs attentats ciblés à travers deux publications diffusées en Europe, *Nour Al Misbah* et *Saout Al Djabha*.

L'organisation disposant à ce jour d'effectifs réduits, collabore étroitement avec le Groupe salafiste pour la Prédication et le Combat (GSPC) de l'émir Hassan Hattab.

LE FRONT ISLAMIQUE DU DJIHAD EN ALGÉRIE
(FIDA)

Le FIDA a été créé en 1993 à l'instigation des « djaz'aristes », réunis, autour de Mohamed Said, au sein de « la cellule de crise » mise en place au lendemain de l'arrestation des « chouyoukhs » du FIS. Le FIDA a la particularité d'être une organisation terroriste élitiste regroupant des éléments de formation universitaire. Son objectif est de commettre des attentats spectaculaires, à fort effet médiatique, ciblant les officiers supérieurs, les personnalités politiques, les artistes, les intellectuels et les journalistes. Sous la direction de Abdelouahab Lamara et de Ahcène Kacha, le FIDA se constituait de deux cellules : l'une chargée de la collecte du renseignement sur les personnes ciblées et l'autre en charge des exécutions. (voir composition du commandement du FIDA à cette période, annexe IX). Le FIDA activait essentiellement

235

dans la capitale, qu'il avait subdivisée en cinq zones opérationnelles (voir annexe X).

Pour mener à bien ses actions terroristes, le FIDA s'est doté d'un matériel informatique performant, qui lui permettait de falsifier les documents officiels (du simple certificat de scolarité jusqu'à la carte professionnelle de la Sûreté nationale).

LES GROUPES ARMÉS « AUTONOMES »

Une multitude de groupes armés émergent dans les banlieues des centres urbains. « Autonomes », ils n'obéissent qu'à leurs chefs et limitent leur rayon d'action à un périmètre urbain qu'ils connaissent parfaitement. Ils se composent de jeunes marginaux, désœuvrés, le plus souvent illettrés et de délinquants. À Alger, deux groupes se sont particulièrement illustrés par des actions à la fois sanglantes et retentissantes. La première est connue sous le nom du massacre de la rue Bouzrina ; la seconde fut l'attaque de l'Amirauté. Le premier attentat est le fait d'un groupe dirigé par Yacine Amara, dit « Napoli » ; la seconde opération a été menée par un groupe dirigé par un émir de quartier, Mohamed Allal, alias « Moh Leveilly », du nom d'un quartier d'Hussein dey (Alger) dont il est natif. Il y a également le groupe de Mansouri Miliani composé d'« Afghans ». Dans la région de Boufarik (à 30 kilomètres au sud-ouest d'Alger), un groupe armé, dirigé par Ali Zouabri, truand converti par le FIS et frère aîné de l'actuel émir du GIA, multiplie les attentats contre les personnalités civiles, les attaques contre les forces de l'ordre et aussi les hold-up destinés à financer ses activités. Toujours dans la Mitidja, mais à l'est d'Alger, *« L'homme qui monte, en cet automne 1992, s'appelle Abdelhak Layada, alias Abou Adlane. Lui, ne fait pas partie des oulémas. Artisan tôlier dans le quartier de Baraki, l'un des fiefs islamistes d'Alger, il est pratiquement illettré. Comme d'autres émirs de quartier, il a levé sa "djamaa", sa bande, parmi les jeunes désœuvrés et les délinquants. Son "djihad" est davantage une révolte de loubards, qu'un engagement mystique ou idéologique. Qu'importe, il tue, vole, en proclamant que c'est au nom de Dieu. C'est apparemment suffisant pour que les bulletins du FIS à l'étranger, et en particulier en France, recensent ses actions comme autant de faits d'armes des moudjahidines »*[1].

Pour tous ces émirs locaux, la « *fetwa* » de Ikhlef Cherati, qui déclare licite l'assassinat de tous ceux qui « *ne se dressent pas contre la junte* », est claire : tous ceux qui ne combattent pas le pouvoir sont ses alliés ; ils doivent donc mourir. Les intellectuels, les médecins, les avocats, les journalistes, les écrivains, les artistes hostiles à l'instauration d'un État islamique sont désormais considérés comme des apostats, qui méritent la mort. Ainsi commence la longue liste des assassinats d'intellectuels : l'écrivain et journaliste Tahar Djaout, le médecin Laadi Flici, les sociologues Djilali Liabès et Mohamed Boukhobza, le psychiatre Mahfoud Boucebci, le pédiatre Djilali Belkhenchir, l'homme de théâtre Abdelkader Alloula seront quelques-unes des victimes de cette véritable entreprise de « décérébralisation » de la société algérienne.

Cette chasse aux intellectuels fera des centaines de morts. Pour tous les émirs de quartiers, tuer un intellectuel devient un moyen de se faire connaître et reconnaître par ses pairs. L'exploitation de la presse nationale[2] (privée et publique) donne les chiffres suivants :

NOMBRE D'INTELLECTUELS VICTIMES DU TERRORISME (1992-2000)

CSP	Tués	Blessés	Enlevés	Total
- Avocats	5	–	–	5
- Médecins	25	15	5	45
- Enseignants	101	36		137
- Magistrats	23	8	3	34
- Étudiants	41	69	3	110
- Journalistes	61	10	5	74
- Hommes de Lettres	2	1	4	3
- Hommes de culte	52	7	4	64
- Artistes	5	2		11
- Professeurs	7	2		13
- Hauts-fonctionnaires	7	4		11
- Fonctionnaires	682	314		996
Total	1011	468	24	1503

TAKFIR OUA EL-HIDJRA
(Repentir & Exil)

Fondée en 1991, par des vétérans de la guerre d'Afghanistan, cette organisation est dirigée alors par Nourredine Seddiki et Ahmed Bouamra. Ce groupe, qui se réclame d'une organisation égyptienne, né en 1974 sous la même dénomination, prônait la lutte armée. Cette idéologie fut introduite en Algérie par les coopérants égyptiens et syriens venus dans les années 60. À chaque fois qu'une association ou un groupe islamique se constitue, les éléments du Takfir tentent de l'infiltrer. Par la suite, ils se sont chargés d'envoyer des jeunes à Peshawar (Pakistan) pour y suivre un entraînement militaire et une formation idéologique. Au Pakistan, c'est Djamil Rahmane, qui était chargé de former les ressortissants des pays arabes à cette idéologie, pour les renvoyer, par la suite, dans leurs pays respectifs. Dès leur retour en Algérie, les membres de cette organisation, mettant à contribution leurs connaissances nouvelles, ont commencé à former des jeunes recrues à la confection des explosifs.

Takfir oua El-Hijra aurait pris le contrôle du GIA sous l'émirat de Djamel Zitouni, après l'épuration sanglante de novembre et décembre 1995. Certaines factions de GIA se réclamant de Antar Zouabri, évoluant à l'ouest du pays, se réclament, à ce jour, de cette tendance.

Comme nous le constatons, les principales organisations armées sont déjà à l'œuvre, bien avant l'interruption du processus électoral. Différents groupes armés agissent déjà dans plusieurs régions du pays. Par ailleurs, la division de la nébuleuse terroriste en deux grandes tendances est également perceptible : d'un côté Abdelkader Chebouti, à la tête de la seule organisation armée structurée à l'échelle nationale, notamment depuis la rencontre dans les monts de Zbarbar, en juillet 1991, qui accepte la tutelle du FIS ; de l'autre côté, Meliani Mansouri, rejoint par les émirs des groupes armés « autonomes », Mohamed Allel (dit Moh Leveilly), Hani Mourad (dit Mourad El Afghani), Abdelkader Layada (dit Abou Adlane), Ali Zouabri (dit Aliouet) et quelques factions de l'organisation Takfir oua el Hijra, qui refuse toute tutelle partisane. La première tendance débouchera sur la naissance de l'Armée islamique du Salut (AIS), le 18 juillet 1994 ; la seconde, quant à elle, constitue le noyau de ce qui deviendra, après octobre 1992, le Groupe islamique armé (GIA).

La déconfiture du FIS a permis le « retour du refoulé », la résurgence des divergences d'intérêts et les clivages sociaux jusque-là annihilés. En effet, la particularité du FIS – résultante de son ambivalence d'acteur religieux dans le champ politique et d'acteur politique dans le champ religieux – réside justement dans sa capacité à transcender les contradictions sociales, à fédérer des classes sociales différentes, voire même antagoniques ; à rassembler, dans un même mouvement, la jeunesse néo-urbaine issue du sous-prolétariat, du lumpen pro-létariat et de certains segments de la classe ouvrière (notamment la jeune classe ouvrière, de formation récente) et de la petite bourgeoisie (petits commerçants, employés, artisans, petits entrepreneurs, etc.) avec certaines fractions de la bourgeoisie (gros commerçants, bijoutiers, affairistes, propriétaires terriens, etc.), par l'entremise d'une intelligentsia islamiste (instituteurs, médecins, universitaires, ingénieurs, techniciens, cadres) représentant des couches moyennes.

L'escalade de la violence fait voler en éclats cette alliance hétéroclite entre les trois composantes du FIS : la fraction parasitaire de la bourgeoisie, certains segments des couches moyennes et de la petite bourgeoisie et la jeunesse néo-urbaine pauvre. Les premières, dominantes dans les instances dirigeantes du parti dissous, se reconnaîtront principalement dans son bras armé, l'AIS, qui en est issue. La jeunesse néo-urbaine pauvre s'identifiera essentiellement au conglomérat des groupes armés « autonomes », qui donneront naissance au GIA. Néanmoins, il serait erroné de croire que la violence aveugle est le fait exclusif de cette jeunesse néo-urbaine pauvre embrigadée sous la bannière du GIA. En la matière, les autres organisations terroristes ne furent pas du reste.

Nous allons, dans ce qui va suivre, exposer l'enchaînement des faits au travers duquel les différents protagonistes en compétition au sein du FIS se sont affrontés et furent défaits les uns après les autres, par le groupe qui sortira vainqueur de cette guerre intestine : la jeunesse néo-urbaine pauvre. Victoire qui s'est traduite par la suprématie que conquiert le GIA sur l'ensemble des autres organisations terroristes, notamment sur l'AIS, le « bras armé » du FIS dissous. Ce qui revient à faire l'historique des organisations islamistes armées algériennes. Il est difficile de cerner cet « objet d'étude » dans toute sa complexité tant l'enchevêtrement des faits est inextricable, parfois même impossible à démêler, tant, aussi, les tractations, les retournements et les reniements, qui s'opèrent dans les coulisses, réduisent le jeu visible sur la scène à une succession d'épisodes sans consistance réelle, qui alimente la simplification médiatique. Malgré le peu de recul, l'histoire des groupes islamistes armés algériens a bénéficié de quelques travaux substantiels, notamment, comme le souligne Alain Grignard[3], la période allant de la fondation du GIA (octobre 1992) jusqu'à l'éviction de Djamel Zitouni (1996).

1. LA PHASE DE STRUCTURATION ET DU LANCEMENT DU DJIHAD (Juillet 1991 - Octobre 1992)

C'est durant cette phase, que les deux « émirs », Abdelkader Chebouti et Mansouri Meliani ont constitué leurs organisations armées. Cette phase commence avec la rencontre de Zbarbar (juillet 1991) et s'achève avec la création du Groupe islamique armé (GIA) en octobre 1992. Elle est marquée par trois faits majeurs : La volonté d'unifier tous les groupes armés sous l'étendard du FIS, l'échec de cette tentative d'unification et l'intensification des actes terroristes. Dans le camp islamiste, les principaux acteurs sont :

- les « djaz'aristes », qui contrôlent l'appareil du parti, la « cellule de crise » et les réseaux de soutien qu'ils commencent à implanter à l'étranger, donc toute l'aide en provenance de l'extérieur ;

- les « salafistes » qui, à travers Abdelkader Chebouti, contrôlent le principal groupe armé dans cette phase, le MIA ;

- les groupes armés « autonomes » (les « Afghans », les groupes affiliés à l'organisation « Takfir wa El Hijra », les émirs de quartier, etc.), qui ont fait allégeance à Mansouri Meliani ;

- Saïd Mekhloufi qui, tout en étant membre fondateur du MIA avec A. Chebouti, exerce son autorité sur deux groupes : le premier, « El Baqoun 'Ala al 'Ahd » (les Fidèles du serment) et le second, le Mouvement pour l'État islamique, qui rassemble plusieurs groupuscules, composés de militants de FIS cachés dans les maquis depuis les rafles du printemps 1991.

Alors que l'interruption du processus électoral va accélérer le passage à la lutte armée, les arrestations massives des militants du FIS et l'ouverture des camps du Sud ont quelque peu perturbé la mise en branle de la machine terroriste. C'est probablement ce qui explique la hâte de A. Chebouti, qui s'empresse d'annoncer, dès la fin du mois de février 1992, la création de son organisation, soucieux de pousser les militants recherchés ou encore hésitants à la rejoindre.

En effet, la restructuration des cellules terroristes disloquées par la vague des arrestations constitue l'axe principal des efforts déployés par Chebouti, qui convoque une série de réunions secrètes (à Sidi Moussa, en février et dans les Monts de Zbarbar, en juillet) afin de limiter les dégâts occasionnés par les rafles et surtout de contrôler la multitude de groupes armés formés en dehors de sa tutelle.

En février 1992, la phase de préparation de la lutte armée est achevée ; A. Chebouti et S. Mekhloufi annoncent la naissance du MIA. Quelque temps auparavant, à Alger, le groupe armé « autonome » de Mohamed Allel (Moh Leveilly) et celui des « Afghans », dirigé par Mansouri Meliani, sont entrés en action. De leur côtés les djaz'aristes tentent de contrôler le MIA en faisant main basse sur l'aide extérieure. Entre la réunion d'unification des rangs sous la direction du FIS (16 janvier 1992) et de celle de Tamesguida (31 août 1992), Chebouti se réunit plusieurs fois avec Mansouri Meliani qu'il tente de convaincre de se mettre sous la tutelle politique du FIS. À chaque fois, des divergences doctrinales et des conflits de leadership se manifestent pour finalement provoquer la séparation entre les deux chefs terroristes. Dès avril 1992, Mansouri Meliani organise le noyau de son organisation, qui deviendra, près de six mois plus tard, le Groupe islamique armé (GIA).

La djaz'ara n'a jamais renoncé à contrôler tous les groupes armés. Elle agit par l'entremise de la « cellule de crise ». « *La cellule de crise a été la première à œuvrer pour l'unification des organisations armées et à trouver le cadre et les hommes adéquats pour cela. Les premiers contacts étaient établis avec le GIA au temps de Mohamed Allel (Moh leveilley) et, par la suite, avec Abdelhak Layada. En ce qui concerne le Mouvement de l'État Islamique (MEI), la direction n'était pas homogène, les contacts se faisaient à titre individuel, parfois avec Saïd Mekhloufi et Azzedine Baa, parfois avec Achour Touati et, d'autres fois, avec le groupe de Larabâa, qui était indépendant. À tout cela, il faut ajouter les contacts avec le groupe de Constantine et les rencontres de Yekhlef Cherati avec Hocine Abderahim, avec les groupes de l'Ouest, notamment avec Mohamed Kandoussi, représentant de Banaicha, et Chenouf. Ces contacts étaient superficiels, mais, par la suite, les discussions se sont approfondies, surtout après la distribution, par la "cellule de crise", de la plate-forme de l'Armée islamique du Salut (AIS) comme cadre unificateur et bras armé du FIS* »[4].

Ce témoignage prouve bien que le projet de création de l'AIS, comme cadre unificateur de tous les groupes islamistes armés et aile armée du FIS, était déjà assez avancé. Par la suite, ajoute notre témoin, « *Nous nous sommes entretenus avec les combattants de Larbâa avec à leur tête Omar El Aziz et Brahim Mihoubi. Nous les avons sensibilisés et leur avons exposé le projet de l'AIS. Ces rencontres ont eu lieu en même temps que l'arrestation, au Maroc, de Abdelhak Layada. Nous avons insisté avec Baa sur la nécessité de faire adhérer Abdelkader Chebouti à ce projet. Quelques jours après, Baa nous a informé que Chebouti lui avait transmis une lettre dans laquelle il cautionnait le projet en question. Par la suite, nous avons rencontré Thaar Touati, l'émir de Sidi Moussa et Brahim Mihoubi, représentant le groupe de Larbâa. Nous avons tous signé un procès verbal nous engageant à nous unifier dans le cadre de l'AIS.* »

De son côté, Abdelkader Chabouti intensifiait les contacts pour unifier les différents groupes armés sous la bannière du FIS. Ce n'est qu'après plusieurs réunions (dans les Monts de Zbarbar, à Sidi Moussa, à Soumâa dans la wilaya de Blida), que les divergences entre lui et Mansouri Méliani ont été aplanies. Autrement dit, au moment même où la justice a prononcé la dissolution officielle du FIS (le 5 mars 1992), celui-ci disposait déjà d'une organisation armée implantée à l'échelle nationale et, qui avait, une année auparavant, proclamé le « djihad ».

À la veille du procès de A. Madani et de A. Benhadj (juillet 1992), Chebouti lance un second appel au « djihad ». En cette fin du mois de juin, les membres du « Mejless Echoura », qui se réduit aux membres de la « cellule de crise », se réunissent secrètement dans les environs d'Alger, pour relancer le projet d'unification des groupes armés. Le principal opposant à ce projet, Mansouri Meliani, a été arrêté en juillet 1992. Dès lors, tout laissait présager, que les « Afghans » de Saïd Kari et les groupes armés de Moh Leveilley sont tentés de s'imposer comme principale organisation terroriste nationale en dehors de la tutelle du FIS. Scénario d'autant plus probable, que Mansouri Meliani avait dénoncé, au mois d'avril précédent, l'accord conclu avec A. Chebouti lors de la réunion de Soumâa et retiré ses troupes pour créer sa propre organisation, le Groupe islamique armé (GIA).

C'est dans ce contexte, que les 31 août et 1er septembre 1992, une réunion de tous les chefs terroristes se tient dans la forêt de Tamesguida, située à la frontière entre la wilaya de Blida et celle de Médéa. Le sommet est perturbé. Les troupes spéciales de l'armée encerclent la forêt où les émirs sont réunis. Habitués au maquis, Abdelkader Chebouti et Saïd Mekhloufi parviennent à s'enfuir ; terroristes urbains et familiers des ruelles d'Alger, Moh Leveilley et son lieutenant, Nourredine Bouferra sont abattus.

C'est Abdelhak Layada (alias Abou 'Adlane), qui succédera à Moh Leveilley à la tête du GIA encore embryonnaire. Artisan tôlier à Baraki, l'un des fiefs islamistes de la périphérie d'Alger, il est pratiquement illettré. À la suite de l'assaut des forces de sécurité dans la forêt de Tamesguida durant le déroulement de la réunion, une méfiance a gagné l'ensemble des groupes, chacun soupçonnant l'autre d'être à l'origine de la « fuite ». Cela a conduit Abdelhak Layada, après avoir dénoncé l'accord de l'unification, à prendre ses distances du MIA et du FIS. La création du GIA est officiellement annoncée, en octobre 1992.

Le Communiqué n° 2, revendiquant de nouvelles actions terroristes, porte, pour la première fois la signature d'Abou 'Adlân 'Abdelhak Layada, premier émir du GIA constitué. Le n° 40 du bulletin, *El Chahâda*, du 4 mars 1993, édité à Stockholm, depuis novembre 1992, par des islamistes algériens lui ouvre ses colonnes. Layada retrace la genèse du GIA et précise ses objectifs. Depuis la chute du califat en 1924, tous les mouvements islamistes ont échoué, dit-il, parce qu'ils n'ont pas proclamé le « djihad ». En revanche, l'expérience afghane, la seule tentative musulmane par la voie du « djihad » a réalisé la plupart de ses objectifs et, précise-t-il, nous en avons tiré de nombreuses leçons. Tout en se démarquant du FIS, il affirme que l'heure est au « djihad », pour le lancement duquel le GIA a rassemblé toutes les justifications nécessaires conformément à la « charia ». Il estime que le « djihad » est une obligation individuelle. L'objectif du GIA, dit-il, est l'instauration du califat en Algérie par la voie du « djihad ». Layada situe le GIA dans la double filiation du « djihad » afghan et du mouvement armé de Bouiali.

À partir de janvier 1992, des attentats terroristes sont quotidiennement enregistrés. En plus de l'Algérois, d'autres régions commencent à être touchées : Blida, Bouira, Boumerdès, Mascara, Relizane, Tipaza, Tiaret et Laghouat. En février 1992, un communiqué officiel des services de sécurité mentionne 103 morts et 414 blessés parmi les populations civiles et 31 morts et 141 blessés parmi les membres des services de sécurité, depuis novembre 1991.

Un bulletin clandestin, *En-Nafir* (*l'Appel*), daté du 5 juin 1992 et affiché dans les mosquées du FIS, revendique des assassinats à Alger, Mostaganem, Tipaza et Blida. Ce même bulletin lance un « dernier avertissement aux journalistes qui mènent une guerre psychologique contre les moudjahidins ». Il annonce le lancement d'une vaste opération d'assassinats de journalistes.

Plusieurs attentats à la bombe sont signalés (la grande mosquée d'Alger, le siège de la télévision...). Des incendies ravagent des « Souk el-Fellah » (grandes surfaces commerciales étatiques), des bâtiments universitaires (Blida, Constantine, Sétif), des infrastructures économiques (usines, réseaux téléphoniques, canalisations d'eau potable, ponts...), des édifices publics (mairies, postes, hôtels des finances, écoles, lycées, centres culturels...). Des dizaines de « hold-up » dans des banques et des entreprises nationales sont enregistrés. Le 1er décembre 1992, Abdelhak Benhamouda, secrétaire général de l'UGTA, échappe à un attentat.

2. LA MONTÉE EN PUISSANCE DU GIA ET L'INTENSIFICATION DE LA VIOLENCE TERRORISTE (Novembre 1992 - Février 1994)

Cette seconde phase commence avec l'intégration de l'organisation terroriste « Al Baqoun 'Ala al-'Ahd » (Fidèles au Serment) dans le G.I.A (novembre 1992) et se termine avec la mort de l'émir du GIA, Dja'far al-Afghani, le 26 février 1994. Elle est caractérisée par la montée en puissance du GIA et l'intensification de la violence terroriste. C'est au cours de cette phase, que le GIA conquiert la suprématie sur les ailes politiques et armées du FIS.

En terme politique, cette suprématie, que conquiert le GIA sur les autres composantes du FIS, traduit la rupture de l'alliance scellée depuis la fin des années 80 entre, d'une part, la bourgeoisie parasitaire et certains segments des couches moyennes, incarnées par les « intellectuels islamistes » et, d'autre part, la plèbe urbaine.

Gilles Kepel décrit très bien la dynamique de cette rupture politique : « *À l'époque des mairies sous contrôle du FIS (juin 1990-avril 1992), le pouvoir local était entre les mains des classes moyennes pieuses et des intellectuels du parti, qui menaient une politique populiste destinée à satisfaire les revendications sociales de la jeunesse urbaine pauvre : lutte contre la corruption des agents du secteur public, contre le vol, moralisation des comportements, etc. En 1993-1994, les jeunes s'emparent du pouvoir local par la force : les notables islamistes, commerçants, transporteurs, entrepreneurs, hostiles à l'État qui les a frustrés de leur victoire électorale en janvier 1992, financent d'abord volontiers ces "émirs", hittistes, journaliers, plombiers en qui ils voient l'instrument de leur revanche politique. Mais au fil des mois, cet impôt islamique volontaire se transforme en racket, pratiqué par des bandes qui se réclament d'une cause de plus en plus brumeuse et se combattent pour contrôler un territoire où exercer leur prédation. Dans le même temps, l'armée, qui s'est retirée de ces quartiers, les encercle et les transforme en ghettos. Les classes moyennes pieuses se retrouvent alors paupérisées, puis victimes de l'extorsion de gangs de jeunes de milieu populaire. Elles tentent d'y échapper en désertant leur quartier. Cela contribuera puissamment à briser l'unité sociale de la mouvance islamiste, et préparera, à moyen terme, ces classes moyennes à se rapprocher du régime.* »[5]

Ce qu'il faut ajouter, c'est que pour la plupart de ces jeunes néo-urbains, qui ont macéré des années durant dans la saumure des frustrations multiples et la fange des activités délictueuses, la violence est moins un instrument de conquête du pouvoir politique, qu'une source d'accumulation des ressources matérielles[6]. À partir de ce seuil de « retournement », la politique se dissout dans le soluté d'une « violence inconvertible », « *qui est la plus "excessive", la plus destructrice et autodestructrice, celle qui met en jeu non seulement, comme dans la dialectique de l'esprit, le risque de la mort propre, qui est le prix du pouvoir et de la puissance, mais celui de l'apocalypse barbare et de la destruction mutuelle. Ou pire.* »[7] La violence qui surgit à ce point limite où il n'y a rien à perdre et rien à calculer, est une violence sans droit et sans règle. Elle ne se donne que dans l'immédiateté de ses manifestations destructrices. Adossée à une rhétorique de la « Pureté » (ici religieuse) et parée des ornements du sacré, elle est irréductible à la simple problématique de la fin et des moyens et ne se réalise pleinement que dans le passage de la « petite épicerie du terrorisme » au « supermarché des massacres collectifs ».

La naissance du GIA est donc proclamée en octobre 1992, à la suite de l'échec de la réunion de Tamesguida (les 31 août et 1er septembre 1992), qui visait à unifier toutes les organisations terroristes sous l'autorité de Abdelkader Chabouti. La riposte des forces de sécurité aboutit à la neutralisation des principaux chefs des groupes armés : Mansouri Méliani, Si Ahmed Lahrani, Seddiki Nourredine, Bouferra Nouredine et Moh Leveilley. Abdelhak Layada, tôlier à Baraki (Alger) succède à Moh Leveilley et devient émir national du GIA. C'est sous son règne, que le GIA va s'organiser pour passer d'un ensemble de groupes épars et quasi autonomes à une organisation structurée et hiérarchisée. Abdelkader Layada commence par organiser les groupes terroristes de Baraki, Chréa et des Eucalyptus (l'Algérois), puis structure les groupes armés de l'est et de l'ouest du pays. Il dote le GIA d'un statut et élabore une « loi fondamentale » (voir annexe XI), qui sera reprise par l'ensemble des émirs qui vont se succéder à la tête du GIA. Ses principaux collaborateurs sont Aït Meziane Karim, Zekioui Brahim et Sid Ahmed Mourad dit Dja'far El Afghânî. Désormais, le GIA est doté d'un statut et d'une structure nationale (voir annexe XII).

Entre-temps, Rabah Kébir, en résidence surveillée depuis le 1er février 1992 à Collo (Skikda) parvient à quitter clandestinement le pays. Il est mandaté, en compagnie de Abdi Naoui et Abdelkrim Ghemati, par la direction clandestine du FIS, pour représenter le parti à l'étranger, l'objectif étant de mettre un terme à l'action de la « délégation parlementaire » dirigée par Annouar Haddam, accusé de défendre les seuls intérêts de la Djaz'ara. Cette manœuvre s'inscrit dans le conflit qui oppose les salafistes et les djaz'aristes pour le contrôle des réseaux extérieurs d'aide et de soutien à l'action terroriste. Nous nous trouvons donc face à trois acteurs qui s'affrontent pour imposer leur suprématie sur le terrorisme à l'échelle nationale : les salafistes, les djaz'aristes et le GIA.

Ainsi, tous les efforts entrepris par Yekhlef Cherati, mandaté par la « cellule de crise » pour unifier tous les groupes armés sous la tutelle du FIS, ont échoué. Les conséquences directes furent la transformation du MIA en Armée islamique du Salut (AIS) et la réactivation du FIDA par la djaz'ara, qui inaugure, à partir de mars 1993, la longue série d'assassinats des intellectuels (universitaires, écrivains, artistes, médecins, etc.) : (voir annexe XIII, liste indicative incomplète).

- le 14 mars 1993 : assassinat de Senhadri (cadre supérieur, membre fondateur du CNSA et membre du Conseil consultatif national) à la cité Garidi II (Kouba/Alger) ;

- le 16 mars 1993 : assassinat de Djilali Liabès (chercheur-universitaire et directeur de l'Institut national d'Études de Stratégie globale) à la cité Ben Omar (Kouba/Alger) ;

- le 16 mars 1993 : attentat manqué contre Hamdi Tahar (ministre du Travail) à Ghermoul (Alger) ;

- le 17 mai 1993 : tentative d'assassinat contre Omar Belhouchet (rédacteur en chef du journal *El Watan*) à Bab Ezzouar (Alger) ;

- le 26 mai 1993 : attentat contre Tahar Djaout (écrivain journaliste), qui succombera à ses blessures le 2 juin 1993 ;

- le 5 août 1993 : assassinat de Rabah Zenati (journaliste à la télévision) ;

- le 9 août 1993 : assassinat de Abdelhamid Benmenni (cadre administratif et chargé d'étude à l'hebdomadaire *Algérie-Actualités)* ;

- le 11 septembre 1993 : assassinat de Bakhtaoui Saâd (journaliste) à Larbaâ (Blida) ;

- le 14 février 1994 : attentat contre Aziz Smati (réalisateur à la télévision) ;

- le 2 mars 1994 : assassinat de Abdelkader Hireche (journaliste à la télévision) à Gué de Constantine (Alger) ;

- le 5 mars 1994 : assassinat de Asselah Ahmed (directeur de l'école des Beaux-Arts à Alger) et de son fils, dans l'enceinte de l'établissement ;

- le 5 mars 1994 : assassinat de Hassan Benaouda (journaliste à la télévision) à Alger ;

- le 10 mars 1994 : assassinat de Abdelkader Alloula (dramaturge, metteur en scène, réalisateur et acteur) à Oran ;

- le 7 mai 1994 : assassinat de Ferhat Cherkit et Hichem Guenifi (journalistes à la radio).

L'arrestation de Yekhlef Cherati (février 1993) et la disparition mystérieuse de Abdelkader Chabouti rendent impossible toute tentative d'unification à partir de l'intérieur. Aussi, sur l'initiative de Kharbane et Kébir, une rencontre est organisée, durant l'été 1993, regroupant les représentants de la djaz'ara (Haddam et Zaoui), des salafistes (Kharbane) et des « Afghans » (Bounoua Boudjemaâ alias Abdellah Anas). Cette rencontre débouche sur la création d'un bureau, l'Instance exécutive à l'Étranger (IEE) avec Rabah Kébir comme président, Haddam et Kherbane comme vice-présidents. Tous les membres présents s'entendent également sur le fait que le FIS doit avoir une organisation armée explicitement revendiquée. C'est à Khartoum (Soudan), que Kharbane annonce, en décembre 1993, la naissance officielle de l'AIS.

Dès lors, le terrorisme en Algérie est le fait de plusieurs organisations rivales : l'AIS, le GIA, Takfir wa el Hidjra et El Baqoun 'Ala al- 'Ahd. La compétition entre ces groupes pour le leadersphip est enclenchée. La légitimité se mesure au nombre de personnes assassinées, à l'ampleur des actes sanguinaires commis et à l'importance des destructions occasionnées. C'est l'escalade de la terreur et l'élargissement du champ de sa barbarie. Cette guerre pour la conquête de la suprématie est surtout le fait des deux principales organisations terroristes, l'AIS et le GIA.

Dans son deuxième communiqué, daté du 12 janvier 1993, l'émir du GIA, Layada s'en prend ouvertement aux dirigeants du FIS : « *Ceux qui envoient des représentants politiques en Europe, collectent des fonds, parlent au nom des "moudjahidins", nous leur disons : à partir de maintenant, il ne sera permis à personne de faire des déclarations, de prétendre représenter les "moudjahidins", passer des contrats ou des accords en leur nom. Nous les avertissons des conséquences de ce comportement et leur disons que le Groupe islamique armé prendra à leur encontre les mesures qui s'imposent s'ils persistent dans leur folie en faisant des déclarations au nom des "moudjahidins" ou en appelant au dialogue en leur nom...* ». Dans un autre communiqué, daté du 20 novembre 1993, le GIA affirme que « *les maîtres de la décision dans le pays sont les "moudjahidins", ceux qui sont opposés à tout dialogue, à toute négociation et à toute réconciliation avec le pouvoir en place.* » Le communiqué précise également que le GIA n'est pas le bras armé du FIS, mais un groupe indépendant.

Dès cette année (1993) le GIA passe à la politique de la terre brûlée afin de provoquer le chaos par :
- l'élargissement de l'éventail des cibles aux intellectuels (écrivains, chercheurs, journalistes, artistes, magistrats, etc.) ;
- la tentative de paralyser l'administration publique par l'assassinat des présidents des Délégations exécutives communales (DEC) ;
- la volonté de paralyser l'économie nationale par des attaques contre des unités industrielles sensibles, des entreprises, des moyens de transport et des centres commerciaux ;
- l'isolement de l'Algérie en s'attaquant aux ressortissants étrangers.

C'est ainsi que le 21 septembre 1993, deux ressortissants français, Emmanuel Didion et François Berthel, géomètres à la société française Herlico, sont assassinés à Sidi-Bel-Abbés (à l'Ouest du pays). Le 25 octobre 1993, dans un communiqué, le GIA revendique l'assassinat de ces deux coopérants français à Sidi-Bel-Abbés, celui de deux officiers russes, l'enlèvement de trois agents consulaires français et la tentative d'enlèvement d'un ressortissant japonais à Blida. Le 1er février 1994, un attentat est perpétré par le GIA à la Casbah d'Alger ciblant deux journalistes étrangers, accrédités pour faire des reportages sur l'Algérie pour le compte de la chaîne américaine

ABC News. Olivier Yves Henri, de nationalité française, succombe à ses blessures, tandis que son collègue de nationalité australienne, White Scott Allan, est transporté dans son pays dans un état jugé critique.

De son côté, l'AIS ne faisait pas moins dans la barbarie. Durant les vacances scolaires du printemps (1994), l'AIS affiche de nuit, dans les établissements scolaires (collèges et lycées), un tract ordonnant aux collégiennes et aux lycéennes de porter le « vêtement islamique ». Les récalcitrantes paieront de leur vie leur refus de se soumettre à cette injonction. Des dizaines de fillettes et d'adolescentes vont tomber, égorgées au sein même ou à la porte de leurs établissements. Des enseignants sont assassinés, dans les salles de classes, sous les yeux de leurs élèves. L'usage du couteau ne prête pas aux mêmes rituels de mise à mort que l'usage des armes à feu. L'usage du couteau pour trancher la gorge est un acte sacrificiel public, qui autorise la proximité du bourreau avec son « objet », le corps de la victime. La haine trouve alors un objet reconnaissable parce que connu ; ce n'est pas la balle qui tue, provenant d'ailleurs, mais le bourreau, comme pour dire toute sa détermination. Égorger une fillette à la porte de son école ou dans la cour de récréation procède d'une mise en scène de la cruauté érigée en technique d'avilissement public, qui oblige les autres élèves à assister comme s'il fallait les rendre témoins de leur mort à venir. Ce qui est recherché, c'est inspirer le maximum de terreur. En la matière, les « faits d'arme » de Mustapha Kertali, ex-receveur de bus, ancien maire FIS à Larbaâ et chef de l'AIS pour la zone Larbaâ/Tablât, lui ont valu une renommée qui a dépassé les limites de son « fief ».

Le FIS n'a pas renoncé à intégrer le GIA dans son giron et, le GIA, en se renforçant commence à se considérer comme la seule organisation « djihadiste » légitime. Les affrontements armés entre ces deux organisations terroristes rivales se multiplient. Harcelé par les troupes de l'AIS et les forces de sécurité, surtout dans l'Algérois, l'émir du GIA, Layada, sentant l'étau se resserrer autour de lui, s'enfuit au Maroc, où il est arrêté en juin 1993, puis extradé par les autorités marocaines.

Son lieutenant, Si Ahmed Mourad, dit « Seif Allah Dja'far » ou encore « Dja'far el-Afghani », en référence à son passage par l'Afghanistan, lui succède à la tête du GIA. Pratiquement illettré, il a vécu de « trabendo » (marché noir). Il a trente ans lorsqu'il devient émir national du GIA. Son règne, qui s'étend jusqu'à sa mort (26 février 1994), est marqué par la recrudescence des actes terroristes. Sous sa direction, le GIA va étendre son emprise bien au-delà de l'Algérois. El Afghani va chercher à intégrer les groupes armés de l'Ouest (Chlef et Mascara) et des hauts plateaux de l'Est (la région de Msila). La montée en puissance du GIA conduit les groupes armés affiliés au FIS (AIS, FIDA, etc.) à redoubler de férocité afin de ne pas laisser le GIA occuper le terrain seul. Les assassinats des intellectuels et des étrangers se multiplient ; en trois mois vingt ressortissants étrangers sont assassinés.

Le 26 février 1994, en plein mois de jeûne (le Ramadan), Dja'far el Afghani est abattu, lors d'un accrochage avec les forces de l'ordre, à Bouzaréah, sur les hauteurs d'Alger. En mars 1994, les chefs du GIA, dans une réunion qui s'est tenue à Haouch Ben Yettou, dans les environs de Beni Tamou (wilaya de Blida) ont désigné Gousmi Chérif, dit Abou Abdellah Ahmed, émir national du GIA. En Algérie, à cette époque, des maquis sont actifs sur presque l'ensemble du territoire national : au sud-ouest d'Alger jusqu'à Sidi Bel Abbés, dans les montagnes du Centre, à l'Est entre Bejaia et Jijel, etc. La majeure partie est sous la tutelle des « groupes islamiques armés » que El Afghani a commencé à fédérer et que son successeur, Chérif Gousmi, rassemblera sous son autorité.

3. L'APOGÉE DU GIA (1994-1995)

Les autres organisations terroristes, l'AIS, le MEI, le FIDA, et Al Baqoun 'Ala el-'Ahd, qui contrôlent quelques milliers d'hommes, disséminés à travers le territoire national, ne sont déjà plus de taille à rivaliser avec le GIA. Depuis sa prison, Ali Benhadj a bien mesuré l'évolution du rapport de force au sein de la mouvance terroriste. Pour garder intacte son aura auprès des jeunes urbains des quartiers pauvres, qui constituent le principal vivier du terrorisme islamiste, il adresse une lettre à Gousmi, lui proposant de l'aider à mener le djihad. En mai 1994, les deux chefs du FIS dans la clandestinité, Mohamed Said et Abderezak Redjem, chefs de file du courant djaz'ariste, annoncent le ralliement au GIA et font allégeance à son chef. Ces événements conduisent à la tenue d'une réunion dite de réunification, le 13 mai 1994, qui consacre le GIA comme le seul et unique cadre du djihad armé. Le communiqué de *l'unification du djihad en conformité avec le livre et la Sunna* a été signé par A. Redjem au nom de FIS et par S. Mekhloufi au nom du MEI. Il désigne un nouveau « Mejless Echourra » (voir la liste des membres de ce Mejless en annexe XIV). Ce Mejless comprend 48 membres parmi lesquels figurent Ali Benhadj et Abassi Madani.

Sur le plan historique, la « réunion de l'unification » traduit d'abord l'hégémonie de la plèbe urbaine sur la nébuleuse terroriste. Emblématique à cet égard, le fait de voir un Mohamed Said, universitaire quinquagénaire, faire allégeance à son émir, Chérif Gousmi, un jeune de 26 ans, ex-imam et responsable local du FIS à Birkhadem. Elle marque également le début de l'opération de noyautage du GIA (voir organigramme du GIA en annexe XV) par les djaz'aristes.

Au plan intérieur, durant cette phase, le terrorisme atteint un niveau alarmant. Le bilan rendu public par les services de sécurité, le 4 mars 1995[8], du nombre des victimes du terrorisme pour la seule année 1994, révèle que toutes les couches de la société sont touchées. En 1994, 8 677 citoyens ont été victimes du terrorisme (6 388 assassinés et 2 289 blessés). Plus de 200 hold-up et près de 13 000 extorsions de biens à main armée ont été enregistrés durant cette même année. Les ouvriers spécialisés sont la catégorie socio-professionnelle la plus touchée par les attentats terroristes avec 1 800 assassinés et 96 blessés. Les sans professions comptent 1 384 tués et 1 039 blessés. Parmi les civils assassinés figurent également des fonctionnaires (682 tués et 314 blessés), des membres de la profession libérale (670 tués et 195 blessés), des ouvriers professionnels (407 tués et 171 blessés), des commerçants (350 tués et 119 blessés).

Le bilan des services de sécurité indique également que 1 wali (préfet), 11 chefs de daïras (sous-préfet), 7 hauts-fonctionnaires, 76 présidents de délégation exécutive communale (maire) ainsi que 40 membres de ces délégations ont été assassinés en 1994. On relève aussi l'assassinat de 101 enseignants, 52 imams, 41 étudiants, 122 anciens Moudjahids (vétérans de la guerre de libération nationale), 32 gardes communaux, 31 gardiens de prison, 21 journalistes, 21 douaniers, 15 magistrats, 10 agents de la protection civile, 5 avocats, 3 membres du Conseil national de Transition (CNT), 1 pilote et 1 chanteur.

Durant la même année, les actes de sabotages, au nombre de 2 725, ont touché tous les secteur d'activité et ont occasionné plus de deux milliards de dollars US de dégâts. Concernant le secteur éducatif, le bilan signale 915 classes du primaire, 7 institutions de recherche, 999 blocs administratifs, 9 centres de formation professionnelle et 3 centres universitaires, incendiés par les groupes terroristes. Les édifices publics n'ont guère été épargnés : 224 mairies et sous-préfectures ont été incendiées. Des dizaines d'entreprises économiques ont été détruites par le feu. Le secteur des transports a été également très touché par la déferlante terroriste : 1 218 camions, 577 véhicules légers, 511 engins de travaux publics, 288 bus, 7 locomotives et 204 wagons ont été détruits. Au plan des infrastructures : 2 204 poteaux téléphoniques, 78 relais de télécommunication et 178 pylônes ont été détruits.

Concernant la répartition géographique de la « terreur sacrée », la wilaya de Blida arrive en tête (580 civils assassinés, 124 blessés et

1 301 extorsions de fonds), suivie par la wilaya d'Alger (373 civils assassinés, 141 blessés et 479 extorsions), puis la wilaya de Médéa (283 civils assassinés, 90 blessés et 372 extorsions).

Que signifie cette comptabilité macabre, sinon que le terrorisme islamiste a opté pour une « politique de la terre brûlée » et de l'« épuration idéologique ». Rien ne peut mieux dire l'ampleur de l'horreur, que cette formule puisée dans le lexique de la *Violencia* colombienne : « *Matar, rematar, contramatar* » (tuer, « retuer », « contretuer »). Un mort, peut-être deux, toutes les heures ; le sang coulait à flots et les feux, attisés par la fureur et la cruauté des bourreaux, redoublaient d'intensité. Nos villes étaient brusquement devenues sombres et froides comme la mort. Dans plusieurs d'entre elles, le couvre-feu était instauré à partir de 16 heures, voir à partir de 15 heures et nul ne se serait hasardé à le braver. On n'entendait que le staccato des mitraillettes, le cliquetis des baïonnettes et le bruit étouffé des sabres transperçant les corps, que les râles sourds échappés de ceux qui, blessés grièvement ou mourant, tombaient à terre et que personne n'osait assister ni même approcher.

Entre-temps, l'Instance exécutive du FIS à l'étranger (IEE), dirigée depuis l'Allemagne par Rabah Kébir réagit à cet accord d'union. Excluant les djaz'aristes, partisans de Mohamed Saïd – Annouar Haddam, résidant aux USA et Ahmed Zaoui, installé en Belgique – et dénient tout droit à A. Redejm de parler au nom du FIS, l'IEE va s'efforcer de remettre l'AIS en selle. De leur côté, à l'intérieur, Ahmed Benaïcha (émir de l'AIS/Est) et Madani Mezrag (émir de l'AIS/Ouest) désavouent le rattachement du FIS au GIA et dénie toute représentativité politique à Mohamed Saïd et Abderezak Redjem. C'est les débuts des affrontements sanglants entre les deux organisations terroristes.

Les communiqués de Benaïcha, Mezrag et Kébir interviennent dans un contexte où le FIS a déjà irrémédiablement éclaté en diverses tendances et, l'AIS, laminée par l'action des forces de sécurité et les « expéditions punitives » du GIA, est divisée en plusieurs pôles régionaux. Pour pallier à cette situation, le FIS donne à l'AIS un commandement unifié en nommant, en mars 1995, Madani Mezrag, « émir national » de l'AIS. Cette désignation n'avait pas un simple intérêt militaire mais aussi et surtout politique. La direction politique du FIS cherchait à négocier avec le pouvoir en position de force. Des négociations étaient déjà entamées entre le pouvoir et les dirigeants du FIS incarcérés. Abassi Madani adressa, le 9 avril 1995, de sa prison, une lettre au Président Zeroual (désigné président de l'État au cours du mois de janvier 1994), pour lui proposer une solution à la crise, aux conditions du FIS[9]. Abassi Madani a exprimé le souhait d'associer d'autres responsables du FIS aux discussions. C'est ainsi que A. Madani a été autorisé à recevoir la visite de Abdelkader Hachani, Boukhamkham, Djeddi, A. Benhadj, Guemazi et Omar Abdelkader. Par la suite, le groupe s'est vu offert la possibilité de mener des discussions ensemble pendant un mois. Le 19 juin 1994, le groupe a fait connaître sa position dans un document remis à la présidence de l'État[10].

Les négociations n'aboutiront pas parce que les responsables du FIS refusent de souscrire à une condition du pouvoir : le préalable à un appel à l'arrêt de la violence et la condamnation du terrorisme. Ainsi, contrairement à ce que certaines voix laissent entendre, en Algérie comme ailleurs, le pouvoir algérien n'a jamais opté pour la solution du « tout sécuritaire ». Dès le déclenchement de la violence islamiste, il est en quête d'une solution négociée et d'interlocuteurs représentatifs. Mais, l'obstination des politiques du FIS à imposer une solution à leurs conditions, la multiplication des protagonistes du terrorisme et la complexification des logiques de la violence islamiste ont rendu la tâche impossible. Face à une telle situation, aucun État au monde ne consent à abdiquer, encore moins à renoncer à son droit de légitime défense.

Sur le terrain, le GIA poursuit son entreprise sanguinaire, mettant le pays à feu et à sang. Le 13 septembre 1994, Chérif Gousmi rend public un communiqué dans lequel il critique sévèrement la démarche du FIS et rappelle que le GIA ne fait pas la guerre pour dialoguer avec les gouvernants apostats. Le mot d'ordre qui figure en exergue dudit communiqué : « Pas d'accord, pas de trêve, pas de dialogue » résume parfaitement la ligne du GIA. Deux semaines plus tard, le 26 septembre 1994, Gousmi est abattu par les forces de l'ordre. Le 6 octobre 1994, un communiqué du GIA annonce la mort au combat de Gousmi, dit Abou 'Abdellah Ahmed et lui désigne un successeur dans la hâte, le GIA ne pouvant conformément à son règlement intérieur rester sans chef plus de trois jours. Il s'agit de Mahfoud Tadjine, alias Abou Khalil Mahfoud, adjoint de Gousmi et proche de Mohamed Said. Mais, les salafistes présents à la réunion, qui s'est tenue dans les monts de Chréa (Blida), ne veulent pas d'un djaz'ariste à la tête du GIA. À l'issue d'un coup de force, ils parviennent à écarter Mahfoud Tadjine au profit de Djamel Zitouni.

4. LE TEMPS DES DISSIDENCES
(Fin 1994 - Fin 1996)

Âgé de 30 ans, fils d'un marchand de volailles, Djamel Zitouni n'a pas dépassé le niveau de l'enseignement secondaire. Là où Chérif Gousmi est parvenu à faire progresser l'unification de la nébuleuse islamiste, Zitouni va raviver, puis aggraver les dissensions en son sein. Il est apparu très vite que Zitouni ne fait pas l'unanimité au sein du groupe des émirs influents, qui lui reprochent son incapacité à diriger le GIA et son ignorance en matière de théologie. Il est contesté aussi bien par les « djaz'aristes » que par les salafistes. La première tentative de destitution de Djamel Zitouni a été l'œuvre de Habchi Mohamed dit Abou Dja'far Mohamed, émir de la « zone 1 » (Blida, Médéa, Tipaza, Ain Defla, Chlef, Djelfa, Laghouat et Ghardaia). Il sera liquidé par Djamel Zitouni, qui va se servir de ce précédent pour dissuader d'autres prétendants à l'émirat national et placer ses hommes aux postes clés du GIA.

Dès son « intronisation » à la tête du GIA, Djamel Zitouni va se lancer dans une guerre contre la France. Le coup d'envoi de cette guerre sera le détournement d'un avion Airbus d'Air France à l'approche des fêtes de la Noël de l'année 1994 à l'aéroport d'Alger, qui se terminera par l'anéantissement du commando des pirates de l'air à l'aéroport de Marseille. Les intentions de Zitouni de s'attaquer à la France étaient déjà explicites dans deux communiqués du GIA : le communiqué n° 13 du 30 octobre 1994 et le communiqué n° 14 du 31 octobre 1994. L'épisode du détournement de l'Airbus d'Air France fera l'objet de trois communiqués. Dans le premier (n° 15 du 25 décembre 1994), le GIA affirme qu'en vertu de sa position constante, « ni dialogue, ni trêve, ni pourparlers avec le pouvoir », les discussions à propos de l'avion détourné ne se feront qu'avec les autorités françaises, en présence des télévisions étrangères. Dans le communiqué n° 16 du même jour, le GIA revendique le détournement de l'avion et le justifie comme étant « *une réponse au soutien inconditionnel politique, militaire et économique* » apporté par la France au régime des apostats en Algérie. Il menace la France de nouvelles attaques contre ses intérêts si elle persiste dans cette politique de soutien. Il exige des autorités algériennes la libération immédiate des « *prisonniers musulmans* » dont Abassi Madani, Ali Benhadj, Abdelhak Layada, etc., et des pays étrangers la libération des « *prisonniers musulmans* » dont l'Égyptien Omar Abderahmane, détenu aux USA. Enfin, il menace d'égorger tous les otages et de faire exploser l'avion, si ces exigences ne sont pas satisfaites. Les Communiqués n° 16 du 25 décembre 1994 et n° 17 du 26 décembre 1994 reprennent les mêmes revendications et réitèrent les mêmes menaces contre la France. Dans le Communiqué n° 18 du 29 décembre 1994, le GIA lance un appel au boycott des produits français à partir du 1er janvier 1995. De juin 1995 à octobre de la même année, différents réseaux islamistes affiliés au GIA, constitués en France et coordonnés à partir de Londres, entrent en action, commettant une dizaine d'attentats, qui se solderont par 9 morts et plus de 150 blessés. Le 19 août 1995, l'émir du GIA adresse une lettre d'exhortation à la conversion au Président Chirac, sous l'intitulé, « *Aslim, Taslem* » (Convertis/soumets-toi, tu seras sauvé).

Cette recrudescence du terrorisme a lieu au moment où le FIS avec certains partis de l'opposition (le FLN de Mehri, Le FFS de Ait Ahmed, le MDA de Ben Bella) s'engagent, sous les auspices de la communauté catholique séculière de Sant' Egidio à Rome et de la CIA, dans la préparation d'une « *plate-forme pour une solution politique et pacifique de la crise algérienne* ». Ladite plate-forme sera signée le 13 janvier 1995. Elle est accueillie avec faveur dans les capitales européennes et aux États-Unis. C'est qu'à cette époque, toutes les puissances occidentales étaient convaincues que l'effondrement du pouvoir algérien était imminent ; une affaire de mois, disait-on, persuadé que l'Algérie, à l'image de l'Afghanistan de Najibullah, ne pouvait résister à la déferlante terroriste islamiste. Dès lors, soucieuses de préserver l'avenir, plus ravies encore de se débarrasser d'un régime dont on avait programmé la chute depuis longtemps, les capitales occidentales s'échinèrent à transformer les bourreaux en victimes.

En effet, fin 1995, sous le titre *L'Algérie sera-t-elle le prochain État islamique ?*, un rapport de 120 pages, rédigé par Graham F. Fuller et édité par la Rand Corporation, le Centre de recherche officieux de la CIA, sert de référence à toutes les chancelleries occidentales. La thèse de l'auteur est explicite : « *La question n'est pas tellement de savoir si le FIS arrivera au pouvoir, mais comment il y parviendra, jusqu'à quel point il le contrôlera et avec qui il devra le partager* ». Par conséquent, et dans le cadre de la gestion des conflits de basse intensité, l'Algérie est perçue comme un laboratoire à ciel ouvert où des apprentis sorciers expérimentent de nouveaux modes de gestion de l'islamisme dans des configurations correspondants aux intérêts des États-Unis. À travers l'expérience algérienne, Fuller définit la nature de l'islamisme et affirme sa propriété de « corps soluble » dans le « nouvel ordre mondial » : « *L'islamisme, écrit-il, ne ressemble pas au communisme : il n'a pas de direction, pas de programme central. La politique islamiste découle directement de la culture locale traditionnelle. Enfin, les mouvements islamistes présentent une diversité considérable, et le principe antidémocratique ne leur est pas inhérent. De surcroît, ils évoluent avec le temps (...). Enfin, les gouvernements islamistes ont toutes les chances de se multiplier au Moyen-Orient dans les années à venir, prenant de nombreuses formes différentes. Ils auront à apprendre à vivre avec l'Occident et l'Occident aura à apprendre à vivre avec eux. Cette expérience avec le FIS algérien a donc une portée considérable. »*. Expérience. Le mot est lancé et le sort de l'Algérie est, ainsi, définitivement scellé.

Pour permettre à A. Haddam de s'imposer comme le seul représentant du FIS à l'étranger, le Département d'État américain demande à son homologue allemand de ne pas délivrer de visa de sortie à Rabah Kébir, porte-parole de l'Instance exécutive du FIS à l'étranger (IEFE), basée à Bonn. La voie est dégagée, A. Haddam fera le voyage à Rome dans l'avion personnel du ministre américain de la Justice. La bienveillance des Occidentaux à l'égard des islamistes algériens visait à transformer l'Algérie en un nouvel Afghanistan. Pourquoi les Américains ont-ils choisi A. Haddam ? La raison est simple. Membre de l'Instance exécutive du FIS à l'étranger (IEFE), représentant du courant « djaz'ariste », A. Haddam a également fait allégeance au GIA, « *c'est par son intermédiaire que ces derniers auraient reçu les consignes d'épargner l'infrastructure énergétique et la main-d'œuvre américaine opérant en Algérie* »[11]. Le GIA est totalement opposé à cet accord « *conclu à l'ombre de la croix vaticane* ». Le 4 mai 1995, Zitouni publie un communiqué interdisant aux représentants du FIS à l'étranger de parler au nom du « djihad » ; il leur concède un délai de un mois pour se repentir, faute de quoi, ils seront assassinés. Parmi les responsables concernés figure l'imam A. Sahraoui, qui sera abattu le 11 juillet 1995 à Paris. En juin, A. Madani et A. Benhadj sont exclus du « Mejless Echourra » du GIA.

En Algérie, les actions terroristes vont atteindre un degré de violence et de sauvagerie inédit. Des jeunes filles sont égorgées à la sortie des collèges et des lycées ; d'autres sont enlevées pour être violées au nom d'un principe hérité du chiisme, qui rend licites « les mariages de jouissance » (*zaouâdj el-mout'a*). Des familles qui ont des fils dans la police ou dans l'armée sont exterminées. Des adolescents, vendeurs de cigarettes, sont décapités. Des imams qui leur refusent des « fetwa » sont tués. Le tabac et les journaux sont interdits. La musique et les fêtes sont bannies. Les attentats à la voiture piégée contre les cités HLM ou les résidences des familles de policiers, se multiplient.

L'année 1995 commence par l'attentat à la voiture piégée contre le siège de la sûreté urbaine du Grand Alger, qui se trouve sur l'un des grands boulevards d'Alger. Un véritable massacre que le GIA revendiquera dans son Communiqué n° 22 du 31 janvier 1995. Le Communiqué n° 20 du 16 janvier 1995 déclare les journalistes de la radio et de la télévision apostats. La campagne d'assassinats de journalistes s'intensifie. Les familles des éléments des forces de l'ordre sont condamnées à mort dans le communiqué n° 28 du 30 avril 1995. Dans ce communiqué, le GIA demande aux épouses des « apostats » de divorcer. Aucune catégorie sociale n'est épargnée :

- Communiqué n° 38 du 16 août 1995 : menaces de mort contre les magistrats et les employés du ministère de la Justice ;

- Communiqué n° 41 du 18 janvier 1996 : menaces de mort contre les conscrits et interdiction des voyages, dans toutes les directions, pour tous ceux qui ont atteint l'âge du service militaire ;

- Communiqué n° 42 du 31 janvier 1996 : menaces de mort contre les employés dans le secteur des hydrocarbures ;

Le règne de Zitouni est également celui des grandes purges. En juin 1995, Azzedine Baa, un des chefs du MIA, ancien bouialiste, est exécuté. Au cours du mois de juillet de la même année, A. Redjem et M. Said, deux figures de proue de l'islamisme algérien et chefs de file de la « djaz'ara », sont liquidés. Cette exécution aura un retentissement considérable dans la nébuleuse terroriste en Algérie et à l'étranger. Elle précipite l'isolement de Djamel Zitouni. Certains chefs de régions du GIA entrent en dissidence :

• La dissidence au centre du pays :

1) *Le Front islamique pour le Djihad armé (FIDA)* : organisation terroriste fondée, comme nous l'avons déjà précisé, vers la fin des années 92, par Abdelwahab Lamara, spécialisée dans l'assassinat des intellectuels et des personnalités politiques[12] ;

2) *La katiba de Sid Ali Belhadjar,* (wilaya de Médéa), qui deviendra, à partir du mois de février 1997, *La Ligue islamique pour la Da'wa et le Djihad (LIDD)* se réclamant de A. Madani et de A. Benhadj mais aussi de Mohamed Said ;

3) *La katiba de Souane Abdelkader,* (wilaya de Médéa) ;

4) *La katiba de Mustapha Kertali* de Larbaâ (wilaya de Blida), qui deviendra, en juillet 1995, *le Mouvement islamique pour la Prédication et le Djihad* (M.I.P.D) ;

5) *Le groupe armé de Hamza Mohamed dit Daia* ;

6) *Le groupe armé de Ali Benyahia Kouider,* qui opère dans les wilayas de Aïn Defla et Chlef.

• La dissidence dans l'ouest du pays :

À l'Ouest, l'« émir zonal » – la zone 4 du GIA, qui englobe les wilayas de Mascara, Oran, Saïda, Aïn Temouchent et Tlemcen – Kada

Benchiha alias Abderrahim Larbi, un ancien coiffeur, né en 1963, originaire de Sidi Bel Abbés, refuse de partager les armes et les munitions, volées à Sebdou et à Telagh, avec les autres groupes armés. Il ambitionnait d'étendre sa zone d'influence à la région de Béni Bouateb (wilaya de Ain Defla) pour en faire son poste de commandement (PC) afin de pouvoir renégocier, en position de force, une restructuration des « zones » du GIA, à son avantage. Il est condamné à mort par Djamel Zitouni remplacé par Akkal Mustapha. En réaction à cette décision, Kada Benchiha crée, en 1996, une organisation connue sous la dénomination de « Houmat al Da'wa es-Salafia » (Les Défenseurs de la Prédication salafiste), connue également sous la dénomination de « Katibat el Ahouel ». Elle sera combattue par le GIA jusqu'à nos jours. Le 26 septembre 1996, Kada Benchiha est capturé par un groupe rival se réclamant du GIA ; il meurt quelques semaines plus tard. Son conseiller militaire, Tayeb Djeriri est désigné, lors d'un congrès comme émir de l'organisation.

Les liquidations atteignent une telle ampleur que les groupes islamistes, les plus influents du moment et les principaux soutiens du GIA, réunis autour du périodique *Al Ansâr*[13], demandent à Zitouni des preuves sur le prétendu complot fomenté par les djaz'aristes liquidés. Ces preuves n'arriveront qu'à l'été 1996, sous la forme d'une cassette vidéo où des proches des deux victimes (Redjem et M.Said), A. Lamara et M. Tadjine confessent le complot. Ils seront exécutés. Mais un autre événement va aggraver les choses. Il s'agit de l'enlèvement, le 27 mars 1996, des sept moines trappistes français du monastère de Tibhirine[14]. Ce n'est qu'à travers son Communiqué n° 43 du 18 avril 1996, que le GIA revendique l'enlèvement des sept moines. Le 18 avril 1996, Djamel Zitouni adresse une lettre aux autorités françaises dans laquelle il révèle que le GIA a envoyé à ces autorités un émissaire porteur d'un document signé par les sept moines et une cassette audio prouvant qu'ils sont toujours en vie. Le 21 mai 1996, les sept moines seront décapités après l'échec des négociations amorcées par les autorités françaises.

C'est dans son Communiqué n° 44 du 21 mai 1996, que le GIA revendiquera l'assassinat des moines. Le communiqué commence par deux hadiths (propos du Prophète) et un verset du Coran. Il rappelle ensuite à la France, « mère de tous les vices » sa trahison lors du détournement de l'Airbus d'Air France et lors des pourparlers concernant la libération des sept moines enlevés. Il précise que le 30 avril 1996, le GIA a envoyé un émissaire à l'ambassade de France à Alger muni de documents (lettre manuscrite et cassette audio) prouvant que les moines étaient vivants. Il ajoute que les Français ont manifesté leur disponibilité et adressé au GIA, une lettre l'informant de leur volonté à maintenir le contact. Le communiqué conclut : « *Quelques jours après, le ministre des Affaires étrangères de ce pays déclare que la France ne négociera pas avec le GIA. Ils ont coupé le contact avec le GIA et coupé les têtes des sept moines, ce jour même* ». Ce massacre collectif suscite la désapprobation même dans les milieux « djihadistes ». Le 31 mai 1996, la publication du périodique *Al-Ansâr* est suspendue par ses rédacteurs. Le 6 juin, les deux principaux idéologues de la tendance « salafiste djihadiste », le Palestinien Abou Qatada et le Syrien Abou Mous'ab ainsi que tous les groupes islamistes réunis autour d'Al Ansâr, annoncent qu'ils cessent de soutenir Djamel Zitouni. Entre-temps, ce dernier a également liquidé un nombre important d'« Afghans » (algériens vétérans de la guerre d'Afghanistan) dont il se méfiait. Said Mekhloufi, émir du « Mouvement pour l'État islamique » (MEI) et combattant de la première heure n'échappera pas à la furie de Zitouni qui, isolé et traqué, sera attiré par ses proches fidèles, Hassen Hattab et Abderezak le Para dit Abou Loubaba, dans la région de Médéa, fief du dissident Belhadjar, où il sera abattu avec vingt autres terroristes qui l'accompagnaient, le 16 juillet 1996.

5. L'ATOMISATION DES GROUPES ISLAMISTES ARMÉS ET LA PROLIFÉRATION DES LOGIQUES DE VIOLENCE TERRORISTE À PARTIR DE 1996

La disparition de Zitouni va provoquer quelques remous au sein du groupe. Dans un premier temps, un communiqué annonce la désignation de Hassan Abou al-Walid, alias Habbi Miloud comme nouvel émir du GIA. Ancien fidèle de Zitouni, il avait cependant signé, quelques jours avant la disparition de celui-ci, un communiqué (du 14 juillet 1996) critiquant sa conduite. Abou al-Walid activait dans la région du Centre (Alger) de façon relativement autonome au sein du groupe « *Al-Mouhâjiroun* ». Il opérait en liaison avec Abou Hamza Hassan Hattab, émir de la 2ᵉ région (Boumerdès, Bouira, Tizi Ouzou, Bejaia, Msila). Hassan Hattab avait ratifié la proclamation d'Abou al-Walid en tant qu'émir national.

Cependant, un autre communiqué paru durant le mois d'août, remet en question la nomination d'Abou al-Walid. Un « Mejless Echourra » restreint a dénoncé ce coup de force et désigné Antar Zouabri à la tête du GIA, en l'absence de la majorité de ses membres. Antar Zouabri a profité du règlement intérieur du GIA, qui stipule que le poste d'« émir national » ne peut rester vacant plus de trois jours consécutifs ; et de la pression des forces de l'ordre, qui a empêché les émirs, membre du « Mejless Echourra » de rejoindre le poste de commandement situé à Chréa (wilaya de Blida), pour s'imposer à la tête du groupe. Ce coup de force entraînera la sécession d'Abou Al-Walid et de son groupe armé « Al-Mouhâjiroûn » et la scission de la 2ᵉ Région de Hassan Hattab. Ce dernier parviendra plus tard à fédérer nombre de dissidents et formera, rejoint par le groupe « Al-mouhâjiroûn », le 14 septembre 1998, « Al-Jamâ'a Esssalâfiyya lî Da'wa wa-l-Qitâl » (Groupe salafiste pour la Prédication et le Combat / GSPC).

Au moment de son accession au rang d'émir national du GIA, Antar Zouabri avait 26 ans. Natif de Souidani Boudjema (ex-Haouch Gros), un douar – en fait un vaste domaine agricole – situé à quelques kilomètres de Boufarik (wilaya de Blida) sur la route de Bouinan. Analphabète et délinquant, vivant d'expédients, Antar Zouabri s'est engagé, dès l'adolescence, sous l'influence de son frère aîné Ali Zouabri, qui a dirigé le premier groupe islamiste armé dans la région de Boufarik, dans l'activisme. Il s'affirme comme le continuateur de l'œuvre de Djamel Zitouni. Il se lance dans une fuite en avant dans la violence, intensifie les purges et réfute les accusations portées par le courant salafiste djihadiste international à l'endroit du GIA et de Djamel Zitouni. Il trouve dans l'Égyptien Abou Hamza, un ancien d'Afghanistan, qui prêche dans la Grande Mosquée de Finsbury Park à Londres, un nouvel idéologue disposé à justifier ses crimes par des « fetwas appropriées ». Dès le début de l'année 1997, Abou Hamza relance le périodique Al-Ansâr, après s'être assuré de la « ligne théologique » de Zouabri, qui lui a fait parvenir un opuscule intitulé, Al-Seïf el Battar (L'épée tranchante), rédigé par l'officier législateur du GIA, Abou Mundher, et dont la préface est signée par A. Zouabri lui-même.

Pour redorer le blason terni de son organisation et lutter contre son isolement croissant, tant en Algérie qu'à l'étranger, au sein de la mouvance salafiste djihadiste internationale, Zouabri va multiplier les actions spectaculaires et sanglantes, notamment les massacres collectifs, principalement dans les hameaux et villages habités par des sympathisants de l'AIS, par des familles de dissidents et/ou de résistants afin de dissuader par la terreur les dissidents et/ou les résistants potentiels. Les mois de janvier-février 1997 (mois du Ramadan 1997) ont été les plus sanglants depuis l'avènement du terrorisme avec la multiplication des massacres collectifs de populations civiles, qui culminent à la fin du mois d'août et le début du mois de septembre, dans les bains de sang à Raïs, Bentalha et Beni-Messous.

Pour comprendre ce mécanisme mental (idéologique), qui a conduit les troupes du GIA à commettre des massacres collectifs, il suffit de relire les communiqués signés par Antar Zouabri. À ce titre, trois documents sont exemplaires. Ils traduisent parfaitement ce mécanisme :

1) Une déclaration du GIA publiée dans son périodique clandestin, Al Djama'a, n° 13, juin 1997.

Afin de justifier les massacres collectifs, l'officier législateur du GIA divise le peuple algérien en trois catégories :

• *Première catégorie* : elle englobe tous ceux qui pratiquent la religion et la défendent contre ses ennemis. Elle comprend aussi tous ceux qui ont fait allégeance aux « moudjahidins » par le soutien qu'ils leur apportent et l'hostilité qu'ils manifestent à l'endroit du « Taghout ». On y retrouve, également inclus, les « faibles de la Oumma », hommes, femmes et enfants qui ne peuvent décider de leur sort.

• *Deuxième catégorie* : c'est la catégorie de ceux qui ont manifesté leur hostilité à Dieu, à son Prophète et aux sages de notre religion, en les combattant par la main, la langue ou la plume. Ceux-là mourront apostats et séjourneront éternellement dans la géhenne.

• *Troisième catégorie* : c'est la catégorie de ceux qui ne sont pas pour le djihad ou qui découragent le combat contre ses ennemis. Ces personnes sont devenues, du plus grand au plus petit, les ennemis des moudjahidins. Cette catégorie est composée de plusieurs fractions différentes qu'il faut distinguer les unes des autres :

- ceux qui ne se mobilisent pas pour le djihad et rejoignent le « taghout », manifestent aux mécréants et aux apostats leur adhésion à leur religion, aux lois positives, à la démocratie et aux élections et ce par peur ou par calcul ;

- ceux qui ne font pas allégeance aux moudjahidins et obéissent au « Taghout » ;

- les habitants des villes, qui sont devenues des nids de l'indécence et des « innovations blâmables ».

Il y a donc d'un côté le GIA (ses combattants, ses réseaux de soutien et tous ceux qui, d'une façon ou d'une autre, lui ont déclaré allégeance) et, de l'autre, tout le reste de la population, déclaré apostat et condamné à mort.

2) Communiqué du GIA daté du 10 septembre 1997 :

Le communiqué commence par des versets coraniques pour préciser ensuite que « *Le GIA est le seul emblème légitime et unifié en ce monde. Il est constitué de véritables croyants, car il pratique l'excommunication contre les tyrans et les démons... Excommunier les démons consiste également à ne pas suivre leurs suppôts. Le GIA applique à la lettre ces recommandations ; il lance l'anathème contre les tyrans, leurs parents, leurs suppôts et leurs partisans* ». Viennent ensuite deux autres versets coraniques sur la base desquels, le communiqué conclut : « *C'est pourquoi le GIA pourchasse et élimine les apostats. C'est pour la même raison qu'il viole leurs femmes et prend leur argent. Les explosions, les massacres et le sang qui coule quotidiennement partout traduisent notre adhésion aux principes que nous venons d'exposer... Bien que le peuple hypocrite n'ait pas soutenu les moudjahidins, nous ne perdons pas courage, car nous combattons dans le chemin de Dieu. Son comportement ne peut que nous rendre encore plus forts et déterminés. Dieu nous récompensera.* ».

Le Communiqué s'adresse ensuite « *aux individus immondes qui peuplent la France et aux chrétiens associationnistes, ennemis de Dieu* », et met en garde « *les Nations Unies dirigées par les juifs pervers, les Américains et leurs suppôts efféminés. Qu'ils soient maudits et aveugles afin qu'ils ne commettent pas les mêmes erreurs que la mère des vices, la France* ». Il termine par cette apologie du crime et de la mort :

« *Nos assassinats, massacres, incendies ne sont que des offrandes à Dieu. Par cette guerre nous ne faisons que suivre le Calife Abou Bakr "que Dieu soit satisfait de lui".*

Nous ne faisons que combattre les incrédules.

Celui qui appelle à instaurer un dialogue ou une trêve avec les apostats a, en vérité, fait allégeance au régime des renégats.

Que Dieu nous donne la force pour couper les têtes et éliminer les hérétiques.

Nous ne craignons pas la mort : la mort dans la voie de Dieu est une vertu. Ils seront tués de notre main ou par Dieu et nos cœurs seront ainsi rassasiés.

Nous continuerons à massacrer jusqu'à ce que la loi de Dieu règne sur terre.

Il faut chasser le mal et commander le bien.

Sang... sang... destruction... destruction. »

Du 1er octobre 1997 au 30 janvier 1998, nous avons enregistré 3 156 victimes du terrorisme (2 404 tués et 752 blessés)[15]. Les régions de l'Ouest sont les plus touchées (53,11 % des actes terroristes) suivies par celles du Centre (29,74 %) et, enfin, par le reste du pays (17,15 %).

Actes terroristes par wilaya du 01/10/1997 au 30/01/1998
(En pourcentages et par ordre décroissant)

1. Relizane .... 40,26 %
2. Blida .... 25,58 %
3. Tiaret .... 8,22 %
4. Tissemsilt .... 6,05 %
5. Bouira .... 5,70 %
6. Sidi Bel Abbés .... 3,53 %
7. Alger .... 2,72 %
8. Saïda .... 2,62 %
9. Tlemcen .... 1,61 %
10. Mascara .... 1,21 %
11. Chlef .... 0,85 %
12. Tipaza .... 0,75 %
13. Djelfa .... 0,55 %
14. Médéa .... 0,25 %
15. Sig .... 0,05 %

Le début de l'année 97 voit réapparaître deux groupuscules qui avaient pratiquement été éradiqués par les opérations militaires : le FIDA et « *Al Baqoun 'ala el 'Ahd* » (les Fidèles au serment). Dès le début, ils avaient opéré aux côtés du GIA. Par la suite, face aux épurations des djaz'aristes, ils se retrouveront dans le camp des opposants au GIA. Le FIDA, implanté à Alger, est dirigé par Mohamed Abou el-Fida. À ce moment-là, le GIA historique n'est plus que l'ombre de lui-même. Miné par une succession de dissidences, il pèse de moins en moins lourd devant les nouveaux groupes armés : La LIDD de Benhadjar, le MIPD de Kertali et surtout, devant le groupe de la zone 2 de Hassan Hattab, qui deviendra le nouveau cadre fédérateur.

Le découpage territorial du GIA de Zouabri comprend 8 zones. La capitale est considérée par le GIA, comme pour toutes les autres organisations terroristes, comme une zone stratégique compte tenu des multiples opportunités qu'elle offre dans différents domaines : impact médiatique des actions terroristes, recrutement dans les banlieues, densité démographique, possibilités de financement, etc.
• Zone (1)   : Blida - Médéa - Tipaza - Chlef - Ain De fla ;
• Zone (2)   : Boumedès - Tizi ouzou - Bouira - Bejaia - Bordj
                Bou Arreridj - Msila ;

- Zone (3)   : Relizane - Tiaret - Mascara - Tissemsilt - Mostaganem ;
- Zone (4)   : Sidi Bel Abbès - Tlemcen - Oran - Ain   Temouchent -
Saida - El Bayadh
- Zone (5)   : Batna - Biskra - Oum el Bouaghi - Khenchela -
une partie de Constantine ;
- Zone (6)   : Jijel - Skikda - Sétif - Mila - une partie de Constantine ;
- Zone (7)   : Annaba - Guelma - Souk Ahras - El Tarf - Tebessa ;
- Zone (8)   : Béchar - tindouf - Adrar - Naama - Tamaraset -
El oued ; Ouargla - Ghardaia - Djelfa.

Toutes ces zones connaissent des dissidences :

- *L'Algérois* : la dissidence est le fait des djaz'aristes, des membres de l'organisation « Al Takfir oua el-Hidjra » et surtout des groupes armés de la « zone II » commandée par Hassan Hattab. L'émir Sehali Khaled, qui dirige les groupes armés de Meftah, Cherarba et Tablat et Chabani Mohamed, émir de la katibat dit « El Mout » (la mort) qui opère à l'est d'Alger entrent également en dissidence.

- *La « zone 1 »* : elle connaît les scissions et les dissidences les plus importantes. Six katibas, opérant dans les wilayas de Chlef et de Ain Defla sont sous le commandement de l'émir Abou Farès. Sept katibas, ainsi que le FIDA, évoluant dans les wilayas d'Alger, de Médéa et de Ain Defla rejoignent le LIDD de Sid Ali Belhadjar.

- *La « zone 2 »* : elle est pratiquement sous le contrôle du dissident Hasse Hattab, qui fondera le 14 septembre 1998, le GSPC.

- *La « zone 3 »* : un groupe armé de 300 terroristes, appelé « katibate Ettakatoul », dirigée par Ouldja Abdelhamid, fait scission et se sépare du GIA.

- *La « zone 4 »* : elle est sous le contrôle du dissident Kada Benchiha, qui crée, en 1996, une organisation connue sous la dénomination de « *Houmat al Da'wa Es-Salafiyya* » (Les Protecteurs de la Prédication salafiste) connue également sous l'appellation de « *Katibat el-Ahoual* ». Kada Benchiha est tué par une fraction rivale, le 26 septembre 1996. Il est remplacé à la tête de l'organisation par son conseiller militaire, Tayeb Djériri.

- *Les « zones 5, 6 et 7 »* : Un certain nombre de groupes armés se séparent du GIA de Zouabri et opèrent de façon autonome.

La fragmentation de la nébuleuse terroriste (voir annexe XVI) entraîne la multiplication des protagonistes de la violence armée et la complexification de ses logiques. Beaucoup de groupes armés font jonction avec la grande criminalité et le banditisme (trafic de drogue, contrebande, racket, etc.). La « libéralisation » de l'économie nationale offre également l'opportunité aux émirs d'opérer par la violence des prélèvements sur la circulation des ressources et de blanchir leur argent dans l'import-export, l'immobilier et le transport. Par ailleurs, le terrorisme acquiert une rare intensité dans la plaine de la Mitidja où se concentrent les massacres collectifs. Ce fait est à mettre en rapport avec la perspective de la privatisation des terres étatiques. L'objectif visé par le GIA et ses « commanditaires », qui aspirent à s'approprier ces terres, est d'éliminer tous les prétendants potentiels au rachat de ces terres, qui sont les habitants des « haouchs », des domaines agricoles, considérés comme des indu-occupants.

Le terrorisme vire au banditisme. Et, la confusion entre ces deux dimensions est telle, qu'il devient pratiquement impossible de démêler l'écheveau des actes terroristes pour distinguer ceux qui ont encore une signification politique de ceux qui ne l'ont plus. Les fissions et les fusions, les alliances et les ruptures, qui caractérisent la nébuleuse terroriste correspondent de moins en moins à des clivages politiques et/ou idéologiques, mais procèdent d'une logique de réseaux et d'allégeances sous contrainte pour le contrôle de territoires. C'est ce qui explique, que les groupes islamistes armés échappent à l'influence de l'élite politique islamiste. C'est le règne des activistes issus de la plèbe néo-urbaine, qui s'en tiennent à des logiques de prédation. À cet égard, l'assassinat de Abdelkader Hachani, le 22 novembre 1999, par un terroriste islamiste, est significative. L'essor d'une « économie de marché » est la toile de fond de cette mutation. Désormais, en Algérie, la violence terroriste renvoie à des stratégies de contrainte et de contrôle de pôles d'accumulation, qui s'accompagnent d'une destructuration de la société et de l'effacement du politique.

C'est dans ce contexte, qu'en octobre 1997, l'AIS décrète la trêve. Elle sera suivie par la LIDD de Benhadjar et le MIPD de Kertali. Le GSPC de Hattab et le GIA de Zouabri, qui continue sa dérive « takfiriste », s'opposent à la trêve malgré les appels répétés du pouvoir.

6. L'ACTIVITÉ TERRORISTE EN ALGÉRIE (1992-2000)

Dès 1996, l'activité terroriste connaît un fléchissement notable. En 1995, on a enregistré 7 562 actes terroristes contre 5 899 en 1996,

2419 en 1998 et 2047 en l'an 2000. Les exactions terroristes ont fait 13 801 victimes (8 086 tués et 5 715 blessés) en 1995 contre 10 779 victimes (5 121 tués et 5 658 blessés) en 1996 ; 7 021 victimes (3058 tués et 3963 blessés) en 1998 et 3 443 victimes (1 573 morts et 1870 blessés) en 2000.

ÉVOLUTION DU TERRORISME
(de 1992 à 2000)

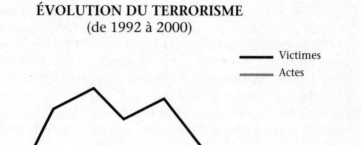

Sur la base des données disponibles pour l'année 1999, nous pouvons faire la distinction entre plusieurs foyers d'activité terroriste :
- Les wilayas où nous avons enregistré plus de 70 tués : Médéa, Aïn Defla, Blida, Chlef, Bouira, Boumerdès et Tizi Ouzou ;
- Les wilayas où nous avons enregistré entre 40 et 70 tués : Tipaza, Mascara, Bechar, Tiaret, Jijel, Djelfa, El Bayadh et Laghouat ;
- Les wilayas où nous avons enregistré entre 10 et 30 tués : Relizane, Alger, Batna, Khenchela, Skikda, Tébessa, Oran, Bejaia et Msila
- Les wilayas où le nombre de tués a été inférieur à 10 : Constantine, Annaba, Saida, Sidi Bel Abbés, El Tarf, Sétif, Ain Temouchent, Tlemcen, Guelma, Oum el Bouaghi et Souk Ahras.
Guettés par les citoyens armés (le Groupe de légitime défense et les Patriotes), rejetés par une frange importante de la population qui leur était acquise et après les coups durs assénés aux GIA par l'armée (par exemple à Ouled Allal, le 5 octobre 1997) et la dislocation de leurs réseaux dans la Mitidja, les groupes islamistes armés ont opté pour deux démarches de repli :
- se redéployer dans la zone montagneuse de la Kabylie où les forêts et le terrain accidenté facilitent l'évolution des groupes armés et rendent les opérations militaires difficiles à mener ;

- se déplacer également vers l'Ouest (le triangle Tiaret - Relizane - Tissemsilt) en transitant par Ain Defla.

Ce redéploiement procède d'une stratégie simple dont la finalité première consiste à desserrer l'étau sur les groupes armés activant au Centre et, plus particulièrement dans la Mitidja. En effet, le GIA et le GSPC ne peuvent perdre de vue l'importance stratégique de la capitale (Alger) au double plan politique et médiatique. La preuve étant la présence du gros de ses troupes le long de la frontière entre l'Algérois et l'Oranie, d'une part, et entre l'Algérois et l'Est, en Kabylie. L'explication de ce mouvement se trouve dans la chute des bastions du GIA dans l'Algérois (par exemple Ouled Allel, le quartier général de la Katiba el Khadra de Zouabir à Chréa, etc.). Il s'agit donc d'une stratégie de repli vers les régions boisées et accidentées (montagneuses) à partir desquelles les groupes islamistes armés pourraient repartir à la « reconquête » du Centre et investir Alger.

Il est à noter, que les groupes islamistes armés s'avèrent incapables de commettre des attentats terroristes réguliers dans les grandes villes. On peut même affirmer, que depuis 1996-1997, les forces de sécurité ont pratiquement éradiqué le terrorisme urbain. Aujourd'hui, la quasi-totalité des actions terroristes est commise en zones rurales à proximité des massifs forestiers difficiles d'accès, qui constituent désormais les zones refuges pour les groupes islamistes armés.

Aujourd'hui, le terrorisme est le fait de trois organisations (le GSPC de Hattab, le GIA de Zouabri et le HDS) et d'une multitude de groupes autonomes aux contours mal définis (exemple : « El djama'a Es-Sunnia Li-Et-Tabligh wa el-Djihad »/ Groupe sunnite pour la Prédication et le djihad/D.S.P.D, la « Djama'a Salafia el Mouqatila »/ Groupe salafiste combattant, la « Djama'at El Forqane », etc.).

LE GROUPE SALAFISTE POUR LA PRÉDICATION ET LE COMBAT DE HASSAN HATTAB

Outre son noyau dur, la zone 2 du GIA, le GSPC rassemble les dissidents des autres organisations : du GIA, des anciens de l'AIS, le groupe « Al Baqoun 'Ala al-'Ahd », des groupes armés « autonomes », etc. Le GSPC entretient également des relations avec la « Qaida » du richissime saoudien Oussama Ben Laden. La zone d'activité du GSPC s'étend de l'est d'Alger à l'Est et au Sud-Est du pays. Le « Poste de Commandement » du GSPC est implanté dans la forêt de Mizrana (wilaya de Tizi Ouzou). L'organisation est divisée en plusieurs zones.

La « Zone 2 » est considérée comme la colonne vertébrale du GSPC. Elle regroupe le plus grand nombre d'éléments répartis entre plusieurs katibas :

KATIBA	ZONE REFUGE
- EL FETH	Laguitoune (Khemis El Kechna)
- EL ARKAM	Djerrah (W. de Boumedès)
- ABOU BAKR	Ghabet Sbâa (Khemis El Kechna)
- EL FORKANE	Djebel Errih et Djebel Bouzegza (est d'Alger)
- EL FAROUK	Belaazem (Lakhdaria)
- ETTAOUHID	Zayane (Meftah)
- EN-NOUR	Drâa Ben Khedda
- AL-ANSÂR	Bordj Menaiel
- OMAR IBN KHATTAB	Entre Msila et Bordj Bou Arreridj
- AL MAOUT	Meftah
- AL MOUHADJIROUN	Sour el Ghozlane

En avril 1999, des conflits internes aboutissent à la mise à l'écart de Hassan Hattab. Il est remplacé par Abdelhamid Dichou dit Abou Moussab, ancien militant du FIS, qui exerçait les fonctions d'imam dans la grande mosquée de Bordj Menaiel (wilaya de Boumerdès). Le règne de Dichou est de courte durée ; il décède en juin 1999. Concernant les conditions de sa mort, les avis divergent. Certains affirment qu'il aurait été abattu lors d'une opération menée par les forces de sécurité ; alors que d'autres prétendent qu'il a été abattu par les siens parce qu'il était favorable à une négociation avec les autorités. À la suite de la mort de Dichou, Hassan Hattab est de nouveau désigné émir national du GSPC.

La mise en œuvre de la loi sur la concorde civile a quelque peu déstabilisé l'organisation. On a enregistré la reddition d'un certain nombre de terroristes, notamment celle de l'émir Dja'far Touati et d'une quarantaine d'éléments appartenant à la katiba « El Ghoraba », qui opère dans la région de Lakhdaria.

Cependant, grâce au ralliement d'émirs locaux du GIA dans l'Ouest (Sidi Bel Abbés), l'Est (Tébessa et Batna) et le Sud (El oued), le GSPC, initialement cantonné dans la Kabylie, dispose désormais de groupes actifs dans de nombreuses régions du pays.

Le GSPC s'affiche comme un groupe qui ne s'attaque qu'aux membres des services de sécurité. C'est une allégation que les faits contredisent. En effet, dans sa zone d'activité (les wilayas de Tizi Ouzou, Boumerdès, Bouira et dans l'extrême Sud) des civils sont également ciblés. Néanmoins, il reste, qu'en règle générale, le GSPC, contraire-ment au GIA, n'a pas massivement recours à des « attentats aveugles » et ne pratique pas des représailles collectives. C'est un choix tactique, « *le recours à la violence aveugle susciterait inévitablement des phénomènes de rejets et favoriserait la prolifération des groupes de légitime défense. La reproduction des réseaux ne repose pas dans cette région sur une adhésion de nature idéologique, mais sur des mécanismes complexes... La quasi-totalité des ralliements est provoquée par des réflexes de solidarité, de dettes d'honneur et non par l'efficacité des discours d'endoctrinement. Les combattants d'un groupe armé sont souvent liés par des obligations étran-gères à la sphère politique. Les liens familiaux et claniques sont encore ex-trêmement forts dans la société kabyle rurale traditionnelle et les différents acteurs sont rarement motivés par des convictions politiques et idéologiques inébranlables* »[16].

LE GROUPE ISLAMISTE ARMÉ (GIA) DE ANTAR ZOUABRI

Dès son arrivée à la tête du groupe, A. Zouabri procède à la désigna-tion de ses fidèles aux postes clés. Il commence par nommer des « émirs » dans les régions du Centre (Blida, Chréa, Médéa, Tipaza, Alger), qui sont vitales pour sa propre survie. Face aux contestations internes, à la perte du soutien des populations, à l'action permanente des forces de sécurité et au démantèlement des réseaux de soutien implantés à l'étranger, A. Zouabri continue la politique de la fuite en avant et s'inspire largement des méthodes de son prédécesseur, Djamel Zitouni.

Le découpage territorial actuel du GIA comprend 9 zones. La fusion des zones 8 et 9, qui englobaient le Sud-Ouest et le Sud-Est, a permis à Zouabri de créer la « zone sud », commandée par Belmokhtar Mokhtar. La capitale est considérée par le GIA, comme par les autres organisations terroristes, comme une zone stratégique. Toutes les zones du GIA sont fortement secouées par des dissidences et des scissions larvées.

• *La zone d'Alger* : Alger est le lieu où opèrent des dissidents du GIA issus du FIDA, de l'organisation El Hidjra oua Ettakfir et des groupes armés de la « zone 2 » commandée par Hassan Hattab. Les groupes armés dissidents les plus actifs sont ceux dirigés par Sehali Khaled, qui activent à Meftah, Cherarba et Tablat. Sehali Khaled est assisté par Chaabani Mourad, « émir » de la katiba « El Mout », qui active à l'est d'Alger.

• *La zone 1* / (Blida - Médéa - Tipaza - Chlef - Ain Defla) : c'est la zone la plus touchée par la vague de dissidence.

- Six katibas, opérant dans les wilayas de Chlef et de Ain Defla, sous le commandement de Abou Farès ont quitté le GIA ;

- Sept katibas, dont le FIDA, évoluant dans les wilayas d'Alger, de Médéa et de Ain Defla, sous les ordres de Sid Ali Belhadjar, émir et fondateur de la LIDD ;

- Six katibas, de la même zone se sont proclamées indépendantes.

• *La zone 2* / (Boumerdès - Tizi Ouzou - Bouira - Bejaia - Bordj Bou Arreridj - Msila) : elle est actuellement sous le contrôle du GSPC de Hassan Hattab. Pour contrer ce dernier, A. Zouabri a créé une « zone 2 bis ».

• *La zone 3* / (Relizane - Tiaret - Mascara - Tissemsilt - Mostaganem) : un important groupe armé, appelé « Ettakatoul » a quitté le GIA.

• *La zone 4* / (Sidi Bel Abbés - Tlemcen - Oran - Ain Temouchent - Saida - El Bayadh) : c'est la zone du groupe dissident connu sous l'appellation « Djama'at Houmat Da'wa Salafia » créé par Kada Benchiha. Ce groupe est la cible des attaques du GIA. La liquidation du successeur de Kada Benchiha, Djerriri Tayeb, va précipiter la dislocation de cette organisation dans cette zone.

• *La zone 5* / (Batna - Biskra - oum el-Bouaghi - Khenchela - une partie du Constantinois) : cette zone est également secouée par une vague de dissidence et de reddition. À l'origine de cette « vague », une cassette audio du théologien Al Abani, qui dénonce les exactions du GIA en Algérie, condamne les massacres collectifs et les attentats aveugles.

• *La zone 6* / (Jijel - Skikda - Sétif - Mila - une partie du Constantinois) : l'ex-émir Hellis Mohamed a été destitué par Zouabri. Ce qui fut à l'origine d'une contestation interne.

• *La zone 7* / (Annaba - Guelma - Souk Ahras - El Tarf - Tébessa) : La « zone 7 » du GIA n'existerait pratiquement plus, suite au départ de son « émir zonal » Berrahal dit Seif Allah. Ce départ a poussé les chefs de groupes à s'affronter pour s'emparer du poste vacant. Désormais, chaque groupe opère de façon autonome. Par ailleurs, un groupe armé de la tendance « El Hijra oua Takfir » évolue dans cette zone.

• *La zone 8* / (Béchar - Tindouf - Adrar - Naama - Tamanrasset - El oued - Illizi - Ourgla - Ghardaïa - Djelfa) : depuis la dissidence de l'ex-émir, Said Mekhloufi, les groupes armés de cette zone opèrent de façon autonome, sans relation avec le commandement de la zone en question.

Comme nous le constatons, le GIA est en pleine phase de déliquescence. Face à cette situation, Antar Zouabri tente de restructurer son organisation. Il a commencé par destituer des émirs régionaux, tels que Hellis Mohamed dit Abou Talha el-Djanoubi (émir de la zone 6) et Khalfa Mustapha dit Okacha (émir de la zone 3). L'assèchement des sources d'approvisionnement logistique et le démantèlement des réseaux de soutien du GIA implantés en Europe, ont conduit Zouabri à se tourner vers l'Afrique sub-saharienne. À cette fin, il a rattaché la wilaya de Djelfa à la « zone sud » dans le but de faciliter l'introduction des armes des pays limitrophes (la Libye, le Niger, le Mali et la Mauritanie).

Cette déliquescence se traduit sur le terrain par deux phénomènes : l'activité terroriste du GIA s'apparente de plus en plus au grand banditisme et le GIA semble opérer un retour sur la doctrine de la « secte » « El Hijra oua Takfir », qui fut à l'origine de sa création.

DJAMA'AT HOUMET ED-DA'WA ES-SALAFIYYA (DHDS) (Groupe des Défenseurs de la Prédication salafiste)

Les conflits entre les groupes armés avaient commencé à l'ouest du pays, suite au comportement de Kada Benchiha, émir de l'ouest (selon l'ancien découpage du GIA), qui avait planifié le vol d'armement et de munitions au préjudice des casernes de Sebbou et de Talegh (wilaya de Sidi Bel Abbès), et qu'il n'avait pas voulu répartir entre les groupes armés conformément aux directives de ses chefs.

Suite à ce litige, Gousmi Chérif, émir national du GIA décida d'organiser une réunion à laquelle ont assisté : Tadjine Mahfoud, Sehali Khaled, Habchi Mohamed, Louanes Rabah, Zouabri Antar, Belarbi Yocef, Azzout Mouloud, Kada Benchiha et son frère. L'objet de cette réunion était le partage équitable des armes et munitions volées, entre les groupes terroristes. Gousmi Chérif avait décidé de s'octroyer la plus grosse part. Cette décision était restée sans suite, à l'exception d'un lot de cartouches, envoyé à Djamel Zitouni, qui avait remplacé Gousmi Chérif, abattu entre-temps par les forces de l'ordre.

Kada Benchiha avait l'ambition de devenir émir national du GIA. Il voulait rattacher la région de Béni Bouatab à la région ouest pour en faire sa base arrière et son poste de commandement ; ce qui lui aurait permis de prétendre à l'« émirat » national. En plus des groupes terroristes, qui activaient à l'ouest du pays, il dirigeait la « katiba » dite « Ettaouhid », composée de terroristes aguerris et fortement armés.

Ayant rencontré de fortes résistances à son projet de la part des autres « émirs », il commença à éliminer les terroristes de la tendance « djaz'ariste » et tous ceux qu'il soupçonnait de contrarier ses projets. Ses ambitions démesurées et son comportement envers les autres « émirs » vont déstabiliser le GIA au point où l'« émir » national sera contraint de destituer Kada Benchiha de son poste d'« émir » régional. Akkal Mustapha, dit Gharib, a été chargé d'appliquer cette décision et de prendre la place de Kada Benchiha, qui échappe, en janvier 1995, à une tentative d'assassinat.

Devant la tournure prise par les événements, Kada Benchiha va créer, avec les groupes armés qui lui sont restés fidèles, une nouvelle organisation terroriste. La « Djama'at Houmat ed-Da'wa es-Salafiyya » est née.

Un groupe terroriste conduit par Kada Benchiha avait rejoint la forêt de « Ain Chegara- Ras el Ma » (la wilaya de Sidi Bel Abbès) au mois d'août 1996, pour récupérer un important lot de munitions (cartouches et obus) dont une partie a été répartie entre les terroristes et le reste acheminé par Djeriri Tayeb vers une destination inconnue.

Après de multiples affrontements entre les groupes du GIA et les terroristes de « Djama'at Houmet ed-Da'wa es-Salafiyya », Kada Benchiha a fini par tomber dans une embuscade tendue par Akkal Mustapha à « Tagouraya » (wilaya de Sidi Bel Abbès), le 26 septembre 1996. Plusieurs terroristes sont tués dans la même embuscade.

Le commandement du groupe terroriste est alors pris par Djerriri Tayeb. Le groupe terroriste se scinde en deux groupes : le premier commandé par Djerriri Tayeb, qui, avec ses hommes se réfugient dans la forêt de Ténezra puis dans celle de Moksi-Ténera dans la wilaya de Sidi Bel Abbès ; le second, est commandé par Benslim Mohamed dit Salim. C'est à partir de son nouveau refuge, que Djerriri Tayeb charge quatre de ses compagnons de se rendre à Sidi Bel Abbès et d'en ramener de nouvelles recrues. Il quitte par la suite la zone pour se rendre dans la région de Zemacha dans la wilaya de Mascara, puis s'installe aux environs du village de Khrouf-Sig.

À partir de son siège aux environ du village Khrouf-Sig, il organise l'attaque d'une unité militaire à Sidi Ali Boussidi dans l'espoir de récupérer des armes lourdes pouvant être utilisées contre les hélicoptères, qui les harcelaient et les contraignaient à déplacer sans cesse leurs campements et gênaient leurs déplacements diurnes. À noter que pour ses opérations terroristes, le groupe DHDS conduit par le terroriste Djeririr Tayeb était en possession d'un arsenal non négligeable.

La phalange « El Feth » évoluant entre Chlef et Gouray (wilaya de Tipaza) constitue le fer de lance de DHDS. La majorité des attentats fut perpétrée par cette katiba, avec, parfois, le soutien et l'aide d'autres katibas.

Au cours de l'année 1999, la phalange « El Feth » effectue un déplacement vers les monts de l'Ouarsenis pour s'y installer pendant, environ, une période de 2 mois. Une autre phalange est alors créée : « El Khansâ' », constituée de plusieurs dizaines de terroristes. Elle était chargée de la protection de l'émirat à Ramka. Elle fut dissoute dès le retour de la katiba « El Feth » à Ramka.

Dans l'Ouarsenis, la phalange « El Feth », commandée par l'« émir » Abdelahk a mené les actions suivantes :

- L'attaque de 5 militaires (éclaireurs d'un convoi) sur la route du dispensaire de la région, causant la mort de 3 de ces militaires, les 2 autres ayant été capturés vivants. Cette opération a été menée sur l'incitation de Ouakid Mohamed, dit Okkacha, alors chef d'un groupe de 20 terroristes qui évoluaient dans cette zone.

- L'assassinat, au cours d'une tentative d'embuscade, d'un chef de détachement de la Gendarmerie nationale et d'un membre de l'APC.

- Une tentative de tendre une embuscade à El Karmia dans la wilaya de Chlef contre les membres de l'ANP, par la mise en place d'une bombe. Une erreur de manipulation a fait échouer l'opération à laquelle près de 120 terroristes devaient participer.

- L'attaque d'un véhicule blindé aux environs d'El Maine, à l'est de Béni Bouatab. Après cette opération, la phalange « El Feth » a été rappelée par Salim Abou Djaafar sur Ramka et ce, pour mener une attaque contre l'unité militaire de Ain Tarek (dans la wilaya de Relizane) dans le but de s'emparer d'armes et de munition, d'engins blindés et d'effets de couchage. L'opération a tourné à l'accrochage entre les terroristes et les militaires. Des pertes humaines sont enregistrées des deux côtés et un militaire est enlevé par les terroristes, qui l'égorgeront après l'avoir interrogé.

- L'attaque d'éléments de la Garde communale à Regaâ dans la wilaya de Relizane.

- L'assassinat à Regaâ d'un patriote et récupération d'un poste radio, d'une arme et d'une paire de jumelles.

- L'assassinat, à Zeboudja, près de Ain Tarek, dans la wilaya de Relizane, de cinq gardes communaux.

Au début de l'année 2000, suite aux opérations menées par l'ANP dans la zone de Ramka, 5 terroristes sont abattus et des moyens logistiques détruits (abris, infirmerie, vivres...). Cette destruction du gîte et des vivres a contraint les terroristes des groupes de DHDS, notamment les phalanges « El-Imân », « El Feth », « El-Thabat », à se replier sur les monts de l'Ouarsenis où ils creusent de nouvelles casemates dans un oued.

La phalange « El Feth » s'installe, par la suite, à Ain Sahraoui/Ouarsenis, tandis que les autres phalanges restent dans l'oued. Au début du mois de février 2000, des bombardements de Ain Saharaoui forcent la phalange « El Feth » à quitter son repère et à rejoindre le maquis de Gouraya, (wilaya de Tipaza). À ce niveau, une nouvelle opération est menée contre des éléments de la Garde communale. Les terroristes réussissent à s'emparer d'un lot d'armes et d'un poste radio. Cette phalange se replie par la suite sur Zekkar/Oued El Had, où elle attaque un groupe du GIA/aile Antar Zouabri, qui a pris la fuite. Une deuxième attaque se solde par la neutralisation d'un terroriste du GIA et la récupération de son arme. Suite à cette opération, l'« émir » Abdelhak est rappelé de Gouraya, par Salim Abou Djaafar, qui se trouve dans les monts de l'Ouarsenis.

Au début du mois de juin 2000, l'« émir » Abdelhak a été instruit par Salim Abou Djaafar de se rendre à Djebel Ousfour, près de Tlemcen, pour y contacter les groupes de l'émir Driss. Ce dernier aurait manifesté son intention de rallier la DHDS, avec son groupe fort de plusieurs centaines de terroristes.

Un groupe de terroristes de la phalange « El Feth » s'est déplacé vers Médéa, près de Ksar El Boukhari, où ils ont rencontré l'« émir » Souane Abdelkader dit Abou Thoumama du GSPD et son groupe pour l'inviter à se rallier à la DHDS. Sur le chemin du retour, les terroristes attaquent des militaires à Chaouen, près de Tissemsilt. La phalange « El Khansâ », quant à elle, est chargée de combattre les groupes du GIA dans la région de Chréa, l'organisation DHDS ayant pris la décision de combattre les groupes du GIA/Zouabri dans les monts dans cette région.

Au début du mois de juin 2000, une embuscade est tendue à des militaires sur le territoire de Ain Defla. Quelques semaines plus tard, la phalange « El Iman » se scinde en 4 groupes qui se sont dirigés vers différentes régions :
• Katibet El-Thabet (70-80 éléments), dirigée par Abdessamed se dirige vers Ramka (Relizane)
• Katibet « El-Hak » (70-80 éléments) dirigée par « El Hammam » se dirige vers la limite des wilayas de Tissemsilt, Ain Defla et Médéa,
• Katibet « El-Iman » (100 éléments environ) dirigée par Salim reste dans l'Ouarsenis,
• Katibet « El-Feth » (80 éléments), dirigée par Abdelhak, se dirige vers oued Sebt à Gouraya, dans la wilaya de Tipaza.

L'effectif global de cette organisation est estimé, par les analystes, à près de 400 hommes, chargés de la protection du PC et d'une centaine d'éléments, nouvelles recrues, appelés « Talabat el Ilm », relevant de katibet « El Iman ».

L'Organisation trouve dans la région de Relizane un lieu propice pour son implantation et ses activités. Plus précisément, à Ramka. Le Poste de Commandement de la katibet « el Ahouel » est établi près du marabout Sidi Abdelkader, à proximité du douar Kherarba. Un groupe de terroristes utilise l'école « Mankoura » comme refuge. Il s'agit des nouvelles recrues (*talabat el ilm*) encadrées par deux idéologues, qui assurent leur endoctrinement. Dans la même région, à environ trois kilomètres de l'école Mankoura, la katibet « El Hak », dirigée par Abou Hammam, a trouvé un lieu sûr, pour son positionnement. Dans la montagne de Mankoura, non loin de l'école de Hammam Mentila, les terroristes ont pu organiser un atelier de fabrication de bombes artisanales.

À partir de ces sites, les terroristes peuvent opérer sur les routes, dans les douars et même parfois, dans les villages. Des zones de repli initialement repérées et sécurisées par un système de casemates et de tentes leur permettent d'échapper plus ou moins facilement à d'éventuelles poursuites des forces de l'ordre et même de passer parfois plusieurs heures en attendant la nuit ou l'arrivée d'autres katibas. Les principales zones de repli sont :
- El Kouacem ;
- Le triangle situé entre les localités de Melaab et de Lardjem (dans la région de Tissemsilt) et entre Ramka (wilaya de Relizane). Ce triangle peut s'étendre jusqu'à Sandjas, dans la wilaya de Chlef ;
- Guerboussa et Tasselt (wilaya de Relizane).

7. LE TERRORISME VU DE L'INTÉRIEUR : DES TERRORISTES ET DES VICTIMES RACONTENT...

La déferlante terroriste qui s'est abattue sur l'Algérie a concerné, d'une part, les auteurs des crimes, en l'occurrence, les terroristes et ceux qui les soutenaient, d'autre part, la population qui subissait, quotidiennement les exactions de ces derniers. La Concorde civile a encouragé quelques terroristes à se rendre aux forces de l'ordre et à confesser les rôles qu'ils ont joués au sein des groupes islamistes auxquels ils appartenaient.

D'un autre côté, les opérations terroristes, les massacres collectifs et les enlèvements de femmes ont laissé, parfois, des témoins qui ont vécu les faits et y ont survécu.

Témoignage de ce que chacun de nos interlocuteurs a vécu ou subi, les propos qui suivent nous ont été rapportés par des hommes, des femmes et même des enfants, que l'Histoire aura marqués à jamais. Selon l'expérience de chacun, les faits concernent différents aspects de la vie dans les maquis ou parmi les terroristes.

• Le recrutement/l'adhésion dans les groupes islamistes armés

Durant toute cette sinistre période, les groupes terroristes armés ont vu leurs rangs s'agrandir ou, tout au moins, se maintenir ou se renouveler, non seulement grâce à l'adhésion de certains sympathisants ou activistes venant de villes et villages divers mais aussi grâce à un recrutement actif qu'assuraient certains relais dans les agglomérations auprès de personnes sensibles à la cause du GIA et auprès de personnes se sentant en marge de la communauté à laquelle ils appartiennent.

Cependant, avant d'être définitivement intégrés dans un groupe armé, la nouvelle recrue était, le plus souvent, tenue de faire ses preuves et de démontrer, préalablement, son engagement. La meilleure preuve que pouvait fournir le candidat au terrorisme était de procéder à un attentat avant même de faire partie d'un groupe particulier. Selon les différents témoignages de repentis, le recrutement s'effectuait de différentes manières :

• C'est ainsi que G.L. n'a pu rejoindre les groupes de terroristes en compagnie de son frère C... le 15 mars 1995, qu'après avoir agressé à l'arme blanche deux militaires au niveau des douches de Tenira, (wilaya de Bel Abbès), emportant les armes des deux victimes. Avant cette opération, G.L. avait assassiné (toujours à l'arme blanche) quatre bergers de cette même localité.

• L.H. a rejoint les groupes terroristes activant à Chenoua, dans la wilaya de Tipaza, en novembre 1994 à la suite de l'assassinat du lieutenant Boudjerra Baba Omar à Bakoura-Cherchel.

• D.M., recherché, en décembre 1994, par les forces de l'ordre pour ses activités de soutien au réseau de terroristes de sa localité et dont son voisin, le dénommé Omar el Bosni, faisait partie a été conduit, par ce dernier (qui le savait recherché) vers un refuge au lieu-dit « Essounna-Bougara » dans la wilaya de Blida. Par la suite, il est conduit vers un second refuge sur les hauteurs de Bougara, avant d'arriver à « Djemaa el Karmoud » où il passera le restant de son séjour de terroriste, dans une casemate aménagée en infirmerie de fortune et qui servait de lieu de repos et de soins aux terroristes blessés lors d'accrochages.

• G.Z. a rejoint les rangs du GIA dans la wilaya de Baraki, suite à un délit mineur et de peur d'être arrêté par les forces de l'ordre, tandis que A.Y.A. s'est intégré dans les groupes terroristes à la suite d'un vol d'armes commis dans une menuiserie où il travaillait. Suspecté et convoqué par les forces de l'ordre, il est contacté par A.B., ex-comptable dans cette même entreprise, qui le convainc de rejoindre les groupes terroristes sans quoi il serait accusé par la police du vol d'armes, arrêté puis exécuté. Il est alors intégré dans un groupe évoluant entre Blida et Ain Defla sous la direction de Abdennacer.

• Enfin, une femme terroriste n'a pas hésité à avouer qu'elle a rejoint le maquis simplement pour suivre son mari, terroriste, dans la wilaya de Médéa lorsque celui-ci a pris la décision de rejoindre les groupes du GIA.

• *Actes de sabotage : quelques exemples concrets*

Les terroristes avaient différentes missions à accomplir pour maintenir la pression sur la population déjà terrorisée et obliger les forces de l'ordre à se disperser et à se déplacer dans différentes directions, ce qui devait avoir, pour conséquence, une plus grande vulnérabilité de sites stratégiques, dégarnis de leurs dispositifs de protection et de surveillance.

Il est vrai que certaines opérations de sabotage engendraient des dégâts matériels considérables (plusieurs centaines de millions de dollars US) et ralentissaient les activités sociales et/ou administratives lorsque celles-ci n'étaient pas, carrément, paralysées ou détruites. Dans les incendies des APC, les archives administratives et d'état civil étaient souvent détruites, ce qui facilitait la confection de faux papiers d'identité à des personnes, qui se sont « fondues » dans la communauté alors qu'elles en étaient totalement étrangères.

Le plus souvent réalisés à l'aide de bombes artisanales, les actes de sabotages pouvaient entraîner des morts et des incendies dans des lieux publics ou des institutions d'État (aéroport H. Boumediène d'Alger, lycées, sièges d'APC ou de Daira, marchés ou encore dans des autobus ou dans des trains aux heures de pointe etc.).

Des « faux barrages » dressés par des groupes armés d'armes à feu, de couteaux et de sabres sur des routes de campagnes et autour de certaines villes, ce qui rendait l'utilisation de certains axes routiers particulièrement dangereux, voire impossibles pendant certaines tranches horaires et pendant certaines périodes. Des terroristes, parfois déguisés en gendarmes ou en militaires, dressaient des barrages sur les routes arrêtant les véhicules de leurs choix (allant du véhicule léger, familial à l'autocar transportant des voyageurs) et, feignant des contrôles d'identités, finissaient par assassiner, de façon arbitraire ou ciblée, certains passagers ou l'ensemble des voyageurs. Ces « faux barrages » sont à l'origine de véritables carnages sur les routes, parfois le jour, mais préférentiellement la nuit. Les voyageurs, après avoir été détroussés de leurs papiers d'identité et de tout objet de valeur, étaient assassinés de différentes manières, le plus souvent égorgés à l'arme blanche, parfois décapités, les têtes jetées dans les fossés, alignées sur le bas-côté de la route ou encore plantées sur des pics, le long de la route. Des cadavres étaient bourrés d'explosifs, prêts à exploser à la première manipulation de quiconque voudrait intervenir sur les lieux du carnage. Les femmes, quant à elles, faisaient le plus souvent l'objet d'enlèvements et disparaissaient sans laisser de traces. Le trafic routier et les transports de voyageurs ou de marchandises ont lourdement pâti de ces opérations qui réduisaient les déplacements des citoyens et des biens, donc l'activité sociale et les échanges économique inter-régionaux.

Des acteurs directement impliqués dans l'exécution de ces actes nous en citent, de mémoire, quelques-uns :
• Destruction de sièges de daïra et d'APC (daïra de Feidh el Botma).
• Attaque à l'aide de « hebheb » du village Amoura ainsi que d'autres villages de la plaine de la Mitidja.
• Attaque de la base de Sonatrach de Hassi Dellaa.
• Attaque et incendie d'une entreprise de construction implantée à Oum Laadhem.
• Pose d'une bombe artisanale au niveau de la gendarmerie de Tenira.
• Vol de bouteilles d'acéthylène par les terroristes du groupe activant dans la wilaya de Mascara.
• Incendie du lycée de Boumedfaa.
• Pose d'une bombe dans la salle de cinéma Atlas de Blida le 13 mai 1998.
• Sabotage du gazoduc à Sidi Ameur, (wilaya de M'sila), le 20 juin 1998.
• Sabotage du pont de Bakoura, wilaya de Cherchel et destruction à l'explosif de l'école Ahmed Bekech de Bakoura.
• De nombreux faux barrages sur les routes, en particulier autour de la ville d'Alger, de Blida, de Médéa ; de nombreuses bombes artisanales posées dans des lieux publics, notamment, des marchés, des restaurants, des cafés ; des actes de racket et d'extorsion de fonds allongent la liste des méfaits reconnus par quelques terroristes de la région du Centre.

• De nombreuses embuscades sont tendues sur les itinéraires des convois militaires ou de gendarmerie. Ces embuscades permettent de récupérer des armes et munitions ainsi que du matériel divers (radio, jumelles, ...). Parfois, même, des otages sont pris par les terroristes.

• Vol de troupeaux de moutons, extorsions de fonds.

ATTENTATS INDIVIDUELS : QUELQUES CAS CONCRETS

L'utilisation de l'assassinat individuel par les groupes terroristes avait différentes significations selon le groupe d'appartenance et la période. Outre l'effet médiatique attendu, l'effet de terreur était d'autant plus grand que les victimes étaient le plus souvent atteintes à la tête. La décapitation, de par son aspect particulièrement violent et sanguinaire ne peut nous empêcher de rapprocher cet acte du symbole de ce dont nous avons déjà parlé, à savoir, ce désir de « décérébraliser » l'Algérie.

Dans de nombreux cas, l'assassinat individuel était employé pour permettre aux sympathisants du mouvement d'adhérer complètement aux groupes de terroristes et d'en faire partie. C'était en quelque sorte, un gage de loyauté envers le groupe. Ce gage était d'autant plus significatif que la personne assassinée était un proche parent de l'assassin ou une personnalité en vue dans la région (policier, haut-fonctionnaire,...).

Dans d'autres cas, ces assassinats étaient plus des actes criminels et de banditisme et/ou de règlements de comptes, que des actes à caractère politique. De nombreux bergers ont ainsi été assassinés simplement pour que les terroristes puissent s'emparer des animaux qu'ils gardaient. Des problèmes de succession ont ainsi pu être « réglés » entre proches, qui se disputaient des biens dans l'indivision.

Ailleurs, ces assassinats se voulaient porteurs d'un message « moralisateur », les terroristes s'en prenant aux femmes exerçant des professions non conformes aux préceptes de ces groupes (enseignantes en langues étrangères, coiffeuses, femmes travaillant dans la police, journalistes, guérisseuses...) ou encore aux couples sans défense sur les routes. Les homosexuels ont fait l'objet d'une « épuration » quasi systématique de même que les prostituées ou simplement les femmes vivant seules.

Enfin, ces attentats individuels pouvaient être des actes ciblés, parfaitement organisés et longuement mûris.

Nos témoins nous citent, par exemple :

• L'assassinat d'un gardien du barrage « El Moustakbal ».

• L'assassinat d'un policier de Boumedfaa.

• L'assassinat du chef de la brigade de gendarmerie de Hammam Righa.

• L'assassinat de 2 citoyens à Boumedfaa et Djebara Hammam Righa.

• L'enlèvement, le 2/10/1997 de Mr Bouhamidi Laid et de son fils Abdennour par 4 terroristes qui les ont assassinés à Boucherahil.

• L'assassinat de 4 bergers au couteau dans la localité de Tenazra...

• L'assassinat du chef de service de la Police judiciaire (Mokeddem Boukherradj).

• Le calvaire des captives : les femmes enlevées par les groupes terroristes (à partir de quelques récits)

La violence islamiste qui s'est abattue sur l'Algérie n'a épargné ni les hommes, ni les femmes, ni les enfants, ni les vieillards, ni les bébés. Selon le schéma adopté suite aux « fetwas » des « chouyoukhs », tout citoyen, qui n'était pas du côté des islamistes est un ennemi dont l'assassinat est licite.

Les attentats individuels ont constitué un aspect des modes de propagation de la terreur parmi la population. Les massacres collectifs sont venus amplifier cette terreur.

Or, un aspect peu relaté concerne les victimes des terroristes, victimes kidnappées.

Un nombre important de jeunes filles, d'adolescentes et de jeunes femmes, plutôt que d'être assassinées pendant les massacres collectifs, étaient enlevées pour répondre à certains besoins des terroristes et ont passé plusieurs mois, voire plusieurs années dans les maquis. Les captives sont transférées d'un camp à l'autre, marchant parfois plusieurs heures voire plusieurs jours, dans la montagne, dormant le jour et errant la nuit, finissant par ne plus savoir où elles se trouvent. Celle qui tente de s'enfuir est condamnée à être violée jusqu'à ce que mort s'ensuive. Toutefois, et quoi que fut leur conduite et l'« usage » qui en aurait été fait, la majorité d'entre elles sera assassinée, de préférence, par égorgement.

Des témoignages nous sont parvenus de ces femmes, qui sont à la fois victimes des terroristes et victimes de la société, qui jette l'opprobre sur toute femme qui a été enlevée. Le fait qu'elle ait pu faire l'objet d'un viol (a fortiori de plusieurs viols collectifs), fait d'elle, sinon une coupable, une sorte de paria. L'évasion était leur seule chance de salut. Elle n'ont pas hésité à la tenter ; certaines ont réussi.

Celles qui acceptèrent de témoigner diront :

F.D., dont la famille a été massacrée dans le cadre d'une guerre de clans, révèle : « *Dans les camps dans lesquels j'ai été successivement conduite, j'ai rencontré de nombreuses femmes et même de petites filles, qui* ont fait, comme moi, l'objet d'enlèvements et qui subissent quotidiennement le même sort ». Elle ajoute : « J'ai moi-même été violée par 19 terroristes, dont un (Antar Zouabri) qui vivait en famille ». « Parmi les jeunes filles enlevées, les plus jolies sont destinées à l'« émir » national Antar Zouabri et ses proches, alors que les autres jeunes filles sont mises à la disposition des groupes locaux et subissent sans cesse des viols collectifs. Lorsqu'elles sont enceintes ou qu'elles deviennent « encombrantes », par exemple lorsque le groupe doit fuir, elles sont égorgées et jetées parfois au fonds de puits ou dans des oued. Elles n'ont jamais eu droit à un enterrement décent. »

F.D. explique le principe de « Sebie » qui leur est imposé : « Ce sont des rapports sexuels que doit avoir une jeune fille vierge avec plusieurs personnes, sorte de viol collectif imposé à la captive de guerre (différent du "Zaouedj El Moutaa" (mariage de complaisance qui ne concerne qu'un seul partenaire)). Celles qui finissent par être enceintes sont assassinées, par l'un des violeurs. C'est ainsi que la jeunes Mehdia H. qui, suite aux nombreux viols que les terroristes lui ont fait subir, se retrouve enceinte. Antar Zouabri qui ne pouvait tolérer une telle situation l'a battue à mort pour la faire avorter ».

Selon deux terroristes repentis M.L. et M.A., qui activaient dans la zone de M'sila nous apprendrons que : « Les douze jeunes filles enlevées pendant différents actes ont été assassinées, sauf 3 d'entre elles, dont deux considérées comme "sabaya" et l'une, épouse d'un terroriste dans le cadre d'un "zaouedj el mouta" ». Ils expliquent le double intérêt des enlèvements : « Les femmes enlevées lors des massacres collectifs sont utilisées comme bouclier humain par les terroristes lors de leur retraite. Elles servent par la suite de "sabaya" dans les camps et prennent en charge les tâches ménagères. Elles nous protègent parfois contre les forces de l'ordre, qui n'osent pas tirer sur nous lorsqu'ils savent que nous détenons des otages ».

• Parcours de captive :

Ces faits sont relatés par S.O., enlevée le 29 décembre 1997, lors d'un massacre collectif à Ouled Sahnouone (ouest de Relizane) commis par un groupe de 33 terroristes dits « afghans ». Elle est parvenue à s'échapper, après environ 18 mois de captivité.

Les terroristes, portant des barbes et vêtus en afghans et commandés par « El Hareth » de Bougara (W. Blida) commencent par faire sortir le père de la victime de son domicile, puis emmène la jeune fille vers un autre domicile où se trouvait déjà une autre jeune fille kidnappée, la nommée B. Oumaria, qui a été contrainte par les terroristes à leur indiquer les autres domiciles de Ouled Sahnoune, qui abritaient des jeunes filles. Dans un autre douar, le douar Moha

Bettayeb, 4 jeunes filles sont enlevées à leurs familles. Dans le douar Tebailia, 2 jeunes filles sont enlevées. Dans le même temps, un autre groupe de terroristes procède à l'enlèvement de 3 jeunes filles dans le douar Kherarba.

Le témoin ne rapporte que les faits relatifs aux enlèvements, mais précise bien que des cris et des appels au secours provenaient des maisons investies par les terroristes.

Selon notre témoin les 10 jeunes filles enlevées, issues de six familles différentes, sont :

- B. Omaria,   17 ans
- B. Fatma,   17 ans, (cousine de Omaria)
- B. Khedda,   19 ans
- B. Kheira,   17 ans
- B. Aicha,   20 ans
- B. Laidia,   16 ans
- B. Kheira,   17 ans
- B. Fatma,   17 ans
- A. Fatma,   16 ans
- S. El Kheir Bakhta   16 ans

Après l'enlèvement, suivront trois longues nuits de marche à travers la forêt alternant avec de longues haltes diurnes. Elles arrivent enfin à El Kouassam, commune de Maghlia (Wilaya de Tiaret) où une vingtaine de terroristes les attendent dans des maisons abandonnées. Là, le groupe est commandé par « Yacoub » de Bougara.

Les captives séjournent à El Koussam près de 20 jours, durant lesquels elles font l'objet de viols systématiques et répétés par plusieurs terroristes. La jeune Bessahraoui Fatma est assassinée par arme à feu, par le terroriste Chebli qui ne donne aucune explication aux autres captives.

Sous la direction de Yaoub, un groupe de terroristes se rend un jour en « mission » et ramène 6 autres jeunes filles âgées de 13 à 17 ans.

Par la suite, et conséquence inévitable des innombrables viols subis par les captives, certaines se retrouvent, dans des délais plus ou moins brefs, enceintes. Dans un premier temps, les grossesses étaient menées à terme et les enfants naissaient dans les camps de terroristes. Nouvelle tâche pour les femmes du camp : assister la femme qui accouche et assurer les premiers soins au nouveau-né et à la mère. Malheureusement, très vite, ce type d'événements est devenu insupportable, voir intolérable dans les camps, qui devenaient de plus en plus lourds à déplacer et, les nourrissons, de plus en plus nombreux, nécessitaient une prise en charge spécifique de plus en plus difficile à assurer dans le maquis.

Une solution a été adoptée par les terroristes, pour qu'ils ne soient plus encombrés par les enfants qu'ils engendraient et dont ils ne savaient même pas qui en était le géniteur : tuer les nouveau-nés à leur naissance. C'est ainsi que nombreuses furent les femmes enlevées et violées, qui virent leur propre enfant abattu, sous leurs yeux, au moment même où il venait au monde.

Pour ne pas avoir à gérer les grossesses dans les camps ni à « traîner », pendant plusieurs mois, une captive enceinte, il est impératif qu'elle ne soit pas enceinte. C'est alors que la nouvelle solution est imposée. Chaque femme enceinte serait systématiquement avortée. Or l'avortement est une pratique strictement interdite dans l'islam. Il fallait donc, que la femme enceinte avorte « spontanément », sans le moindre geste abortif. Dès qu'une captive était soupçonnée par ses geôlières d'être enceinte, les tâches les plus rudes lui étaient confiées. Si la grossesse persistait, elle était exposée aux violences les plus diverses, qui devaient provoquer l'expulsion de l'embryon ou du fœtus. C'est ainsi, que ces femmes recevaient des terroristes, des coups de pieds violents au ventre.

Certaines avortaient dans des conditions de souffrance abominable ; une large proportion se faisait, de cette manière, éclater un organe et mourraient. Dans certains groupes, et peut-être pour abréger les souffrances des femmes, les femmes qui se retrouvaient enceintes étaient tout simplement abattues, sous un prétexte quelconque.

Le 22 janvier 1998, S.O. et A.F. sont conduites, escortées de 22 terroristes dont Yacoub, vers la région de Médéa, passant par Tissemsilt (Theniet El Had). Le périple dure 8 jours et les déplacements se font à pieds, parfois à dos de mulets et de chevaux, notamment, la nuit. Dans la forêt Bouaichoune, le groupe arrive enfin à destination : un « camp » terroriste constitué de 4 casemates où vivaient déjà d'autres terroristes dirigés par Mustapha dit Abdelmalek de Bougara, qui avait pris la place de Abou Ali de Oued Semmar, exécuté par ses compagnons pour avoir menti au « commandement ».

Dans ce « camp », S.O. a séjourné 8 jours, durant lesquels elle était chargée des travaux d'entretien et subissait plusieurs viols quotidiens.

Encore une fois, la victime est déplacée vers un autre camp, toujours sous bonne garde. Cette fois, c'est le dénommé Abou Youcef de Blida et Noureddine dit Dhirar (ex-infirmier) qui la conduisent vers d'autres casemates. Ce nouveau camp, dit « El Had » servait d'« infirmerie » où les blessés pouvaient recevoir quelques soins de base sous la direction de Noureddine. Six blessés s'y trouvaient, dont 4 ayant perdu l'usage des yeux. Là encore, tous les travaux ménagers incombaient à Oum El Kheir, qui faisait toujours l'objet de viols systématiques de la part des terroristes, y compris des blessés.

Après une semaine passée à l'« infirmerie », la victime est conduite par 2 autres terroristes (Bilal de Ouled Slama- Blida- et Djilali, dit Brahim Bensaad de Bougara – abattu depuis –) vers un autre camp dit « El Madrassa Tabouk », distant de trois heures de marche, au sud de l'« infirmerie » et dirigé par le dénommé Fayçal.. Ce nouveau camp abrite 25 terroristes qui, durant 15 jours, la violeront quotidiennement à plusieurs reprises.

Le 2 mars, la victime est encore une fois récupérée par Noureddine l'« infirmier » et Brahim pour la reconduire à l'« infirmerie » sur ordre de l'« émir » Abou Youcef de Bougara. Elle y restera jusqu'à sa fuite, vivant le même calvaire que lors de son premier passage à l'« infirmerie ». Dans la nuit du 15 avril 1998, à 4 heures du matin, S.O. réussit à défaire les liens, qui la retenaient chaque nuit auprès de ses bourreaux, et, profitant de leur sommeil profond, prendra la fuite. Après plusieurs heures de marche, elle arrive au lieu dit Ain Belkheir commune de Bouaichoune, dans la wilaya de Médéa où un détachement militaire la prend en charge.

• Conditions de vie dans les maquis

Les camps des terroristes se présentent le plus souvent sous la formes de casemates creusées dans la montagne. Parfois, des tentes en plastiques jouxtent ces casemates, ce qui permet d'accueillir, à l'occasion, plus de terroristes et parfois des groupes en déplacement ou encore des personnes prises en otages.

Un espace est réservé à la cuisine. Parfois, une infirmerie est aménagée dans l'une des casemates et permet aux blessés de recevoir quelques soins de base que leur prodiguent d'autres terroristes (anciens infirmiers ou médecins qui ont rejoint les rangs des terroristes).

La majorité de ces camps n'offre qu'un minimum de commodités à leurs occupants. Ces camps devaient être aussi faciles à déplacer ou à quitter, cette labilité étant l'une des conditions principales pour la survie des groupes de terroristes, qui devaient, en permanence, fuir les forces de sécurité.

Dans ces camps, les conditions de vie des terroristes sont très difficiles. Le quotidien est fait de longues marches dans les montagnes, de nourriture insuffisante, de vêtements inadaptés, surtout en hiver, pendant la saison des neiges. Le froid et les maladies faisaient partie intégrante de la vie des camps, malgré les pillages auxquels se livrent les terroristes de façon systématique, à l'issue des massacres collectifs. B.A. dira : « *Avant mon arrestation, je vivais comme un sauvage comme un monstre, exposé au froid et à des conditions de vie très difficiles... Dans les maquis, ils (les "émirs") nous informent que les forces de l'ordre torturent et tuent sans pitié. »*

Cette misère au quotidien est le lot des terroristes. Les « émirs », quant à eux, avaient droit à de meilleures conditions, aussi bien pour ce qui était du gîte, de la nourriture, que des femmes. Leurs casemates, calfeutrées, souvent tapissées, étaient même, dans certains sites, pourvues de carrelage, de faïences et d'électricité obtenue grâce à des groupes électrogènes. Même les jeunes femmes kidnappées faisaient l'objet de sélection, les plus « intéressantes » étaient d'abord violées par les « émirs » avant d'être cédées au reste du groupe. Les épouses des « émirs » avaient à leur disposition une à deux jeunes femmes parmi les captives qui s'occupaient exclusivement d'elles et de leurs enfants.

Cependant, ce qui a le plus affecté le moral des « troupes », et les témoignages le précisent, ce sont les scissions, qui se sont produites au sein du GIA, les guerres intestines entre les différentes tendances des groupes armés ; guerres qui ont mené à de véritables tueries entre les groupes, dans le but (principal mais inavoué) de prendre le leadership de l'action terroriste. Deux repentis G.H. et S.M., qui activaient dans la zone de Djelfa, disent : « *La prise de position de Belmokhtar (qui se démarque du GIA tendance Zouabri, lui-même soutenu par H. Khelifi dit Flicha) a provoqué des divisions au sein des groupes terroristes. Le climat s'alourdit considérablement fin 1997. Une véritable guerre de clans s'installe entre les groupes. Les fidèles à Antar Zouabri décident de liquider tout terroriste, qui ne reconnaît pas son autorité et les groupes qui se démarquent* ». Dans le même ordre d'idées, un autre témoin A.Y., dont le groupe activait aux environs de Ain Defla ajoutera : « *Le moral des terroristes de mon groupe, dirigé par Allili Ahmed dit Mossab a été ébranlé par la guerre déclarée par Antar Zouabri aux groupes dissidents. Plusieurs de mes camarades envisageaient de rallier d'autres groupes jugés plus modérés et qui étaient contre les massacres collectifs* ».

Selon le terroriste B.A. dit Djaafar : « *La progression hiérarchique au sein des groupes islamistes armés se faisait selon des critères peu nets. Pour qu'un terroriste soit un jour désigné "émir" de groupe ou "émir" régional, il fallait qu'il remplisse certaines conditions :*
• faire preuve d'un activisme particulièrement intense, violent et sanguinaire (assassinat, égorgement, sabotages...),
• être l'homme de main d'un "émir" déjà nommé,
• ou être issu de la même région que son supérieur. »

Les déplacements incessants, les luttes intestines, qui rongeaient les groupes terroristes, les guerres de clans, la méfiance, qui a fini par s'installer entre les membres d'un même groupe et les exécutions ordonnées par les « émirs » ont fini par venir à bout de bon nombre de terroristes. La perspective de se rendre aux forces de l'ordre commençait à en séduire plus d'un. Un terroriste du groupe « El Istikama » dira : « *Un climat de terreur règne au sein du groupe où plusieurs terroristes désirent se repentir mais qui ont peur d'éventuelles représailles des services de sécurité rapportées par une propagande véhiculée dans les maquis.* »

Un autre témoin, frère d'un terroriste, rescapé d'un massacre qui a décimé sa famille, dira : « *Mon frère L..., terroriste appartenant à un groupe GIA de Zouabri et désireux de le quitter nous avait rendu visite peu de temps avant le carnage. Il nous a fait part de ses intentions mais aussi de ses inquiétudes quant à notre sécurité. Il a dit qu'il craignait les représailles de son groupe envers les membres de sa famille* », ce qui n'a pas manqué de se produire, la famille ayant été victime d'un massacre collectif dans la même nuit.

• *Luttes intestines*

Au cours de leur évolution, les groupes islamistes armés ont connu des divergences sur le mode d'action, les objectifs et les programmes. Ces divergences se sont exprimées très tôt et sont à l'origine de la prolifération des groupes et groupuscules (que la population civile ne soupçonnait même pas) armés, qui, prenant la population civile en otage, tentaient de faire pression sur l'État ou, tout simplement, sur d'autres groupes armés.

Le terroriste B.N., du groupe « El Istikama » qui était actif dans la wilaya de Médéa, nous relate un fait marquant et significatif. Plus de 50 terroristes de son groupe ont été exécutés par leur chef, aidé de quelques fidèles. Le tort de ces terroristes abattus était d'avoir exprimé leur désapprobation face aux massacres collectifs de population civile désarmée, aux enlèvements de femmes et, surtout, au refus des « émirs » d'engager des négociations avec les autres factions, qui avaient observé la trêve.

Plusieurs témoins repentis avouent avoir pris la décision de se retirer des groupes islamistes armés après avoir perçu le refus de leurs chefs de faire la trêve et, en particulier, lorsque ceux-ci se sont engagés dans une sorte d'épuration de leurs groupes de tous ceux qui, pour une raison ou une autre, se sont mis à douter du « bien fondé de la cause ». Les exécutions sommaires de leurs camarades ou de terroristes d'autres groupes ont fini par faire perdre aux « émirs » leur crédit auprès de leurs hommes. Aucun terroriste ne pouvait plus être sûr, que sa loyauté envers ses « chefs » suffirait pour qu'il soit épargné.

Par ailleurs, de nombreux terroristes des groupes du GIA/tendance Zouabri, qui, comme B.F., opposés aux massacres collectifs, ont quitté leurs groupes respectifs pour rejoindre ceux observant la trêve, en particulier les groupes dirigés par Kertali Mustapha. Selon ce témoin, les massacres de Relizane et Tiaret auraient été perpétrés par les groupes du GIA tendance Zouabri. Durant le transfert des terroristes vers les lieux des forfaits, plus d'une trentaine de terroristes auraient été tués par leurs compagnons pour leur refus de participer aux massacres collectifs programmés.

D'autres terroristes, comme B.M., ont vu leurs compagnons assassiner, sous leurs yeux, des membres de leurs propres familles simplement parce qu'ils habitaient des quartiers connus comme abritant des réseaux de soutien des autres groupes terroristes. Les distinctions ne pouvant se faire toujours dans le détail des identités des victimes, B.M. a vu son propre père, ainsi que son frère se faire assassiner, devant lui, par ses camarades, dont une centaine avait investi le douar de Medjadji Larbaa. L'« émir » Rahmouni Abdelkader dirigeait l'opération. Après avoir divisé son groupe en six sous-groupes, il ordonne le début des opérations. Ce douar avait la réputation d'être un fief du groupe dissident contrôlé par Kertali. Il y eut plus de 30 morts.

Les motifs qui ont poussé les terroristes à changer de groupes ou à se rendre aux forces de l'ordre sont aussi divers que nombreux. Cependant, la terreur qu'ils étaient censés répandre, finit par les habiter et les pousser, du moins en partie, à s'entre-tuer ou à quitter le mouvement.

• La fin d'un « émir »

Selon G.H., dont le groupe était actif dans la région de Djelfa, les scissions au sein des groupes armés du sud du pays sont apparues à la mort de l'« émir » Djamel Zitouni et son remplacement par Antar Zouabri.

Le pseudo-émir de la zone « sud », L. Belmokhtar dit Khaled Abou el Abbes, dit « Laouer » (le borgne) aurait refusé des instructions du nouvel « émir national » du GIA, comme il aurait refusé de lui prêter allégeance. La prise de position de Belmokhtar a provoqué des divisions au sein des groupes terroristes. La situation se dégrade fin 1997.

Pour parer à l'implosion des groupes terroristes de la « zone sud », le nouvel Antar Zouabri dépêche, au mois d'août, un groupe terroriste d'Alger, composé d'une quinzaine de terroristes dirigés par Khelifi Othmane dit Hocine Flicha dit Abou Horeira pour mettre de l'ordre dans cette zone. Dès son arrivée au sud (au djebel Boukhil), O. Khlifi se comporte en chef absolu.

Le terroriste Nouioua Bachir, qui espérait être désigné comme « émir » de la zone sud s'est alors rendu à Chréa pour plaider sa cause et proposer sa candidature. Profitant de l'absence de Nouioua, O. Khelifi procède à l'exécution de plusieurs terroristes dépendant de différents groupes pour des motifs divers, commettant, par ailleurs, de véritables massacres collectifs contre des citoyens pourtant acquis à la cause du GIA.

Devant la détérioration de la situation, le groupe de Belmokhtar diffuse un tract dans lequel il fait état que la région du Sud est entrée en dissidence et qu'elle s'est démarquée du GIA tendance Zouabri.

Avant son départ, O. Khelifi charge le terroriste Saidi Saad dit Ishak de procéder à la liquidation de tous les terroristes qui contestent la ligne de l'« émir national » Antar Zouabri. Saad Saidi est, à son tour, assassiné par les fidèles de Belmokhtar.

Plusieurs mois passent, des mouvements de troupes, des changements d'« émirs », des règlements de comptes au sein d'un même groupe et entre différents groupes deviennent la règle.

Dans la nuit du 8 juillet 1998, les forces de l'ordre ont réussi à neutraliser sept terroristes, qui tentaient de sortir d'un refuge, situé à Bouzaréah, l'un des quartiers situé sur les hauteurs de la ville d'Alger. Les forces de l'ordre avaient, depuis quelques semaines, localisé un groupe de terroristes composé de onze membres, dont Othmane Khlifi, alors « émir » d'un groupe du GIA/tendance Zouabri.

Les sept terroristes, qui étaient sortis de leur refuge face aux forces de l'ordre avaient, en quelque sorte, été sacrifiés par leur chef Khlifi, qui espérait ainsi faire diversion, pour pouvoir prendre la fuite en compagnie de son camarade le terroriste « Riadh le blond ». L'opération dure plusieurs heures. La nuit tombe. Les munitions s'épuisent et ce n'est qu'au matin du 9 juillet que le reste des terroristes est tué.

La mort de Khlifi Othmane va être un coup dur porté au GIA/ tendance Zouabri, en raison de la terreur qu'il faisait régner dans sa zone d'activité. Avec la disparition de Khlifi, les capacités de nuisance du GIA dans la capitale et ses environs se sont vues considérablement amoindries, ce qui contrariait largement les plans de Antar Zouabri, qui espérait, grâce à Khlifi et à quelques autres « émirs » du même gabarit, pouvoir ensanglanter la capitale et ses environs aussi longtemps qu'il le fallait, pour imposer son autorité sur l'ensemble des groupes armés opérant dans ladite zone.

• *Lalla Fatma, femme terroriste*

Le mouvement terroriste durant ces années de sang n'a pas manqué d'utiliser toutes les potentialités matérielles et humaines dont il pouvait disposer pour maximiser l'ampleur, le nombre et l'impact des opérations qu'il menait. Des hommes de tous les âges ont été recrutés dans les rangs terroristes ; des enfants et des jeunes adolescents ont servi d'indicateurs, de vigie, de coursiers ou encore à transporter des armes après des attentats en ville.

Cependant, à l'encontre même de leurs conceptions sur la place et la fonction de la femme dans la société, les groupes terroristes algériens (en particulier le GIA), n'ont pas longtemps hésité à constituer des groupes de terroristes composés uniquement de femmes et ayant pour « émir » une femme (qui reste cependant supervisée par un « émir » régional masculin).

Initialement, les femmes, sympathisant avec le mouvement islamiste ou y adhérant totalement, se consacraient à des tâches ménagères, lorsqu'elles se retrouvaient dans les camps de terroristes. Elles étaient chargées d'assurer l'entretien et l'hygiène des lieux de vie et des vêtements, de préparer les repas, de pétrir le pain, de prodiguer de petits soins aux blessés. Par la suite, une tâche supplémentaire est venue s'ajouter à « leur plan de charges », notamment, lorsque les terroristes se sont mis à ramener aux camps, après les attentats ou les massacres collectifs, des jeunes femmes et jeunes filles enlevées à leurs familles afin de les utiliser pour satisfaire leurs besoins sexuels.

Ces jeunes femmes et jeunes filles vivaient donc en captivité et ne pensaient qu'à fuir. Il leur fallait donc une garde permanente au camp, sans que cette tâche n'ampute les troupes de terroristes de quelques éléments. La triste besogne de garder ces femmes en captivité, pour qu'elles soient violées par le premier venu qui en aurait envie, est donc confiée en grande partie, aux femmes du camp.

Elles ont également la charge de préparer, pour la noce, les captives, qui seront sacrifiées sur l'autel du « mariage de complaisance » (« zaouedj el-mout'aa ») ; pratique qui rend licite, du point de vue de la religion, les rapports sexuels avec une femme pour une durée limitée dans le temps (encore une épreuve particulièrement douloureuse imposée aux femmes enlevées à leurs familles, qui devenaient les épouses légales de leurs kidnappeurs).

Nouvelle ascension dans la violence des actes commis par les femmes du camp. Pour les « rentabiliser » davantage et, pour certaines, leur permettre de se sentir vraiment engagées dans le djihad, il fallut leur trouver des tâches de guerre. Dans une première étape, les enlèvements d'enfants leur étaient confiés.

Il est vrai qu'une femme suscite moins de méfiance qu'un homme lorsqu'elle aborde un enfant, et ce, quelles que soient les consignes qu'il aurait reçues de ses parents. De nombreux enfants ont ainsi disparu, parce qu'ils ont naïvement suivi des femmes qui prétendaient être des amies de la mère et que celle-ci leur avait demandé d'aller chercher son enfant (à l'école par exemple), parce qu'elle avait un empêchement majeur.

Puis l'idée vint : pourquoi ne pas les impliquer directement dans les actes de sabotage et dans les attentats aussi bien individuels que collectifs ?

C'est ainsi que, au sein des groupes, les femmes susceptibles de devenir des terroristes actifs ont pu bénéficier, après avoir été rassemblées en groupes, de programme d'initiation au maniement des armes et aux techniques de tueries et d'assassinats. Selon le témoignage d'une terroriste repentie M.H. dite Lalla Fatma, ancien membre d'un groupe du GIA, opérant dans la wilaya de Médéa, Antar Zouabri en personne s'est rapproché de ces femmes (en 1998) pour leur faire l'apologie du crime sous couvert de « djihad », ces crimes étant plus assimilés à des sacrifices humains, qui garantissent à l'auteur et à la victime, une place de choix au Paradis. Il les incite ainsi à participer à toute action terroriste, y compris les massacres collectifs, et de tuer, si possible, par égorgement, toute personne rencontrée, quels que soient son âge et son sexe.

De sympathisantes du mouvement ou de membres des réseaux de soutien ayant rejoint les maquis pour aider les terroristes dans leur combat, voilà ces femmes devenues, après une période d'initiation, de véritables machines à tuer, commettant, au même titre que leurs compagnons masculins, des crimes odieux.

Outre les actions terroristes menées par son groupe d'appartenance, notre interlocutrice, Lalla Fatma n'a pas hésité à se confier à nous pour que nous fassions le récit de son séjour parmi les terroristes.

Lalla Fatma, accompagnant son époux D.R., rejoint le groupe de terroristes de Baata, dans la wilaya de Médéa au début de l'an 1994. Dès son arrivée, elle est chargée, sous la pression de son époux, des tâches ménagères. Elle assure une grande partie des travaux ménagers et d'entretien pour l'ensemble du groupe. La tâche n'est pas aisée dans ces maquis où le confort n'est pas toujours le premier souci de ceux qui conçoivent les abris. Près de deux ans, cette situation perdure. Mais au début de l'année 1996, son époux est exécuté, après un jugement sommaire, par le chef du groupe Soheib, qui l'accusait d'avoir volé des aliments.

Deux mois durant, après la mort de son mari, Lalla Fatma reste seule dans une casemate, convaincue par le chef du groupe, que si elle se rendait, elle serait immédiatement exécutée par les forces de l'ordre, qui l'accuseraient d'être une dangereuse terroriste. Après cette période d'isolement (la charia prévoit quatre mois d'isolement/ d'abstinence pour les femmes dont l'époux décède), Lalla Fatma est prise comme concubine par l'assassin même de son mari, le terroriste

Soheib. Il la conduit alors vers un autre groupe, dans la commune de Ouezra, groupe dirigé par le terroriste Fadhli Abdennour, dit Abou Omar. Dans ce campement, un groupe de terroristes composé exclusivement de femmes s'y trouvait. Il comptait 15 femmes âgées de 19 à 36 ans, dirigées par une femme terroriste, Djabri Kheira, née Toumi, dite Lalla Kheira, âgée de 65 ans, épouse d'un terroriste, mère de deux fils terroristes abattus et de trois filles épouses de terroristes (dont l'« émir » Fadhli Abdennour, 1er concubin de Lalla Fatma).

Ce groupe, à l'origine du massacre collectif de Ben Guitoun (commis le 21 janvier 1997) a été forcé de se déplacer vers le maquis de Oued Lakhal. À ce moment, Lalla Fatma devient la concubine du frère de son premier concubin. Fadhli Abdennour la cède à son frère Fadhli Ali.

Dans son récit, Lalla Fatma souligne que les femmes terroristes sont toutes volontaires, alors que les femmes kidnappées, elles, sont séquestrées, violées et finissent le plus souvent par être assassinées.

Par ailleurs, elle rapporte que le groupe de terroristes féminin, auquel elle s'est intégrée, est responsable de nombreuses opérations terroristes :

- pose de bombes artisanales dans différentes wilayas (Médéa, Blida, Berrouaghia),

- assassinats à l'arme blanche de femmes et d'enfants dans différentes communes,

- actes de sabotage : incendies de lycées, d'ateliers...

- nombreux massacres collectifs ciblant des familles de dissidents, de « relais » ayant désobéi aux ordres, assassinats de groupes vulnérables de femmes ou de citoyens habitant des douars isolés et sans défense.

Elle reconnaît même avoir participé à de nombreux actes de sabotage, à des embuscades et même à des massacres collectifs, au cours desquels elle n'a pas hésité à tuer. Elle en cite trois en particulier :

- massacre collectif de Magta' Lazreg, dans la wilaya de Blida : sur huit morts, Lalla Fatma a égorgé trois femmes ;

- massacre collectif de douar Bedarna dans la wilaya de Médéa : sur six morts, une vielle femme et deux enfants ont été égorgés par Lalla Fatma,

- massacre collectif du douar Nechachba dans la wilaya de Médéa : 10 morts dont une femme et une jeune fille égorgées par Lalla Fatma.

Le crime était devenu quelque chose de banal chez cette femme et celles qui faisaient partie de son groupe. L'égorgement d'une personne était devenu un geste ordinaire, presque de routine lors des agressions sur des groupes de citoyens désarmés.

Paradoxalement, ces femmes terroristes étaient convaincues, que leurs victimes seraient, grâce à elles, lavées de tous leurs péchés – puisqu'elles seraient mortes pour la gloire de l'Islam – et qu'elles auraient droit à une place de choix au Paradis. Par contre, elles avaient elles-mêmes peur de mourir, du moins, peur de la mort omniprésente.

Selon le témoignage de Lalla Fatma, les exécutions sommaires au sein des groupes de terroristes et les divergences, qui opposaient les groupes entre eux et même les terroristes d'un même groupe, ont fini par créer un climat de doute, de suspicion, de peur.

Une véritable guerre entre les groupes s'est déclenchée. Certains terroristes commencèrent à voir dans le « repentir » une alternative de salut. Encore eut-il fallu que les chefs de groupes ne soient pas informés et ne soupçonnent pas ces velléités de reddition des membres de leurs groupes. Les instructions étaient claires : aucun terroriste n'a le droit de revenir, de son propre chef, à la vie normale. Celui qui enfreindra cette loi sera sévèrement sanctionné. En effet, de nombreux repentis ont été assassinés après avoir été libérés par les forces de l'ordre. Trop souvent, leurs familles n'ont pas été épargnées, ce qui fut le cas de la famille Fraiha de Bouinan lors du massacre de Fraiha, dans la nuit du 28-29 septembre 1997, perpétré par un groupe du GIA (tendance Zouabri) et au cours duquel 47 personnes ont été sauvagement assassinées et plusieurs jeunes filles enlevées ; les terroristes ont même pris le temps de piéger le cadavre de l'une de leurs victimes dans le but d'occasionner des pertes parmi les personnes qui voudraient porter secours aux blessés.

Cependant et malgré l'interdiction de quitter les groupes terroristes et les rumeurs selon lesquelles les repentis sont systématiquement abattus par les forces de l'ordre, la terroriste Lalla Fatma, suite à l'exécution de Lalla Leila (une autre terroriste du groupe) par son mari, pour une raison inconnue d'elle, a préféré courir le risque (d'autant que son mari avait déjà été assassiné par l'« émir » du groupe et donc qu'elle n'avait plus de famille proche dans le secteur) et s'enfuir pour se rendre à la police de la wilaya de Médéa.

Dans les nombreux témoignages, rendant compte des exactions terroristes, on trouve toujours mention à côté du crime « ordinaire », de mutilations : la tête tranchée, les seins coupés chez les femmes et les organes génitaux sectionnés chez les hommes, les vagins lacérés, les corps éventrés, etc. On trouve tout le cortège de tortures et de mutilations perpétrées sur des humains. Ce n'est plus seulement de la violence, mais de la cruauté. Une cruauté qui s'exerce sur la scène publique où il importe de révéler par les mutilations qu'on peut lui infliger en sa chair, que l'autre (la victime) n'est pas un être humain à l'image de son « créateur » mais une entité infra-humaine exclue de la « cité de Dieu » en vertu d'une « fetwa ». Cette cruauté se veut légitime parce que nourrie de la sève sacrée d'un mot : « djihad ». Un mot qui, aux yeux des terroristes, rend possible la cruauté conjuguée à la foi. Et, comme le montre si bien Véronique Nahoum-Grappe, l'écart est considérable entre la violence et la cruauté[17].

La violence peut être juste, la cruauté ne l'est jamais. La violence choisit son objet en fonction d'une rationalité minimale, alors que la cruauté, qui en rajoute, choisit non seulement l'ennemi adulte mais toute sa famille ; sa défaite ne lui suffit pas, elle veut sa mort et sa mort lui semble trop douce, elle cherche son avilissement. Par conséquent, nous ne pouvons pas penser la cruauté dans les mêmes termes que la violence : « *Le cruel est toujours un "tyran", quels que soient le territoire et le nom de cette tyrannie, ainsi que son aspect provisoire ou "éternel" : la tyrannie s'impose toujours "pour l'éternité". Le cruel se situe nécessairement du bon côté en terme de pouvoir, alors que le violent peut être le dominé démuni ; ce dernier ne devient cruel que contre plus faible que lui...* »[18].

---

1. AICHOUNE (F.), BACKMANN (R.), *op. cit.,* p. 47.
2. Voir en particulier, *Le Matin,* 5 mars 1995.
3. GRIGNARD (A.), « Historique des groupes islamiques armés algériens », in *Algérie, les niveaux islamistes,* Les cahiers de l'Orient, 2e trimestre 2001, n° 62, pp. 75 - 87.
4. Entretien avec Youssef BOUBRAS.
5. KEPEL (G.), Jihad, *expansion et déclin de l'islamisme,* Paris, Gallimard, 2000, pp. 262 - 263.
6. Ce mécanisme est très bien décrit par Luis MARTINEZ, dans son livre, *La guerre civile en Algérie,* Paris, Karthala, 1998.
7. BALIBAR (E.), « Violence » : idéalité et cruauté, in HERITIER (F.), (Séminaire de), *De la violence,* Paris, Éditions Odile Jacob, 1996, p. 67.
8. Voir *Le Matin* du 5 mars 1995.
9. Cette lettre a été publiée dans son intégralité par la presse nationale ; voir *Le Matin,* 12 juillet 1995.
10. *Ibid.*
11. LABEVIERE (R.), *op.cit.,* p. 201.
12. « Le FIDA est notamment représenté en Suisse, dès 1993, par Mourad Dhina alias cheikh Amar, un physicien atomiste de formation ; qui occupe des responsabilités au

sein de la commission des élus du FIS, et qui avait, avant de pénétrer sur le territoire helvétique, résidé brièvement en France à Saint-Genis-Pouilly dans l'Ain. Deux islamistes originaires de Tlemcen, Mohamed thabet el Aouel alias Hani, le trésorier du mouvement, et Moustapha Brahimi étant les deux autres cadres du "front" en exil opérant en Suisse. Les réseaux auraient été financés notamment par le biais de fonds provenant d'Arabie Saoudite, transitant par un établissement bancaire de Campione (Lugano), Al Taqwa, dont le siège social est aux Bahamas », SALGON (J.-M.), « La Cause », une revue islamiste atypique, in *Algérie, les nouveaux islamistes,* Les Cahiers de l'Orient, 2ᵉ trimestre 2001, n° 62, pp. 115 - 116.

13. Il s'agit du Groupe Al-Djihad égyptien (dirigé par le cheikh Aymân El-Dhawahiri), du Groupe islamique combattant libyen (fondé en 1994), du Front islamique tunisien (branche armée du Mouvement En-Nahdha), de la Haraka al-islâmiyya al-muqâtila fî - l - Maghrib (Mouvement combattant armé au Maroc), etc.

14. Lire à ce propos le magnifique ouvrage de René GUITTON, *Si nous nous taisons... Le martyre des moines de Tibhirine,* Paris, Calmann-Lévy, 2001.

15. Sources : ce bilan chiffré a été élaboré à partir de la lecture des journaux suivants : *l'Authentique, El Khabar, Le Matin, Le Soir d'Algérie, La Tribune* et *El Watan.*

16. SALGON (J.-M.), « Le Groupe salafiste pour la prédication et le combat (GSPC) », in *Algérie - Les nouveaux islamistes,* Les cahiers de l'Orient, 2ᵉ trimestre 2001, n° 62, P. 66.

17. NAHOUM-GRAPPE (V.), « L'usage politique de la cruauté: l'épuration ethnique (ex-Yougoslavie, 1991-1995 », in HERITER (F.), *De la violence,* Paris, éditions Emile Jacob, 1996, pp. 275-323.

18. *Ibid.,* p. 296.

Chapitre V

« La vie est une source de joie, mais partout où la canaille vient boire, toutes les fontaines sont empoisonnées ».

Nietzsche, De la canaille,
Ainsi parlait Zarathoustra.

RETOUR SUR QUELQUES MASSACRES COLLECTIFS, DONT DEUX « MÉDIATISÉS »

Illustrons ces massacres collectifs en revenant sur quelques cas, qui ont fait la une des médias. Il y a, d'abord, Le massacre de Bentalha. Cette tuerie est devenue célèbre à la suite de la publication du livre de YOUS Nesroulah, intitulé *Qui a tué à Bentalha ?* (Paris, La Découverte, 2000), de la réalisation d'un reportage par une équipe de la chaîne de télévision française *Antenne 2,* de l'engagement d'une procédure dite « 1503 » auprès de la Commission des Droits de l'Homme de l'ONU.

LE MASSACRE DE BENTALHA

À *PROPOS DU TÉMOIGNAGE DE YOUS NESROULAH*

Il est impossible de parler de Bentalha sans se référer au livre cité plus haut qui, tout en disant des choses justes, arrive à l'effrayante affirmation suivante : le deuxième massacre de Bentalha serait le fait de l'armée. Cette conclusion n'est pas seulement contestée par le gouvernement et la population, mais aussi par les quotidiens indépendants algériens. Le magazine français *Marianne* y revient dans son n° 7 du 19 novembre 2001 sous le titre aveu : Qui a tué à Bentalha ? C'est nous, le GIA. Ce livre est intéressant à maints égards. D'abord, parce que c'est un travail de mémoire ; et, il importe de ne pas oublier. Ensuite, parce que c'est le récit d'un témoin direct de l'évolution des groupes islamistes armés dans une région donnée. À ce titre, il revêt l'allure d'une « monographie », qui permet d'appréhender, à l'échelle locale, la naissance et l'évolution du terrorisme islamiste en Algérie.

Nous ne pouvons qu'exprimer notre accord sur une grande partie du contenu de cet ouvrage, qui confirme nos propres analyses sur la naissance et l'évolution du terrorisme islamiste en Algérie. Mais, nous sommes face à un témoignage, c'est-à-dire un exposé des faits sous la forme d'un récit. Si celui-ci nous paraît au premier abord tout à fait plausible, c'est parce qu'il relève de la connaissance commune, première et immédiate. Nous connaissons les mésaventures de cette forme de connaissance, dès qu'elle se hasarde hors du domaine prosaïque de ses quatre murs. Elle se heurte invariablement à une barrière au-delà de laquelle, elle devient forcément superficielle, étroite et bornée. La raison en est que, devant des objets singuliers, elle oublie leurs enchaînements et ne les appréhende que dans leur isolement. YOUS n'échappe pas à ce travers ; il expurge le massacre envisagé de sa dimension spatiale et temporelle.

Or, un massacre n'est que la partie visible d'un iceberg. Il survient dans un temps précis et se déroule dans un espace déterminé. Il est, plus fondamentalement, lié à un contexte historique plus général. Dès lors, on ne peut le traiter de manière isolée et ignorer la séquence des faits et leur contexte historique, au risque de se laisser conduire sur de fausses pistes.

Par exemple, tout au long de son récit, YOUS Nesroulah parle des groupes armés (au pluriel) actifs dans la zone. Outre le fait, qu'une telle formulation prête à équivoque ; elle élude un aspect fondamental, sans lequel il est impossible de comprendre le massacre de Bentalha. D'abord, il ne s'agit pas de n'importe quels groupes armés. Les groupe armés en activité à Bentalha appartiennent au Groupe islamique armé (le GIA). Ensuite, ces groupes armés, qui terrorisent les habitants de Bentalha, n'opèrent pas en « solo » ; ils sont intégrés dans une structure de commandement, qui englobe toute la zone d'Alger et ses environs. Dans la structure du GIA, Bentalha fait partie de la zone d'Alger, dite « ES - SABIQOUN »[1] (Précurseurs), qui comprend :

QUATRE PHALANGES (KATIBET) :

• « Katibet el Fourqâne » : dirigée, à l'époque, par Hammouche Moussa dit Khaled. Elle active dans la zone située entre Sidi Moussa et Ouled Allel. C'est sur son territoire que se trouve le Poste de Commandement (PC) de la zone d'Alger du GIA.

• « Katibet el Mout » : dirigée à l'époque par Kebaili Mohamed dit Layachi. Sa zone d'activité s'étend à Bourouba, Baulieu, Oued-Semar, les Eucalyptus, Cherarba et le centre-est d'Alger.

• « Katibet el Ghoraba » : cette phalange opère dans la région de Baraki ; qui inclut Gué de Constantine (au nord) et Bentalha et ses environs (au sud). Elle était dirigée par BERAFTA Aïssa.

• « Katibet Echouhada » : elle était commandée par KHELIFI Othmane dit Hocine Flicha ; sa zone d'activité s'étend d'Alger-centre jusqu'à Bouchaoui à l'ouest, en passant par Bab El Oued, El Biar, Bouzaréah et Bainem.

QUATRE SECTIONS (SERRIYAT) :

• « Serriyat Essamâr » , section de Gué de Constantine.
• « Serriyat de Château Rouge », stationnée près de Baraki.
• « Serriyat Baraki ».
• « Serriyat de Raïs ».

Autrement dit, le groupe islamiste armé opérant à Bentalha, appartient à la « Serriyat de Baraki » qui, à son tour, relève de la « Katibet El Ghoraba » de la zone d'Alger du GIA, appelée « Es-Sabiqoun ». Il ne s'agit donc pas d'un groupe armé isolé, que d'aucuns peuvent aisément infiltrer et/ou manipuler.

C'est un groupe armé du GIA, structuré et intégré dans une organisation militaire (zonale, régionale et nationale) sur la base d'un découpage territorial, minutieusement, élaboré. Éludant cet aspect de la question, notre auteur ne peut saisir ni comprendre que, dans la stratégie du GIA, cette région de la Mitidja-est – une plaine fertile constituée de vergers et de Haouchs/Domaines agricoles, et située entre la côte et les montagnes de l'Atlas tellien – est une zone de passage entre le milieu urbain des quartiers périphériques d'Alger et du centre d'Alger même et la zone montagneuse où se trouvent ses principales bases arrières (Hammam Melouan, Bougara, Bouinan et Chréa).

C'est un véritable couloir, qui relie la côte (Alger et ses environs) à Chréa où se trouve le poste de commandement national du GIA. Cela montre bien l'importance stratégique de cette zone relais et l'impérieuse nécessité pour le GIA d'établir son contrôle sur sa population, ainsi que la dissuasion de sa défection.

Dans ce cadre, le massacre collectif est un moyen extrême d'incitation à l'obéissance dans un environnement stratégique, donc hautement compétitif. En d'autres termes, le massacre collectif est utilisé par le GIA, pour créer une structure de leviers incitatifs individuels à l'obéissance et à la collaboration exclusive, qui permet de « punir » les populations récalcitrantes et signifier aux autres l'obligation de ne pas changer de camp, sous peine de subir un châtiment similaire. Le GIA place les populations de cette zone devant le dilemme suivant : elles peuvent soit rester dans leurs villages, haouchs et/ou douars et collaborer avec ses groupes armés, soit fuir pour ne pas être massacrées. L'alternative est simple : une zone acquise ou, le cas échéant, vidée de ses populations. La preuve en est que le GIA a vidé le douar Ouled Allel de tous ses habitants pour en faire un poste de commandement zonal.

Nul n'ignore l'importance de la capitale (Alger) dans la stratégie de la terreur du GIA. D'abord, comme zone d'approvisionnement en ressources humaines (recrutement), financières (collecte de fonds) et logistiques. Ensuite, au double plan politique et médiatique : un attentat à Alger a beaucoup plus d'impact politique et médiatique, notamment à l'étranger, que n'importe quel autre commis dans le reste du territoire national. C'est précisément cette « piste de la mort », qui permettait au GIA de faire la jonction entre la capitale (et toutes ses périphéries) et son poste de commandement national situé à Tala Aicha dans les monts de Chréa. C'est à partir de Ouled Allel, que les véhicules piégés se dirigeaient vers Alger.

En outre, dès 1995, le contrôle de ce « couloir » devient une nécessité vitale, une question de vie ou de mort, pour le GIA. L'apparition des « Patriotes », en 1994-1995, dans la Mitidja-ouest, notamment dans la zone Haouch El Gros/Boufarik (wilaya de Blida), située à une trentaine de kilomètres au sud-ouest d'Alger, a considérablement contrarié l'action des groupes armés du GIA et réduit leurs possibilités de mouvement dans cette région. L'action combinée des « Patriotes », de la garde communale et de l'armée a laminé les groupes du GIA dans la région. À partir de 1996, celui-ci avait pratiquement perdu le contrôle de cette partie de la Mitidja. Pour le GIA, la catastrophe fut à la mesure de l'importance de cette région dans son dispositif stratégique. Il faut rappeler que de 1992 à 1996, la wilaya de Blida était le centre nerveux du terrorisme. Il est même apparu, que celui qui contrôle cette région, détient le pouvoir au sein du GIA, à l'échelle nationale. La configuration de son relief est idéale pour l'évolution et le refuge des groupes armés. Elle présente, également, un handicap majeur pour la lutte anti-terroriste. Elle est située aux portes de la capitale. C'est pourquoi, la région de Chréa a été choisie par la direction du GIA comme poste de commandement national et lieu de rassemblement et de réunion de son « Conseil consultatif ».

Pour toutes ces raisons, les groupes terroristes, qui y opéraient, sous les ordres de Antar Zouabri, étaient les plus nombreux et les mieux armés. La perte du contrôle de cette région a fait que la « ligne », qui reliait Gué de Constantine à Bougara, en passant par Baraki, Bentalha, Ouled Allel, Sidi Moussa, Ouled Slama et, celle qui, plus à l'est, reliait Oued Smar à Bougara, en passant par les Eucalyptus et Larbaâ, restait le seul couloir, qui permettait au GIA de faire la jonction entre Alger et les refuges de Bougara : lieu des bases arrière de la zone 2 du GIA, qui assurait la liaison avec le poste de commandement national de Chréa.

À cela, s'ajoute un autre événement qui, en juillet 1995, vient menacer l'hégémonie du GIA dans cette partie de la Mitidja-est. À cette date, Mustapha Kertali, émir du GIA de la Katibet « ERRAHMANE » de Larbaâ, entre en dissidence ; il fonde l'éphémère « Mouvement islamique pour la prédication et le djihad » (MIPD), avant de faire acte d'allégeance à l'AIS. La ville de Larbaâ et ses environs (Ben Dali Ali, Djiboulo, etc.) étaient une zone relais extrêmement importante dans « le couloir de liaison des groupes du GIA », que l'AIS menace désormais de « couper » à sa frontière est, à quelques encablures des bases arrière de ses groupes armés de la zone 2. Des affrontements sanglants ont opposé le GIA et l'AIS pour le contrôle de cette région, que le GIA n'est jamais parvenu à récupérer. La crainte de voir cette dissidence faire tache d'huile a accru la nécessité pour le GIA et sa détermination de maintenir son contrôle sur le « couloir » en question et sur ses populations, ainsi que la dissuasion, par la terreur, de leur défection.

La « mise en contexte » du massacre de Bentalha implique, également, la prise en compte de la dimension temps. Ce massacre a eu lieu le 22 septembre 1997. Or, en Algérie, le phénomène des massacres collectifs est apparu vers la fin de l'année 1995. Cette année a vu le déroulement de la première élection présidentielle pluraliste, qui a été marquée par deux faits majeurs. D'abord, par un fort taux de participation, malgré les menaces de mort proférées par le GIA contre tout contrevenant à son appel au boycott des urnes. Ensuite, au lendemain des élections, par des scènes de liesse populaire dans toutes les régions du pays, notamment dans les grandes villes.

Le GIA, prenant acte du fait que la population a exprimé son rejet de la violence terroriste, lui ôtant, du coup, toute couverture religieuse et politique susceptible de justifier son « djihad », a déclaré impie, toute la société algérienne, et décrété son « excommunication ». Dès lors, tout(e) algérien(ne) n'appartenant pas au GIA (à ses groupes armés et/ou ses réseaux de soutien) est impie. Son sang est licite. Son meurtre est justifié. Licité et justification religieuses consacrées par des fetwa émises, à partir de Londres, par les figures de proue des anciens d'Afghanistan : Le Syrien Abou Mous'ab, le Palestinien Abou Qatada et l'Égyptien Abou Hamza.

Fin 1994-début 1995, c'est aussi la période de l'intronisation de Djamel Zitouni à la tête du GIA, qui inaugure le cycle des dissidences et des grandes purges dans les rangs de cette organisation. Ces purges vont précipiter l'isolement du GIA et sa déliquescence : plusieurs chefs de régions du GIA entrent en dissidence. La disparition de D. Zitouni, le 16 juillet 1996, va accélérer l'atomisation du GIA et induire une prolifération des logiques de violence terroristes. Zitouni exporte le terrorisme en France et se lance dans les actions spectaculaires, notamment les massacres collectifs, que son successeur A. Zouabri va intensifier.

Bentalha n'a été endeuillé par le massacre collectif qu'environ deux années après l'apparition du phénomène à l'échelle nationale. Pourquoi ? Le témoignage de YOUS Nesroulah nous fournit l'explication de ce décalage dans le temps entre l'irruption du phénomène en Algérie, vers la fin de l'année 1995 et le massacre commis à Bentalha en septembre 1997.

YOUS écrit que, dès 1991, « *(À) Bentalha, les premiers groupes armés commencent à s'installer dans les vergers ; ils construisent des casemates et investissent le grand oued à l'ouest de notre quartier* » (p.43). Rapidement, ils sont acceptés, soutenus et aidés par la population. « *Il faut savoir,* écrit YOUS, *que dès 1993, les groupes s'appuient sur des informateurs, des "hittistes" (...) ou des vendeurs ambulants qui se chargent par exemple de surveiller les militaires ou les personnes suspectes dans un quartier. Ils repèrent les personnes visées, savent qui travaille pour les administrations ou qui est membre des forces de l'ordre. Ils surveillent leurs allées et venues, leurs horaires et trajets* » (pages 59-60). Il précise : « *Ils (les groupes armés) se meuvent comme des poissons dans l'eau et peuvent compter sur le soutien matériel et moral de la population. Les commerçants leur font des dons très généreux et les groupes n'ont pas besoin de racketter* » (p. 42).

À partir de la fin 94, l'auteur observe un changement dans le comportement des groupes armés envers la population et, en réaction, dans le comportement de celle-ci à l'endroit des terroristes. « *Peu à peu*, écrit-il, *la pression monte dans la population, car nous apprenons que des civils sont tués parce qu'ils ont été surpris en fumant ou bien parce qu'ils travaillent pour l'administration* » (p. 64).

Progressivement, la pression des groupes armés se fait de plus en plus forte : assassinat de civils et multiplication des interdits : interdiction de prendre attache avec l'administration, interdiction de se rendre dans un commissariat, interdiction de travailler avec l'administration de la commune, interdiction de fumer, interdiction de lire les journaux, interdiction de regarder la télévision et obligation pour les femmes de porter le hidjab, (p. 64). « *La pression des groupes,* affirme-t-il, *nous met les nerfs à vif* » (p. 66). L'ordre « taliban » se met en place.

C'est aussi vers la fin 1994, que les groupes islamistes armés commencent l'opération d'enlèvement des pièces d'identité. YOUS nous apprend, que c'est en octobre 1994, à 22 heures, que des groupes armés du GIA investissent Bentalha. Ils sont plus d'une centaine, venus délester la population de ses pièces d'identité. Le groupe est dirigé par un habitant du quartier, du nom de Bouchakour. Parmi les assaillants, la population a reconnu une dizaine de jeunes et deux émirs originaires de Bentalha (p. 81). « *L'opération de l'enlèvement des papiers d'identité en octobre 1994 a poussé beaucoup de voisins à fuir* » (p. 106). Premier indice, qui révèle un changement dans l'attitude des populations à l'égard des groupes du GIA. À cela, il faut ajouter que « *de plus en plus d'actes de sabotage sont perpétrés dans les années 1994 et surtout 1995. Les groupes armés ne s'attaquent pas seulement aux commissariats et aux casernes, mais aussi à un nombre considérable d'entreprises publiques...* » (p.85). Les administrations (mairies et postes), les équipements collectifs (écoles, centres de soins, hôpitaux) les moyens de transport (camions, bus, etc.) et les entreprises économiques (ateliers, usines, centres commerciaux) sont agressés, détériorés ou détruits.

YOUS, le confirme, « *les groupes armés,* dit-il, *pratiquent la politique de la terre brûlée* » (p. 100). Les conséquences de cette « politique de la terre brûlée » sur les populations sont dramatiques. Le chômage s'accroît et le dénuement se généralise. La population privée des moyens de communication (courrier, téléphone, fax, moyens de transport) est de plus en plus isolée de l'extérieur. Les déplacements se font de plus en plus difficiles. Les enfants sont privés d'écoles, de soins et de nourriture. Les interdits se font de plus en plus lourds. La peur s'installe. Le racket des commerçants ruine leurs affaires (p.85).

L'auteur décrit bien ce nouveau contexte : « *La vie dans toute la région de Blida, Médéa, Meftah et les banlieues sud et est d'Alger, dont Baraki et Bentalha devient infernale. Après l'intrusion, en octobre 1994, des groupes qui nous ont enlevé les papiers et l'assassinat des voisins, notre enfermement s'est accru. Nous étions déjà marginalisés géographiquement mais là, avec la peur et le diktat des groupes, c'est un isolement complet* » (p. 90).

En 1995, YOUS souligne que la situation s'aggrave. Désormais, les groupes islamistes armés opèrent dans la région Larbaâ, Meftah, Khemis el Khechna en zone libérée. Il relève, que les nouveaux émirs sont des voyous, qui ne luttent plus pour une cause. « *Leurs actions*, dit-il, *sont dirigées contre la population et le ralliement est obtenu au prix de la violence* » (pp. 90-91). « *Le GIA*, ajoute-t-il, *règne sans respecter aucune loi ; il s'attaque à des familles, à des jeunes et impose des interdits* ».

Il qualifie les nouveaux émirs de « roitelets arrogants ». Il finit par exploser : « *L'horreur*, s'écrie-t-il, *ne semble pas connaître de limites et cette explosion de barbarie est tout à fait incompréhensible* » (p. 91). YOUS ne comprend pas. Le pouvait-il, d'ailleurs, lui, témoin se bornant à constater les faits ? Il ne pouvait aller au-delà des limites qu'impose sa connaissance première. En effet, les raisons à l'origine de cette barbarie accrue sont à chercher au-delà des simples faits donnés. Nous l'avons déjà précisé, l'année 1995 est une année particulière dans l'évolution du GIA. Elle marque le début de sa crise profonde. Miné par les luttes intestines, dirigé depuis la mort de Gousmi, par des « takfiristes » (Djamel Zitouni puis Antar Zouabri), refoulé de la Mitidja-ouest sous la pression exercée par l'action combinée des patriotes, de la garde communale et de l'armée et affaibli par les dissidences, le GIA intensifie la terreur pour maintenir son contrôle sur une région vitale.

Paradoxalement, YOUS dispose des éléments, qui aurait pu lui permettre de comprendre cette « explosion de barbarie ». Il touche du doigt la situation de crise, qui secoue les fondements du GIA. « *Pendant un certain temps*, écrit-il, *il semblerait que le GIA ait dominé le terrain, jusqu'à ce que, à partir de 1995, interviennent des défections de groupes s'opposant à ses pratiques* » (p. 95). Il s'arrête à ce constat.

Mais, il va plus loin encore dans l'exposé des faits, qui expliquent cette « explosion de barbarie », sans pour autant les intégrer dans un « modèle d'analyse » ou un « schéma explicatif ». Peut-être que YOUS ne cherchait pas du tout à expliquer. Cependant, et c'est fréquent dans l'histoire des idées, la vérité cherche et trouve souvent sa voie à l'encontre de la conscience réelle des hommes. Cuvier n'était-il pas adepte de la conception fixiste, quand il élabora sa classification des espèces, qui contenait, en germe, l'idée d'évolution ? Reprenons ces faits tels qu'ils sont exposés par notre auteur :

- L'élection présidentielle de L. Zeroual (novembre 1995) : « *Le jour J, je me lève tôt et j'observe l'afflux des électeurs vers les bureaux de vote. Je suis à la cité 200 logements à Baraki et, dès 7 heures du matin, une longue « chaîne » se forme devant l'école où je dois moi-même aller voter... Je ne m'attends pas du tout à tout ce monde* » (pp. 108-109).

- Les conséquences de la loi sur la Rahma (clémence) : « *Grâce à la loi de la Rahma (clémence), promulguée en février 1995 et permettant aux personnes recherchées ou impliquées dans les affaires terroristes de se rendre aux autorités et de bénéficier d'allégements de peine, l'utilisation de "repentis" permet de détecter et de démanteler les réseaux de soutien »* (pp. 109-110).

- L'apparition des patriotes et la naissance de la garde communale :
« *Chez nous (à Bentalha), les premiers patriotes sont apparus en 1996* » (p. 110) ; « *la garde de Bentalha est créée vers juin 1996* » (p.113).

C'est en 1996, que la population de Bentalha s'engage dans la lutte contre les groupes terroristes du GIA. Les résultats de cet engagement sont palpables dès le début 1997, comme le confirme le témoignage de YOUS Mesroulah : « *Début 1997, les militaires osent même sortir de leurs casernes à pied pour effectuer des contrôles. Généralement, ils sont entre vingt et trente et essaient de se rapprocher de la population, qui est lasse des incursions des groupes armés. C'est à partir de ce moment-là qu'ils conseillent aux civils de s'armer* » (pp. 108-109).

La situation a donc radicalement changé par rapport aux années 1994-1995 durant lesquelles les groupes du GIA évoluaient à Bentalha comme des « *poissons dans l'eau et pouvaient compter sur le soutien matériel et moral de la population* ». L'auteur résume la nouvelle situation qui prévaut à Bentalha sur le plan sécuritaire dès la fin de l'année 1996 et le début de 1997 : « *Une certaine confiance revient à Bentalha. La vie sociale reprend peu à peu* » (p. 121). L'étau se desserre : « *Les GIA ne s'aventurent plus dans Bentalha : il n'y a plus de barrages, et les hommes armés ne viennent plus s'approvisionner chez nous. Certes, ils font encore des attentats et ils mènent des incursions dans nos quartiers, mais la situation a considérablement évolué. L'atmosphère commence à se détendre, parce qu'il n'y a plus cette présence quotidienne des groupes* » (pp. 113-114).

Que signifie tous ces faits, sinon que le GIA perd le contrôle de Bentalha. La grande majorité de la population ne collabore plus. Pire, elle s'arme, s'organise et collabore avec l'armée. La réaction des groupes islamistes armés ne se fait pas attendre. Le premier massacre collectif aura lieu fin novembre 1996. YOUS nous décrit ce premier épisode sanglant (cf. p. 115 à p. 117) : « *Cela s'est passé fin novembre 1996, je me trouve à Bentalha et j'apprends qu'il y a eu une tuerie la veille. Je m'empresse d'aller à Bentalha pour me renseigner et on me raconte que, à la tombée de la nuit, un groupe armé – dont Djeha et Chergui – a fait une descente* » (p. 115). « *Je ne sais pas qui encore a été tué, mais ce soir-là il y a eu treize morts* » (p. 117). YOUS passe très rapidement sur ce premier massacre. Pourtant, il est gros de sens. Il révèle que la rupture entre la population et les hordes du GIA est définitivement consommée.

Ce premier massacre perpétré par le GIA, a été organisé à la fois pour « punir » ceux qui osèrent défier publiquement l'« ordre taliban », mais aussi, et surtout, pour signifier aux autres, ce qu'il en coûte de s'engager dans la même voie. Mais, dès 1996, comme nous l'avons déjà montré, aussi bien au plan local qu'à l'échelle nationale, le rapport de forces n'est plus en faveur du GIA. Et, comme nous le révèle, S. N. KALYVAS, à partir de l'expérience des massacres collectifs durant la guerre civile grecque, « *les massacres sont des épées à double tranchant. Ils peuvent entraîner l'obéissance ou être contre-productifs, c'est-à-dire produire le contraire de l'effet désiré. Les massacres aveugles sont souvent contre-productifs, spécialement si le rapport des forces penche trop d'un côté* »[2]. Il en fut ainsi à Bentalha et, le témoignage de YOUS le confirme : « *Les habitants de Haï el-Djilali ne comprennent pas ce qui s'est passé pendant cette journée fatale... Cette tuerie a des répercussions considérables dans leur perception de la situation générale. Certains se révoltent et veulent avoir des armes* » (pp. 118 - 119). Ainsi, aux yeux du GIA, les habitants de Bentalha ont signé leur arrêt de mort. Le second massacre – qui ne sera plus un « avertissement » mais une « punition collective », un acte planifié de représailles –, n'est plus qu'une question de temps. Il aura lieu dix mois plus tard, le temps de préparer minutieusement l'opération.

Qu'est-ce à dire, sinon que les conclusions de YOUS sur l'identité des auteurs du massacre sont en contradiction avec le contenu de son récit. Les terroristes du GIA se sont eux-mêmes discrédités aux yeux de la population qui, lasse de leurs harcèlements, meurtrie dans sa chair et touchée dans le plus profond d'elle-même, s'est retournée contre eux. Ce « renversement » n'est pas spécifique à Bentalha ; on l'observe, dès la fin de l'année 1995, plus exactement à partir de novembre 1995, à l'échelle nationale. Et, partout, là où le GIA est implanté, en l'occurrence dans les wilayas du Centre (Médéa, Blida, Ain Defla, Alger et Tipaza) et de l'Ouest (Tlemcen, Tiaret, Chlef, Mascara, Tissemsilt et Relizane), il a eu recours au même procédé de dissuasion et/ou de représailles : le massacre collectif. Au niveau de Bentalha, YOUS résume parfaitement cette situation : « *Plus la population*, écrit-il, *prend ses distances vis-à-vis des groupes, plus la pression sur elle s'exacerbe* » (p. 92).

C'est ainsi que le GIA, commandé alors par Djamel Zitouni, a commencé à mettre en œuvre ce procédé, qui consiste à punir de mort les populations, après avoir décrété, par « fetwa », qu'elles sont impies. C'est ce mécanisme mental du « takfir » (l'apostasie) et son corollaire, l'excommunication, qui sert de justification religieuse au tyrannicide et au massacre collectif. Son successeur, Antar Zouabri est passé à une vitesse supérieure. En se basant sur des « fetwas » rédigées sur commande, il a décidé d'excommunier et de rendre licite le meurtre de l'ensemble des algériens, y compris celui des membres de toutes les organisations terroristes rivales.

Ainsi, mis en contexte, dans son temps et son espace, le massacre de Bentalha prend tout son sens, celui d'un moyen extrême du GIA d'incitation à l'obéissance aveugle ou d'épuration idéologique dans un environnement devenu extrêmement compétitif. YOUS ne pouvait manifestement accéder à l'intelligence de ce processus, prisonnier qu'il était d'une connaissance des faits à la fois empirique et limitée au contexte local, donc forcément partielle, tronquée et bornée.

La compréhension des massacres collectifs ne peut être que le résultat d'une recherche empirique informée au plan théorique. Elle doit respecter au moins deux règles méthodologiques : premièrement, les massacres ne doivent pas être isolés des autres formes de violence (attentats individuels, voitures piégées, attentats à la bombe, rapts, viols, rackets, sabotages, destructions des équipements collectifs, etc. ; deuxièmement, les massacres doivent être envisagés dans leur contexte propre (temporel et spatial) et insérés dans la séquence des événements, à laquelle ils appartiennent.

Ce souci, manifesté par YOUS, de déduire des faits, une conclusion, que ces mêmes faits n'autorisent, se traduit par une somme de contradictions logiques, qui affectent considérablement la crédibilité de son témoignage. Citons à titre d'illustration de ce travers quelques faits précis :

- YOUS ne cesse de répéter qu'il « *ne comprend pas pourquoi les militaires ne sont pas venus à bout des groupes de notre région* » (p. 109). Quelques pages plus loin, il écrit : « *Parallèlement à ce déploiement militaire, nous avons l'impression qu'un changement radical s'effectue au niveau des groupes armés. Les "terros" que nous connaissons sont liquidés par l'armée ou dans des règlements de comptes... De fait à partir de 1996, les groupes islamistes armés ne s'aventurent plus dans Bentalha* » (p. 113). D'une part, il dit ne pas comprendre, que les militaires ne soient pas venus à bout des groupes armés ; de l'autre, il nous apprend que tous les terroristes qu'il connaît ont été abattus par l'armée et que ces groupes ne peuvent plus s'aventurer dans Bentalha, à partir de 1996. Mieux, encore, le chapitre V de son livre s'intitule : *L'armée prend le dessus*. Il y a, me semble-t-il, problème.

- Tout au long de son récit, YOUS prétend aussi douter de l'identité des assassins. Selon lui, les assaillants seraient des éléments d'une unité spéciale de l'armée déguisés en « islamistes ». Ce qui est déconcertant, c'est le fait que YOUS identifie clairement les auteurs de tous les crimes dont il fut témoin à l'exception du dernier massacre collectif. Il commence par nous apprendre, que « *des jeunes disparaissent du* quartier, notamment de la cité 200 logements, et je pense qu'ils fuient la répression. Ce n'est que plus tard que j'apprends qu'ils sont au maquis ou ont rejoint les groupes agissant dans nos quartiers » (p.59).

À propos des hommes qui opèrent, dès octobre 1993, à Bentalha, il écrit : « Les hommes qui s'y affairent sont habillés de tenues de combats qui ressemblent étrangement à celle des "ninjas". Ils se présentent comme des islamistes mais, avec le recul, je pense que c'étaient des gens de la SM » (p. 60). Mais, à la même page, il nous apprend que « Messaoud prétend avoir reconnu Bouchakour et Djeha, deux de nos "terroristes" locaux » (p.60). Une page plus loin, YOUS affirme que ces individus sont issus en grande partie de la région même : « Donc, à partir du début de l'année 1994, je vois plus clairement qui sont les individus entrés dans la clandestinité... »
« Ces groupes, précise-t-il, sont formés en partie de jeunes de notre région connus de la population. Ils bénéficient plus ou moins de son appui. Les plus anciens recrutent de nouveaux hommes en leur offrant pour un petit service une énorme récompense. C'est une façon de faire entrer ces jeunes dans une spirale de dépendance. Peu à peu, ils les impliquent dans des activités subversives qui font qu'ils ne peuvent plus faire marche arrière... Ils osent se montrer en plein jour à partir de 1994, mais très rarement à Haï el-Djilali. En revanche à Baraki, ils sont connus et ils se montrent avec leurs armes. Tout le monde sait qui est au maquis... Beaucoup de jeunes de Baraki et d'El-Kattar sont membres des groupes armés » (p. 61). Par conséquent, YOUS reconnaît lui-même qu'il connaît les membres des groupes armés : des jeunes issus de sa région. Il sait aussi que c'est eux qui tuent : « Jusque-là, à part quelques exceptions, écrit-il, les GIA avaient commis surtout des assassinats individuels. Bon nombre de journalistes, d'intellectuels et d'étrangers ont été tués à partir de 1993. Ce sont eux qui font la une des journaux, mais de très nombreux policiers, petits fonctionnaires, enseignants ou commerçants sont victimes de cette machine à tuer qui se met en branle dès 1993 pour atteindre son summum en 1995 » (p. 64).
Il affirme même connaître les membres des réseaux islamistes clandestins : « Le réseau dont fait partie Mounir est grand et actif de Baraki jusqu'à Reghaïa (dans la banlieue est d'Alger) » (p. 73). Concernant l'opération d'enlèvement des documents officiels (cartes d'identité, permis de conduire, passeports) des citoyens lancée par le GIA en 1 994, YOUS est persuadé que les jeunes qui investissent Bentalha (en octobre 1994) ne sont pas des islamistes. Ce qui laisse supposer qu'il s'agit de militaires : « À les voir comme cela devant moi, je trouve qu'ils n'ont rien d'islamistes. Les jeunes, surtout, semblent très à l'aise dans leurs jeans et ont des coupes de cheveux à la mode. Ils ont l'air bien nourris et entraînés. Je ne sais pas ce qui me fait penser que ce ne sont pas des

islamistes, mais c'est une impression que je ne serai pas le seul à éprouver. J'ai eu l'occasion de voir des hommes des maquis : ils ont un autre comportement, ils sont farouches et distants. Souvent, ils ont une marque sur le front (qui vient du fait qu'ils l'appuient sur une pierre en priant)... » (p.78). Une fois de plus les faits semblent ne pas confirmer les impressions de YOUS qui, quelques instants plus tard, reconnaît, parmi les assaillants, « *un gars du quartier, du nom de Bouchakour, qui sèmera la terreur dans un proche avenir* » (p. 80). À la page suivante, il écrit : « *Une dizaine de jeunes et deux émirs ont été reconnus de la population, notamment Omar, le frère de Djeha, un membre de groupe armé, le fils d'un commerçant habitant près du quartier des Kabyles et un jeune de la cité 200 logements* » (p. 81).

YOUS connaît également très bien les « émirs locaux » : « *Les personnages que j'ai vu agir ouvertement dans la zone de Bentalha sont ceux qui font la loi à partir de 1994. Bouchakour est pendant plus de deux ans l'émir de notre région. Originaire d'une ferme près de Bentalha, il a une réputation de petit délinquant qui ne fréquentait pas trop les mosquées avant l'avènement du FIS... Ensuite, il y a Chergui, un voyou d'une trentaine d'années qui a été déclaré mort au moins à deux reprises... Al-Azraoui, âgé d'environ trente-trois ans, habitait quant à lui avec sa famille à l'entrée de Bentalha. C'était plutôt quelqu'un de discret et de pieux qui fréquentait les mosquées. Il était vendeur ambulant de fruits et légumes* » (pp. 88 et 89). Il identifie aussi les auteurs du premier massacre commis à Bentalha vers la fin du mois de novembre 1996 (pp. 114-117) et de la « tuerie des jeunes » du 14 janvier 1997 (pp. 125-128).

En définitive, nous sommes face à un paradoxe : YOUS a l'impression et/ou l'intuition, que ce sont les militaires qui tuent, et la certitude, corroborée par les faits, que les assassins sont les membres du GIA, qu'il a vus à l'œuvre et qu'il a identifié nommément. Au strict plan de la méthode, ce « paradoxe » s'explique par un « renversement » du vecteur de la connaissance objective, qui va, habituellement, des faits (de l'hypothèse) à la conclusion au moyen du raisonnement logique.

Chez YOUS, au départ était la conclusion ; « c'est l'armée qui tue ». Ses conclusions sont ses véritables prémisses. Et, ces prémisses sont de l'ordre du politique et de l'idéologique. YOUS le confirme, en disant que, dès 1993, « *je commence à avoir de plus en plus de problèmes avec les "démocrates". Tout en parlant de démocratie, j'observe que leur combat premier se dirige contre les islamistes et non pas contre le régime militaire* » (p. 57). Dès lors qu'on est convaincu que son combat premier doit être dirigé contre l'armée et non pas contre le terrorisme islamiste, le reste découle de lui-même. Nous ne contestons pas à YOUS, le droit de défendre la ligne politique de son choix. Tout choix politique est respectable, s'il reconnaît aux autres le droit à un choix politique différent. Mais, il reste que, si nous nous en tenons aux exigences de l'objectivité, l'éthique de la responsabilité supplante celle de la conviction. Ce « biais idéologique », qui masque la « réalité » aux yeux de notre auteur et le contraint à diluer ses certitudes, induites par son observation de faits empiriquement vérifiables, dans des impressions ou dans le soluté d'une intuition. Il suffit de relire ses propos sur l'identité des auteurs du second massacre, qui constitue l'objet principal de son livre.

1 - « *Je ne sais pas pourquoi, à aucun moment je n'ai cru que c'étaient des islamistes. On me demandera plus tard ce qui m'a fait penser que ce n'étaient pas des islamistes. Je crois que certaines barbes et certains cheveux étaient artificiels* » (p. 169). À noter l'expression, « *je ne sais pas pourquoi* », qui indique bien que l'auteur fonctionne sur le registre de l'intuition, suivie par la phrase, « *Je crois que...* », qui révèle que l'affirmation relève de la « croyance ».

2 - « *En discutant avec les voisins, nous sommes arrivés à la conclusion provisoire que ce genre de massacre ne peut être organisé et exécuté que par des commandos spéciaux, des "escadrons de la mort". Ce qui n'empêche pas que des "terros" que nous connaissons aient pu être, pour les besoins du moment, intégrés dans ces unités spéciales. En fait ils sont peut-être manipulés par ces mêmes tueurs depuis longtemps* » (p. 213). L'auteur admet, lui-même, qu'il s'agit d'une « conclusion provisoire ». Les deux phrases suivantes sont également significatives du subterfuge dont use l'auteur : « *aient pu être* », « *ils sont peut-être* ».

3 - « *Ce qui m'a frappé plusieurs fois au cours de la nuit, c'est le rôle joué par certains assaillants : à leur façon de se comporter, c'étaient assurément des meneurs. Ils donnaient des ordres, insultaient, rabaissaient leurs subalternes qui devaient obéir sans broncher. À différentes reprises, lorsque les blindés ont avancé sur le boulevard ou que les projecteurs se sont allumés, j'ai remarqué que ces derniers devenaient indécis, ne sachant s'ils devaient continuer ou se replier. Les chefs se ruaient alors sur eux, les harcelant de leurs hurlements, mêlant menaces, blasphèmes et promesses de récompenses dans l'au-delà* » (p. 209). Un autre procédé, allusif celui-là, qui consiste à ne pas dire, explicitement, que les assaillants sont des militaires, mais, seulement, à le suggérer, par petites touches successives. Procédé, par ailleurs fécond, n'eut été ici le caractère invraisemblable du récit. En effet, je vois mal un chef militaire d'une section de « commandos spéciaux » stimuler ses hommes en leur promettant des « *récompenses dans l'au-delà* ».

4 - « *Ce qui est troublant, c'est que des voisins disent avoir reconnu trois ou quatre personnes faisant partie des groupes armés locaux. Abdelkader Menaoui dit avoir vu un certain Lefkir qui habite Haouch Mihoub, d'autres prétendent avoir vu Al-Azraoui... À Bentalha on dit que Chergui, le terroriste du quartier, a été tué par des habitants à Haï Boudoumi... Enfin, certains parlaient d'une femme – la mère de Djeha Benmrane ; le terroriste abattu quelques mois auparavant – habillée en rouge, qui aurait détroussé les victimes ainsi que Nacéra, sa fille...* » (p. 210). Troisième procédé de notre auteur : frapper d'emblée de suspicion tout témoignage, qui contredit ses « impressions ».

5 - Le quatrième procédé : quand l'occasion lui est offerte d'identifier de visu les assaillants, YOUS est absent : « *Près d'une dizaine d'assaillants morts sont restés sur place. Les voisins les ont vus. Ils les ont embarqués le lendemain, mais moi je n'y étais pas* » (p. 209).

Il est clair que nous sommes confrontés à une étrange entreprise qui use et abuse des procédés classiques. C'est en quelque sorte une réédition, du fameux épisode de Timisoara, qui vise à accréditer la thèse « négationniste » du « qui tue qui ? »

Revenons maintenant au massacre du 22 septembre 1997. Notre récit repose sur des témoignages recueillis auprès de trois types d'enquêtés : des terroristes arrêtés, des terroristes repentis et des rescapés. Ils sont tous des témoins directs du drame.

- *Les terroristes arrêtés :*
    1) - A. RABAH dit ABOU EL-HACHEM, arrêté le 11/04/1998 ;
    2) - A. RABAH dit ABOU EL-HASSEN, arrêté en 1997 ;
    3) - C. YOUCEF, arrêté le 23/12/1999 ;
    4) - G. MOHAMED, arrêté le 06/10/1997 ;
    5) - K. MEROUAN, arrêté le 21/12/1999 ;
    6) - K. WAHIBA, arrêté le 21/12/1999 ;
    7) - O.H. ZOHRA dite NACERA, arrêtée en 1997.

- *Les terroristes repentis :*
    1) - C. LAID, repenti le 18/09/1998 ;
    2) - G. ZOUBIR dit ZOHEIR, repenti le 07/07/1998 ;
    3) - K. DJELLOUL, repenti le 06/02/1995.

- *Les rescapés :*
    1) - G. HALIMA ;
    2) - D. SABIHA ;
    3) - S. O. EL KHEIR, enlevée le 29/12/97 et parvenue à s'enfuir le 15/04/1998.

LE CADRE GÉOGRAPHIQUE

Bentalha est une localité de la commune de Baraki, située à 16 kilomètres au sud-est d'Alger. Elle est limitée à l'ouest par Oued El-Harrach ; au sud, par des orangeraies ; à l'est, par la route départementale 115 et, au nord, par la commune de Baba Ali. C'est une agglomération « rurbaine » de la Mitidja. Durant la période coloniale, Bentalha n'était composée que de quelques fermes coloniales entourées de vergers et de gourbis où vivaient les ouvriers agricoles algériens. C'est seulement dans les débuts des années 70, que fut construit le lotissement qu'on appelle aujourd'hui l'« Ancien Bentalha ». Tout le reste ne verra le jour, que vers la fin des années 80. La majorité de la population de Bentalha se compose de gens venus de Baraki, d'El-Harrach, de Médéa, de Tablât, de Sétif et de Jijel. Il y a d'ailleurs le quartier des Kabyles, le quartier des Sétifiens et celui des Jijeliens.

La description, que YOUS fait de Bentalha prête à confusion. En effet, quand il parle de « cité des 200 logements », « cité Boudoumi » et « cité El-Djillali », le lecteur peut comprendre qu'il s'agit véritablement de bâtiments ou d'immeubles construits selon un plan d'aménagement cohérent. En réalité, il n'en est rien. Il s'agit de lotissements composés d'une somme de maisons individuelles (R + 1) construites sur les terres d'anciens domaines agricoles. Contrairement à ce que la présentation de YOUS laisse comprendre, on ne trouve pas de rues bitumées entre les différents pâtés de maisons et les ruelles ne sont pas aussi rectilignes que suggérées par les plans présentés en annexes du livre. Il n'y a pas de trottoirs. En résumé, il s'agit d'« excroissances » néo-urbaines nées sur des terres agricoles, typiques de l'urbanisation sauvage, qui a défiguré la Mitidja, depuis le début des années 80. En hiver, quand il pleut, les « rues » sont impraticables. Seul, ce que YOUS appelle le « grand boulevard » est recouvert d'asphalte. À noter que ce prétendu « boulevard » n'a rien d'une grande artère. C'est une simple rue, qui ne ressemble en rien à une large voie urbaine. Elle est beaucoup plus étroite que la route départementale 115, qui permet d'accéder à Bentalha en venant de Baraki (au nord) ou de Sidi-Moussa (au sud).

Il faut aussi préciser que Bentalha n'est pas construite, à l'instar des villages typiques de la Mitidja, comme Meftah, Larbaâ, Bougara, Chebli et Birtouta, autour d'un centre où se trouvent, en général, le siège de la mairie, l'église et l'école communale. Bentalha est une somme de constructions, qui ont poussé dans tous les sens, tout au long et de part et d'autre d'un axe, d'une ligne, qui traverse d'un bout à l'autre un espace limité à l'est par la route départementale 115, à l'ouest, par un oued (Oued El-Harrach), au nord et au sud, par les territoires appartenant aux communes limitrophes (Baraki, Sidi-Moussa).

Dans ce cas de figure parler de « centre » n'a aucun sens, et chaque lotissement – qui a son histoire propre –, forme un « ensemble indépendant ». Les lotissements touchés par le massacre collectif, enfoncés dans l'angle formé par un oued (Oued El-Harrach) et des orangeraies, se situent à la limite ouest de la rue principale, bien loin de ce que la population considère comme le « centre » de Bentalha où se trouvent l'annexe communale, le siège de la garde communale, la Mosquée, deux écoles et le centre de soin.

LA POPULATION CIBLÉE

- Haï Boudoumi

Ce lotissement se compose de trois blocs parallèles de 67 habitations. Il est séparé de Haï El-Djilali par un immense terrain vague sur lequel se trouve aujourd'hui le siège de la sûreté urbaine, construit après le massacre. Les témoignages révèlent que trois familles ont été particulièrement visées : la famille Khodja (10 morts), la famille Bachiri (5 morts) et celle des « Jijeliens » (23 morts). C'est important, dès les débuts du massacre, les terroristes se sont attaqués au premier bloc habité par des citoyens armés dans le cadre des groupes de légitime défense (GLD).

- Haï el-Djillali

Ce lotissement est situé à l'ouest de la « cité » Boudoumi. C'est un ensemble d'habitations, dont les trois quarts ont échappé au massacre grâce à quelques citoyens armés, qui ont empêché les terroristes de poursuivre leur sale besogne. La partie la plus touchée était celle où résidaient des citoyens, qui n'avaient pas demandé ou attendaient d'être armés.

- La cité 200 logements

Située au nord de Bentalha, elle se trouve en face du lotissement El-Djillali. Les habitants de cette cité ont échappé au massacre grâce à l'intervention de l'armée. Selon les témoignages des habitants, les militaires sont intervenus une quinzaine de minutes après l'attaque terroriste. À noter au passage, que les terroristes n'ont pas pu piéger les accès à cette cité, les ruelles étant trop exposées à la vue.

En résumé, et YOUS le confirme (voir p. 205), le massacre a surtout visé une petite partie dans Haï el-Djilali, plus précisément celle qui se trouve coincée entre le Grand Oued (à l'ouest), la pépinière (à l'est) et les orangeraies (au sud). C'est la partie la plus proche de la zone d'implantation (les vergers) et de repli (le Grand Oued) des éléments du GIA. En outre, même dans cette partie, ce sont les familles origi-naires des régions de Tablat et de Jijel, qui furent principalement ciblées. Il se trouve que la quasi-totalité des terroristes, qui ont parti-cipé à ce massacre sont originaires de la région (Bentalha, Baraki, Sidi Moussa, Ouled Allel, Larbâa, R'Mila, Bougara, Chréa etc.). Voilà un point que YOUS ne commente pas.

LE MODE OPÉRATOIRE

Les témoignages se recoupent et convergent pour désigner le terro-riste Beziou Hocine, « émir » du GIA de Zouabri, comme l'instigateur de l'opération, réalisée grâce à la complicité de certains membres des familles de terroristes de Bentalha.

Les terroristes, une centaine selon le témoignage d'un « repenti », venus de différentes régions de la Mitidja, en l'occurrence Larbâa, Khemis el Khechna, Sidi Moussa, Bougara, Ouled Allel, Gaid Gacem et Boufarik, se sont d'abord regroupés au niveau du domaine « Benindja ». Ils se sont scindés en trois sous-groupes, chacun étant chargé d'un secteur de Bentalha. Au sein de chaque sous-groupe, les tâches étaient réparties entre les terroristes : ceux qui ouvrent la voie en défonçant les portes, ceux qui tuent, ceux qui kidnappent, ceux qui pillent, ceux qui font le guet, ceux qui, embusqués, « attendent » les secours et, enfin, ceux qui guettent les fuyards pour les abattre. Les trois groupes ont attaqué, vers 22h 45, Haï Boudoumi et Haï el-Djilali.

Le premier groupe a attaqué Haï Boudoumi. Au cours de cette atta-que, un terroriste armé d'un fusil de chasse a été abattu par les militai-res. Les terroristes portaient des tenues de la garde communale. Le second groupe a investi Haï el-Djillali ; c'est au niveau d'une partie de ce lotissement que les terroristes ont concentré leur action. C'est aussi là qu'il y a eu le plus grand nombre de victimes, essentiellement, comme nous l'avons déjà souligné, des habitants originaires de Tablât/Médéa et de Jijel. Ce groupe s'est introduit dans Haï el-Djillali à partir de Oued El Harrach, au niveau de l'usine de plastique qui a été incendiée. Ils ont placé des bombes artisanales. Le terroriste repenti G. Mohamed a révélé que les artificiers sont les dénommés Abou Daoud de Semar (Gué de Constantine) et Khaled de Baraki. Le troisième groupe a attaqué à partir de l'Oued, il fut repoussé par les Patriotes.

Les rescapés ont signalé une dizaine de femmes parmi les assaillants, dont une particulièrement, habillée en rouge, qui servait de guide aux terroristes et leur indiquait avec une étonnante précision les maisons des familles à massacrer. Elle a été arrêtée. Il s'agit de la nommée

O.H. Zohra dite Nacéra. Elle affirme avoir été contactée, un mois avant le massacre, par la dénommée D. Zohra, habitant à El-Harrach. Cette dernière lui a fixé un rendez-vous à Boumaâti, à 10h30 ; en lui demandant de se vêtir d'un tailleur « long », afin de faciliter son identification par la personne qui viendrait l'attendre. Parvenue au lieu du rendez-vous, elle a été accueillie par trois hommes qui, à bord d'un véhicule, l'amenèrent vers un domicile dont elle n'est pas en mesure de préciser l'endroit exact où il se trouve.

En ce lieu, elle a rencontré treize hommes armés, dont le nommé B. Madjid de Baraki, qu'elle a reconnu. Il lui a été demandé de se préparer afin de participer au massacre de Bentalha, avec pour mission d'indiquer les maisons à investir et les familles à épargner. Elle a été également chargée de détrousser les victimes. Elle affirme avoir assisté à l'élimination de deux assaillants à Haï el-Djillali. Elle a donné la liste des familles qu'elle a indiquée aux terroristes afin d'être épargnées :

- La famille de Chérif, un évadé de Tazoult ;
- La famille de Kheira, dont le fils est un ancien détenu de Tazoult ;
- La famille de F..., infirmière à l'hôpital de Baraki et dont le frère, Hamid, est un terroriste recherché ;
- La famille de Y... dit « El Mahboul » ;
- La famille de Zahia, dont le mari est un terroriste ;
- La famille de Azraoui, émir local du GIA, dont, précise-t-elle, la maison était vide ;
- La famille A., dont un des fils, Mohamed, fait partie du réseau local de soutien ;
- La famille de Merouane, également membre du réseau de soutien ;
- La famille Seddik : membre du réseau local de soutien ;
- La famille de Hakim, dont le frère, terroriste, a été abattu par les forces de l'ordre.

Il faut préciser, que les terroristes ont plongé toute la zone ciblée dans l'obscurité, en sabotant le réseau électrique, avant de passer à l'action. Ils ont également piégé tous les accès à ladite zone et placé des groupes en embuscade aux endroits stratégiques, guettant ainsi l'arrivée des secours. Un groupe de 8 à 10 personnes investit d'abord les lieux. Très vite, d'autres les suivent, qui prennent position au niveau du principal carrefour où ils placent des véhicules piégés afin d'empêcher la progression des secours et des services de sécurité. Les poteaux d'éclairage public sont systématiquement sabotés à coups de grandes haches artisanales. Le premier agent de sécurité à s'être avancé dans Bentalha a été abattu à quelques mètres du carrefour. Un groupe d'une trentaine de terroristes s'est posté le long de la rue principale de Bentalha. Sa tâche consistait uniquement à attendre les services de police et de sécurité pour les surprendre et les empêcher d'intervenir.

La technique des terroristes est simple et effroyablement efficace. Les portes des habitations, sont éventrées à coup de grenades ou de bombes artisanales. Des terroristes originaires de Bentalha servaient de guides et indiquaient de façon précise, les portes à faire sauter, donc les familles à massacrer. Les rescapés ont reconnu SELLAMI Mohamed dit Azraoui et CHERGUI Hakim. Les terroristes pénètrent alors aisément, par groupe de dix environ, dans les maisons où les habitants, affolés et désorientés par les explosions, courent dans tous les sens, hurlant, se jetant des balcons, des terrasses, espérant échapper au massacre et ne sachant pas que même leur fuite était prévue. Dehors, d'autres terroristes avaient pour mission d'abattre les fuyards.

Dans les maisons investies par les terroristes, le sang coule à flot. Les familles sont décimées dans d'horribles hurlements. Les sabres, les haches, les couteaux et les scies sont utilisés pour exterminer les habitants, dont une grande partie est désarmée. À l'extérieur les guetteurs veillent, armés de fusils ou de mitraillettes, à ce que personne ne sorte vivant des quartiers attaqués, mais, surtout, à ce que personne n'y entre.

Vers 23 heures 30, soit environ trois quarts d'heure après le début du massacre, l'alerte est donnée sur la présence de terroristes à Bentalha. Un détachement de l'armée arrive sur les lieux, quelques minutes plus tard, mais en raison des accès minés, des embuscades tendues par les terroristes et de l'obscurité régnante, les militaires ont eu du mal à réagir. Ils n'arrivent pas, dans ce branle-bas de combat général, à distinguer les terroristes des citoyens terrorisés.

Par ailleurs, quelques semaines auparavant, plusieurs citoyens de Bentalha avaient pris possession d'armes, auprès des services de la Gendarmerie, afin qu'ils puissent assurer leur propre défense. Tous ceux qui portaient des armes n'étaient donc pas, forcément, des terroristes. Il y a un autre fait, qui a dérouté encore plus les forces de l'ordre. En effet, avant d'attaquer les deux « lotissements », les terroristes ont simulé des attaques en plusieurs endroits, notamment à Haouch Mihoub, à Haouch Ratil, à Bentalha centre... Ce subterfuge a rendu difficile la localisation précise du lieu véritablement ciblé par les terroristes. C'est grâce à la riposte des membres des groupes de légitime défense et aux explosions provoquées par les bombes destinées à freiner la progression de la première patrouille de police parvenue sur les lieux, que les forces de l'ordre ont pu déterminer la zone attaquée par les terroristes.

Le temps mis pour localiser précisément le lieu du massacre a retardé l'intervention des renforts, composés des éléments de la Brigade mobile de la Police judiciaire (BMPJ), de la Gendarmerie nationale et de l'armée. Arrivés sur les lieux, ils ne pouvaient agir efficacement, car il était impossible, dans l'obscurité, de distinguer les terroristes des habitants qui fuyaient dans tous les sens. La distinction était difficile sinon impossible à établir. Plutôt que de risquer de mettre en péril la population civile déjà lourdement éprouvée, les forces de l'ordre ont préféré n'agir que devant des faits certains. De plus, des citoyens, qui montaient la garde ont pu voir les terroristes placer des bombes sous des véhicules. Ils ont informé les militaires qui, du coup, ne pouvaient plus se hasarder à progresser dans l'agglomération.

La riposte la plus efficace a été celle des patriotes armés dans le cadre de la légitime défense, qui se trouvaient à l'intérieur de la zone attaquée. Ils sont parvenus à freiner la progression des terroristes, à sauver beaucoup de citoyens et à abattre plusieurs terroristes.

Après de longues minutes, des projecteurs ont été ramenés par les forces de l'ordre, ce qui leur a permis de progresser plus aisément entre les habitations, protégés par des véhicules blindés. L'action combinée des GLD, des militaires et gendarmes a permis à de nombreuses familles d'échapper au carnage. Elle n'a malheureusement pas pu empêcher les premières tueries.

Les terroristes, dont un nombre important a pu être neutralisé, ont fini par se retirer, emportant avec eux un butin composé d'objets plus ou moins précieux, de bijoux, d'aliments mais aussi des jeunes filles et de jeunes femmes, dont certaines seront retrouvées, égorgées, à Ouled Allel (Sidi Moussa) dans les jours qui suivront le tragique épisode. Les autres disparaîtront à jamais hormis quelques-unes, qui parviendront à s'échapper des camps où elles étaient retenues captives. Le texte du GIA, qui codifie le viol et l'usage des femmes enlevées a été retrouvée quelques semaines après le massacre, dans un refuge de Ouled Allel : « *Au nom de Dieu le Miséricordieux, la femme vous appartient quand l'émir vous l'a donnée. Faites ce que vous en voulez. Elle est esclave. Si, parmi les femmes que l'émir vous a données, se trouvent la mère et la fille, l'émir recommande aux combattants de ne pas les monter ensemble. S'il y a parmi les combattants, un père et un fils, et que l'émir leur a donné les femmes, l'émir recommande qu'ils ne montent pas la même femme ou bien qu'ils veillent à ne pas la féconder et s'assurent soigneusement de son cycle.* »

Ce n'est que vers une heure du matin, que les pompiers et les premières ambulances arrivent. Les maisons sont en feu ; on entend encore les cris, les râles de ceux qui agonisent, les pleurs d'enfants, les appels au secours. Le constat est lourd. Le travail des secouristes va être laborieux. Il durera jusqu'au lendemain. On enregistre des centaines de morts et des centaines de blessés. Les morgues seront submergées de cadavres mutilés, brûlés ; des morceaux de corps arrivent séparément, des têtes, des membres, des torses, etc.

YOUS évoque également des unités de l'armée implantée dans la zone. À ce propos, il n'y a pas de doute. Les seules unités de l'armée implantées dans la zone se trouve à Baraki. N'importe quel visiteur peut constater, sur la départementale, à environ 4 kilomètres de Bentalha, l'existence d'une unité de transport, comme en témoigne le symbole du « train » (en doré) sur le portail d'entrée à deux battants peints en noir. À Baraki, nous trouvons aussi une caserne. Ce sont les militaires de cette unité, qui sont intervenus à Bentalha et dont la progression a été stoppée par l'explosion de bombes artisanales (des bouteilles de butane de 13 kilogrammes, bourrées d'explosifs, de clous et autres éléments métalliques), placées sous les véhicules de particuliers.

À Baraki, se trouve également un Commissariat de Police. Les policiers se sont rendus rapidement sur les lieux où ils furent accueillis par les tirs nourris des terroristes embusqués. Un policier a été abattu dès le début de l'opération !

À l'époque, il n'existait à Bentalha, qu'un détachement de la Garde communale, situé à environ 600 mètres du lieu du massacre. Son effectif réduit (une trentaine d'éléments) ne lui a pas permis d'intervenir efficacement. Ce sont les patriotes qui ont riposté avec efficacité, individuellement, à partir de leurs domiciles. Aujourd'hui, Bentalha est sécurisée par un Commissariat de Sûreté urbaine, un important détachement de la garde communale et un poste militaire avancé. À cela, il faut ajouter un nombre important de citoyens armés par les autorités militaires dans le cadre de la légitime défense.

Le massacre a fait 212 morts et 89 blessés dont plusieurs membres des services de l'ordre.

Les médecins légistes devront recomposer, reconstituer des corps, procéder à l'identification de ceux qui sont encore identifiables et déterminer la cause précise du décès. Dans les services de traumatologie, de pédiatrie, de neurochirurgie, de chirurgie vasculaire, le travail n'est pas plus aisé. Les blessés, acheminés par dizaines sont triés, avant d'être orientés sur les services concernés. Le petit Fouad, dont les deux mains et la tête sont recouvertes de gros pansements blancs ne doit la vie sauve qu'au réflexe qu'il a eu, en voyant un terroriste abattre une hache sur sa tête. Afin de se protéger, il recouvra sa tête de ses deux mains. Geste dérisoire, qui lui sauvera la vie, mais laissera à jamais une énorme cicatrice sur le crâne, des moignons de mains, sans doigts, et le traumatisme indélébile d'une enfance volée.

REPLI DES TERRORISTES À L'ISSUE DE L'OPÉRATION

Après l'effroyable carnage, les terroristes se sont repliés vers des refuges d'urgence aménagés à Ouled Allel (Sidi Moussa). De là, ils se rendent dans la région de Laouaouka (wilaya de Médéa), et dans les maquis de Bougara, composés de tentes et de casemates souterraines, qui avaient été préparées à cet effet. Les terroristes se déplacent la nuit et se reposent le jour afin d'échapper aux postes de surveillance. Certains sont restés plusieurs semaines dans ce refuge de Laouaouka, quasiment inactifs, ne se déplaçant, que pour s'approvisionner en vivres. Ce n'est que plus tard, qu'ils rejoindront d'autres sites.

Une vaste opération de poursuite des auteurs du massacre est lancée dans les heures qui suivent par l'ANP. Une première opération, menée à Ouled Allel permet de neutraliser une quarantaine de terroristes, dont des auteurs du massacre de Bentalha. De nombreuses arrestations ont été opérées. Elles ont permis d'obtenir des informations précises sur les relais prévus par les terroristes, sur d'autres opérations projetées, sur l'identité des membres du groupe et les complicités dont ils ont bénéficié au sein même de Bentalha. Ces opérations militaires ont également permis de retrouver les corps de plusieurs jeunes filles enlevées lors du massacres, au fond d'un puit, égorgées.

Selon le témoignage de G. Mohamed, terroriste arrêté à la suite de l'opération de poursuite lancée par l'armée contre les auteurs du massacre, six terroristes ont été abattus à Haï Boudoumi et Haï el-Djillali et douze autres ont été blessés. Les terroristes abattus ont été emportés par leurs acolytes et enterrés à Ouled Allel. Il cite les terroristes suivants :

- ABOU SAID de Château rouge,
- AIT HAMMOUDA Mohamed dit Toufik,
- BOUDRICHE Hocine dit Bachta, (ex-marchand de légumes),
- BOUGAZOULA Nacer, (frère de Taher),
- BOUGAZOULA Taher, (ex-menuisier),
- FEGAS Smail dit Abou Mou'ad,
- HAMMOUCHE Moussa dit Boudjemaâ,
- HOCINE de Houaoura,
- OUBEIDA de Ouled Allel,
- SELMAI mohamed dit Azraoui, (émir de Château Rouge),
- YOUCEF de Mebacria.

Le terroriste G. Mohamed. dit Abou Youcef, arrêté par les forces de l'ordre, le 6 octobre 1997 à Haouche Gaid Gacem (Sidi Moussa) affirme, que le groupe terroriste appartenant au GIA, qui a commis le massacre de Bentalha, était composé de 100 éléments, ainsi repartis :

- 50 terroristes venus de Bougara (ex-Rovigo),
- 30 terroristes venus d'Ouled Allal,
- 20 terroristes venus de Gaid Gacem.

Il précise que les terroristes étaient guidés par O. Z., qui devait leur indiquer les maisons des familles à épargner. Toujours selon ce témoin, les auteurs du massacre ont bénéficié de la complicité (renseignement, liaison, soutien...) des personnes suivantes, qui habitent à Bentalha :

• Les membres de la famille A., notamment les deux frères âgés de 22 et 18 ans ;
• Les membres de la famille (Al) A., notamment les deux frères âgés de 19 et 18 ans ;
• La mère d'un terroriste abattu, Rachid dit « rapide » dit « Djeha » ;
• Les membres de la famille L., résidant à Haouch Mihoub ;
• B. M., âgé de 26 ans, demeurant à Baraki, à proximité de la brigade de Gendarmerie. Il est commerçant et chargé de l'hébergement des terroristes ;
• K. S. et son frère K. R., habitant tous deux à Baraki. Ils étaient chargés de la surveillance et de la sécurisation d'un refuge situé à l'intérieur de la mosquée « Bachir Ibrahimi » de Baraki.
• Smain, voisin du terroriste FEGGAS Smain.

Le témoin ajoute les faits suivants :

• Les groupes armés, auteurs du massacre, sont venus de Bénindja, empruntant Haouch Tavil pour aboutir à l'intérieur de Bentalha.
• Les six femmes enlevées ont été égorgées et jetées dans un puits à Ouled Allel.
• Pendant le massacre et suite à la riposte des Patriotes et à l'intervention des forces de l'ordre (l'armée, la gendarmerie et la police) douze terroristes ont été blessés et six autres ont été abattus. Ces derniers, précise-t-il, ont été enterrés à Ouled Allal.
• Trente terroristes ont réussi à quitter la zone de Gaid Gacem, sous le commandement de l'« émir » du groupe des Eucalyptus (est d'Alger).
• Les terroristes ont réussi à quitter la zone de Ouled Allel en empruntant les bouches d'égouts.

Le témoin a révélé l'identité des terroristes, connus par lui, qui ont participé au massacre de Bentalha. Il a cité :

• KHERIF Ali, natif de Ouled Allel,
• BITRANE Ali de Ouled Allel,
• BITRANE Mohamed de Ouled Allel,
• LAHOUAZI Mohamed dit Khaled de Baraki,
• FEGGAS Toufik dit Anès de Baraki,

- BOUGUERROUMI Sâad de Baraki,
- FEGGAS Smaïn dit Abou Mouad, « émir » du groupe de Gaid Gacem,
- GHOUMARI Mohamed de Gaid Gacem,
- LAZRAOUI Mohamed de Bentalha.

LA POURSUITE DES ASSAILLANTS

L'armée a engagé la poursuite des auteurs du massacre, qui se sont repliés à Ouled Allel. Cette opération a permis :

- La destruction de la base et la neutralisation d'une quarantaine de terroristes, parmi lesquels se trouvaient des auteurs du massacre de Bentalha ;
- L'arrestation de G. Mohamed, l'un des auteurs du massacre de Bentalha ;
- L'arrestation de O. H. dite Nacéra, qui a reconnu avoir servi de guide aux terroristes et détroussé les victimes de leurs bijoux ;
- La découverte de documents du GIA révélant l'implication de ses groupes dans les massacres collectifs de Bentalha, Rais, etc. ;
- La découverte des corps des jeunes filles enlevées à Bentalha ;
- Le démantèlement d'ateliers de fabrication de bombes artisanales.

Cette opération a également permis de récupérer un important lot de documents de GIA. L'un des documents récupérés est un bon signé par le terroriste BREFTA Aissa dit Abou Abdellah Aissa, dans lequel il déclare avoir remis à l'émir national du GIA, Antar Zouabri, un lot d'objets en or, composé de 160 bracelets, 28 gourmettes, 56 chaînes, 184 boucles d'oreilles, 79 bagues, une boîte en or, 96 Louis d'or et une quantité de bijoux en argent. À cela, s'ajoute une somme d'argent (26 512 600 dinars algériens, 700 000 francs français et 139 rials saoudiens). À noter que la part remise à l'émir national représente le cinquième du butin volé à Bentalha ; en effet, selon le règlement du GIA, l'émir national reçoit le cinquième de la « ghanima » (butin).

IDENTIFICATION DES AUTEURS DU MASSACRE

Nos témoignages, confrontés et recoupés, permettent d'identifier les terroristes du GIA, qui ont participé au massacre de Bentalha. Les meneurs sont des « émirs » :

- ALLOU Mohamed dit Aberahim : terroriste toujours en activité. Il serait aujourd'hui l'adjoint de Antar Zouabri. Il a également participé au massacre collectif commis à Raïs.

• BEZIOU Hocine dit Abou Mossab : il a été abattu, en 1998, lors d'une opération, par les forces de l'ordre, dans la région de Bougara (ex-Rovigo, wilaya de Blida). « Émir » de la « zone 2 bis » du GIA/aile Zouabri. Il a aussi participé au massacre collectif commis à Raïs.

• KEBAILI Mohamed dit Layachi : il a été abattu, en 1998, par les forces de l'ordre dans la commune de Bab Ezzouar (Alger). Il était le chef du groupe terroriste activant dans le sud-est de la capitale. Il a fait partie du groupe qui a commis le massacre de Raïs.

• RAHMOUNI Abdelkader dit Ayache dit Abou Soukara : il est le chef de la zone 2 du GIA, opérant dans la région de Bougara, Hammam Melouane, Tablat et du nord-est de Médéa. Cet « émir » et son groupe sont les auteurs de tous les massacres collectifs commis dans leur zone d'activité.

• SERGUINI Mohamed dit Abou Yaakoub : il a été abattu par ses acolytes, en 1998, sur les hauteurs de Bougara. Il a organisé et participé aux massacres collectifs dans la wilaya de Relizane.

• MAKHALFIA Mohamed dit H'Mida l'actif dit Abou Abdallah : nouvel émir de la zone d'Alger, il a été liquidé par Antar Zouabri parce qu'il n'a réussi à « réinvestir » la capitale, qu'après avoir été délogé de la base de Ouled Allal (Sidi Moussa).

Le recoupement des propos de sept témoins permet de reconstituer la liste des membres de presque tout le groupe armé qui a commis le massacre de Bentalha le 22 septembre 1997 :

• ABDELFATEH (originaire de Hadjout/Blida),
• ABDELFATEH (originaire de Cherarba/Alger),
• ABDENACER (originaire de R'Mili/Blida),
• ABOU DJOUNANA (originaire de Haouch Gros/Boufarik/Blida),
• ABOU HAMZA (originaire de R'Mili/Blida),
• ABOU SAAD (originaire de Baraki/Blida),
• ABOU ROUABA (originaire de Boufarik/Blida),
• ADEL Halim,ADLEM (originaire de Blida),
• AGUENINI Yacoub,
• ALIOUET (originaire de Boufarik/Blida),
• ALLEL Mourad,
• ALLEL Omar,
• ALLEL Rachid dit Zeid,
• ALLOU Mohamed dit Abderahim, (émir)
• BECHROUL Miloud (dit Khaled,
• BELAHCEN Samir dit El Irbadh,
• BENDJERDA Farid,
• BENZINE Rachid, originaire de Boufarik/Blida),(émir),
• BEZIOU Hocine dit Mossab, (émir),

- BOUCHACHIA Mohamed dit Youcef (chef de groupe de Chréa),
- BOUGURROUMI dit Saad,
- BOUHMARA Kamel,
- BOUKHOURS Abdelmadjid,
- BOUKHELFA Abdelkader dit Abou Tourab,
- BOURKAIB Farid,
- BOUSLIMANI Ali dit Abou Tourab,
- BOUSLIMANI Mohamed dit Abou Talha,
- BOUSLIMANI Chaabane dit Choueib,
- BOUZID Abderahmane,
- BRAFTA Aissa (chef de groupe),
- CHARRATI Brahim dit Moua'ab,
- CHERGUI Abdelhakim,
- DERBAL Oussama,
- DJILALI (originaire de R'Mili/Blida),
- EL HARETH (originaire de 'Amroussa/Blida),
- FEGGAS Smain,
- GUEBLI Nourredine dit Salah,
- GUEZALI Farid dit Abou Souheib,
- HAMMOUCHE Moussa dit Khali, (émir),
- HOUDAIFA,
- KAAKAA (originaire de Ouled Allel),
- KAHIL Farid,
- KEBAILI Mohamed dit Layachi, (émir)
- LAKHRIF Ali,
- LAOUFI Mohamed,
- LEFKIR Abdenasser,
- LYES (originaire de Baraki/Blida),
- MAACHE Ahmed,
- MEHDI Mohamed dit Abou Oussama,
- MELKHALFIA Mohamed dit H'mida l'Actif,
- MISRAOUI Abdenasser dit Abou Abdellah,
- MOHAMED dit El Khadhar (originaire de Bougara/Blida),
- MOSTEFAOUI Ahmed,
- MOUA'OUIA (originaire de Sidi Moussa/Blida),
- NEKATI Ali dit Khrif,
- OMAR (originaire de Labaaziz/Blida),
- OTABA (originaire de Kouacem/Chlef),
- OTHMANE (originaire de Boufarik/Blida),
- OULD ZAKARIA Kamel dit Abou Ali,
- RACHID (originaire de Souidani Boudjema ex-Haouch Gros, Boufarik/Blida),
- RAHMOUNI Abdelkader dit Abou Soukara, (émir),

- RAHMOUNI Hamidou dit Ishak, (frère de Abou Soukara)
- REBHI Mohamed,
- REDA (originaire de Ben Achour/Blida),
- ROBAI dit Okacha,
- SAAD (originaire de Kouba/Alger),
- SAOUDOUNE Hacène,
- SEGHIR Mohamed,
- SELMI Mohamed (chef de groupe),
- SENKHAOUI Rabah,
- SERGUINI Mohamed dit Abou Ayoub, (émir),
- SERGUINI Mourad dit Abou Kotada,
- TACOUBI dit Abou Hafs,
- TENGALI Abdelhamid,
- YACOUB (originaire de Birkhadem/Alger),
- YAZID (originaire de Bou 'Arfa/Blida),
- ZAKARIA (originaire de Ben 'Achour/Blida),
- ZIANE Lyes dit Salah,
- ZIDANE Sofiane.

Le massacre a fait 212 morts et 89 blessés. Parmi les victimes : des enfants, des nourrissons et des nouveau-nés.

LE MASSACRE DE RAIS

Le massacre de Rais (commune de Sidi Moussa/Blida) a été commis le 29 août 1997. J'ai pu obtenir des documents regroupant les témoignages de:

- *Terroristes arrêtés :*
- A. Rabah dit Abou El Hachem dit Mourad, arrêté le 11/04/1998,
- G. Mohamed, arrêté le 06/10/1997,
- *Terroristes repentis :*
- G. Zoubir dit Zoheir, repenti le 07/07/1998,
- C. Laïd, repenti le 18/09/1998,
- K. Djelloul, repenti le 06/02/1998.

- *Les rescapées :*
- G. K., (enlevée le jour du massacre),
- D. S., (enlevée le jour du massacre).

Selon ces témoins, le massacre a été planifié par Rahmoune Abd El Kader dit Abou Soukara et KEBAILI Mohamed dit Layachi de

Château Rouge. Après une phase de préparation, Abou Soukara et Kebaili Layachi ont rassemblé plus de deux cents terroristes. Le lieu de rassemblement était Bounouar Louz (sud-est de Sidi Moussa). De là, le groupe a rejoint Haouch Rais. Le groupe le plus important était conduit par Rahmoune Abdelkader dit Abou Soukara, émir de la zone II du GIA.

Selon les témoignages, il ressort que les terroristes sont arrivés à proximité Douar Rais vers 18h30. Ils se sont scindés en trois sous-groupes. Le premier sous-groupe s'est déployé autour de la mosquée ; les second et troisième sous-groupes ont occupé des positions à divers points du douar,

Tard dans la nuit, vers 23h45, les terroristes ont investi le douar, lançant dans les maisons ciblées des cocktails Molotov pour obliger les habitants à sortir. Ces derniers, une fois dehors, seront assassinés par balles ou par égorgement à l'aide de haches, de couteaux, de sabres et de scies.

Les rescapés ont identifié des terroristes originaires de la région : BELLAL, SAID, ABDELLAH et CHERHAT. Comme à Bentalha, les terroristes ont épargné les familles de terroristes et celles des membres de leurs réseaux de soutien. 228 personnes ont été assassinées dont 98 furent égorgées. Parmi les victimes on a dénombré : 90 femmes, 54 hommes, 54 enfants et 30 nouveau-nés.

Une trentaine de jeunes filles ont été enlevées. Deux d'entres-elles, G. K. demeurant au douar Rais et D. S., demeurant à Bougara, ont réussi à échapper aux terroristes.

La première était chez elle, dans la nuit du 28 août 1997. Aux environs de minuit trente, elle entendit des cris, des hurlements et des coups de feu. Au même moment, cinq terroristes ont enfoncé la porte de son domicile. Ils y pénétrèrent et firent sortir, dans la rue, son père, sa mère et sa sœur aînée. Elle ne les reverra plus vivants.

Quant à elle, une fois dehors, à cinquante mètres de chez elle, alors qu'elle était encore à la merci du terroriste, qui la menaçait de son arme pointée sur elle, une coupure de courant électrique survint. Mettant à profit cette coupure, elle parvint à échapper à son ravisseur. Elle s'enfuit pour aller se cacher dans une orangeraie où elle rencontra une autre rescapée, D.S., qui était en visite chez sa grand-mère à Rais. Elles passèrent, ensemble, la nuit dans ce verger. Au lever du jour, elles se sont dirigées vers le douar Bendali Ali (commune de Larbaâ).

La seconde miraculée, D.S., âgée de 20 ans, habite Bougara. Elle se trouvait là, au douar Rais, en visite chez sa grand-mère, depuis environ un mois. Elle déclare, que la nuit du massacre, aux environs de minuit, l'un de ses cousins l'a alertée de la présence d'un groupe d'individus étrangers dans le douar. Accompagnée de sa grand-mère, elle quitte aussitôt la maison. Une fois dehors, elle aperçoit plusieurs individus fuyant les lieux. Elle rejoint le groupe, qui se dirige vers le lycée. Au cours de route, ils sont interpellés par un groupe de terroristes, embusqués dans un champ. Toutes les personnes sont égorgées. D.S., avec trois autres jeunes filles parviennent à s'échapper. Elles se réfugient dans le lycée. Une heure plus tard, elles sont découvertes. C'est ainsi qu'elle a été arrêtée et conduite vers le douar. Arrivée à proximité de la maison de sa grand-mère, elle profite de la coupure de courant électrique pour s'enfuir. Elle se réfugie dans l'orangeraie où la rejoindra G.K. Elles y passeront la nuit.

Les témoins soulignent qu'après le massacre, les forces de l'ordre ont déclenché une vaste opération de recherches dans la région, poussant les groupes armés à se replier vers les hauteurs de Bougara (ex-Rovigo dans la wilaya de Blida), où ils sont restés terrés plus d'un mois.

À proximité du douar, il y avait un poste avancé de l'armée. En réalité, et c'est ce que YOUS ne précise pas dans son récit, ce poste est constitué d'une section (environ trente hommes), commandée par un officier subalterne, plus précisément un sous-lieutenant. L'officier en question, chargé de la protection du douar, avait, cette nuit-là, l'intime conviction que c'est son cantonnement qui était visé par les terroristes. Il a tenté une sortie, mais, rapidement, s'est ravisé. Il appela des renforts, qui étaient stationnés dans d'autres localités ou se trouvaient en opération. Ces derniers ne sont pas intervenus aussi rapidement, compte tenu des contraintes d'ordre réglementaire communes à toutes les armées conventionnelles du monde. Durant l'attente des secours, cet officier a accueilli au sein de son cantonnement les femmes et les enfants, pour les mettre à l'abri. Toutefois, selon notre source, il a été traduit en justice, pour ne pas avoir évalué correctement la situation prévalant dans sa zone.

La synthèse et les recoupements des témoignages permettent d'identifier les terroristes ayant participé au massacre de Haouche Raïs. Il s'agit de :
- ABA SAAD 'originaire de Baraki/Blida),
- ABDELFATEH (originaire de Hadjout.Blida),
- ABDELFATEH originaire de Cherarba/Alger),
- ABOU ROUAHA (originaire de Boufarik/Blida),
- ABOU DOUDJANA (originaire de Haouch Gros),
- ABOU HAMZA (originaire de R'Mili/Blida),
- ADEL Halim,
- AGUENINI Yacoub,
- ALIOUET (de Boufarik/Blida),

- ALLEL Mourad dit Mourad Kailoula,
- ALLEL Omar,
- ALLEL Rachid dit Zeid,
- ALLOU Mohamed dit Abderahim,
- BECHROUL Milourd dit Khaled,
- BELAHCENE Samir dit El Irbadh,
- BENDJERDA Farid,
- BENCHACHIA Mohamed dit Youcef,
- BENZINE Rachid,
- BEZZIOU Hocine dit Mosaab,
- BOUGUERROUMI Saad,
- BOUHMARA Kamel,
- BOUHOURS Abdelmadjid,
- BOUKHELFA Abdelkader dit Abou Tourab,
- BOULAMIA Fouad dit Abdelfetah,
- BOURAKAIB Farid,
- BOUSLIMANI Ali,
- BOUSLIMANI Chaabane dit Chouaib,
- BOUSLIMANI Mohamed dit Abou Talha,
- BOUZID Abderahmane,
- BRAFTA Aissa,
- CHABOU Laid,
- CHERGUI Abdelhakim,
- CHERRATI Brahim dit Moua'ad,
- CHOUAIB dit Abou outba (originaire de R'Mili/Blida),
- DERBAL Oussama,
- DJILALI (originaire de Baraki/Blida),
- EL HARETH (originaire de 'Amroussa/Blida),
- FEGGAS Smail,
- GHOMARAI Mohamed,
- GOUSMI Zouhir dit Zoheir,
- GUEBLI Nourredine,
- GUEZALI Farid dit Farid Mig,
- HAMDOUD Mohamed dit Abou Souheib,
- HAMMOUCHE Moussa dit Khali,
- HOUDAIFA,
- KAAKAA,
- KAHIL Farid,
- KEBAILI Mohamed dit Layachi
- KHERBOUCHE Djelloul,
- LAKHRIF Ali,
- LAOUFI Mohamed,
- LEFKIR Abdenacer,

- LYES (originaire de Bougara/Blida),
- MAACHE Ahmed,
- MEHDI Mohamed dit Abou Oussama,
- MEKATI Ali dit Khrif,
- MELKHALFIA Mohamed di H'mida l'actif dit Abou Abdellah,
- MISRAOUI Abdenacer,
- MOHAMED dit El Khadhar (originaire de Sidi Moussa/Blida),
- MOSTEFAOUI Ahmed,
- MOU'AOUIA (originaire de Dellys/Boumerdes),
- MOUSSAB,
- OMAT (originaire de Labaaziz/Blida),
- OULD AMRANE Zohra dite Nacéra,
- OULD ZAKARIA Kamel dit Abou Ali,
- OTABA (originaire de Kouacem/Chlef),
- OTHMANE (originaire de Boufarik/Blida),
- RACHID (originaire de Haouch Gros/Boufarik/Blida),
- RAHMOUNI Abdelkader dit Ayache Abou Soukara,
- RAHMOUNE Hamidou dit Ishak,
- REBHI Mohamed,
- REDA (originaire de Ben Achour/Blida),
- ROBAI dit Okacha,
- SAAD (originaire de Kouba/Alger),
- SAOUDOUNE Hacene,
- SEGHEIR Mohamed,
- SELMI Mohamed dit Azraoui,
- SENKHAOUI Rabah,
- SERGUINI Mohamed dit Yacoub,
- SERGUINI Mourad dit Abou Kotada,
- TENGALI Abdelhamid,
- YACOUBI dit Abou Hafs,
- YAZID (originaire de Bou'arfa/Blida),
- ZIANE Lyes dit Salah,
- ZIDANE Sofiane.

Nous retrouvons les mêmes terroristes, qui étaient présents lors du massacre de Bentalha. Il s'agit des mêmes groupes du GIA opérant dans la zone .

LES MASSACRES DANS LA WILAYA DE RELIZANE

C'est la wilaya où furent commis les plus grands massacres collectifs, les plus sanglants et les moins médiatisés comparativement à

Bentalha, Rais et Beni Messous. Le bilan est de plus de six cents morts. De la fin du mois de décembre 1997 au début du mois de janvier 1998, en l'espace de quelques jours, trois grands massacres ont été commis par les groupes armés du GIA :

- Massacre à Ouled Sahnoune (Ramka/Relizane) le 31/12/1997,
- Massacre au Douar Hedjailis (Ain Tarek/Relizane) le 05/01/1998,
- Massacre à Sidi Maamar et Kalaa (Had Chekala/Relizane) le 06/01/1998.

Le 31 décembre 1997. Il est 18h15. C'est le premier jour du Ramadan. Les habitants des douars Kherarba, Meknassa et Had Chekala sont chez eux. Dehors, il fait très froid. C'est l'heure du « ftour » (la rupture du jeûne). Ils ne savent pas qu'ils ont rendez-vous avec la mort. Dans ses massifs de l'Ouarsenis où la pauvreté est la condition la mieux partagée, il n'y a ni électricité, ni eau courante, ni téléphone. C'est une région isolée, presque au bout du monde, reliée à l'extérieur par des pistes serpentant à travers la montagne, qu'on ne peut emprunter qu'à dos d'âne ou de mulet. Les distances sont longues à parcourir.

La nuit vient de tomber. La brume enveloppe la montagne de son voile humide. La visibilité est nulle. Deux groupes terroristes, commandés par SERGHINI Mohamed dit Abou Yacoub encerclent le premier village. C'est le groupe du GIA de Zouabri. Il activait dans la « zone 2 bis » de Bougara, Larbaa et Sour El Ghozlane. Selon le témoignage de B. Farid, un repenti, le groupe était composé, au départ, de soixante éléments. Mais, en cours de route, trente-six terroristes ayant refusé de participer aux massacres collectifs programmés ont été tués par leurs acolytes. Arrivés sur les lieux, les terroristes investissent les hameaux, l'un après l'autre, Kherarba, Had Chekala et Meknassa. Ils défoncent les portes des maisons à coups de hache, tuent femmes, enfants et hommes à l'arme blanche (sabre, haches et pioches). Aucun coup de feu n'est tiré. Nul n'est épargné. Le sang coule à flots. Les pleurs, les cris et le râles se mêlent pour se perdrent dans la nuit. C'est l'horreur. Tous les habitants sont tués, les maisons brûlées, même les animaux ne sont pas épargnés. Du coucher du soleil aux premières lueurs de l'aube, les exécuteurs se sont acharnés à ne laisser aucune trace de vie ; des centaines de morts, en une nuit.

Deux jours avant, le 29 décembre 1997, un autre hameau, celui de la fraction Ouled Sahnoun, avait subi le même sort funeste. Une rescapée, S. O. K., enlevée par le groupe armé, a vu l'horreur. Elle témoigne. Cette nuit, dit-elle, un groupe armé, formé d'une trentaine d'individus et dirigé par un certain El-Hareth, a investi le douar.

Les assaillants étaient en tenue afghane. Ils portaient tous de longues barbes. Ils pénétrèrent dans la maison ; firent sortir le père, puis la victime. Elle fut conduite à un endroit, près d'une maison, où se trouvait déjà une autre fille enlevée, en l'occurrence B. O. Cette dernière a été contrainte par les terroristes de les guider, pour leur indiquer toutes les maisons du hameau, abritant des jeunes filles.

Cette nuit, plusieurs jeunes filles furent enlevées des différents hameaux investis. Les islamistes armés avaient l'intention d'exterminer toutes les populations des douars investis. Notre témoin affirme avoir été enlevée en compagnie de dix autres filles, dont elle cite les noms :
• ABDELKADER Fatma (17 ans),
• BAKHTA (16 ans),
• BETAYEB Aicha (20 ans),
• BESSAHRAOUI Fatma (17 ans),
• BETAYEB Hadda (19 ans),
• BETAYEB Kheira (17 ans),
• BESSAHRAOUI Oumaria (17 ans) ,
• BETAYEB Laidia (16 ans),
• BOUTBAL Fatma (17 ans),
• BOUTBAL Kheira (17 ans).

Le pseudo « djihad » a transformé les hordes du GIA en seigneurs de la guerre, s'appropriant le plus de femmes possibles. L'obsession terroriste se manifeste autant par la fureur meurtrière, que par la frénésie orgiaque. Le sang est déjà dans l'hymen perforé et le meurtre dans le coït haineux. Le sexe nourrit de sa sève laiteuse la frénésie pathologique des « voltigeurs de la mort ». On ne dira jamais assez l'horreur vécue par ces filles sacrifiées sur l'autel des phantasmes intégristes.

Mais on n'a pas encore atteint les sommets de l'horreur. Avant même que n'arrivent les premiers secours, un groupe de l'AIS arrive sur les lieux. Ils demandent aux survivants de déterrer leurs morts. Ils promettent aux rescapés de punir les assassins. Ils filment les cadavres exhumés. Ces enregistrements ont servi de matériau à Faouzia Fekiri pour réaliser le documentaire, qui a été diffusé le 19 juin 2001, à 23h 20, sur France 3. Un documentaire, qui montre des témoins racontant cet épisode macabre des terroristes de l'AIS filmant, froidement, les cadavres après avoir persuadé les villageois de les déterrer pour les remettre, ensuite, dans leurs tombes.

Les témoins : D. Nabil (terroriste repenti le 4 avril 1998) et S. O. El Kheir (enlevée lors du massacre collectif d'Ouled Sahnoun, le 29 décembre 1997, évadée le 15 avril 1998) permettent d'identifier certains éléments du groupe des assaillants appartenant au GIA de Zouabri, qui ont commis les massacres collectifs dans la wilaya de Relizane. Il s'agit :

- ABDELDJEBAR (originaire de Chlef),
- ABOU EL HARETH (originaire de Bougara/Blida),
- ABDOULLAH,
- BOURAADJA,
- DJEFAL Rabah dit Yacoub (originaire de Bougara/Blida),
- DJOULEIBIB,
- EL KAAKAA,
- NOUH,
- OKACHA,
- OUSSAMA (originaire de Theniet El Had/Tissemsilt),
- SERGUINI Mohamed dit Yacoub (originaire de Bougara/Blida),
- TAHAR dit Mouauia (originaire de Hammam Melouan/Blida),
- TALHA,
- ZAKARIA,
- ZOUBIR (originaire de Relizane),
- ZOUBIR (originaire de Tiaret).

LE MASSACRE DE BENI MESSOUS (ALGER)

Le massacre collectif de Beni Messous lève le voile sur l'activité de la katiba du GIA/tendance Zouabri, dénommée « katiba Echouhada », qui est active dans la capitale et ses environs immédiats. Nous nous sommes basés sur le témoignage d'un terroriste repenti, T. H, qui s'est rendu aux forces de l'ordre le 8 février 1998.

Son récit est d'une grande importance, puisqu'il permet de situer le massacre de Beni Messous dans le contexte de l'activité de ce groupe. Ce témoin dit qu'il a été contraint de rejoindre les groupes armés par les terroristes A. Toufik et M. Abdelkrim dit Pikou. Après un séjour dans une casemate implantée dans la forêt d'El Affroun, commune de Hammamet (Alger), il fut conduit dans un autre refuge situé dans la forêt de Bainem, où il s'occupait de la cuisine et de l'approvisionnement du groupe en eau potable. Le groupe était commandé par KHELIFI Othmane dit Hocine Flicha. Son rayon d'action s'étendait aux localités suivantes : Alger-centre, la Casbah, Bâb El Oued, Frais Vallon, Bouzaréah, Bologhine, Rais Hamidou, Bainem, Beni-Messous et El Biar.

Selon ce témoin, le groupe terroriste disposait de deux ateliers de fabrication de bombes artisanales. Le premier était implanté dans la forêt de Bainem et le second se trouvait à Sidi-Medjber. T.H. a été témoin des actes terroristes suivants :

• Enlèvement à Bologhine (Alger) d'un couple par les terroristes A. Redouane dit Riad le Blond et T. Tahar. L'homme a été assassiné par le terroriste T. Tahar. La femme, quant à elle, prénommée Nadia, originaire de Baraki, fut séquestrée par le terroriste A. Toufik qui, après l'avoir violée, l'a assassinée.

• Enlèvement d'un prénommé Fateh et de sa campagne Samia, à Bab El Oued. L'homme a été assassiné par KHLIFI Othmane dit Hacine Flicha. La femme a été séquestrée par ce dernier pendant un mois, puis assassinée à son tour.

• Massacre collectif commis, au lieu-dit « les Dunes » (Chéraga), par le groupe commandé par Hocine Flicha et le groupe de Bouchaoui. Cinq jeunes femmes ont été enlevées.

• Massacre collectif de Beni-Messous, suivi de l'enlèvement de trois jeunes filles ; l'une d'elle a été exécutée le jour même, par le terroriste L. Toufik, la seconde le lendemain et la troisième, après une période de séquestration d'un mois.

Le témoin nous révèle l'identité des terroristes qui ont participé au massacre de Beni-Messous. Il s'agit de :
• ABDELMADJID de Ain Benian,
• ACHOUR Ali,
• AFRAOUCENE Omar,
• ASSAR Toufik,
• BENAMIRA Nadir,
• BENCHAALAL Khaled dit Bouchou'r,
• BENCHAALAL Said dit Ratissage,
• CHAABANE Nasredine dit Ouahouah,
• DJAFFAR de la Fanton,
• DRIFI Smail,
• EL HOUS Boualem dit El Hachemi,
• EL HOUS Mohamed dit Boualem,
• GHOMIDRI Mohamed,
• KACHA Adlane,
• KACHA Hacene,
• KHELIFI Othmane dit Hocine Flicha, émir de la katibet « Echouhada »,
• MEBTOUCHE Abdelkrim dit Pikou,
• SOHEIB de la Fanton,
• STITA dit Farouk,
• TAHRAOUI Zoheir,
• TIRANTI Mohamed.

Il nous précise que le groupe terroriste avait projeté d'empoisonner le château d'eau de Beni Messous à l'aide d'un poison liquide déjà à leur disposition. Il avait également planifié le massacre collectif des habitants des lotissements Florence et Cognot parce qu'ils avaient retiré leur soutien aux groupes armés.

Il faut préciser que le massacre n'a pas eu lieu à Beni Messous, mais au lieu-dit Sidi Youcef, qui se trouve à plus de quatre kilomètres, en pleine forêt de Bainem. C'est un bidonville isolé des axes routiers.

Face aux massacres collectifs, il est tentant de penser que les gens capables de commettre ces crimes sont des fous criminels. En réalité, invoquer la folie collective est une erreur. Les auteurs des massacres ne sont ni des schizophrènes ni même des pervers qu'une thérapie adaptée permettrait de guérir. Derrière chaque projet terroriste, il y a une idéologie. Chaque entreprise terroriste se fonde sur une idéologie qui, à sa manière, réactualise la vieille idée aristotélicienne du tyrannicide : le droit du sujet à une violence affectée d'une légalité supérieure à celle de la loi positive. À ce titre, le terrorisme relève d'une aliénation de type idéologique et groupal. S'octroyer le droit (sacré) de disposer de la vie des autres n'est que la conséquence d'une conception du monde, qui réduit, de la façon la plus brutale, la politique à un champ de forces fonctionnant selon la logique d'une opposition irréductible : ami/ennemi. Comment s'opère cette réduction ? Comme se fait le choix et l'identification de l'ennemi ? C'est du côté des mécanismes de l'emprise collective qu'il faut chercher la clé explicative de ce phénomène. On entrevoit aisément l'importance de l'idéologie dans la naissance et l'évolution de l'entreprise terroriste. La question qui se pose est donc bien celle d'une structure formelle qui articule la négation de la réalité commune, la réduction de la politique à la violence et l'excommunication de l'Autre.

Il faut bien retenir que l'exigence d'une alternative radicale (religieuse ou séculière) se fonde sur un refus absolu de l'ordre établi et l'excommunication de l'Autre, qui cesse, de ce fait même, d'être un semblable. Dans le terrorisme islamiste, ces deux processus se traduisent par l'excommunication : el Takfir oua el-Hijra (excommunication et exil).

Dans les faits, cela se traduit par :

• *L'exclusion des références communes/extérieures :*

seul le groupe est habilité/autorisé/légitimé à formuler une conception du monde ; c'est-à-dire à livrer des informations, des instruments d'interprétation et une grille de lecture des événements.

Cette exclusion (takfir) passe par la création d'un microcosme ou d'un isolat culturel (El Hijra/l'exil) ;

• *La création d'un isolat culturel/idéologique :*

cette création passe par le rejet de tout ce qui vient de l'extérieur et la rupture de toute fréquentation avec les personnes étrangères au groupe. Mais cet « isolat » ne prend sens aux yeux des terroristes que s'il trouve des ancrages dans le passé (le modèle de la cité-État de Médine au temps du Prophète), dans la sacralité/transcendance d'une mission (l'utopie messianique) et dans l'éternité de la création et du paradis (la notion du martyr).

C'est seulement à partir de ce seuil de mutation, que le massacre collectif devient possible. En effet, le massacre collectif procède d'une identification particulière de l'Autre. Ce n'est que dans la mesure où je ne considère pas l'Autre comme mon semblable, que sa mise à mort devient possible. Si je le considère comme mon « semblable », je peux difficilement le tuer. Mais, si je le considère comme un « infidèle », un « apostat », qui doit être gommé parce qu'il fait obstacle à ma cause et n'appartient pas à ma communauté, mon identification à lui disparaît. Plus rien alors ne s'oppose à sa mise à mort. Plus que cela même, sa mise à mort relève de l'ordre de la mission sacrée prescrite par la loi révélée. Mettez à la place de l'« Autre », la société ; vous aurez le massacre collectif.

Certes, cette « mutation » idéologique, qui conduit à une véritable perversion de la pensée, exige le passage par processus initiatique. On ne naît pas terroriste, on le devient. Mais cela est déjà un autre problème. Nous voulions seulement préciser que nous ne pouvons pas comprendre les massacres collectifs commis par le GIA en Algérie si, en plus de leur « décontextualisation », nous les coupons de leurs racines idéologiques et intellectuelles, que la notion de « takfir » condense de façon remarquable.

---

1. Appelée ainsi en hommage aux premiers groupes terroristes qui ont vu le jour dans les quartiers populaires de la capitale.

2. KALYVAS (S.N.), « Aspects méthodologiques de la recherche sur les massacres collectifs : le cas de la Guerre Civile grecque », *Revue internationale de politique comparée*, Vol. 8, n° 1, Printemps 2001, p. 40.

Conclusion

Aujourd'hui, le GIA de Zouabri est réduit, fortement affaibli et replié dans ses derniers retranchements. Isolé, tant à l'intérieur qu'à l'extérieur, l'action criminelle constitue l'unique moyen de survie psychologique pour ses membres. Éclatés en petits groupes très mobiles, ils commettent des attentats en fonction des opportunités qui leur sont offertes... Ils établissent, durant un laps de temps très court, des faux barrages meurtriers, nocturnes, sur des axes routiers et s'attaquent à des habitations isolées ou mitraillent, au hasard, les usagers de la route.

Désormais, le champ de la violence islamiste est dominé par le GSPC, qui a récupéré les groupes armés du GIA actifs à l'est et au sud-est du pays. Par souci tactique, le GSPC a décidé de ne pas cibler uniquement les populations civiles. Il concentre ses moyens sur les forces de l'ordre, les gardes communaux et les GLD. Néanmoins, malgré sa propagande, le nombre de civils victimes des groupes armés du GSPC reste très élevé, notamment à l'est du pays. Le GSPC est fortement implanté dans les trois wilayas du Centre (Boumerdes, Tizi Ouzou et Bouira).

Le GSPC, malgré sa composante humaine algérienne, est un instrument créé, façonné et employé par l'internationale islamiste terroriste. Il a été mis en place en réaction à la dérive du GIA, par des « émirs » qui ignoraient tout du jeu géopolitique des puissances et des actions clandestines des services étrangers spécialisés. Le GSPC a été envisagé comme un « correctif » apporté au plan initial mis en échec grâce à la résistance patriotique, en vue d'obtenir la victoire programmée du « djihad » néo-afghan en Algérie. Obligé par ses concepteurs extérieurs d'être autre pour faire oublier le GIA, le GSPC sombre progressivement et sûrement dans la voie de celui-ci. Il évite par tactique de commettre les massacres collectifs mais il n'en pense pas moins que le peuple algérien mérite ce qui lui arrive.

À l'ouest, la « Djama'a Houmet El Da'wa el Salafiyya » (le Groupe des Défenseurs de la Prédication salafiste) est implantée dans le zone monta-gneuse de l'Ouarsenis. Elle dispose d'un important potentiel humain et d'un armement conséquent. Néanmoins, elle évite le contact avec les unités chargées du maintien de l'ordre. Tout laisse croire que cette organisation a opté pour le « modèle taliban ». Le DHDS projette de re-conquérir son fief naturel constitué par les wilayas de Tlemcen et de Sidi Bel Abbés occupées par un autre groupe islamiste armé : la « Djama'a Salafiyya el Mouqâtila » (le Groupe salafiste combattant). Ce groupe, constitué par des rescapés dissidents du GIA, est l'auteur des massacres collectifs commis dans la wilaya de Mascara. Cependant, son potentiel humain en régression constante condamne cette organisation à disparaî-tre à plus ou moins brève échéance.

Au centre, dans la zone située à la frontière entre les wilayas de Médéa et de Mascara, s'active un groupe dissident du GIA : « le Groupe salafiste pour la Prédication et le djihad » (GSPD) dirigé par l'« émir » Abdelkader Souane. Les analystes estiment que le ralliement du GSPD, miné par des dissidences internes, au GSPC de Hassan Hattab est fort probable.

L'Algérie a, pour l'essentiel, vaincu le terrorisme. Il ne s'agit pas d'une guerre conventionnelle, pas même dissymétrique, mais d'un conflit asymétrique entre des protagonistes soumis à des contraintes et à des impératifs radicalement différents. Le premier est une armée classique, lourde, soumise aux contraintes de la hiérarchie, aux pesanteurs de la bureaucratie et aux impératifs de la légalité. De l'autre, un ennemi, extrê-mement mobile, capable de se fondre dans les multitudes, sans visage particulier mais pouvant en prendre de multiples, protégé par l'anony-mat et ses réseaux de soutien, pouvant frapper en plein jour comme pendant la nuit, libéré de toute contrainte légale et morale, il peut être partout et nulle part en même temps.

Dans cette configuration conflictuelle, la force du premier nourrit sa faiblesse et les faiblesses du second alimentent sa force. Le premier cher-che à limiter ses pertes. Le second est en quête du martyre. Pour les deux, la mort n'a pas le même sens. Pour le premier c'est une perte qui le rap-proche de la défaite. Pour le second, c'est une gratification qui lui ouvre la voie du paradis éternel. C'est un combat inégal. Il n'est pas aisé de faire la guerre à des adversaires à qui on rend un service en les tuant parce qu'ils sont convaincus que leur trépas est une bénédiction, qui les conduira directement au paradis.

Aujourd'hui, ils sont encore plus d'un millier, toutes factions confondues, sur un territoire cinq fois plus grand que la France. Depuis 1996, ils frappent pour faire le plus de morts possible parmi les civils désarmés en prenant le moins de risques possible. Dans les zones urbaines : attentats à la bombe ; en milieu rural : raids à la tombée de la nuit sur des villages ou des hameaux isolés, situés en des lieux leur offrant la possibilité de s'évanouir dans la nuit.

Dix années durant, l'Algérie a mené ce combat dans la plus grande solitude, ployant, parfois, sous l'effort, mais sans jamais rompre face à l'adversité. Au prix de cent mille morts – disent les autorités officielles, peut-être moins, peut-être plus, qu'importe, un mort est toujours un mort de trop –, de destructions estimées à plusieurs milliards de dollars, de milliers de veuves et d'orphelins, de dévastation systématique des campagnes, bref au prix d'une catastrophe terrifiante, l'Algérie a évité de sombrer dans le chaos. Une décennie durant, elle a avancé à travers le sang, le feu et les douleurs pour dire son refus de l'intégrisme. Une population entière livrée à la furie des « voltigeurs de la mort », se relève après chaque attentat, lave les murs, les rues et les trottoirs maculés de son sang, enterre ses morts dans la dignité, soigne ses blessés, console ses veuves et ses orphelins, rebâtit à la hâte ce qui a été détruit, puis, reprend le cours normal de la vie quotidienne. Une manière de refuser l'extinction, une façon de ne pas se soumettre, une volonté d'exorciser la mort.

Pendant tout ce temps, aucun geste de solidarité, aucun élan de compassion, aucune manifestation de soutien à l'égard de ce peuple, bien au contraire, ses bourreaux étaient choyés, protégés, soutenus par les puissances occidentales et les « pays frères ». « *Tout le monde nous a abandonnés, personne ne nous a aidés. Quand on ne nous mettait pas des bâtons dans les roues ! Cela me fait bizarre d'entendre François Hollande ou Lionel Jospin parler aujourd'hui d'éradication du terrorisme, alors qu'ils demandaient aux Algériens de négocier avec les barbares du GIA* » s'amuse Mohamed, un électricien de 45 ans qui, lui aussi, en paraît dix de plus. *Si contrairement à tous les pays musulmans, on ne trouve nulle trace en Algérie de portraits de Ben Laden, les habitants de Hachaïchia gardent un goût d'amertume dans la bouche. Ici, on pense que sans l'embargo sur le matériel militaire de vision et de détection nocturne, l'armée algérienne aurait anéanti les derniers terroristes* ».

Qu'on le veuille ou non, ces puissances et ces pays sont aussi comptables de la mort de nos enfants. On ne nourrit pas la « bête immonde » sans porter la responsabilité des carnages dont elle se nourrit. On ne la nourrit pas, sans courir le risque de devenir, un jour, sa proie. C'est ce qui est arrivé, ce 11 septembre 2001, aux États-Unis. La leçon est claire : on ne pactise pas avec l'hydre terroriste, il faut l'abattre, la mettre hors d'état de nuire et, surtout, éviter qu'elle ne puisse, un jour, ressurgir de ses décombres. Désormais, aucun pays n'est à l'abri. Ni les boucliers anti-missiles, ni les satellites, encore moins la proximité d'un site militaire ne sont une protection contre les attentats terroristes. C'est l'humanité entière qui est menacée, dans son être comme dans ses valeurs partagées ; aucun pays seul, quelle que soit sa puissance, ne peut venir à bout de cette invasion.

Certes, un tel ouvrage mériterait d'être complété par une étude sur la stratégie de lutte anti-terroriste mise en œuvre par les pouvoirs publics algériens. Complément d'autant plus nécessaire, qu'aujourd'hui, à l'échelle mondiale, le combat contre le terrorisme est à l'ordre du jour. Pour paraphraser Paul Nizan, qui parlait de philosophie, disons que la lutte anti-terroriste n'est pas une œuvre de broderie pour vieilles dames stériles. C'est un combat à mort où seule la force est à même de répondre à la terreur mais sans que l'on puisse assurer qu'il n'y aura ni escalade ni dérive. Un combat contre un adversaire, qui ne s'encombre ni des contraintes du droit ni des impératifs de la morale, qui ne fait aucune distinction entre civils et militaires. Pour lui, une seule chose importe : tuer le plus grand nombre et de la façon la plus spectaculaire. Aucune stratégie et/ou tactique de riposte contre le terrorisme n'est, hélas, exempte de « dégâts collatéraux ».

L'Algérie, qui de plus, n'est pas comparable à un pays européen, n'échappe pas à la règle. Mais, exploiter ce fait, pour faire accroire que l'armée algérienne était engagée dans une action rationnelle et planifiée de massacres des populations civiles serait faire injure à la mémoire des victimes en tentant, par ce subterfuge fallacieux, d'innocenter leurs véritables bourreaux. Qu'il y ait eu des dépassements regrettables, nul ne peut le nier. Et, l'institution militaire elle-même le reconnaît. Plusieurs de ses membres ont été condamnés par ses propres tribunaux.

Annexes

ANNEXE I

Liste 1 : Membres fondateurs du FIS

- ABASSI Madani : président
- ZEBDA Benazouz : vice-président
- MAKHLOUFI Said : secrétaire général
- HAMMOUCHE Abdellah : secrétaire général adjoint
- ACHOUR Rebihi : trésorier
- BRAHIMI Mokhtar : trésorier adjoint
- GUEMAZZI Kamel : trésorier adjoint
- BENHADJ Ali : membre
- MARICHE Mohamed Larbi : membre
- MERANI Ahmed : membre
- REDJEM Abdelkader : membre
- KERRAR Korid Mohamed : membre
- DJEDDI Ali : membre
- AISSANI Athmane : membre
- DAOUI Hacène : membre

Liste 2 : Majless Ech-Choura El-Watani (Conseil consultatif national)

- ABDERRAZAK Redjem : fonctionnaire (Alger)
- ABELBAKI Sahraoui : imam à Alger
- ACHOUR Rebihi : comptable (Alger)
- AHMED Merani : bijoutier (Alger)
- ALI Benhadj : professeur d'enseignement moyen (Alger)
- BENAZOUZ Zebda : imam à Alger
- HACHEMI Sahnouni : imam à Alger
- KAMAL Guemazi : imam (Alger)
- MADANI Abassi : professeur à l'Université d'Alger
- MOKHTAR Brahimi : étudiant (Constantine)
- SAID Guechi : commerçant (Sétif)
- SAID Mekhloufi : journaliste (Béchar)
- YAHIA Boukhlikha : enseignant (Tlemcen)

Liste 3 : Membres du Majless Echoura à la veille de la grève de juin 1991

- ABASSI Madani
- ABDELKADER Omar
- AIN-EL-KELOUB Nouredine
- AISSANI Athmane
- AMOKRANE Athmane
- BENAMIA Abdelmadjid
- BENHADJ Ali
- BEYOUCEF Kada
- BOUKHADRA Kamel
- BOUKHAMKHAM Abdelkader
- BOUKLIKHA Yahia
- BRAHIMI Mokhtar
- CHIGARA Nourredine
- DAOUI Hassan
- DIB Abdelhak
- DJEDDI Ali
- FEKIH Bachir
- GUECHI Said
- GUEMAZI Kamel
- HACHANI Abdelkader
- HAMOUCHE Abdellah
- KERRAR-KOURID Mohamed
- KHERBANE Kamar-Eddine
- LARIBI Benamar
- LIMAM Mohamed
- MARICHE Mohamed-Larbi
- MEKHLOUFI Said
- MERANI Ahmed
- REBIHI Achour
- REDJEM Aberezak
- SAHNOUNI Hachemi
- SAHRAOUI Abdelbaki
- SEHLI Miloud
- TADJOURI Belkacem
- ZEBDA Benazouz

Liste 4 : Membres du Conseil exécutif

- ABASSI Madani
- BENAZOUZ Zebda
- BENHADJ Ali
- BOUKLIKHA Yahia
- GUEMAZI Kamel
- HAMOUCHE Abdellah
- MEKHLOUFI Said
- MEROUD Ahmed
- OUSLIMANI Toufik
- SAHNOUNI Hachemi

Liste 5 : Commissions du Bureau Exécutif National et leurs responsables

- Politique générale : DJEDDI Ali
- Propagande et Da'wa : ABDOU Mohamed
- Affaires sociales : ARAB Ahmed
- Organisation et Coordination : GUECHI Saïd
- Agriculture et hydraulique : BENAMEUR Larbi
- Économie et finances : BENAIM Abdelmadjid
- Planification et programmes : KHALFI Rabah
- Moyens techniques et diffusion : OUSLIMANI Toufik
- Sécurité-Renseignement : NOUR K. et OUABEL Toufik
- Habitat et transport : FEKIH Bachir
- Orientation & promotion des « Communes islamiques » et Chef du Cabinet de Président : HOCINE Abderrahim

ANNEXE II

Liste des partis politiques
(agréés au lendemain de l'adoption de la Constitution de février 1989)
(par ordre alphabétique)

1	AHD 54		AHD54
2	AJL		Alliance pour la Justice et la Liberté
3	ALP		Algerian Liberal Party
4	ANDI		Alliance nationale des Démocrates indépendants
5	APUA		Association populaire pour l'Unité et l'Action
6	ENNAHDA	MN	Mouvement de la Nahdha
7	ETTAHADI	TAFAT	Partie de l'Avant-Garde socialiste, (ex PAGS)
8	FAAD		Front pour L'Authenticité algérienne démocratique
9	FDU	FDUN	Front du djihad pour l'Unité nationale
10	FFD		Front des Forces démocratiques
11	FFP		Front des Forces populaires
12	FFS		Front des Forces socialistes
13	FGI	MA	Mouvement Amel
14	FLN		Front de Libération nationale
15	FSN		Front du Salut national
16	HAMAS	MSP	Mouvement de la Société pour la Paix
17	HEH		Hizb El Hak
18	JMC	PAD	Parti de l'Authenticité de Demain
19	MAJD		Mouvement algérien pour la Justice et le Développement
20	MAND		Mouvement pour l'Avenir national et la Démocratie
21	MDA		Mouvement pour la Démocratie en Algérie
22	MDC		Mouvement pour la Démocratie et la Citoyenneté
23	MDRA		Mouvement Démocratique pour le Renouveau algérien
24	MEN		Mouvement de l'Entente nationale (ex-MFAI)
25	MJD		Mouvement de la Jeunesse démocratique
26	MNJAA	MNJA	Mouvement national de la Jeunesse algérienne
27	MNND		Mouvement national pour la Nature et le Développement
28	MPA		Mouvement du Peuple algérien (ex M.R.I)
29	MSA		Mouvement social pour l'Authenticité
30	OEARIL		Organisation des Forces de l'Algérie Révolution islamique
31	PAHC		Parti algérien pour l'Homme capital
32	PAI		Parti aman islamique
33	PAJP		Parti algérien pour la Justice et le Progrès
34	PJS		Parti de la Justice sociale
35	PIJ		Parti libérateur juste
36	PNA		Parti national algérien
37	PNSD		Parti national pour la Solidarité et le Développement
38	PNDS		Parti national démocratique socialiste
39	PPD	RNC	Rassemblement national constitutionnel
40	PR		Parti républicain
41	PRA		Parti du Renouveau algérien
42	PRP		Parti républicain progressiste
43	PSD		Parti social démocrate
44	PSJT		Parti Sciences, Justice et Travail
45	PSL		Parti social libéral
46	PST		Parti social des Travailleurs
47	PT		Parti des Travailleurs
48	PUAID		Parti de l'Union arabe islamique démocratique
49	PUNF		Parti de l'Union nationale des Forces populaires

50	PUP	Parti de l'Unité populaire
51	RABI	Rassemblement algérien boumedièniste et islamique
52	RA	Rassemblement algérien
53	RCD	Rassemblement pour la Culture et la Démocratie
54	RJNA	Rassemblement des Jeunes de la Nation algérienne
55	RNA	Rassemblement national algérien
56	RND	Rassemblement national démocrate
57	RNP	Rassemblement national pour le Progrès
58	RUN	Rassemblement pour l'Unité nationale
59	UDL	Union pour la Démocratie et les Libertés
60	UFD	Union des Forces démocratiques
61	UFP	Union des Forces pour le Progrès
62	UPA	Union du Peuple algérien
63	ANR	Alliance nationale républicaine
64	FNB	Front national boumedièniste. (ex FNBI)

ANNEXE III

Scores obtenus par le FIS par wilaya
(élections communales de 1990)

wilaya	%	wilaya	%	wilaya	%
Alger	70,36	Oum el Bouaghi	49,60	Khenchla	37,49
Constantine	68,20	Tissemsilt	49,37	Guelma	35,75
Relizane	67,62	B.B.Arerridj	46,05	Soukahras	35,14
Blida	67,29	Biskra	45,80	Jijel	34,35
Boumerdès	63,57	Tiaret	45,22	Tebessa	29,02
Chlef	62,43	Temouchent	44,91	El Baiadh	25,90
Oran	61,64	Djelfa	44,78	Ouargla	25,10
Mila	59,81	Tipaza	44,57	Illizi	20,14
Médéa	59,30	Laghouat	44,27	Ghardaia	16,02
Mascara	58,26	Saida	44,09	Adrar	15,65
Tlemcen	57,93	Skikda	43,73	Tindouf	11,42
Ain Defla	55,78	Bouira	43,33	Béjaia	8,80
Mostaganem	53,34	Naama	41,86	Tizi Ouzou	6,24
Setif	53,28	M'sila	41,58	Tamanrasset	0,61
Batna	53,23	El Tarf	41,21		
Bel Abbès	52,87	El Oued	40,77		
Annaba	51,11	Bechar	40,59		

Annexe *IV*

« Instruction en 22 points »,
document signé par A. Madani et A. Benhadj,
relatif à la poursuite de la grève dde juin 1991

1. Violation du couvre-feu par les appels « Allah Akbar », par des groupes rapides et mobiles dans les quartiers.
2. Nécessité d'organiser l'autodéfense et la résistance. Chaque quartier doit arrêter la manière la plus appropriée pour atteindre ces objectifs.
3. Protection des mosquées et des points sensibles dans les communes d'une manière tactique afin d'éviter des victimes supplémentaires.
4. Éviter les affrontements avec l'armée. Néanmoins nécessité d'arrêter un plan de résistance efficace.
5. Pose de barricades et obstacles sur les voies menant aux APC pour éviter leur investissement.
6. Organisation de patrouilles permanentes dans chaque commune ou quartier. Chaque patrouille durera huit heures.
7. Sabotage des équipements et points stratégiques surtout de la police, de la gendarmerie et de l'armée d'une manière générale.
8. S'opposer aux arrestations ou enlèvements des frères de leurs domiciles ainsi qu'aux perquisitions.
9. En cas d'arrestation des dirigeants du FIS, il est impératif de répondre par des actions similaires à l'encontre des personnalités importantes en évitant les tortures et les châtiments corporels conformément aux règles de la charia.
10. Les groupes mobiles d'intervention doivent éviter de se concentrer dans des lieux connus des services de sécurité.
11. Formation de groupes spécialisés pour les opérations offensives organisées contre les points sensibles qui touchent l'ennemi puis repli sur les wilayas limitrophes ou les maquis.
12. Organisation de marches limitées dans les quartiers et particulièrement dans les quartiers populaires en dehors des heures du couvre-feu.
13. Les mosquées doivent jouer leur rôle de prédication et d'élévation du moral à tout moment.
14. En cas d'arrestation d'éléments des services de renseignements ou de la police, ils ne doivent pas être torturés... Et ne les remettre à quiconque que sur ordre du parti avec obligation de garder le secret sur leurs lieux de détention.
15. Chaque commune, wilaya ou daïra doit arrêter son plan de défense.
16. Sabotage de l'éclairage public.
17. Préparation des moyens suffisants pour la défense de la religion, de l'individu, des biens et de l'honneur.
18. Recensement des personnes arrêtées, disparues et blessées dans chaque quartier.
19. Transfert des militaires, policiers et gendarmes qui se rendent.
20. Nécessité de continuer la grève avec escalade.

21. Les commerçants doivent ouvrir leurs magasins le matin jusqu'à la prière du « dohr » (début de l'après-midi) de manière à leur éviter tout préjudice.
22. Il ne sera mis fin à la grève que par une déclaration à la télévision des cheikhs Abassi Madani et Ali Benhadj et cela sur délégation de Conseil consultatif national.

ANNEXE V

Nouvelle direction du FIS issue du Congrès de Batna
(25 et 26 juillet 1991)

- Abdelkader Hachani :   président du Bureau exécutif provisoire, responsable de la commission politique et porte-parole officiel du parti.
- Kacem Tadjouri :   responsable de la commission organique.
- Abdelkrim Ghemati :   responsable des moyens généraux.
- Achour Rabihi :   responsable de la commission financière.
- Yekhlef Cherati :   responsable de la commission prédication et orientation.
- Athmane Aïssani :   responsable de la commission des affaires sociales.
- Abderrezak Redjem :   président de la commission information.
- Nasseredine Torkmane :   chargé des assemblées élues.
- Rabah Kébir :   président de la commission chargée des relations avec les organisations politiques.

ANNEXE VI

Fraudes lors du déroulement du premier tour
des élections législatives

1) Fraudes relatives aux documents officiels :
- Confections de double cartes d'électeurs pour leurs militants et sympathisants.
- Non distribution de cartes pour les électeurs qui leur sont défavorables.
- Autorisation de voter sans preuve d'identité pour les militants et sympathisants du FIS.
2) Fraudes relatives aux opérations de vote :
- Vote répétitif par une même femme, militante du FIS, portant le « Niqab » (voile islamique) au lieu et place de plusieurs autres femmes.

- Renvoi des électeurs réputés comme n'étant pas acquis au FIS sous prétexte de l'inexistence de leurs noms sur les listes électorales.
- Permission accordée dans les bureaux de vote acquis au FIS d'accompagner les personnes âgées et les analphabètes dans les isoloirs.
- Vote par certains chefs de bureaux de vote FIS en lieu et place des abstentionnistes après la fermeture officielle des bureaux.
- Altération des bulletins de vote non favorable au FIS par divers moyens (encre, ratures...).
- Fermeture des bureaux de vote durant l'opération de dépouillement, permettant ainsi la fraude au profit du FIS.

ANNEXE VII

Scores obtenus par l'ex-FIS, par wilaya (1991)

wilaya	%	wilaya	%	wilaya	%
Constantine	54,25	El Oued	43,40	Illizi	27,59
Mila	53,32	Mascara	43,27	Khenchla	26,68
Médéa	53,11	Tlemcen	43,12	Tebessa	26,42
Blida	52,32	Annaba	40,29	Adrar	26,41
Jijel	52,23	Tiaret	40,25	El Baiadh	24,65
Alger	51,83			Ghardaia	24,06
M'sila	50,91	Sidi Bel Abbès	39,90		
Relizane	50,85	Tissemsilt	39,74	Tamanrasset	18,82
		Tipaza	39,52	Tindouf	18,54
Djelfa	49,62	Saida	39,42		
Sétif	48,94	Naama	38,31	Béjaia	04,30
Oran	48,91	Ouargla	38,24	Tizi Ouzou	03,80
Batna	48,70	Bouira	37,86		
Chlef	48,39	Mostaganem	37,44		
Oum elBouaghi	47,10	Guélma	35,42		
Biskra	46,27	Ain Temouchent	35,14		
Ain Defla	46,09	Skikda	34,12		
Boumerdés	45,07	El Tarf	31,38		
Laghouat	44,58	Bechar	31,15		
B.B Arerridj	43,69	Souk Ahras	31,04		

ANNEXE VIII

Organigramme du MIA

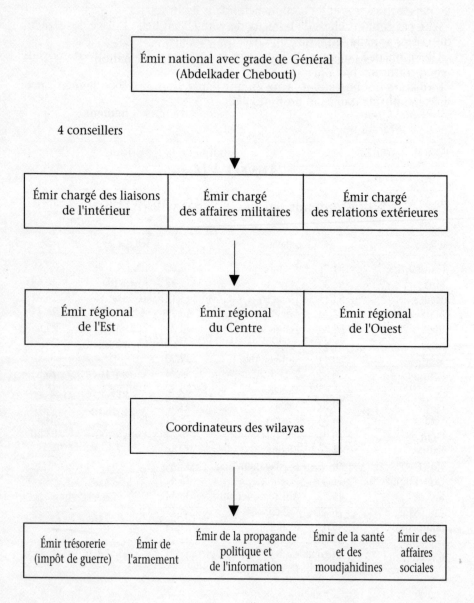

Émir national avec grade de Général
(Abdelkader Chebouti)

4 conseillers

| Émir chargé des liaisons de l'intérieur | Émir chargé des affaires militaires | Émir chargé des relations extérieures |

| Émir régional de l'Est | Émir régional du Centre | Émir régional de l'Ouest |

Coordinateurs des wilayas

| Émir trésorerie (impôt de guerre) | Émir de l'armement | Émir de la propagande politique et de l'information | Émir de la santé et des moudjahidines | Émir des affaires sociales |

ANNEXE IX
Composition du Commandement du FIDA en 1993

Noms et prénoms	Fonctions
LAMARA Abdelouahab DAGHMOUN Moussa KHELIL - CHORFI Kamel	émir du FIDA chargés de l'information
KACHA Ahcène BERKANI Omar AOUADI Mohame	chargés du renseignement
AMOUR Toufik	chargé de la logistique
KAMLI Samir	chargé de la liaison
BRAHIMI Mohamed	chargé des exécutions

ANNEXE X
Zones opérationnelles du FIDA

Zones	Zones des opérations	Chefs de zone
Zone 1	Belcourt - Hussein Dey - Kouba Bouraouba - Les Anassers	BENKHELFELLAH Mohamed dit Salah Yeux bleus
Zone 2	Bordj El Kiffan - Benzerga - Harraga	KEDIA Ammar
Zone 3	Sidi M'hammed - La Scala - El Biar - Bouzaréah - Climat de France	SALAH Abdellah CHABATA Lamine (Adjoint).
Zone 4	Place du 1er Mai - Rue Didouche Mourad Place des Martyrs - Hydra	Hadji Lyes
Zone 5	El -Harrach - Dar El Beida Bab Ezzouar	AMARACHE Yazid

ANNEXE XI

Loi fondamentale du GIA

La loi fondamentale de l'organisation « Jamâ'a islâmiyya mousallaha » (Groupe islamique armé), le GIA, sous le règne d'Abou Adlane Abdelhak Layada s'articule autour des objectifs suivants :

Article 1 :
Le Groupe islamique armé est musulman, sunnite salafite et œuvre pour l'application de la loi divine par la voie du « djihad » ainsi que par l'ensemble des moyens de propagande.

Article 2 :
Le Groupe Islamique Armé œuvre pour l'instauration d'un État islamique en Algérie.

Article 3 :
Le Groupe islamique armé dirige, à l'intérieur comme à l'extérieur du pays, l'ensemble des organisations du « djihad » et de la propagande.

Article 4 :
Le Groupe islamique armé luttera jusqu'à l'instauration du califat selon la « chari'a ».

Article 5 :
Le Groupe islamique armé s'oppose, en premier lieu, aux « mécréants » au sein du pouvoir ainsi qu'aux mouvements et organisations qui sont en contradiction avec la « chari'a » et décline toute responsabilité quant aux musulmans qui se sont déviés du droit chemin dicté par le prophète.

ANNEXE XII

Structure du GIA sous le règne de Layada Adbelhak

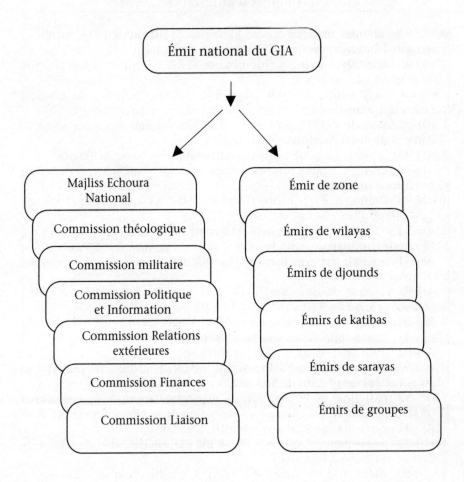

ANNEXE *XIII*

Liste d'universitaires, cadres, écrivains, artistes, médecins, etc. ayant fait l'objet d'attentats terroristes

02-12-92 : attentat manqué contre Abdelhak BENHAMMOUDA, secrétaire général de l'Union générale des Travailleurs algériens.

13-02-93 : attentat manqué contre Khaled NEZZAR, ministre de la Défense au niveau du stade d'El Biar .

14-03-93 : assassinat de Abdelhafid SANHADRI, membre du Conseil consultatif National.

16-03-93 : assassinat de Djilali LIABES, directeur général du Centre national d'Étude et de Stratégie globale (INESG).

16-03-93 : attentat manqué contre HAMDI Tahar, ministre du Travail.

17-03-93 : assassinat, dans son cabinet, du docteur Laadi FLICI, membre du Conseil consultatif national.

10-04-93 : attentat manqué contre Hachemi CHERIF, leader du parti Ettahadi, qui est blessé, ainsi que son chauffeur.

15-06-93 : assassinat du Professeur Mahfoud BOUCEBSI, chef de service à l'hôpital de psychiatrie « Drid Hocine ».

17-05-93 : attentat manqué contre BELHOUCHET Omar, rédacteur en chef au journal *El Watan*.

26-05-93 : attentat contre Tahar DJOUT, journaliste/écrivain, qui succombe à ses blessures le 02-06-93.

22-06-93 : assassinat de M'hamed BOUKHOBZA, sociologue, membre du Conseil consultatif national, directeur par intérim de l'INESG.

05-08-93 : assassinat Rabah ZENATI journaliste.

09-08-93 : assassinat de Abdelhamid BENMENNI, cadre administratif au journal hebdomadaire *Algérie Actualité*.

21-08-93 : assassinat de Merbah KASDI, président du parti MAJD et ex-chef du gouvernement.

11-09-93 : assassinat de Saad BAKHTAOUI, journaliste.

10-10-93 : assassinat du Professeur Djilali BELKHENCHIR, chef du service de pédiatrie de l'hôpital Birtraria.

14-10-93 : assassinat de Mustapha ABADA, ex-directeur de l'Entreprise nationale de Télévision.

28-01-94 : assassinat de Mohamed BOUSLIMANI, président de l'association caritative islamique El Islah Oua El Irchad.

31-01-94 : assassinat de Mohamed OURAMDANE, secrétaire général du parti RCD.

14-02-94 : attentat contre Aziz SMATI, réalisateur à l'ENTV. Il est aujourd'hui paraplégique.

02-03-94 : assassinat de Abdelkader HIRECHE, journaliste à l'ENTV.

05-03-94 : assassinat de Ahmed ASSELAH, directeur de l'école des Beaux-Arts et de son fils.

05-03-94 : assassinat de Hassan BENAOUDA, journaliste à l'ENTV.

10-03-94 : attentat contre Abdelkader ALLOULA, dramaturge, metteur en scène et réalisateur qui succombe à ses blessures après quelques jours de coma profond.

29-23-94 : assassinat de Sadek SEDOUK, président du Croissant rouge algérien.

06-04-94 : attentat manqué contre Abbas ALLALOU, Président de L'Alliance populaire Ppour l'Unité et l'Action.

31-05-94 : assassinat de Salah DJEBAILI, recteur de l'université des Sciences et de la Technologie Houari Boumediène et de deux éléments de sa protection.

07-06-94 : assassinat de Ferhat CHERKIT et de Hichem GUENIFI, journalistes.

18-16-94 : assassinat de Youcef FATHALLAH, Président de la Ligue algérienne des Droits de l'Homme.

26-09-94 : Eenlèvement de Lounès MAATOUB, chanteur en langue kabyle.

29-09-94 : assassinat de Hasni CHAKROUNE dit « Chab Hasni », chanteur de « Raï ».

17-10-94 : assassinat du docteur Mohamed Rédha ASLAOUI (époux de Leila Aslaoui).

03-12-94 : assassinat de Said MEKBEL, directeur du journal quotidien *Le Matin*.

15-01-95 : assassinat de Salah NOUR, ex-procureur, membre du Conseil national de Transition (CNT).

19-01-95 : assassinat de Miloud BEDIAR, secrétaire général de l'Union nationale de la Jeunesse Algérienne et membre du CNT.

21-01-95 : assassinat de Rachid HARRAIGUE, président de la Fédération algérienne de Foot-ball.

13-02-95 : assassinat de Azzedine MEDJOUBI, artiste, metteur en scène et directeur du Théâtre national d'Alger.

21-04-95 : assassinat de Arezki OUKID, membre du CNT.

11-07-95 : assassinat de Abdelkader SAHRAOUI, imam à Paris, et d'un fidèle, dans la mosquée de la rue Myrha à Paris.

17-09-95 : assassinat de Abdemadjid BENHADID, membre du CNT et candidat à l'élection présidentielle de 1995.

28-09-95 : assassinat de Aboubakr BELKAID, ex-ministre de l'Information.

27-11-95 : assassinat du général Mohamed BOUTIGHANE, de la Marine Nationale.

04-05-96 : assassinat de Mohamed HARDI, ex-ministre de l'Intérieur.

30-06-96 : attentat manqué de l'imam Ahmed SAHNOUN, fondateur de la « Rabit islamiyya ».

01-08-96 : mort de Monseigneur Pierre CLAVERIE, Archevêque d'Oran, dans l'explosion d'une bombe artisanale.

28-01-97 : assassinat de Abdelhak BENHAMMOUDA, secrétaire général de l'Union Générale des Travailleurs algériens.

30-01-97 : assassinat du général en retraite Habib KHELIL.

25-06-98 : assassinat de Lounès MAATOUB, chanteur en langue kabyle.

22-11-99 : assassinat de Abdelkader HACHANI.

ANNEXE XIV

Liste du « Majliss Echoura »
au lendemain de la réunion de réunification de mai 1994

Abbassi Madani.
Abbou Abdelaziz
Achi Farid
Achir Redouane
Assad A/Rahmane
Azazga Said
Azzout Mouloud
Belhadj Ali
Bouchakour Smail
Bouchicha Kada
Boukabous Mohamed
Chikhi Omar
Dehilis Nacereddine
Dénomé Ali l'algérois
Dénommé Abdelbaki
Dénommé Abou el Houet
Dénommé Abou Hafs
Dénommé Abou Salah
Dénommé Abou Zineb
Dénommé Amine
Dénommé Ammi Aissa
Dénommé El Harrachi
Dénommé Hamza
Dénommé Kamel Barraki

Dénommé Mahmoud
Dénommé Mokdad
Dénommé Mossaab
Dénommé Mourad de Oued Ouchaiah
Dénommé Slimane Semmar»
Habchi Mohamed
Hallis Mohamed
Hattab Hacène
Hobbi Miloud
Kertali Mustapha
Khelfa Mustapha
Lounis Belkacem, dit Mohamed Said
Mahi Toufik
Makhloufi Said
Redjem Abderezzak
Rihane Yahia dit « Kronfel «
Sahali Khaled
Saidj Redouane
Saoudi Abdelkader
Souilah Kedhafi
Tadjine Mahfoud
Titaouine Mohamed
Zitouni Djamel
Zouabri Antar

ANNEXE XV

Organigramme militaire du GIA
El Imara El Watania

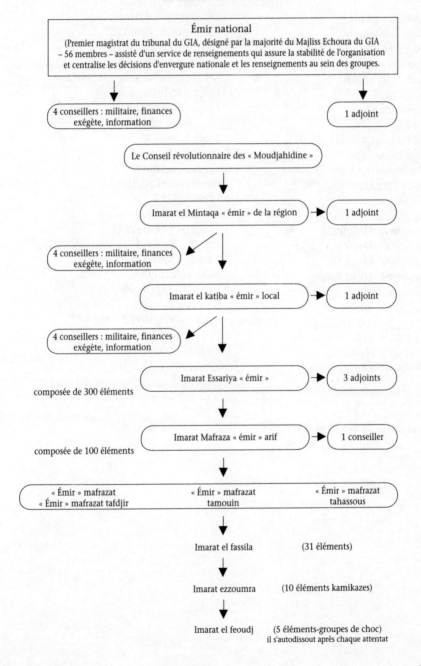

Émir national
(Premier magistrat du tribunal du GIA, désigné par la majorité du Majliss Echoura du GIA – 56 membres – assisté d'un service de renseignements qui assure la stabilité de l'organisation et centralise les décisions d'envergure nationale et les renseignements au sein des groupes.

4 conseillers : militaire, finances exégète, information

1 adjoint

Le Conseil révolutionnaire des « Moudjahidine »

Imarat el Mintaqa « émir » de la région

1 adjoint

4 conseillers : militaire, finances exégète, information

Imarat el katiba « émir » local

1 adjoint

4 conseillers : militaire, finances exégète, information

Imarat Essariya « émir »

3 adjoints

composée de 300 éléments

Imarat Mafraza « émir » arif

1 conseiller

composée de 100 éléments

« Émir » mafrazat
« Émir » mafrazat tafdjir

« Émir » mafrazat tamouin

« Émir » mafrazat tahassous

Imarat el fassila   (31 éléments)

Imarat ezzoumra   (10 éléments kamikazes)

Imarat el feoudj   (5 éléments-groupes de choc)
il s'autodissout après chaque attentat

351

ANNEXE XVI

Représentation schématique de l'éclatement
de la nébuleuse terroriste

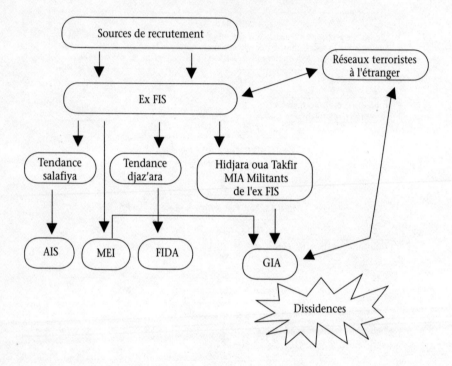

ANNEXE *XVII*

Répartition des massacres collectifs pour wilaya au cours de l'année 1997

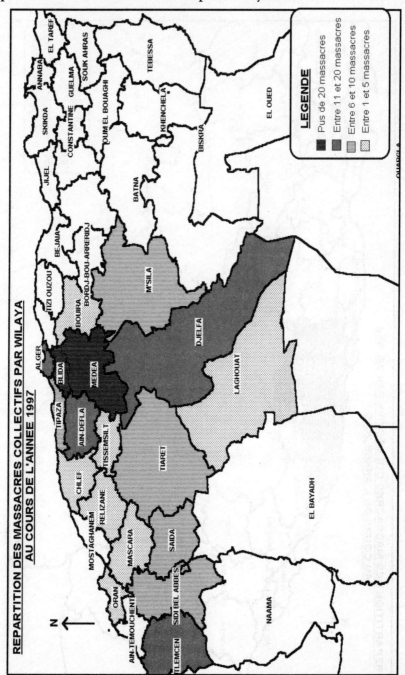

Annexe *XVIII*

Répartition des massacres collectifs pour wilaya au cours de l'année 2000

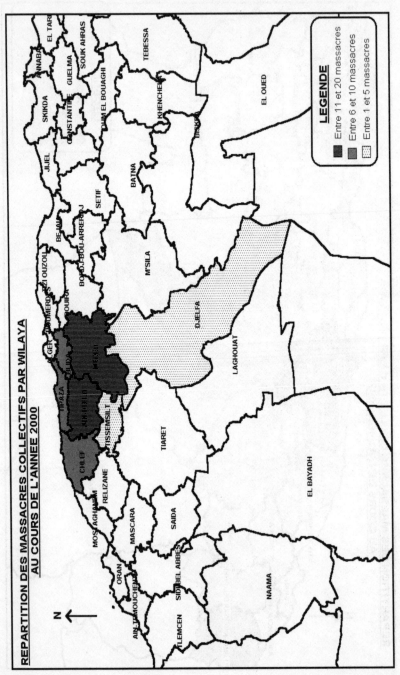

ANNEXE XIX

Répartition des groupes terroristes jusqu'à 1999

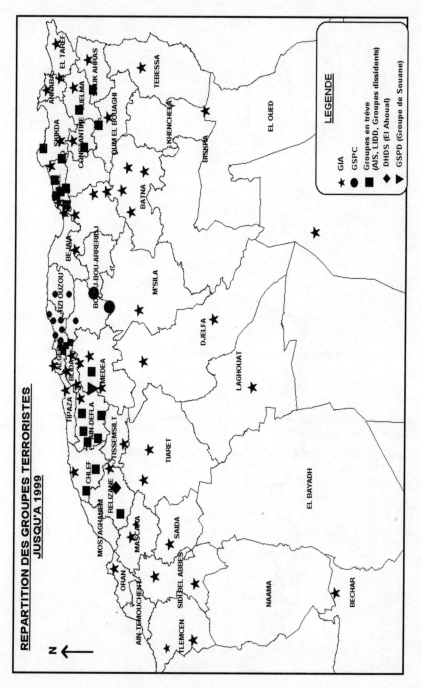

Glossaire

- *'aqîda wa chari'a* : foi et loi
- *'Aqida* : dogme
- *'Aql* : la raison
- « *Allah Akbar* » : Dieu est Grand
- APC : Assemblées populaires communales,
- APW. : Assemblées populaires de wilaya
- *Abtal al-Qods* : les « Héros d'El Qods/Jérusalem ».
- Afghans algériens : vétérans algériens de la guerre d'Afghanistan. 1224 jeunes algériens ont été envoyés en Afghanistan. Le départ de ces jeunes volontaires était maquillé en voyage de pèlerinage vers la Mecque, en l'arabie Saoudite. Après une période de formation militaire à Peshawar au Pakistan, ils étaient envoyés au front pour participer à la guerre contre l'armée soviétique. Sur ces 1224 jeunes, près de 600 ont rejoint les maquis islamistes en Algérie (voir *Le Matin*, 6-7 déc. 1997.)
- *Ahl al-'aql* : les « Sages »
- *Ahl al kitab* : les « gens du livre », expression qui désigne les communautés monothéistes se – référant à un livre sacré (la Bible, la Tora, l'Évangile...)
- *Ahl al-naql* : ceux qui s'en tiennent, dans l'interprétation du Coran, à l'interprétation littérale du texte.
- *Ahl et-Talli'a* : l'Avant-Garde.
- *Al-faridha al ghâiba* : l'Obligation absente (il s'agit du « djihad »).
- *Al-Khilafa* : le califat
- *Al-Sunna oua Charia* : la Tradition du Prophète et la charia.
- *Al-'aqlâniyya* : le rationalisme.
- *Al-Dawla al-Islâmiyya* : l'État islamique
- *Al-Insân* : l'Être humain/ l'Homme
- *Al-mouslim* : le musulman,
- *Al-sabâbiyya* : Le déterminisme/ la causalité.
- *Al-Sahaba* : les Compagnons du Prophète
- *Al-Tabi'oun* : ceux qui suivirent les compagnons du prophète.

- *Ansaar* : les partisans. Dans la tradition musulmane ce terme désigne les habitants de Médine, qui accueillirent le Prophète, après sa sortie de la Mecque en 622 (première année de l'Hégire).,

- *'Aql* : la raison.

- *Arkâne* : « piliers ». Dans la religion musulmane, les cinq piliers de la foi sont : la « *chahada* » (*la profession de foi : Dieu est Un et Mohamed est son Prophète*), la « *salat* » (la prière qui a lieu cinq fois par jour), le « *siyyâm* » (le jeûne durant le mois de « *Ramadhan* »), la « *zakat* » (l'impôt canonique) et le « *hadj* » (pèlerinage) à la Mecque .

- *Assâla* : l'authenticité

- *Aswâk el-Fallâh* : « les marchés de la miséricorde », réseau de marchés mis en place par les islamistes dans différents quartiers populaires pour concurrencer les marchés communaux en proposant des produits à des prix défiant toute concurrence.

- *Aswâk el-fellah* : « marché de l'agriculteur », dénomination qui désigne les supermarchés du secteur étatique.

- *Azhariste* : enseignant ou étudiant à « El Azhar », l'université religieuse du Caire (Égypte).

- *Baath* : résurgence. C'est le nom des partis nationalistes qui prônent le panarisme.

- *Beit el Mal* : le Trésor public.

- *Bida', pl. de bid'a* : innovation(s) blâmable(s).

- *Châabi* : populaire. C'est aussi un terme qui désigne un genre musical.

- *Chafi'ites* : partisans de l'imam Chaf'i fondateur de l'une des quatre grandes écoles juridiques, qui vont élaborer, à partir de la loi islamique, le droit musulman.

- *Chahid pl: chouhada* : le(s) martyr(s).

- *Chari'a.* : la loi coranique/islamique.

- *Cheikh* : personne âgée, mais ce terme désigne, dans le contexte de notre document, le guide spirituel, le chef religieux, le maître à penser, prédicateur.

- *Choura* : consultation, concertation.

- *Chouyoukh* : pluriel de cheikh,

- *Daâwa* : littéralement : invitation, qui signifie également prédication, prosélytisme, appel à l'adhésion à la foi musulmane.

- *Dâr el-Mâl al Islâmî* : Trésor public dans l'État islamique.

- *Dîn wa dawla* : religion et État. C'est le mot d'ordre des islamistes.

- *Dîn wa dounia* : système de valeurs spirituelles et temporelles.

- *Djahilienne de jahilia* : ignorance. Le mot désigne, dans la tradition islamique, la période pré-islamique, celle du paganisme.

- *Djam'iâte el-hadhariyya li-tansîq* : Comité urbain de coordination.

- *Djama'ât el-mouslimîn* : groupe islamique

- *Djam'iya* : association

- *Djaz'ara* : le terme vient du mot « al-Djazaïr » (Algérie), et signifie, litté-ralement, « algérianiste ». Les « djaz'aristes » représentent un courant de l'islamisme algérien, qui entend « nationaliser » l'islamisme afin de l'adapter au contexte algérien.

- *Djihadistes* : partisans du « djihad », qui considèrent le « djihad » comme une obligation individuelle à laquelle doit se soumettre tout(e) musulman(e).

- *Djihadiyyoun* : pluriel de « djihadiste ».

- *Djoumou'âa* : vendredi, jour de la prière collective, que les musulmans sont tenus d'accomplir dans une mosquée sous la direction d'un imam.

- *Djounoud* : soldats.

- *El-Bahaïsme* : secte musulmane hétérodoxe d'origine iranienne.

- *El Islâh oua El Irchâd* : « Réformes et orientations » ; nom d'une association caritative créée par M. Nahnah président du Hamas algérien.

- *El-alaf al-sâlih* : les « pieux anciens ».

- *El Atiq* : antique

- *El Hijra oua Takfir* : « Exil et excommunication ».

- *El Islah* : la Réforme.

- *El Mouwahidin* : les « Almohades », dynastie islamo-berbère qui régna sur le Maghreb du XIIe au XVIIIe siècle.

- *El Zeitouna* : université religieuse de Tunis

- *Emir (ou amir)* : prince. Celui qui ordonne, qui commande. Dans le mouvement islamiste, ce terme désigne les chefs à leur différent niveau de la hiérarchie (« émir » national, « émir » régional, ...)

- *Ennahdha* : la renaissance.

- *Ennour* : la lumière.

- *Es Salafiya al-harakiyya al-mu'tadila* : le fondamentalisme activiste modéré

- *Es-Salafiya al-harakiyya al-djihâdiyya* : le fondamentalisme activiste « djihadiste «.

- *Es-Salafiya al-harakiyya al-Takfiriyya* : le fondamentalisme activiste radical.

- *Es-Salef* : le précédent, l'ancien, l'Ancêtre .

- *Falasifa* : les philosophes.

- *Fassâd* : perversion.

- *Fatwa* : interprétation donnant lieu à un avis autorisé au plan religion sur un thème ou une question particulière qui pose problème. En Algérie, de nombreuses fatwas ont été prononcées au profit des terroristes pour les dé-culpabiliser des crimes qu'ils commettent (enlèvement, viol, assassinat de citoyens et même d'enfants,...), leur garantissant même que par leurs faits, ils assurent à leurs victimes (et à eux-mêmes) le Paradis éternel.

- *Fidâ'iyins* : combattants.

- *Fiqh* : théologie.

- *Fitna* : querelle, discorde qui menace l'unité de la communauté musulmane.

- *Hadith* : propos prononcés par le Prophète, rapportés par ses compagnons ou ses proches, qui constituent la seconde source du droit musulman

- *Hadj* : pèlerinage aux lieux saints de l'Islam.

- *Hâkimiyyat Allah* : souveraineté absolue de Dieu.

- *Halal* : licites.

- *Hamas* : littéralement signifie enthousiasme, mais ce terme désigne un parti politique islamiste dans plusieurs pays musulmans.

- *Harakat Moujtama' al Silm* : Mouvement de la Société pour la Paix/MSP Parti politique algérien

- *Harâm* : interdit, l'illicite du point de vue religieux.

- *Harkis* : Algériens qui ont collaboré avec l'armée française durant la guerre de libération nationale (1954-1962).

- *Hidjab* : vêtement féminin composé d'une longue robe et d'un large foulard, devant cacher les parties du corps susceptibles de provoquer le désir charnel. Initialement, ce voile devait protéger les épouses du Prophète du regard des étrangers. Dans la vision islamiste, le « hidjab » représente le vêtement canonique obligatoire pour l'ensemble des femmes musulmanes.

- *Halkates* : réunions, débats.

- *Hijra* : émigration, exode, exil.

- *Hittistes* : dérivé du mot « hit » : mur. Le terme de « hittiste », en Algérie, est utilisé pour désigner les jeunes chômeurs qui, en manque total d'activités et de loisirs , passent la journée dans la rue, adossés aux murs.

- *Ijtihâd* : effort rationnel de compréhension, d'interprétation et d'adaptation des règles et lois islamiques.

- *Imam* : chef religieux, guide moral de la communauté musulmane. Ce terme désigne, à l'échelle de la Oumma, la plus haute autorité religieuse. À l'échelle de la communauté, il désigne celui qui dirige la prière dans la mosquée, ou encore le chef d'une école juridique.

- *Imâmat* : La charge d'imam, le pouvoir politique qu'il exerce et la fonction qu'il remplit.

- *Infitah* : ouverture, le mot désigne également la politique de « libéralisation économique ».

- *Islâmaoui* : islamiste.

- *Islâmî,* : islamique, musulman

- *Jamaâ* : groupe, association,

- *Jam'ât el-jihâd* : groupe du jihad

- *Jamâ'at at-Tabligh wa-d-Da'wa* : « Groupe pour la transmission du message et la prédication ». C'est la dénomination d'un mouvement d'origine pakistanaise, qui prône un « islam quiétiste/piétiste »

- *Jihâd* : effort et, par extension, combat pour une cause sacrée.

- *K'hol* : Sorte de fard noirâtre, qui sert à maquiller les yeux. Très utilisé par les femmes arabes, il est devenu d'utilisation courante chez les hommes dans certains groupes d'islamistes.

- *Kalam* : lLa théologie spéculative.

- *Kamis* : sorte de longue tunique à manches longues et col haut que les islamistes portent au-dessus d'un pantalon de toile.

- *Katiba* : phalange

- *Kharijîtes* : schisme né en 657, qui prône l'application littérale et rigoureuse du Coran. Il existe encore quelques groupes épars à travers le monde arabe, notamment, en Algérie sous le nom d'ibadites dans la région du M'zab.

- *Kofr* : mécréance.

- *Majless Ech-Choura* : Conseil consultatif.

- *Majless Ech-Choura El-Watani* : Conseil consultatif national.

- *Maktab et-Tanfidhi al-Watani* : Bureau exécutif national.

- *Maktabât el-baladiyya el-islâmiyya* : Bureaux de Communes islamiques.

- *Médersa* : école ou collège dépendant de l'autorité religieuse.

- *Moudjahid* : combattant de la guerre sainte.

- *Mouslihines* : réformistes

- *Mutabaridjah* : femme ne portant pas le hidjab.

- *Nadi* : cercle, club.

- *Ouçouliyyoun* : intégristes.

- *Oulémas* : docteurs de la loi, juristes et théologiens.

- *Oumma* : communauté.

- *Qiyam* (Association) : les Valeurs.

- *Qiyâs* : le raisonnement analogique.

- *Qotbiste* : Frères musulmans radicalisés.

- *Ra'ï* : l'opinion/l'avis personnel.

- *Ramadhan* : le mois de jeûne.

- *Ribâts* : forteresses, citadelles.

- *Salafiste* : fondamentaliste.

- *Salafiya al-harakia* : fondamentalisme activiste.

- *Salafiya bidâïyya* : fondamentalisme primitif

- *Salafiya mekkia* : fondamentalisme piétiste/quiétiste.

- *Salât* : la prière.

- *Shahâda* : la profession de foi islamique.

- *Siham pl. de sahm* : flèche

- *Ta'wîl* : interprétation.

- *Tabligh* : transmission du message religieux.

- *Trabendistes* : spécialistes du « trabendo ».

- *Trabendo* : marché noir.
- *Youm El Hissab* : le jour du jugement dernier.
- *Zakat* : L'aumône canonique, un des cinq piliers de l'Islam.
- *Zetla* : shoot, drogue.

Bibliographie

I. SUR L'ALGÉRIE

ABBASSI (M.) *Azmat al-fikr al-hadith wa mubarrirat al-hall al-islami. (La crise de la pensée moderne et les justifications de la solution islamique).* Imp. Ameziane, Alger, 1989.

ADDI (L.), *L'Algérie et la démocratie : pouvoir et crise politique dans l'Algérie contemporaine,* La Découverte, 1994.

ADDI (L.), « L'Algérie, le FIS et la construction démocratique », *El Watan,* Alger, 1992.

ADDI (L.), « Islam politique et démocratisation en Algérie, *Esprit* », p. 143-151.août-sept. 1992.

ADDI (L.), *L'Algérie et la Démocratie : Pouvoir et crise du Politique dans l'Algérie contemporaine,* La Découverte, Paris, 1994.

ADDI (L.), « The Islamic Challenge : Religion and Modernity in Algeria », *Journal of Democracy,* 3, oct. 1992, p. 75-84.

ADDI (L.), « Violence et système politique en Algérie », *Les Temps Modernes,* 50, 580, p. 46-70. jan.-fév. 1995,

AL AHNAF (M.), BOTIVEAU (B.) et FREGOSI (F.), *L'Algérie par ses Islamistes,* Karthala, Paris, 1991.

AL TAWIL (C.), *AL haraka al islamiyya al mussallaha fi'l jazaïr/ man «al inqadh»ila»al jama'a,* (*Le mouvement islamique armé en Algérie : du FIS au GIA.*), Dar El Nahar, Beyrouth,1998.

AMARI (M.), *Le père, et le FIS, le FLN, le FIS et après ?* Maisonneuve-Laroche, Paris, 1996.

AMRANE (D.), « L'armée au secours de la démocratie », *Les Lettres françaises, hors série : Algérie 1954/1962,* avril 1992.

ASSOCIATION DES OULEMAS D'ALGÉRIE, *Mémoire sur la séparation du culte et de l'État,* Jules Carbonel, Alger, 1950.

AYACHI (H.) *Al-islamiyyun al-djazaïriyyun bayna as-sulta oua-l-rassas,* (*Les islamistes algériens entre le pouvoir et les balles*), Alger, Dâr el Hikma, 1991.

BABDJI (R.), « Le FIS et l'héritage du FLN : la gestion des communes », *Confluences Méditerranée,* 3, p. 105-112. printemps 1992,

BACAILLE (L.), « L'engagement Islamiste des femmes en Algérie », *Maghreb-Machrek,* 144, p. 105-18, avr.juin 1994.

BACKMANN (R.), BARJAN (C., CHIQUELIN (J.J), « Algérie : les bouches s'ouvrent », *Le Nouvel Observateur,* 31 mai - 6 juin 1990, p. 7.

BADUEL (P.R.), ed, *L'Algérie incertaine,* Edisud, Paris, 1994.

BALTA (P.), « Houari Boumediène », *Maghreb-Machrek,* n° 69, juil.-sept. 1975, p. 20-24.

BALTA (P.), RULLEAU (C.), *L'Algérie des algériens vingt ans après,* Ouvrières, Paris, 1981.

BALTA (P.), RULLEAU (C.), *La stratégie de Boumediène,* Sindbad, Paris, 1978.

BAYA (G.), *Moi, Nadia, femme d'un émir du GIA,* seuil, Paris, 1998.

BEKKAR (R.), « Taking up Space in Tlemcen: The Islamic Occupation of Urban Algeria: An Interview with Rabia Bekkar », *Middle East Report,* 22, p. 11-15, nov.-déc. 1992,

BENHADDI (Z.), *Algérie : Origine et aspects géopolitiques de la crise actuelle,* Hérodote, (65 66) : 50-62, 1992.

BEN KHEDDA (B.), *Les origines du 1er novembre 1954.* Dahlab, Alger, 1989.

BENNOUNE (M.), EL KENZ (A.), *Le hasard et l'histoire : entretiens avec Belaïd Abdesslam,* 2 vol. ENAG, Alger, 1990.

BENYELLES (R.), « Les événements d'octobre 1988 », *La Tribune,* 28 mai 1996, p. 11-13, Alger.

BLIN (L.), « Algérie: les élites politiques », *Les Cahiers de l'Orient,* 25-26 (1992), 237-59

BLIN (L.), ABDI (N.), REDJALA (R.), STORA (B.), *Algérie, 200 hommes au pouvoir,* Indigo Publications, Paris, 1991.

BOUCHENE (A.), *Culte et État dans l'Algérie indépendante,* mémoire de l'Institut d'Études Politiques d'Alger,1975.

BOUDJEDRA (R.), *FIS de la haine,* Denoël, Paris, 1992.

BOUKHOBZA (M.), *Octobre 88 : évolution ou rupture ?,* Bouchène, Alger, 1991.

BOURDIEU (P.), *Sociologie de l'Algérie,* PUF, Paris, 1963.

BRAHIMI (M.), « Les événements d'octobre 1988 : la manifestation violente de la crise d'une idéologie en cessation de paiement », *Revue Algérienne des Sciences Juridiques, Économiques et Politiques,* 28 (déc.-1990) , 681-703.

BRUMBERG (D.), « Islam, Elections and Reform in Algeria », *Journal of Democracy,* 2, 58-71, winter 1991.

BURGAT (F.), « L'Algérie de la laïcité islamique à l'islamisme, Maghreb-Machrek », *Les temps Modernes,* n° 500, p. 75-118, mars 1988,

CARLIER (O.), « De l'islahisme à l'islamisme : les théories politico-religieuse du FIS », *Cahiers d'Études Africaines,* n° 32, p. 185-219, 1992.

CARRET (J.), *Le maraboutisme et les confréries religieuses musulmanes en Algérie,* Imp. Officielle, Alger, 1959

CARRET (J.), « L'Association des Oulamas réformistes d'Algérie », *Afrique et Asie,* 3ème trim. 1958, p. 23-44.

CHALANDON (S.), « L'Algérie, socialisme au nom de Dieu miséricordieux », *Libération,* 18-19 fév. 1984, p. 22-23.

CHALANDON (S.), « Algérie : la réaction intégriste », *Libération,* 27 fév.1984, p. 22-23.

CHALIAND (G.), MINCES (J.), *L'Algérie indépendante,* F. Maspero, Paris, 1972.

CHAREF (A.), « Algérie : le grand dérapage », *L'Aube,* Saint-Armand-Montrond, 1994.

CHARNAY (J.P.), *La vie musulmane en Algérie, d'après la jurisprudence de la première moitié du XXe siècle,* PUF, Paris, 1965.

CHENAL (A.), « La France rattrapée par le drame algérien », *Politique Étrangère,* 60,2, p. 415-25, été 1995.

CHEVILLARD (N.), « Algérie : l'après-guerre civile », *Nord-Sud Export Conseil,* 17-77, 1995.

CHIBBER (P.K.), « State Policy, Rent Seeking, and the Electoral Success of a Religious Party in Algeria », *Journal of Politics,* 58, (Feb 1996)126-48.

CHIKH (Slimane), *Les élections locales en Algérie à l'ère du multipartisme, Elecciones, participaciones y transiciones politicas en el Norte de Africa,* Instituto de cooperation con el mundo arabe, Madrid, 1991.

CHRISTELOW (A.), « Algerian Islam in a time of transition », c ;1890 a.c.1930, *The Maghreb Review,* 8,t.983, p.124-130.

COURRIERE (Y.), *Les fils de la Toussaint,* Fayard, Paris, 1968.

DANAUD (P.), *L'Algérie, FIS, sa direction parle...*, L'Harmattan, Paris, 1997.

DELANOUE (G.) (sous la dir.), *Les intellectuels et le pouvoir : Syrie, Égypte, Tunisie, Algérie, Le Caire*, CEDEJ, dossier 3-1985, CNRS, 1985.

DEUHEUVELS (L.W.), *Islam officiel et Islam de contestation au Maghreb. L'Algérie et la révolution iranienne*, CHEVALIER (D.) (dir.), *Renouvellement du monde arabe : 1952-1982*, p. 133-152. Armand Colin, Paris, 1987.

DEUHEUVELS (L.W.), « Islam et pensée contemporaine en Algérie » - La revue *El Asala*, (1971-1981), Paris, CNRS, 1991.

DEUHEUVELS (L.W.), *Islamic fundamentalism in Algeria*, colloque de la MESA, 18-24 nov.1986, Boston.

DEVOLUY (P.), DUTEIL (M.), *La poudrière Algérienne : histoire secrète d'une république sous influence*, Calmann-Lévy, 1994.

DJEGHLOUL (A.), « Le multipartisme à l'algérienne », *Maghreb-Machrek*, 127, p. 194- 210. jan.-mars 1996

DUTEIL (M.), « L'intégrisme islamique au Maghreb : la pause ? », *Grand Maghreb*, n° 24 à 29.

DUTEIL (M.), *Les martyres de Tibhirine*, Brépols, Paris, 1996.

EL KENZ (A.), *Algerian Reflexions on Arab Crises*. University of Texas press, 1991.

ETIENNE (B.), « La vague islamiste au Maghreb », *Pouvoirs*, n° 12, 1983.

ETIENNE (B.), « L'Algérie entre violence et fondamentalisme », *Revue des Deux Mondes*, p. 47-56, Janvier 1996.

FONTAINE (J.), « Les élections locales algériennes du 12 juin 1990 », *Maghreb-Machrek*, juillet-septembre 1991, n° 133, p. 99-103.

FONTAINE (J .), « Les élections législatives algériennes - Résultats du 1er tour », *Maghreb-Machrek*, janvier-mars 1992, n° 135, p. 155_165.

FORESTIER (P.), *Confessions d'un émir du GIA*, Grasset, Paris, 1998.

FULLER (R.), Algeria : *The next Fundamentalist state ?*, *Rand Corporation*, Santa Monica, Californie, 1995.

FULLER G.), *Algérie: l'intégrisme au pouvoir ?*, Banon, Paris, 1997.

GADANT (M.), *Islam et nationalisme algérien*, L'Harmattan, Paris, 1984.

GADANT (M.), *Islam et nationalisme en Algérie, d'après El-Moudjahid, organe central du FLN de 1956 à 1962*, Paris, l'Harmattan, coll. Histoire et perspectives méditerranéennes, 1988.

GARCON (J.), « L'Algérie si loin de Washington... », *Politiques Etrangères*, 139, p.427-34, Jan.-fév. 1993.

GELLENER (E.), « The unknown Apollo of Biskra, the rise of Puritanism in Algeria », *Government and Opposition*, été 1974, p. 177-310.

GOOUMEZAINE (S.), *Le mal algérien : économie politique d'une transition inachevée 1962-1994*, Fayard, Paris, 1994.

GRIGNARD (A.), « La littérature politique du GIA algérien des origines à Djamal Zitouni; Esquisse d'une analyse », in DASSETTO F. (sous la dir.), *Facettes de l'islam belge*, Academia-Bruylant, Louvain-la-Neuve, 1996, p. 69-95.

HARBI (M.), *L'Algérie et son destin : croyants ou citoyens ?*, Arcantère, Paris, 1992.

HARBI (M.), *Le FLN, mirage et réalité : des origines à la prise du pouvoir (1945-1962)*, Jeune Afrique, Paris, 1980.

HARBI (M.), *Les archives de la révolution algérienne*, Jeune Afrique, Paris, 1981.

HARBI (M.), « Algérie : l'Interruption du processus électoral. Respect ou déni de la constitution ? » *Maghreb-Machrek ;* 135, p. 145-154, Jan.-Mar. 1992.

HARBI (M.), « Violence, Nationalisme, Islamisme », *Les Temps Modernes*, 50,580, p.24-33, jan.-fév. 1995.

HARICHENE (A.), *Le FIS et le Pouvoir*, Lalla Sakina, Alger, sd.

HIDOUCI (G.), *Algérie : la libération inachevée*, La Découverte, Paris, 1995.

HIDOUCI (G.), « L'Algérie peut-elle sortir de la crise ? », *Maghreb-Machrek*, 149, p. 26-34, Juil.-sept. 1995.

HORNE (A.), *A Savage War of Peace : Algeria, 1954-1962*, Viking, 1978.

IGNASSE (G.), WALLON (E), *Demain l'Algérie*, Syros, 1995.

KADDACHE (M.), *Histoire du nationalisme algérien*, SNED, Alger, 1980.

KALYVAS (S.), « Wanton and Senseless ? The logic of Massacres in Algeria », *Rationality and Society*, August 1999, 11:3,p.24-285.

KAPIL (A.), « Le retour de Boudiaf », *Les Cahiers d'Orient*, 25-26, 1992.

KAPIL (A.), « Portrait statistique des élections du 12 juin 1990 - Chiffres clés pour une analyse », *Les Cahiers de l'Orient*, 3ème trimestre 1991, n° 23, p. 41-64.

KEPPEL (G.), « Islamists versus the State in Egypt and Algeria », *Daedalus*, 124, p.109-27, été 1995.

KEPPEL (G.), « Le GIA à travers ses publications », *Pouvoir*, n° 86, 1998, p 82-84

KHELLADI (A.), *Les islamistes algériens face au pouvoir*, Alfa, Alger, 1992.

KHELLADI (A.), VIROLLE (M.), « Les démocrates algériens ou l'indispensable clarification, Les Temps Modernes », 50, 580,p. 177-95, jan.-fév. 1995.

KOROGHLI (A.), *Institutions politiques et développement en Algérie*, L'Harmattan, Paris, 1988.

LABAT (S.), *Les islamistes algériens. Entre les urnes et le maquis*, Seuil, Paris, 1995 ;

LACHERAF (M.), « Des mosquées et des hommes, de l'anti-État à l'anti-Nation », *Algérie Actualité*, n° 1375, sem. Du 20 - 26 fev., 1992,

LACHERAF (M.), « Un pays malade de sa religion », *Algérie Actualité*, 1ère partie, n° 1369, sem. Du 09 au 15 jan. 1992, 2ème partie, n° 1370, sem. 16-22 jan. 1992,

LECA (J.), « Crise algérienne. Le point de vue d'un acteur politique. La recherche d'une voie constitutionnelle », *Maghreb-Machrek*, 149, p.23-26, juil.-sept. 1995.

LAMCHICHI (A.), *L'Algérie en crise*, L'Harmattan, Paris, 1991.

LAMCHICHI (A.), *L'islamisme algérien*, L'Harmattan, Paris, 1992.

LAVENUE (J.J.), *Algérie : la démocratie interdite*, L'Harmattan, Paris, 1992.

LEVERRIER (I.), *Le front islamique du salut entre la hâte et la patience*, KEPPEL (G.), *Les politiques de Dieu*, p. 28-51, Seuil, 1993.

MALEK (R.), *L'Algérie à Évian : histoires des négociations secrètes 1956-1962*, Seuil, Paris, 1995.

MALEK (R.), *Tradition et révolution : l'enjeu de la modernité en Algérie et dans l'Islam*, Sindbad, Paris, 1993.

MALEY (R.), *The call from Algeria : Third Worldism, Revolution, and Turn to Islam*, University of California Press, 1996.

MANCERON (G.) (sous la sir), *Algérie, comprendre la crise*. Complexe, Bruxelles, 1996.

MANCERON (G.), *L'Algérie nous parle*, Passerelles, Paris, 1996.

MARTINEZ (L.), *La guerre civile en Algérie*, Karthala, Paris, 1998.

MARTINEZ (L.), « Algérie : les enjeux des négociations entre l'AIS et l'armée », *Politique internationale*, 4/97, p499.

MARTINEZ (L.), «Algérie : les massacres de civils dans la guerre », *Revue Internationale de Politique Comparée : L'utilisation politique des massacres*, vol 8, n° 1 (Printemps 2001), p. 43-58, De Boeck Université, Bruxelles, 2001.

MARTINEZ (L.), *Les groupes islamistes entre guérilla et négoce : vers une consolidation du régime algérien ?*, Les Études du CERI, n° 3, 1995.

MERAD (A.), *Le Réformisme musulman en Algérie de 1925 à 1940, essai d'histoire religieuse et sociale,* Mouton, Paris, 1967.

MERAD (A.), « L'islam religion d'Etat comme principe constitutionnel : le cas algérien », *The Maghreb Review,* vol n°1-2, p. 1-9, 1981.

MEZIANI (R.), « On the politics of Algerian Massacres ». *The New Review,* Londres, 3 oct. 1997, p. 6.

MIMOUNI (R.), « De la barbarie en général et de l'intégrisme en particulier », Le Pré-aux-clercs, Paris, 1992.

MORTIMER (R.), « Algeria after the explosion », *Current History,* 89,546, avril 1990.

MOUSSAOUI (A.), « De la violence au djihad », *Histoire Sciences Sociales,* 6, p. 1315-33, nov.-déc. 1994.

MOUSSAOUI (A.), « La violence en Algérie : des crimes et des châtiments», *Cahiers d'études Africaines,* vol. 38, n° 150, p. 245-263, 1998

NADIR (A.), « Le parti réformiste algérien et la guerre de libération nationale », *Revue d'histoire maghrébine,* n° 4, t. 1975, p. 17-183.

NAIR (S.), « À quoi sert l'intégrisme ? » *Les Lettres françaises, hors série : Algérie 1954/1962,* avril 1992.

NOUSCHI (A.), *Naissance du nationalisme algérien : 1914-1952,* Éd. de Minuit, Paris, 1962.

OUSSEDIK (F.), « Ce que disent les cadavres en Algérie », *Esprit,* n° 11, p. 5-12, 1997.

PIERRE (A.J.), QUANDT (W.B.), *The Algerian Crisis : Policy Options for the West,* D.C. : Carnegie Endowment for International Peace, Washington, 1996.

PROVOST (L.), *La seconde guerre d'Algérie : le quiproquo franco-algérien,* Flammarion, Saint-Armand-Montrind, 1996.

PUJADAS (D.), *Les tentations du djihad,* Lattès, Paris, 1996.

QUANDT (W.B.), *Between Ballots and Bullets. Algeria's transition from Authoritarianism,* Brookings Institution Press, Washington DC., 1998 ; trad. Fr. : BENSEMMANE (M.), *Société et pouvoir en Algérie. La décennie des ruptures.* Casbah, Alger, 1999

QUANDT (W.B.), *Revolution and Political Leadership : Algeria, 1954-1968.* MIT Press, 1969.

RAHAL (Y.), *Histoire de pouvoir : un général témoigne,* Casbah, 1997.

REPORTERS SANS FRONTIÈRES. *Le drame algérien : un peuple en otage.* La Découverte, Paris, 1995

ROBERTS (H.), « Algeria Between Eradicators and Conciliators », *Middle East Report,* 24, 4, p. 24-27, juil.-août 1994.

ROBERST (H.), « The Algerian State and the Challenge of Democracy », *Government and Opposition,* 27, p. 433-54, automne 1992.

ROBERTS (H.), « Algeria's Ruinous Impasse and the Honourable Way Out », *International Affairs,* 71, 2, 1995.

ROUADJIA (A.), « Du nationalisme du FLN à l'islamisme du FIS », *Les Temps Modernes,* 50, 580, p. 115-36, jan.-fév. 1995.

ROUADJIA (A.), *Grandeur et décadence de l'Etat algérien,* Khartala, Paris, 1994.

ROUADJIA (A.), « L'armée et les islamistes : le compromis impossible », *L'Esprit,* 105-18, janvier 1995.

ROUADJIA (A.), *Les frères et la mosquée,* Karthala, Paris, 1990.

ROUSSILLON (A.), *L'Égypte et l'Algérie au péril de la libéralisation,* CEDEJ, Le Caire, 1996.

ROY (O.), « Le néo-fondamentalisme : des frères musulmans au FIS algérien », *Esprit,* n° 180, mars-avril 1992,

SANSON (H.), *Laïcité islamique en Algérie,* CRESM/CNRS, Paris, 1983.

SERENI (J.P.), « L'Algérie, le FMI, et le FIS », *Les Cahiers de l'Orient,* 25-26, p. 225-35 ; 1992.

SEVERINE (L.), *Le FIS : structuration et restructuration du champs politico-religieux en Algérie*, DEA, IEP, Paris, 1992.

SIVAN (E.), *Communisme et nationalisme en Algérie 1920-1962*, Presses de la Fondation Nationale de Sciences Politiques, Paris, 1976.

SOURIAU (C.), *La politique algérienne de l'arabisation AAN*, p. 363-401, 1975.

STORA (B.), « Deuxième guerre algérienne ? Les habits anciens des combattants », *Les Temps Modernes*, 50,580, 242-61, jan.-fév. 1995.

STORA (B.), *Histoire de l'Algérie depuis l'indépendance*, La Découverte, Paris, 1994.

TAGUEMOUT (H.), *L'affaire Zeghar : délinquence d'un état. L'Algérie sous Chadli*, Publisud, Paris, 1994.

TAHON (M.B.), *Algérie : la guerre contre les civils*, Nota Bené, Québec, 1998.

TLEMCANI (R.), « Les conditions d'émergence d'un nouvel autoritarisme en Algérie », *Revue du Monde musulman et de la Méditerranée*, 72, p. 108-18, 1995.

TOUALBI (N.), *Religion, rites et mutations*, ENAL, Alger, 1984.

TOUALBI (N.), *Le sacré ambigu*, ENAL, Alger, 1984.

TOUATI (A.), *Algérie : les islamistes à l'assaut du pouvoir*, L'Harmattan, paris, 1995.

VALLIN (R.), *Socialisme musulman en Algérie, l'Afrique et l'Asie modernes*, 1964-2, p. 21-42 et 1965 -1, p. 14-32.

VIOLETTE (M.), *L'Algérie vivra-t-elle ?*, F. Alcan, Paris, 1931.

WILLIS (M.), *The Islamist Challenge in Algeria : A Political History*. Ithaca Press, U.K., 1996.

YEFSAH (A.), « Armée et politique depuis les événements d'octobre 1988 : l'armée sans hidjab », *Les Temps Modernes*, 50,580, p.154-76, jan.-fév. 1995.

ZARTMAN (W.), « L'élite algérienne sous la présidence de Chadli Bendjedid », *Maghreb-Machrek*, n° 106, p. 37-53, oct.-déc. 1984.

ZOUBIR (Y.H.), « Algerian Islamists' Conception of Democracy », *Arab Studies Quarterly*, 18, p. 65-85; été, 1996.

ZOUBIR (Y.H.), *Islamist Political Parties in Algeria*, Conference Group : The Interface of State and Society in the Middle East and North Africa, 1-7, août-sept. 1996,

ZOUBIR (Y.H.), *Stalled Democratization of an Authoritarian Regime : The Case of Algeria*, *Democratization*, 2, p. 109-39, été 1995.

II. SUR L' ISLAMISME EN GÉNÉRAL

ABAN (M.F.), *Djihad dar Islam (Guerre sainte dans l'Islam)*, Qom, 1983.

ABBASSI (M.) *Azmat al-fikr al-hadith wa mubarrirat al-hall al-islami. (La crise de la pensée moderne et les justifications de la solution islamique)* Imp. Ameziane, Alger, 1989.

ABD ALLAH (U.F.), *The islamic struggle in Syria*, Mizan Press, Berkeley, 1983.

ADB-EL-DJALIL (J.M.), *L'Islam et nous*, Cerf, paris, 198.

ABDERRAZIK (A.), *Al islam wa uçul el-hukm. L'islam et les fondements du pouvoir*, Mataba'at miçr al qahira, Le Caire, 1925 ; tr. fr. Abou Filali-Anary, La Découverte, Paris, 1994.

ABEL (A.), « La djizya : tribut ou rançon ? », *Studia Islamica*, tome XXXII, p. 5-19, Paris, 1970.

ABHAR (A.A.), *Maqam Chahid fî dar Islam (Place du martyre en Islam)*, Qom, 1980.

ABRAHAMIAN (E.), *Iran between two revolutions*, Princeton University Press, 1982.

ABRAHAMIAN (E). , *Khomeinism, Essays on the Islamic Republic*, University of California Press, Berkeley, 1993.

ABU AMR (Z), *Islamic Fundamentalism in the West Bank and Gaza. Muslim Brotherhood and Islamic Jihad*, Indiana University Press, 1994.

ABU SULAYMAN (A.H), *Towards an Islamic Theory of International Relations*, Herndon, International Institute of Islamic Thought, 1993.

ABDUH (M.), *Risâla al-tawhid*, Le Caire, 1897, Le Caire, 1908, Abu Rayya, Le Caire, 1966, Trad.fr. : MICHEL (B.), ABDERRAZIK (M.),, Paris, 1925.

ADAM (C.), *Islam and modernism in Egypt*, Oxford, 1933, Le Caire, 1968 (traduit en arabe).

AHMED HUSSEIN (S.), « Muslim Politics and the Discours on Democracy in Malaysia », in *LOH KOH WAH et KHOO BOO TEIK* (sous la dir.), Democracy in Malaysia: Discourses and Practices, Curzon, Londres , 2000.

AL-AQQAD (M.A), *Abqari al-islah wa l-ta'lim, al-ustadh al-imam Muhammed Abduh, (Le génie de la réforme et de l'éducation : l'imam Mohamed 'Abduh)*, Le Caire, s.d.

AL-AQQAD (M.A), *Al-dimoukrâtiyya fi l-islâm (La démocratie en Islam)*, Dâr al m'arif, Le Caire, 1981.

AL AFGHANI (D.E.), *Al a'mal al-kamila* (œuvres complètes), Al muassassa, Beyrouth, 1980.

AL ALWI (H.), *Fi l-siyâsa al-islamiyya* (De la politique islamique), Dâr al-tali'a, Beyrouth, 1974.

AL ASHMAWY (M.S.), *L'Islam politique*, Al-Fikr, Le Caire, 1989.

AL ASHMAWY (M.S.), *L'islamisme contre l'islam*, J. Grancher, 1989.

AL 'AWA (M.S.), *Al-nizâm al-siyyâsi li-l-dawla al-islâmiyya (Le système politique de l'État islamique)*, Al-maktab al-misri al-hadith, Alexandrie, 1975.

AL BANNA (H.), *Mudhakirat al-da'wa wa l-dâ iya, (Mémoires de la prédication et du prédicateur)* Dar el Kitab el arabi, Le Caire s.d.

AL BIUKHARI, *L'Authentique. Tradition musulmane*, Fasquelle, 1964,

AL BOUTI (R), *Le jihad en Islam. Comment le comprendre ? Comment le pratiquer ?*, Dar El Fikr, Damas, 1996.

AL EFFENDI (A.), *Al tajriba al sudaniyya wa azmat al haraka al islamiyya al haditha: durus wa dalalat, (L'expérience soudanaise et la crise du mouvement islamiste contemporain : Leçons et perspectives)*, Al Qods al 'arabi, 29 décembre 1999.

AL GHARAIBEH (I.), *Mu'adalat fi-l haraka al islamiyya al urduniyya (Les rapports de forces dans le mouvement islamiste jordanien)*, AL Hayat, 5 juillet 1997.

AL GHAZALI (M.), *Al-tariq min houna*, (La Voie), La maison des livres, Alger, 1986.

AL GHAZALI (M.), *al-islam wa al-manahij al -ichtirakiyya, (l'Islam et le socialisme)*, Le Caire, Dar al-kutub al-haditha, 4ème éd. 1960.

AL GHAZALI, *Ihya ouloum ed-din (la revivification des sciences religieuses)*, Al-bâbi al-halabi, Le Caire.

AL HARABO (M.), *Addawla el-arabiyya el-islamiyya (L'État arabo-musulman)*, Iqra' lil nachr, Tripoli, 1986.

AL KAWAKIBI ((A.), *Um el-kurâ (La première des cités)*, Alep, 1959.

AL MAWDÛDI (A.), *Al-ahkam es-sulatniyya (Les principes de gouvernement)*, Dâr el-koutoub al-ilmiyya, Beyrouth, 1978.

AL MADHOUN, « Al haraka al-islamiyya fi Filastine 1928-1987 (*Le mouvement islamiste en Palestine 1928-1987*) », *Chu'une Filastiniyya*, Nicosie, n° 187, oct. 1988, p. 10-50.

AL MAWDÛDI (A.), *Nazariyet el islam wa hadyihi (La théorie de l'islam et son message)*, Muassassat ar-rissala, Beyrouth, 1980.

AL SAHMRANI (A.), *Malek Bennabi, mufakiran islahian, (Malek Bennabi un penseur réformiste)*, Dar al Nafans, Beyrouth, 1986.

AL SAID (D.R.), *Al-ikhwan al-mouslimoun fi lou'bat al-siyyâssa (Les Frères musulmans dans le jeu politique)*, Sâmed li-nachr oua -l-taouzi', Sfax, sd.

AL TOUHAMI (H.), *Dhad al-dalâmiyya. « Al-ittijah al-islami « Harakat nahdha... am harakat inhitât ?* (*La voie islamique : mouvement réformiste ou mouvement de décadence?*), Sâmed li-lnachr oua al-taouzi', Sfax, 1989.

AL YASSINI (A), *Religion and state in the kingdom of Saudi Arabia,* Westview Press, Boulder et Londres, 1985.

ALIM NA'INI (M.J.), *Hezb-Allah,* (*Le Parti d'Allah*), Téhéran, 1985.

AMARA (M.), *Al a'mal al-kamila lil-imam Muhammad 'Abduh* (*Les œuvres complètes de l'imam Mohammad 'Abduh*), Al mouassassa al-arabiyya lil dirâssât wal-nachr, 1er tome, 1ère éd. 1972.

AMARA (M.), *Al-khilafa wa nach' at al ahzâb al-islâmiyya* (*Le califat et la naissance des partis islamiques*), Al mouassassa al-arabiyya lil dirâssât wal-nachr, 1ère éd., 1977.

AMIN (S.), « Y a-t-il une économie politique du fondamentalisme islamique? », *Peuples Méditerranéens,* n° 21, oct.-déc. 1982.

AMIRAUX (V.), *Itinéraires musulmans turcs en Allemagne,* thèse de doctorat en sciences politiques, IEP de Paris, 1997.

AMOR (A.), CONNAC (G.) (sous la dir.), *Islam et droits de l'homme,* Economica, 1994.

ANEES (M. A), « Jefferson vs. Mahathir: How the west Came to this Muslim's Rescue », *Los Angeles Times,* 13 septembre, 1999.

ANSARI (H.), *Egypt, The Stalled Society,* State University of New York Press, Albany, New York.

ANSARI (H.), « The Islamic Militants in Egyptian Politics, International Journal of Middle East Studies », vol. 16, p. 124-144, 1984.

ARJOMAND (S.A), *From Nationalism to Revolutionnary Islam,* Sunny Press, Albany, 1984.

ARJOMAND (S.A), *The Turban for the Crown : The Islamic Revolution in Iran,* Oxford University Press, Londres, 1988.

ARKOUN (M.), (en collaboration avec GARDET L.), *L'Islam, hier-demain,* Buchet-Chastel, 1978.

ARKOUN (M.), *Ouvertures sur l'islam,* J. Grancher, Paris, 1989.

ARKOUN (M.), *L'Islam, morale et politique,* Desclée De Bower,Paris, 1986.

ARKOUN (M.), *Critique de la raison islamique,* Maisonneuve, Paris, 1984.

ARNALDEZ 'R.), « Le djihad selon Ibn Hazm de Cordoue », *Et. Or... Lévi-Provençal,* tome II Paris, 1962.

ASHRAF (A.), « Theocracy and Charisma : New Men of Power in Iran », *International Journal of Politics, Culture and Society,* 4, 1990.

ATKIN (M). et YOUSSEF (M). *The bear Trap* ; trad. fr., *Afghanistan, l'ours piégé,* Alérion, Paris, 1996.

AYOOB (M), *The Politics of Islamic Reassertion he,* St. Martin's Press, New York, 1981.

AYOOB (M), « Two Faces of Political Islam: Iran and Pakistan Compared », in *Asia Survey,* 6/1979, vol XIX, n° 6.

AYUBI NAZIH (N.M.), « The political revival of islam. The case of Egypt », *International Journal of Middle East Studies,* vol. 12, p. 481-499, 1980.

AZIZ (A.), *Islamism modernism in India and Pakistan, 1957-1964,* Oxford University Press, Londres, 1967.

AZIZ (P.), *Les sectes secrètes de l'Islam,* Paris, 1983.

AZZAM (A). *Jihad Sha'b Muslim. Dar Ibn Hazm,* Beyrouth, 1992.

AZZAM (A). *Al Difaa' 'an Aradhi el muslimin ahamm furud al a'yan,* (*La défense des terres musulmanes, principale obligation individuelle*), Publications de Jamiat al da'wa-l-jihad , Peshawar, 1405 - 6 hégirien, (1984-85), 2ème édition.

BACKMANN (R.), « Le jeu des intégristes », *Le Nouvel Observateur,* (14 - 20) octobre 1988, p. 28.

BADIE (B.), *Les deux États : pouvoir et société en terre d'islam,* Fayard, Paris, 1986.

BAGHARZADEH (A.R.), *Une interprétation paradigmatique de l'ingérence iranienne en Bosnie-Herzégovine*, Mémoire de DEA, IEP de Paris, 1999.

BAKHTAT (Ś.), *Hezb-Allah fī Lobnan* (*Le Parti de Dieu au Liban*), Téhéran, 1986.

BAKHTI EL-MUTI'l (M.), *Hakikat el-islam wa uçul el-hukm* (*La vérité sur l'islam et les fondements du pouvoir*), Al-matba'a as-salafiyya, Le Caire, 1925.

BALENCIE (B.), *Les deux États, pouvoir et société en Occident et en terre d'Islam*, Fayard, Paris, 1986.

BALTA (P.), *L'Islam dans le monde*, La Découverte, 1986.

BARBULESCO (L.) et CARDINAL (P.), *L'islam en question : vingt-quatre écrivains arabes répondent*, Grasset, Paris, 1990.

BAUD (J.), *Encyclopédie des terrorismes*.

BAYAT (A). dans *Street Politics People's. People's Movement in Iran*, Columbia University Press, New York, 1997.

BEININ (J.), STORK (J.) eds, *Political Islam: Essays from Middle East Report*, University of California Press, 1997.

BELLION-JOURDAN (J.), « L'humanitaire et l'islamisme soudanais : les organisations da'wa Islamiyya et Islamic African Relief Agency », *Politique africaine*, n° 66, 1997 .

BEN ACHOUR, (Y.), *Normes, foi et loi*, Cérès, Tunis, 1993.

BEN ACHOUR, (Y.), *Politique, religion et droit dans le monde arabe*, Cérès, Tunis, 1992.

BEN ACHUR (M.), *Naqd ilmi li-kitab al-islam wa cçul el-hukm* (*critique scientifique du livre : L'islam et les fondements du pouvoir*), Le Caire, 1925.

BENKHEIRA (M.), *L'amour de la loi. Essai sur la normativité en islam*, PUF, Paris, 1997.

BENNABI (M.), *Mémoires d'un témoin du siècle*, Éditions Nationales Algériennes, Alger, 1965.

BENNABI (M.), *Shurut ennahdha*, (*Les condition de la renaissance*), Dar el fikr, Beyrouth, 1979.

BENNABI (M.), *Vocation de l'Islam*, Seuil, Paris, 1954.

BERGER (M.), *Islam in Egypt Today*, Cambridge University Press, Cambridge, 1970.

BERQUE (J.), « Ça et là dans les débuts du réformisme religieux au Maroc », *Mélanges... Lévi-Provençal*, II, Paris, 1962, p. 471-497.

BERQUE (J.), *L'Islam au défi*, Gallimard, Paris, 1980.

BERTIER (F.), « L'idéologie politique des Frères musulmans », Orient 8, 4e trim., 1958, p.43-57.

BESSIS (S.), (avec S. BELHASSEN), *Femmes du Maghreb* : l'enjeu, J.-C. Lattès, Paris, 1992.

BINDER (L.), *The ideological revolution in the Middle East*, New York, 1964.

BLOCH (M.), *La violence du religieux*, Cambridge University Press, New York, 1992.

BONNET (Y), *La trahison des ayatollahs ou le dossier contre l'intégrisme*, Jean Picolec, 1995.

BOTIVEAU (B.), *Loi islamique et droit dans les sociétés arabes*, Karthala, Paris, 1993.

BOTIVEAU (B.), CESARI (J.), *Géopolitique des Islams*, Economica, Paris, 1997.

BOUGAREL (X.), *Bosnie, Anatomie d'un conflit*, La Découverte, Paris, 1996.

BOUGAREL X. CLAYER N. (sous la dir.), *Le nouvel islam balkanique*, Ellipses, Paris, 2000.

BRAHIMI (A.), *Justice sociale et développement en économie islamique*, Le Pensée Universelle, Paris, 1993.

BURCKHARDT (T.), *L'art de l'islam*, Sindbad, Paris, 1985.

BURGAT (F.), « Au sources de l'islamisme en Tunisie : entretien avec le cheikh H. Ennifer, directeur de la revue 15/21 », in DELANNQUE (G.), *Les intellectuels et le pouvoir*, Cahiers de CEDEJ, n°3, Le Caire, , 1986.

BURGAT (F.), « La Thématique islamiste », *Les Lettres françaises, hors série : Algérie 1954/1962*, avril 1992.

BURGAT (F.), « L'Islamisme au Maghreb », *La voix du Sud*, Khartala, 1988.

BURGAT (F.), *L'islamisme en face*, La Découverte, Paris, 1995.

BURGAT (F.), DOWELL (W.), *The Islamic movement in North Africa*, University of Texas Press, 1993.

CANARD (M.), « La guerre sainte dans le monde islamique et dans le monde chrétien », *Revue Africaine*, tome LXXIX, p. 605- 623, Alger.

CARATINI (R.), *Le génie de l'islamisme*, Michel Lafont Apris 1992.

CARRE (O.), *L'islam laïque ou le retour à la Grande Tradition*, Armand Colin, 1993.

CARRE (O.), « L'islam politique dans l'Orient arabe », *Futuribles*, vol. 18, p. 747-773, 1978.

CARRE (O.), *L'utopie islamique dans l'Orient arabe*, PFNSP, 1991.

CARRE (O.), *La légitimation islamique des socialismes arabes*, Presses de la F.N.S.P, Paris 1979.

CARRE (O.) (sous la dir.), *L'Islam et l'État dans le monde d'aujourd'hui*, Paris, PUF, 1982.

CARRE (O.), *Mystique et politique. Lecture révolutionnaire du Coran par Sayyed Qotb*, PFNSP/Cerf, Paris, 1984.

CARRE (O.), DUMONT (P.), *Radicalismes islamiques*, L'Harmattan, Paris, 1985.

CARRE (O.), MICHAUD (G.), *Les Frères musulmans : Égypte et Syrie*, L'Harmattan, Paris, 1985.

CARLIER (O.), *Guerre civile, violence intime et socialisation culturelle (1954-1988)*, HANNOYER (J.), (éd.), *Guerres civiles*, Karthala, p.69-105, Paris, 1999.

CARRE (O.) , MICHAUD (G.), *Les Frères musulmans* ; 1928-1982, Gallimard, Paris, 1983.

CESARI (J.), *Musulmans et républicains*, Complexe, Bruxelles, 1997.

CHAFIQ (M.), *Al-islâm wa muwajahati ad-dawla al-haditha (L'islam face à l'État moderne)*, Dâr el-buraq, Tunis, 1988.

CHAGNOLLAUD (J.P.), « Le militaire, le démocrate et l'islamiste », *Confluences-Méditerranée*, n° 3 - *Maghreb : la démocratie entre parenthèses ?*, printemps 1992

CHAGNOLLAUD (J.P.), KODMANI-DARWISH (B.) et LAMCHICHI (A.) (sous la dir.), « Géopolitique des mouvements islamistes », *Confluences Méditerranée*, n° 12, Automne 1994, L'Harmattan.

CHAMPION (F.), *Du mal nommé retour du religieux*, Projet, juillet-août 1986, p. 91-105.

CHAOUI (M.), « La poussée des intégristes », *Lamalif*, n° 119, oct. 1980.

CHARNAY (J.-P.), *L'islam et la guerre, de la guerre juste à la révolution sainte*, Fayard, Paris, 1986.

CHARNAY (J.P.), *Sociologie religieuse de l'islam*, Hachette, Paris, réed.1994.

CHARNAY (J.P.), *Traumatisme musulman. Entre chari'a et géopolitique*, I, Afkar, Paris, 1993.

CHEHABI (H.E), « The political regime of the Islamic Republic of Iran, Comparative Perspective », *Government and Opposition*, vol 36, n° 1 winter 2001.

CHEHAD (M.), *L'évolution de la pensée politique islamique contemporaine*, Centre d'Études Euro-Arabes, Dâr Bilal, Beyrouth, 1999.

CHEVALLIER (D.) (sous la dir.), *Renouvellement du monde arabe 1952-1982*, Armand Collin, Paris 1987.

CLEMENT (J.F.), « Pour une compréhension des mouvements islamistes », *Esprit*, n° 37, janvier 1980. p. 46-47.

CROZIER (B.), *The rebels : A study of Postwar Insurrections*, Beaton Press, Boston, 1960.

DAVIS (J.M.), *Between Jihad and salâm. Profiles in Islam*, MacMillan, Londres, 1997.

DEKMEJIAN (R.H.), *Islam in Revolution : Fundamentalism in the Arab World*, Syracuse University Press, 1985.

DELANOUE (G.), « al-ikhwan al-muslimun », *Encyclopédie de l'Islam*, 2ème éd, III, p. 1095-1098.

DELANOUE (G.) (sous la dir.), *Les intellectuels et le Pouvoir : Syrie, Égypte, Tunisie, Algérie, Le Caire,* CEDEJ, dossier 3-1985, CNRS, 1985.

DELCAMBRE (A.M.), *L'islam,* La Découverte, Paris, 1990.

DEPONT (O.), CAPPOLANI (X.), *Les confréries religieuses musulmanes,* Jourdan, Alger, 1897

DERMENGHEM (E.), *Le culte des saints dans l'Islam maghrébin,* Gallimard, Paris, 1954.

DESSOUKI ALI (E.H.), *Islamic Resurgence in the Arab World,* Preager, New Yok, 1982.

DEUHEUVELS (L.W.), « Islam et politique dans le discours contemporain » : étude menée à travers la revue *al-Asala,* IVᵉ rencontre islamo-chrétienne : la spiritualité, exigence de notre temps. 21-26 avril 1986, Tunis, CERES, 1988.

DHAOUADI (Z.), « Islamisme et politique en Tunisie », *Peuples Méditerranéens,* n°21, p. 153-169, oct.-déc. 1982.

DILLO (B.), *Mussâhama fi i'âdat at-târikh al-arabi al-islâmi (Contribution à la réécriture de l'histoire arabo-islamique),* Dar Al-farâbi, Beyrouth, 1985.

DJAÏT (H.), *Al-Kufa, naissance de la ville islamique,* Maisonneuve et Larose, Paris, 1986

DJAÏT (H.), *La grande discorde,* Gallimard, Paris, 1990.

DJAÏT (H.), *L'Europe et l'islam,* Seuil, Paris, 1987.

DO CEU PINTO (M.), *Political Islam and the United States. A study of US policy towards Islamist Movement in the Middle East,* Ithaca Press, Londres ,1999.

DONAHUE (J.J.), *Islam in Transition.* Muslim Perspectives, Oxford, N.Y. 1982.

DOUTTE (E.), *Notes sur l'Islam maghrébin - Les Marabouts,* Leroux, Paris, 1900.

DU PASQUIER (R.), *L'islam entre tradition et révolution,* Paris, Tourgui, 1987.

DUPRET (B.) (sous la dir.), *Le phénomène de la violence politique : perspectives comparatives et paradigme égyptien,* CEDEJ, Le Caire, 1994.

EHTESHAMI (A.) et SIDAHMED (A.S.) (sous la dir.), *Islamic fundamentalism in Perspective,* Westview Paress, Boulder, 1996.

EICKELMAN (D.F.), PISCATORI (J.), *Muslim Politics,* Princeton University Press, 1996.

EL BENNA '(H.), *As-salâm fil-islam (La paix en islam),* Al-açr al-hadith, Le Caire, 1971.

EL AFFENDI (A.), *Turabi's revolution. Islam and Power in the Sudan Grey Seal Books,* Londres, 1991.

EL MAGHARIBI, *Djamal al-Din al-Afghani,* Le Caire, 1948.

ERHEL (C.), DE LA BAUME (R.), *Le procès d'un réseau islamiste,* Albin Michel, Paris, 1997.

ESPOSITO (J.L.), *Voices of Ressurgent Islam,* Oxford University Press, Oxford, New York, 1983.

ESPOSITO (J.L.), *The Islamic Threat : Myth or Reality ?,* Oxford University Pres, New York, 1995.

ETIENNE (B.), « La vague islamiste face aux nations arabes », *Tiers-Monde,* Tome 23, n° 92, oct.-déc. 1982, p. 911-923.

ETIENNE (B.), *La France et l'Islam,* Hachette, 1989.

ETIENNE (B.), *L'islamisme radical,* Hachette, Paris, 1987.

ETIENNE (B.) et TOZY (M.), *Obligations islamiques et associations à Casablanca, Le Maghreb musulman en 1979,* ouv. Coll. , CRESM/CNRS, Paris, 1981.

FADLALLAH (M.H.), *Al-islâm wa mantiq al-quwa (L'islam et la logique de la force),* al-dâr al-islâmiyya, Beyrouth, 1986.

FAGNAN (E.), *Le djihad ou la guerre sainte selon l'école Malékite,* Alger, 1908.

FALIGOT (R.), KAUFFER (R.), *Le Croissant et la croix gammée,* Albin Michel, 1990.

FANDY (M.), *Saudi Arabia and the Politics of Dissent,* Mac Millan, Londres, 1999

FARHAT (M.N.) *Al-mujtama' wal-chari'a wal-qanoun (La société, la charia et le droit),* Dâr el hilâl, Le Caire.

FERJANI (M.C.), *Islamisme, laïcité et droits de l'homme*, L'Harmattan, 1991.

FUNSTON (J.), *Malay Politics in Malaysia : A Study of UMNO et PASS*, Heinemann Books (Asia), Kuala Lumpur, 1980.

GAMBLIN (S.), *Contours et détours du politique en Égypte : les élections législatives de 1995*, L'Harmattan-Cedj, Paris, 1997.

GARAUDY (R.), *Promesses de l'Islam*, Seuil, Paris, 1981.

GARDET (L.), *La cité musulmane*, Vrin, 1981.

GARDET (L.), *Les Hommes de l'islam*, Hachette,1977.

GARDET (L.) et BOUAMRANE (C.), *Panorama de la pensée musulmane*, Sindbad, Paris, 1984.

GELLNER (E.), VATIN (J.C.), *Islam et politique au Maghreb*, CNRS, Paris, 1981.

GERGES (F.), *America and Political Islam. Clash of Cultures or Clash of Interests ?* Cambridge University Press, Cambridge, 1999.

GHADBIAN (N.), *Democratization and the Islamist Challenge in the Arab World*, Westview Press, Boulder, Colo, 1997.

GHALIOUN (B.), *Critique de la politique, : État et religion* (en arabe), Al-muassassa al-arabiyya, Beyrouth, 1993.

GHALIOUN (B.), *Hiwarât min açr al-harb al-ahliyya* (*Dialogues de l'ère de la guerre civile*), Al-muassassa al-arabiyya, Beyrouth, 1994.

GHALIOUN (B.), *Ightiyâl al-aql*, (*L'assassinat de la raison*), Al-muassassa al-arabiyya, Beyrouth, 1992.

GHALIOUN (B.), *Islam et politique, la modernité trahie*, Casbah, Alger, 1997.

GHALIOUN (B.), *La question confessionnelle et le problème des minorités*, Dâr al-tali'a, Beyrouth, 1978.

GHALIOUN (B.), *Le malaise arabe : L'État contre la nation*, La Découverte, Paris, 1991.

GHALIOUN (B.), *Nizam at-taifiyya, min al-dawla ilâ al-kabila* (*Le système confessionnel : de l'État à la tribu*), Casablanca, Beyrouth, 1990/1.

GHALIOUN (B.), « Pensée politique et sécularisation en pays d'islam », in *L'Islamisme*, La Découverte, coll. *Les Dossiers de l'état du monde*, Paris, 1994.

GHANNOUCHI (R.), *Al-harakât al-islamiyya al-mu'âçira fi al-watan al-arabi* (*Les mouvements islamistes contemporains dans la patrie arabe*), Markaz dirâsât al-wihda al-arabiyya, Beyrouth, 1980.

GHANNOUCHI (R.), *Fi mabadi' ad-dimuqrâtiyya* (*Des principes de la démocratie*), Minbar al-Hiwar ,n° 4, 1987

GIBB(H.A.R.), *Les tendances modernes de l'islam* (trad. B.Verneir), Maisonneuve, Paris, 1949.

GIBB, BOWEN, *Islamic Society and the West.*

GILSENAN (M.), *Recognizing Islam. Religion and Society in the Modern Arab World*, Pantheon Books, New York, 1982.

GLASSE (C.), *Dictionnaire encyclopédique de l'islam*, Bordas, 1991.

GÖLE (N), *Musulmanes et modernes; voile et civilisation en Turquie*, La Découverte, 1993.

GONZALEZ-QUIJANO (Y.), Les gens du livre, Éditions du CNRS, Paris, 1998.

GRANDIN (N.), « Al markaz el islami al ifriqi bi'l Khartoum. La république du Soudan et la propagation de l'islam en Afrique noire (1977-1991) », in OTAYEK (R), (sous la dir.), *Le radicalisme islamique au sud du sahara : Da'wa , arabisation et critique de l'occident*, Karthala, Paris, 1993.

GRESH (A.), (sous la dir), *Un péril islamiste ?*, Complexe, 1994.

GUAZZONE (L.) (sous la dir), *The Islamic Dilemma : The Political Role of Islamist Movement in the Contemporary Arab World*, Ithaca Ress, Londres, 1955.

GUENENA (N.) et IBRAHIM (S.E.), *The changing face of Egypt's islamic activism*, US Institut of Peace, septembre 1997.

HAENNI (P.), « De quelques islamisations non islamistes », *Revue des mondes musulmans de la Méditerranée,* n° 85-86, 1999.

HAGHIGHAT (C.), *Iran, la révolution islamique,* Complexe, 1985.

HANAFI (H.), *Al-harakat al-islamiyya al-moua'çira (Les mouvements islamiques contemporains),* Al-muassassa al-islamiyya lil-nachr, Beyrouth, 1986.

HARBI (M.), *L'islamisme dans tous ses états,* Arcantère, Paris, 1991.

HARRIS (C.), *Nationalism and revolution in Egypt. The role of the Muslim Brother-hood,* La Haye, 1964.

HAYKEL (M.H.), *Al-hukuma al-islâmiyya (le gouvernement islamique),* Dâr al-m'arif, 2ème éd., Le Caire, s .d.

HEIKAL (M.), *Khomeiny et sa révolution,* Paris, 1983.

HERMASSI (M.E.), « La société tunisienne au miroir islamiste », *Maghreb-Machrek,* n° 103, Janv.-fev.-mars 1984, p. 39-56.

HIBBARD (S.W.) , LITTLE (D.) (sous la dir.), *Islamic activism and U.S. foreign Policy,* United States Institute of Peace, 1997.

HOUDAS (O.), « La guerre sainte islamique », *Revue des sciences politiques,* XXXIII, p. 87-95, Paris, 1915.

HOURANI (A.), *La pensée arabe et l'Occident,* Naufal, Paris, 1991.

HUART (C.), « Le droit de la guerre », *Revue du monde musulman,* t. II, p. 331-346, Paris, 1907.

HUART (C.), « Le Khalifat et la guerre sainte », *Revue de l'histoire des religions,* t. LXXII, p. 288-302, Paris, 1915.

HUBAND (M.), *Warrior of the Prophet,* Westview Press, Boulder, 1998.

IBRAHIM (S.), « Anatomy of Egypt's Militant islamic Groups : Methodological note and preliminary Finding », *International Journal of Middle East Studies,* vol. 12, n° 4, December 1980.

JABER (H.), *Hezbollah : Born with a vengeance,* Fourth Estate, Londres, 1997.

JAD'AN (F.), *Oussous at-takaddoum inda mufakkiri el-islam fî el-alam al-arabi al-hadith (Les fondements du progrès chez les penseurs musulmans du monde arabe moderne),* al-muassassa al-arabiyya, Beyrouth, 1979.

JAFFRELOT (C.), (sous la dir.), *Le Pakistan, carrefour de tensions régionales,* Complexe, Bruxelles, 1999.

JALLOUL (F.), « L'« islamintern » de Khartoum », *Arabies,* n° 63, Paris, mars 1992.

JANSEN (G.H.), *Militant Islam,* Pan Books, London, 1979.

KAMINSKY (C.), KRUK (S.), *La Syrie : politique et stratégie de 1966 à nos jours,* PUF, Paris, 1987.

KANE (O.), et TRIAUD (J-L.), (sous la dir.), *Islam et islamismes au sud du Sahara,* Karthala, Paris, 1998.

KEDDIE (N.), *Roots of Revolution: an Interpretive History of Modern Iran,* Yale University Press, Londres, 1981.

KEDDIE (N.), *An islamic Response to Imperialism. Political and religious writings of Jamâl al-Dîn « al-Afghani »,* Berkeley, los Angeles, 1968.

KEPPEL (G.), *Exils et royaumes : les appartenance au monde arabo-musulman aujourd'hui,* Presses de la Fondation Nationale des Sciences Politiques, Paris, 1994.

KEPPEL (G.), *Jihad, expansion et déclin de l'islamisme,* Gallimard, Paris, 2000.

KEPPEL (G.), *La revanche de Dieu. Chrétiens, juifs et musulmans à la conquête du monde.* Seuil, 1991.

KEPPEL (G.), *Le prophète et pharaon,* Seuil , Paris,1993

KEPPEL (G.), *Les banlieues de l'islam, naissance d'une religion en France,* Seuil, Paris, 1987.

KEPPEL (G.), *À l'ouest d'Allah,* Seuil, Paris, 1994.

KEPPEL (G.) (sous la dir.), *Les politiques de Dieu,* Seuil, Paris, 1993.

KEPPEL (G.) et RICHARD (Y.) (sous la dir.), *Intellectuels et militants de l'islam contemporain,* Seuil, Paris, 1990.

KEPPEL (G.), SEURRAT (M.) *et al, L'État de barbarie,* Seuil, Paris, 1990.

KERR (M.H.), *Islamic reform,* Berkeley, London, 1966.

KHOSROKHAVAR (F.), *L'utopie sacrifiée. Sociologie de la révolution iranienne,* Presses de la FNSP, Paris, 1993.

KHOSROKHAVAR (F.), *L'islam des jeunes,* Paris, Flammarion, 1997.

KHOSROKHAVAR (F.), *L'islamisme et la mort. Le martyre révolutionnaire en Iran,* l'Harmattan, Paris, 1995.

KHOSROKHAVAR (F.), *Le discours populaire de la révolution iranienne,* (avec Vieille, P), Contemporanéité, Paris, 1990.

KHOURI (P.), « Islamic Revivalism and the Crisis of Secular State in the Arab World : A Historical Appraisal », in IBRAHIM (I.), *Arab Ressources : the Transformation of a Society,* London, 1983.

KHUMAYNI (S.R.), *Pour un gouvernement islamique,* trad. KUTUBI (M.), SIMON (B.), avec le concours de BANISADR (O., Imprimerie Fayolle, Paris, 1979.

KRISTIANASEN (W.), « Les contradictions du HAMAS », CHICLET (C.) (sous la dir.), « Terrorisme et violence politique », *Confluences Méditerranée,* n° 20, Hiver 1996/1997, L'Harmattan.

LABEVIERE (R.), *Les dollars de la terreur. Les États-Unis et les islamistes,* Grasset, Paris, 1999.

LABICA (G.), ROBELIN (J.) (sous la dir.), *Politique et religion,* L'Harmattan, Paris, 1994.

LAMCHICHI (A.), « Les États du Maghreb face à l'islamisme », *Les Cahiers de l'Orient,* n°18, 3ème trim., 1990 (p 133-166).

LAMCHICHI (A.), *Islam et contestation au Maghreb,* L'Harmattan, Paris, 1999.

LAMCHICHI (A.), *L'islamisme en question(s),* L'Harmattan, Paris, 1997.

LAMMENS (H.), « La crise intérieure de l'Islam », *Études,* p. 129-146, 1926.

LAOUST (H.), *Essai sur les doctrines sociales et politiques d'Ibn Taïmiyya,* IFAO, Le Caire, 1939.

LAOUST (H.), *Les schismes dans l'islam,* Payot,1977.

LAOUST (H.), « Le réformisme musulman dans la littérature arabe contemporaine », *Orient,* n° 10 , p. 81-107, 2ème trim. 1959.

LAOUST (H.), « Le réformisme orthodoxe des "salafiyyas" et les caractères généraux de son orientation actuelle », *Revue des Études Islamiques,* p. 175-224, 1932.

LAROUI (A.), *L'idéologie arabe contemporaine,* Maspero, Paris, 1967.

LAROUI (A.), *Islam et modernité,* La Découverte, 1986.

LAROUI (A.), *Mafhoum ad-dawla (Le concept de l'État),* Al-markaz a-thaqafi al-arabi, Casablanca, 1981.

LEGRAIN (J.F.), « Islamistes et lutte nationale palestinienne dans les territoires occupés par Israël », *Revue Française de Sciences Politiques,* vol. 36, n° 2, p. 227-247, avril 1986.

LEVEAU (R.), *Le sabre et le turban. L'avenir du Maghreb,* Bourdin, Paris, 1993.

LEVEAU (R.), « L'islamisme officiel et le renouveau islamique au Maroc », *Annuaire d'Afrique du Nord,* 1997, p. 205-208.

LEVEAU (R.), (sous la dir.), « Islam(s) en Europe. Approches d'un nouveau pluralisme culturel européen », *Les Travaux du centre Marc-Bloch,* (n°13), Berlin, 1998, p 107-119.

LEVEAU (R.),MERMIER (F.) et STEINBACH (U.) (sous la dir.), *Le Yémen contemporain,* Khartala, Paris, 1999.

LEWIS (B.), *Le langage politique de l'islam,* Gallimard, Paris, 1989

LEWIS (B.), *Le retour de l'islam,* Gallimard, Paris, 1989

LEWIS (B.), *Islam et laïcité,* Fayard, Paris, 1988 (édition anglaise : 1961)

LEWIS 'B.), « Islamic concept of revolution », in *Islam in history,* 1973.

LIA (B.), *The society of Muslim Brothers in Egypt. The rise of an Islamic Mass Movement 1928-1942,* Ithaca Press, Londres,1998.

LYON (M.L.), « The Dakwah Movement in Malaysia », *Review of Indonesio and Malaysian affairs,* vol. 13, n° 2, p. 34-45, 1979.

MAGASSOUBA (M.), *L'islam au Sénégal : demain les mollahs ?,* Karthala, Paris, 1985.

MAHFOUD (A.), « La religion islamique justifie-t-elle la confusion entre spirituel et temporel » ?, in *L'islamisme,* La découverte, 1994.

MAKDISI (G.), *La notion de liberté au moyen âge : Islam, Byzance, Occident,* La Sorbonne, Paris, 1985.

MALEY (W.), (sous la dir.), *Fundamentalism reborn ? Afghanistan and the Taliban,* Hurst and Co, Londres, 1998

MALEY (W.), *Taliban,* Tauris, Londres, 2000 .

MALIK (Z.E.), *Re-emerging Muslim World,* Lahore, Pakistan Centre Publication, 1974.

MANCERON (G.), *Islam et modernité dans la culture arabe,* Passerelles, 1991.

MANNA (H.), *Islam et Hérésie. L'obsession blasphématoire,* L'Harmattan, Paris, 1997.

MARDI (S.), « La religion dans la Turquie moderne », *Revue internationale des sciences sociales,* vol 29/2, 1977, p. 317.

MAWDUDI (S.A.A.), *Minhaj al-inqilâb al-islâmi, (la méthode du renversement islamique),* Dâr el-fikr, Beyrouth, s.d.

MAWDUDI (S.A.A), *Fundamentals of Islam,* Islamic Publications, Lahore, (1ère édition anglaise : 1975),

MEKKI (H.), *Harakat el Ikhwan El Musliminfi el sudan, 1944-1969, (Le mouvement des Frères musulmans au Soudan, 1944-1969),* Ed. Dar Al Balad li al tiba'a wa 'l anchr., Khartoum, 1998.

MERAD (A.) *L'islam contemporain,* Que sais-je ?, PUF Paris, 1996.

MERNISSI (F.), *La Peur-modernité. Conflit Islam-démocratie,* Albin Michel, Paris, 1992.

MERNISSI (F.), *Islam and Democracy : Fear of the Modern World,* Addison-Wesley, New York, 1992.

MERNISSi (F.), *The Fundamentalist Obsession with Women,* Simorgh Publication Centre, Lahor, 1987.

METZGER (L.), *Stratégie islamique en Malaisie (1975-1995),* L'Harmattan, Paris 1996.

MICHEL (P.) (sous la dir.), *Religion et Démocratie,* Albin Michel, 1996.

MILANI (M.), *The making of Iran's Islamic Revolution. From Monarchy to Islamic Republic,* Westview Press, Londres, 1988.

MITCHELL RITCHARD (P.), *The society of the Muslim Brothers,* Oxford University Press, Londres, 1996.

MOHAMMAD KHALED (K.), *Min huna nadba' (D'ici nous commençons),* Dar el-nil, Le Caire, 1950.

MOINUDDIN (H.), *The charter of Islamic Conference and the Legal Framework of economic Cooperation among its Member States,* Clarendon Press, Oxford, 1987.

MORTIMER (E.), *Faith and Power. The politics of Islam,* Random House, New York, 1982.

MORABIA (A),. *Le jihad dans l'islam médiéval : le combat sacré des origines au XIIᵉ siècle,* Albin Michel, Paris, 1993.

MOUBARAK (H.), *El islamiyyoun qadimoun (les islamistes arrivent),* Mahroussa, Le Caire, 1995.

MUMTZA (A.), « The crescent and the Sword: Islam, the military and Political Legitimacy in Pakistan, 1977-1985 », *The Middle East Journal,* vol L, n° 3, été 1996

MUNOZ (G.M.), *Les états arabes face à la contestation,* Armand Colin, Paris, 1997.

NAIPAUL (V.S.), *Among the Believers. An Islamic Journey,* New York Knopf, 1981.

NASR (S.V.R), *Mawdudi and the Making of Islamic Revivalism,* Oxford University Press, Oxford, 1996

NASR S.V.R., « Islamic Opposition to the Islamic State : the Jama'at-i Islami 1977-1988 » in *International Journal of Middle East Studies,* vol XXV, n° 2, mai 1993, p. 267.

NASR S.V.R. : *The Vanguard of the Islamic Revolution. The Jama'at-I Islamic of Pakistan* I.B.Tauris, Londres, 1994.

ODA (A.), *Al-islam wa awda'ina as-siyâssiyya (L'islam est notre situation politique),* Dâr el Kitâb, Le Caire, 1951.

OLIVIER (R.), *L'échec de l'islam politique,* Seuil, Paris, 1992.

PEAN (P.), *L'Extrémiste,* Fayard, 1996.

PETERS (R.), *Islam and Colonialism : The Doctrine of jihad in Modern History,* Mouton, La Haye, 1979.

PIERRE MARTIN (pseud.) : « Le clergé chi'ite en Irak hier et aujourd'hui », *Maghreb-Machrek,* n° 115, janvier 1987.

POPOVIC (A.), « Les musulmans de Bosnie Herzégovine : mise en place d'une guerre civile », in *Actes de la recherche en sciences sociales,* n° 116-117, mars 1997, p 91-104.

POPOVIC (A.), VEINSTEIN (G.) (sous la dir.), *Les voies d'Allah. Les ordres mystiques dans le monde musulman des origines à aujourd'hui,* Fayard, Paris, 1996.

QUTB (S.), *Ma'rakat al-islam wa l-ra'smaliyya, (le combat de l'islam et le capitalisme),* Le Caire, 1951.

QUTB (S.), *Al-salâm al-alami wa l-islam, (La paix mondiale et l'islam),* Le Caire, s.d.

QUTB (S.), *Al-adâla al-islâmiyya fi l-islam, (La justice sociale et l'islam),* Le Caire 1925.

RAHNEMA (S.) et BEHDAD (S.), *Iran after the Revolution. Crisis of an Islamic state.* I.B.Tauris, Londres, 1995.

RAMADAN (T.) *Aux sources du renouveau musulman: d'al Afghani à Hassan al Benna, un siècle de réformisme islamique,* Bayard, Paris, 1998.

RAUFER (X.) (sous la dir.), *Atlas mondial de l'islam activiste,* La Table Ronde, 1991.

RICHARD (Y.), *L'islam chi'ite, croyances et idéologies,* Fayard, Paris, 1991.

RICHTER (W. L.), « The Political Dynamics of Islmamic Resurgence in Pakistan », in *Asian Survey,* n° XIX, vol 6, juin 1979, p 551-552.

RIDA (R.), *Mukhtârât siyâssiya (Morceaux politiques choisis),* Dâr at-tali'a, Beyrouth, 1980.

RIDWAN (F.), *al-jihad, qanun al-hayat (Guerre sainte : règle de vie),* Le Caire, 1973.

RIF'AT (S.A) (sous la dir.), *Al A'mal al kamila li-l shahid al douktour fathi al shqaqi (Oeuvres complètes du docteur martyr Fathi Shqaqi),* Le Caire, Yafa, 1997, vol I. p 459-534.

ROBINSON (G.), « Can islamists be Democrats? The case of Jordan », *The Middle East Journal,* vol 51/3 été 1997, p 373-387.

RODINSON (M.), *Islam et capitalisme,* Seuil, Paris, 1966.

RODINSON (M.), *Marxisme et monde musulman,* Seuil, Paris, 1972.

RODINSON (M.), *Islam, politique et croyance,* Fayard, Paris, 1993.

ROFF (Wm.R.), *Kelantan. Religion, Society and Politics in a Malay State,* Oxford University Press, 1974.

ROSE L.E , MATINUDDIN K. (sous la dir.), *Beyond Afghanistan. The emerging U.S. Pakistan Relations.* University of California, Berkeley, 1989.

ROSENTHAL (F.), « The Muslim Brethren in Egypt », *The Muslim World,* 37, oct. 1947, p. 278-291.

ROY (O.), « Le néo-fondamentalisme islamique ou l'imaginaire de l'Oummah », *Esprit,* avril 1996.

ROY (O.), *Afghanistan. Islam et modernité politique,* Seuil, Paris 1985.

ROY (O.), *Généalogie de l'islamisme,* Hachette, Paris, 1995

ROY (O.), *L'échec de l'islam politique,* Seuil, Paris, 1992.

RUEDY (J.), ed., *Islamism and Secularism in North Africa,* St Martin's Press, New York, 1994.

SALAME (G.) (sous la dir.), *Démocraties sans démocrates. Politiques d'ouverture dans le monde arabe et islamique,* Fayard, Paris, 1994

SAUSSURE (T.de), *Les miroirs du fanatisme. Intégrisme, narcissisme et altérité,* Labor et Fides, Genève, 1996.

SCHOLL-LATOUR (P.), *Les Guerriers d'Allah,* Presses de la Cité, Paris, 1986.

SHAHIN (E.), *Political Ascent : Contemporary Islamic Movement in North Africa,* Westview Press, Boulder, Colo, 1997.

SHAYEGAN (D.), « La déchirure », *Le Débat* n° 42, nov-déc 1986, p. 155-157.

SHAYEGAN (D.), *Qu'est-ce qu'une révolution religieuse ?,* La Presse d'Aujourd'hui, Paris, 1982, réed. Albin Michel, Paris, 1991.

SIDDIQI (F.), *al-haraka al-islamiyya : qadâya wa ahdâf (Le mouvement islamique : problèmes et objectifs),* Londres, 1985.

SIVAN (E.), *Radical Islam : Medieval Theology and Modern Politics,* Tale University Press, New Haven, 1985.

SIVAN (E.), « Sunni Radical ism in the Middle East and the Iranian Revolution è, *International Journal of Middle East,* vol. 21, n° 1, p. 1-30.

SOURIAU (C.), « Quelques données comparatives sur les institutions islamiques actuelles au Maghreb », *Le Maghreb musulman* en 1979, CNRS, Paris, 1983, p. 341 et ss.

TABARI, *Les quatre premiers califes,* Sindbad, Paris, 1981.

TAL (L.), « Dealing with Radical Islam : the case of Jordan », *Survival,* vol 37/3, automne 1995, p. 139-156.

TIBI (B.), « Neo-islamic Fundamentalism », *Journal Of the Society of International Developpement,* n° 1, 1987, p. 62-66.

TOZY (M.), *Champ et contre champ politico-religieux au Maroc,* thèse d'État de sciences politiques, université d'Aix-en-Provence, 1984.

TOZY (M.), « Du tyranicide à la Munnadara : les voies islamiques du refus », in *Mode populaires d'action politique,* Bulletin du CERI (FNSP), n° 3, 1984, p. 100-120.

TOZY (M.), « Islam et État au Maghreb », *Maghreb-Machrek,* n° 126 (oct-nov. 1989).

TOZY (M.), « Le Prince, le Clerc et l'État : la restructuration du champ religieux au Maroc », *Maroc Actuel,* n° 1, nov 1991, p. 8-9.

URVOY (D.), « Sur l'évolution de la notion de djihad dans l'Espagne musulmane », *Mélanges de la Casa Velasquez,* t. IX, de Boccard, Paris, 1973.

VATIKIOTIS (P.J.), *L'islam et l'État,* Londres 1987, trad. Franç. Guitard (O.), Gallimard, Paris, 1992.

VIAUX (P.) (sous la dir.), *Les Religions et la guerre,* Cerf, Paris, 1991.

WALDMAN (P.), « How sheik Omar rose to lead Islamic war while eluding the law... », *The Wall Street Journal,* 1er septembre 1993, p A1.

WATERBURY (J.), « La légitimation du pouvoir au Maghreb, protestation et répression », *Annuaire d'Afrique du Nord,* Paris, CNRS, 1977.

WATT (M.W.), *La pensée politique et l'islam,* réed. PUF, 1995.

WEBER (E.) et REYNAUD (G.), *Croisade d'hier - djihad d'aujourd'hui,* Cerf, Paris, 1989.

WEISS (A.M.), (sous la dir.) : *Isamic Reassertion in Pakistan. The Application of Islamic Laws in a Modern State,* Syracuse University Press, New York, 1986.

YASSINE (A.), *La Révolution à l'heure de l'Islam,* Marseille, 1981.

YAZID (A.), *Ahdâf al-thawra al-islamiyya (Les objectifs de la revolution islamique),* Beyrouth, 1986

YOUSSAF (M.), *Silent Soldier. The man behind the Afghan jihad,* Jang Publishers, Lahor, 1991.

ZAKARIYA (F.), *Laïcité ou islamisme, les arabes à l'heure du choix,* La Découverte, 1991.

ZAKI (M.C.), *Al-ikhwan al-muslimin wa el-mudjtama' al-misri, (Les Frères musulmans et la société égyptienne),* Le Caire, 1954.

ZEGHAL (M.), *Gardiens de l'islam. Les oulémas d'EL Azhar dans l'Égypte contemporaine,* Presses de la Fondation des Sciences Politiques, Paris, 1996.

III. SUR LE TERRORISME

ALEXANDER (Y.) ed. *International terrorism : National, Regional, and Global Perspectives,* 2e éd, Preager, New York, 1980.

ALEXANDER (Y.), CARLTON (D.), WILKINSON (P.) (eds.) *Terrorism : Theory and Practice,* Westview Press, Boulder, 1979.

BASSIOUNI (M.C.), *Problem of Media Coverage of Nonstate-Sponsored Terror-Violence Incidents,* FREEDMAN (L.Z.), ALEXANDER (Y.), eds., *Perspectives on Terrorism,* Scholarly Resources, Wilmington, 1983.

BIGO (D.), HERMANT (D.), « Simulation ou dissimulation, les politiques de lutte contre le terrorisme en France », *Sociologie du Travail,* n° 19, 1986.

BIGO (D.), « La relation terroriste », *Études Polémologiques,* n° 30, p. 45-64 et n° 31, p. 75-100, 1984.

BODANSKY (Y.), *Ben Laden. The man who declared War on America,* Prima Publishing, California, 1999.

BONANATE (L.), *Le Terrorisme international,* Casterman-Giunti, 1994.

CARLIER (O.), *Guerre civile, violence intime et socialisation culturelle (1954-1988),* HANNOYER (J.), (éd.), « Guerres civiles », *Karthala,* p.69-105, Paris, 1999.

CHALIAND (G.), *Terrorisme et guérilla,* Complexe, 1988 .

CHALIAND (G.), *La persuasion de masse,* Pocket, Robert laffont, 1996.

CHALIAND (G.) (sous la dir.), *Les stratégies du terrorisme,* Desclée de Brouwer, Paris, 1999.

CHICLET (C.) (sous la dir.), « Terrorisme et violence politique », *Confluences Méditerranée,* L'Harmattan, 1998.

CLUTTERBUCK (R.), *Terrorism in an Unstable World,* Routledge, Londres, 1994.

CLUTTERBUCK (R.), *Living with the Terrorism,* Faber et Faber, Londres,1975.

CRENSHAW (M.), *Revolutionary Terrorism,* Hoover Institution Publications Stanford, 1978.

DAGUZAN (J.F.), CHALIAND (G.), PRENAT (R.), *Le terrorisme non conventionnel,* FED-CRET, Paris, 1999.

DISPOT (L.), *La machine à terreur,* Grasset, Paris, 1978.

FREEDMAN (L.), *Terrorism and International* Order, Routledge, Londres, 1987.

FURET (F.), LINIERS (A.), RAYNAUD (P.), *Terrorisme et démocratie,* Fayard, Paris, 1985.

GEISMAR (A.), *L'engrenage terroriste,* Paris, 1981.

GUILLEN (A.), *Philosophy of the Urban Guerilla,* William Morro, New York, 1973.

HOFFMAN (B.), « The Rand-St Andrew Chronology of International Terrorism», *Terrorism and Political Violence,* 7, hiver 1995.

HOFFMAN (B.), *Inside Terrorism,* Victor Gollanz, Londres, 1998.

JENKINS (B.), *International Terrorism: A New Mode of Conflict,* Crescent Publications, Los Angeles, 1975.

JENKINS (B.), « The psychological Implications of Media-Covered Terrorisme », *The Rand Paper Services,* p.6627, juin 1981.

KALYVAS (S.), *The Logic of Violence in Civil War,* University of Chicago, Chicago, 2001.

KALYVAS (S.), « Aspects méthodologiques de la recherché sur les massacre : Le cas de la guerre civile grecque », *Revue Internationale de Politique Comparée,* « l'utilisation politique des massacres », vol.8, n° 1, p. 23-42, De Boeck Université, Bruxelles, printemps 2001.

KARMON (E.), « Islamist Terrorist Activities in Turkey in the 1990s », *Terrorism and Political Violence,* vol. 10/4, hiver 1998, p. 101-102.

LABIN (S.), *La violence politique,* France-Empire, Paris, 1978,

LAQUEUR (W.), *Le terrorisme (1977),* trad., PUF, Paris, 1979.

LAQUEUR (W.), *The Terrorism Reader,* The New American Library Inc, New York, 1978.

LAQUEUR (W.), *The Age of Terrorism,* Weidenfeld and Nicholson, Londres, 1987.

LEVY (R.), *Terrorism and the Mass Madia,* Military Intelligence, oct.-déc. 1985.

MARGOLIN (J.L.), « Indonésie 1965 : un massacre oublié », *Revue Internationale de Politique Comparée,* « l'utilisation politique des massacres », vol. 8, n° 1, p. 59-92, De Boeck, printemps 2001, Bruxelles.

MITCHELL (C.), STOHL (M.), CARLETON (D.) , LOPEZ (G.A), *State terrorism: Issues of concept and measurement,* STOHL (M.), LOPEZ (G.A.), (ed.), *Government Violence and Repression : An Agenda for Research.* Greenwood Press, Wespont, p. 14, 1986.

NAHOUM-GRAPPE (V.), *L'usage politique de la cruauté : l'épuration ethnique (ex-Yougoslavie, 1991-1995), De la Violence,* Séminaire de HERITIER (F.) ; JACOBO (O.), Paris, 1996, p. 173-323.

NORTON (A.R.), GREENBERG (M.H.), *International Terrorism: An Annotated Bibliography and Research Guide,* Westview Press, Boulder , 1980.

O'NEILL (B.E), *Insurgency and Terrorism : Inside Modern Revolutionnnary Warface,* Pergamon Oress, New York, 1990.

PADOVANI (M.), *Vivre avec le terrorisme,* Clamann-Levy, Paris, 1982.

POULIGNY (B.), « La "communauté internationale" face aux crimes de masse : les limites d'une "communauté" d'humanité », *Revue Internationale de Politique Comparée,* vol. 8, n° 1, p. 93-108, De Boeck, Bruxelles, printemps 2001.

RAPOPORT (D.) (éd.), *Inside Terrorist Organizations,* Columbia University Press, New York, 1988.

RAUFER (X.), *Terrorisme, violence,* Paris, 1984.

SCHMID (A.P.), GRAFF (J.), *Insurgent Terrorism and the Western Media,* Leyde, 1981.

SCHMID (A.P.), GRAFF (J.), *Violence as Communication: Insurgent Terrorism and the Western Media,* Leyde, 1981.

SEMELIN (J.), « Rationalité de la violence extrême », *Critique Internationale,* n° 6, p. 124, hiver 2000.

SEMELIN (J.), « Penser les massacres », *Revue Internationale de Politique Comparée,* « l'utilisation politique des massacres », vol 8, n° 1, (printemps 2001), p. 7-22, De Boeck, Bruxelles, 2001.

SERVIER (J.), *Le Terrorisme,* PUF, Paris, 1979.

STOHL (M.), DEKKER (M.), ed., *The Politics of Terrorism,* New York, 1979.

TARNERO (J.), *Les terrorismes,* Les essentiels Milan, Toulouse, 1998

UEKERT (B.K.), *River of blood, A comparative study of Government Massacres,* Preager, Westport, 1995.

WEINBERG (L.), EUBANK (W.), « Political Partis and the Formation of Terrorism », *Terrorism and Political Violence,* n° 2, p.125-144, 1990.

WIEVIORKA (M.), *Face au Terrorisme,* Liana Levi, 1995

WIEVIORKA (M.), *Terrorisme à la une,* Gallimard, Paris, 1987.

WIEVIORKA (M.), *Terrorisme et société,* Fayard, Paris, 1988.

WILKINSON (P.), *Terrorism and the Liberal State,* Londres, 1994

Table des matières

INTRODUCTION 13

CHAPITRE I

• ALGÉRIE : HISTOIRE, SOCIÉTÉ & POUVOIR 23

1. Agressions étrangères et résistances multiformes
dans l'histoire du Maghreb central 27

    De l'Antiquité à la conquête arabe 27

    De la conquête arabe à l'occupation de Mers El-Kebir
    par les Espagnols 29

    De l'arrivée des Turcs en Algérie à l'agression française 35

    L'Algérie sous domination française :
    Juillet 1830-Juillet 1962 40

2. L'Algérie indépendante (1962-1990) :
de la dévalorisation de l'État par la Révolution à la négation par la foi 48

    L'héritage de la période coloniale 48

    La construction du système politique algérien sous le règne
    du Président Boumediène (1965-1979) 56

    De nouveaux acteurs dominants pour un nouveau jeu politique 56

    Les règles du fonctionnement et le mode de reproduction
    du système politique algérien 58

    « La construction d'un véritable appareil d'État efficace » 60

    Développement économique et élévation
    du niveau de vie des populations 61

    Algérie 1980-1990 / Rupture des équilibres
    bifurcation sociétale et refus de l'état 70

    La bifurcation sociétale et la négation de l'État 73

    La complicité d'une certaine faction de la classe dirigeante 80

    L'appui et l'aide multiforme des États et des organisations
    étrangères au terrorisme islamiste en Algérie 84

    L'internationale islamiste et son rapport avec le terrorisme
    en Algérie 85

Le soutien de pays étrangers aux groupes islamistes armés
en Algérie 87

CHAPITRE II

• LE FRONT ISLAMIQUE DU SALUT 97

1. La naissance du Front islamique du Salut 98

2. Le FIS est « un front parce qu'il affronte » 100

3. Le FIS est un parti totalitaire de masse 103
    3.1 Son organisation 103
    3.2 Les ligues et les comités islamiques...................................... 104

4. Le programme politique et l'idéologie du FIS 117

5. La base sociale du FIS 128

6. Les finances du FIS 136

7. Les différentes tendances au sein du FIS 139

8. Le FIS à travers quelques-unes de ses figures de proue 165

CHAPITRE III

• GENÈSE DE LA VIOLENCE ISLAMISTE 189

1. Première étape : le temps des élites (1962-1966) 191

2. Deuxième étape : le temps de la clandestinité (1966-1980)....... 193

3. Troisième étape : irruption sur la scène et recours à l'option armée 197
    La charte de l'« État islamique » 199
    Le Mouvement islamique armé :
    naissance, évolution et démantèlement (1982-1987) 201

4. Quatrième étape : entre la désobéissance civile et la légitimité
par les urnes (1988-1991) 206
    Les événements d'octobre 1988 207
    L'irruption des islamistes sur la scène
    et leur récupération des manifestations..................................... 208
    Les élections communales (Juin 1990) 211
    Eté 1991 : Échec de la stratégie insurrectionnelle
    et de la campagne de "désobéissance civile".......................... 212

5. Cinquième étape : du premier maquis à l'interruption du processus
électoral 219

CHAPITRE IV

• CHRONIQUE DES ANNÉES DE SANG 233

    Le Mouvement islamique armé (MIA) 233

    Le Mouvement pour l'État islamique (MEI) 1991-1998 234

    Al Baqoun 'Ala al 'ahd (Les Fidèles au serment) 235

    Le Front islamique du djihad en Algérie (FIDA) 235

    Les groupes armés « autonomes » 236

    Takfir oua El-Hidjra (Repentir et Exil) 237

1. La phase de structuration et du lancement du djihad 239

2. La montée en puissance du GIA et l'intensification de la violence
terroriste (Novembre 1992 - Février 1994) 243

3. L'apogée du GIA (1994-1995) 249

4. Le temps des dissidences (Fin 1994-Fin 1996) 253

5. L'atomisation des groupes islamistes armés et la prolifération
des logiques de violence terroriste à partir de 1996 258

    1) Une déclaration du GIA 260

    2) Communiqué du GIA 259

6. L'activité terroriste en Algérie (1992-2000) 264

    Le groupe salafiste pour la prédication
    et le combat de Hassan Hattab 266

    Le Groupe islamiste armé (GIA) de Antar Zouabri 268

    Djama'at Houmet Ed-Da'wa Es-Salafiyya (DHDS) 270

7. Le terrorisme vu de l'intérieur : des terroristes et des victimes racontent ... 274

CHAPITRE V

• RETOUR SUR QUELQUES MASSACRES COLLECTIFS,
DONT DEUX « MÉDIATISÉS » 295

Le massacre de Bentalha 293

    À propos du témoignage de Yous Nesroulah 295

    Quatre phalanges 297

    Quatre sections 297

    Le cadre géographique 310

    La population ciblée 311

    Le mode opératoire 312

    Repli des terroristes à l'issue de l'opération 316

    La poursuite des assaillants 319

    Identification des auteurs du massacre 319

Le massacre de Rais 322
Les massacres dans la wilaya de Relizane 326
Le massacre de Beni Messous 329

CONCLUSION 333

ANNEXES .... 337 à 355

GLOSSAIRE 357

BIBLIOGRAPHIE 363

TABLE DES MATIÈRES 383

Les Éditions Favre ont publié plus de 600 titres, dont les plus récents sont disponibles :

Dossiers et témoignages

J.K. Rowling, la magicienne qui créa Harry Potter, Sean Smith, illustré, 286 p.	19.40 €	CHF 34,80
Le voile islamique : Histoire et actualité du Coran à l'affaire du foulard, Fawzia Zouari, 192 p.	18,90 €	CHF 34,80
Dr la Mort, Tristan Mendès France, 154 p.	14,90 €	CHF 25,00
Plus permis de tuer, Richard Tomlinson, 286 p.	19,90 €	CHF 36,00
Nuit gravement au tabac, Francis Caballero	18,90 €	CHF 32,50
Les Jumelles de la liberté : bye-bye the Twins, Colin Gordon, illustré en couleurs, 96 p.	11,90 €	CHF 24,00
L'Arabie à l'origine de l'islamisme, Claude Feuillet, 220 p.	18,90 €	CHF 32.50
De l'Expertise criminelle au profilage, Michèle Agrapart-Delmas, 242 p.	19,30 €	CHF 34,80
Les Bouddhas d'Afghanistan, Pierre Centlivres, 176 p.	18,20 €	CHF 32,50
Climat de panique, Yves Lenoir, 224 p.	19,30 €	CHF 34,80
Les mille et une forêts, Ludovic Frère, coédité avec Greenpeace, 216 p.	19,70 €	CHF 36,00
Porte ouverte sur l'invisible, Claudine et Jacques Douard-Marquis, 198 p.	17,50 €	CHF 28,70
Le bonheur pour une orange n'est pas d'être un abricot, Catherine Preljocaj, 242 p.	19,60 €	CHF 34,80
Josette Bauer, une femme en cavale, Jean-Jacques Maillard, 308 p.	19,60 €	CHF 34,80
Ma Vie avec les chevaux du bout du monde, Jacqueline Ripart, illustré, 268 p.	18,10 €	CHF 34,80
Petite Encyclopédie du baiser, Jean-Luc Tournier, 192 p.	12,00 €	CHF 19,90
(Tout) l'art contemporain est-il nul ? Patrick Barrer, 368 p.	19,70 €	CHF 38,00
L'Amérique totalitaire, M. Bugnon-Mordant, préfacé par Pierre Salinger, 304 p.	21,10 €	CHF 42,50
Irak, l'apocalypse, Père Jean-Marie Benjamin, 192 p.	18,10 €	CHF 32,50
La Mafia albanaise, Xavier Raufer, 144 p.	18,10 €	CHF 32,50
Peut-on vivre avec l'islam, Jacques Neirynck et Tariq Ramadan 240 p.	19,20 €	CHF 36,00
Pour en finir avec la Corse: enquête sur une dérive politique, économique et mafieuse, J.-M. Fombonne, 184 p.	14,80 €	CHF 25,00
La Mondialisation sauvage, Blaise Lempen, 176 p.	18,10 €	CHF 32,50
Falun Gong, la voie de l'accomplissement, Li Honghzi, 160 p.	17,50 €	CHF 28,70
Comment des enfants deviennent des assassins, Dr Michel Bourgat, 256 p.	19,20 €	CHF 36,00
Enquête sur les disparitions, Jacques Mazeau, 208 p.	18,10 €	CHF 32,50
L'Envahisseur américain : Hollywood contre Billancourt, Philippe d'Hugues, 176 p.	18,10 €	CHF 32,50
Peut-on rire de tout ? Me Gilbert Collard et Denis Trossero, 144 p.	17,50 €	CHF 28,70
Parfums et senteurs du grand Siècle, André Chauvière, 160 p.	18,10 €	CHF 32,50
Amour, chance et réussite : mode d'emploi ! Anca Visdei, 220 p.	18,10 €	CHF 32,50
Harem, D. Zintgraff et E. Cevro Vukovic, 208 p.	17,50 €	CHF 28,70
Piercing : rites ethniques, pratique moderne, V. Zbinden, illustré, 176 p.	17,50 €	CHF 28,70
La Saga du Timor-Oriental, J. Ramos-Horta, prix Nobel de la Paix 1996, présenté par Mgr Gaillot, 184 p.	17,50 €	CHF 28,70
L'Énigme Vassula : en communication directe avec Dieu ? entretiens avec Jacques Neirynck, 176 p.	17,50 €	CHF 28,70
Guide Chambost des paradis fiscaux, Me Edouard Chambost, 742 p.	44,20 €	CHF 75,00
Combats pour l'Afrique et la démocratie, Jonas Savimbi, leader de l'UNITA, 192 p.	18,20 €	CHF 30,00
Pratique du théâtre pour enfants, Claude Vallon, 192 p.	17,50 €	CHF 28,70
Crois et meurs dans l'Ordre du Temple solaire, H. Delorme, 192 p.	12,00 €	CHF 19,80
Senior Guide : votre retraite de A à Z, E. Haymann, 144 p.	14,70 €	

Tous les chemins de la médecine

Tout savoir sur l'arthrose et les blessures du genou, Dr Jürgen Toft, 132 p.	15,90 €	CHF 25,00
Tout savoir sur les plantes qui deviennent des drogues, prof. Kurt Hostettmann, 176 p.	18,90 €	CHF 34,80
Tout savoir sur les plantes médicinales des montagnes, prof. Kurt Hostettmann, illustré, 144 pages	18,20 €	CHF 34,80
Toutes les confitures sont dans la nature, François Couplan, illustré tout en couleur, 256 p.	20,90 €	CHF 38,00
Tout savoir sur l'autoprogrammation mentale et l'hypnose du troisième millénaire, Alban de Jong, 240 p.	18,20 €	CHF 32,50
Tout savoir pour bénéficier des effets de la DHEA et des superhormones naturelles, Karl J. Neeser, 192 p.	13,90 €	CHF 25,00
Tout savoir sur la prostate, prof. Bernard Debré, illustré, un CD-rom inclus, 154 p.	19,90 €	CHF 36,00
Tout savoir pour choisir le sport de votre enfant, Dr Michel Bourgat, 160 p.	16,60 €	CHF 28,70
Guide d'utilisation des vitamines, acides gras et plantes, Dr Philippe Lagarde, 144 p.	13,60 €	CHF 24,00
Tout savoir sur les aphrodisiaques naturels, Prof. Kurt Hostettmann, 176 p.	19,60 €	CHF 38,00
Tout savoir sur la voix, Dr M.-L. Dutoit-Marco, 208 p.	14,80 €	CHF 25,00
Tout savoir sur le pouvoir des plantes, sources de médicaments, prof. Kurt Hostettmann, 240 p.	22,10 €	CHF 36,00
Tout savoir sur le cancer, Dr Philippe Lagarde, 272 p.	22,10 €	CHF 45,00
Tout savoir sur le dopage, Dr Michel Bourgat, 176 p.	17,50 €	CHF 28,70
Tout savoir pour comprendre l'érotisme de l'homme et de la femme, Dr Georges Abraham, 192 p.	18,10 €	CHF 32,50
Tout savoir sur l'art-thérapie, prof. Richard Forestier, 176 p.	18,10 €	CHF 32,50
Tout savoir sur la gastronomique qui améliore votre santé, Dr Agnès Amsellem, 198 p.	17,50 €	CHF 28,70
Tout savoir sur les vertus du vin, Corinne Pezard, 132 p.	12,00 €	CHF 19,90
Tout savoir sur l'anorexie et la boulimie, Dr Alain Perroud, 176 p.	18,10 €	CHF 32,50
Tout savoir sur les traitements antivieillissement, Prof. Jacques Proust, 224 p.	19,50 €	CHF 36,00
Tout savoir sur votre écriture, illustré, René Vaucher, 224 p.	17,50 €	CHF 32,50
Tout savoir sur les progrès du laser en esthétique, chirurgie, dermatologie : rides, paupières, bouche, etc. Dr Bernard Hayot, 144p.	14,60 €	CHF 25,00
Tout savoir sur le génie génétique, Philippe Gay et Jacques Neirynck, 192 p.	17,50 €	CHF 28,70
Tout savoir sur le pied, Roselyne Landsberg, illustré, 224 p.	18,10 €	CHF 32,50
Tout savoir sur le maquillage permanent, Eleonora Habnit, illustré, 192 p.	19,50 €	CHF 36,00
L'Herbier des montagnes, François Couplan, illustré en couleur, 176 p.	19,60 €	CHF 38,00

Littérature

La Princesse aztèque Malinali, Kay Pradier, 242 p.	19,70 €	CHF 34,80
Ganesh, Jean-Louis Gouraud, roman initiatique, 224 p.	14,40 €	CHF 28,70
Ourasi, le roi fainéant, Homeric, 384 p.	19,60 €	CHF 36,00
Une Fièvre de cheval, Jean-François Prè, 288 p.	18,10 €	CHF 32,50
Mortel Anesthésique, Patrick Ledrappier, 458 p.	19,60 €	CHF 36,00
Les Médecins vus par..., Dr Christian Roques, 256 p.	19,60 €	CHF 38,00
Les Blancs vus par les Africains, textes présentés par Jacques Chevrier, 224 p.	14,60 €	CHF 25,00
Serko, vrai faux roman, Jean-Louis Gouraud, 216 p.	14,40 €	CHF 24,00
Escapade en enfer et autres nouvelles, Mouamar Kadhafi, 176 p.	14,40 €	CHF 24,00

Albums

Leonor Fini, tout en couleurs, 208 p.	42,60 €	CHF 75,00
L'Aventure absolue, Jean Troillet, texte de Pierre Rouyer, tout en couleurs, 176 p.	42,70 €	CHF 79,00
Émotions gourmandes, Frédy Girardet, tout en couleurs, 208 p.	44,20 €	CHF 95,00

Svertchkov, le peintre russe du cheval, textes de Natalia Chapochnikova et
David Gouriévitch, tout en couleurs, 176 p. — 40,90 € — CHF 69,00
Atlas de l'imaginaire, Chérif Khaznadar et Françoise Grund, 208 p. — 37,30 € — CHF 64,00
Le Mythe de la Joconde, préfacé par Jack Lang, tout en couleurs, 128 p. — 18,20 € — CHF 30,00
Le Livre et le journal chez les peintres, Valentina Anker, préfacé par
Jack Lang et Michel Tournier, tout en couleurs, 252 p. — 29,70 € — CHF 49,00
L'Orient d'un photographe, Lehnert et Landrock, 102 p. — 42,60 € — CHF 75,00

Caracole

L'Équitation expliquée aux parents, Cotherine Tourre-Malen 128 p. — 14,60 € — CHF 25,00
Jeanne d'Arc écuyère, Louis Champion, 252 p. — 14,40 € — CHF 24,00
L'Art de dompter les chevaux, J.-S. Rarey, 144 p. — 14,40 € — CHF 24,00
Deux Chevaux pour un cavalier, L. V. Evdokimov, 160 p. — 12,90 € — CHF 22,00
L'Équitation pratique, J. Pellier fils, 184 p. — 12,90 € — CHF 22,00
Michel Kohlhaas ou l'honneur du cheval, Heinrich von Kleist, 160 p. — 12,90 € — CHF 22,00
Le Cheval, comte de Buffon, extrait d'Histoire naturelle, 144 p. — 12,90 € — CHF 22,00
L'Achat du cheval, Emile Gayot, 192 p. — 14,40 € — CHF 24,00
Kikkuli, le plus ancien traité d'équitation du monde, trad. Emilia Masson, 128 p. — 14,40 € — CHF 24,00
La Hussarde, Nadejda Dourova, 192 p. — 14,40 € — CHF 24,00
Bestiaire divin, avec le Muséum National d'Histoire Naturelle
Le Cheval, Jean-Louis Gouraud, 192 p. — 14,60 € — CHF 25,00
L'Hippopotame, Association l'Hippopotame, 192 p. — 14,60 € — CHF 25,00
La Fourmi, textes présentés par Jean Lhoste et Janine Casevitz, 192 p. — 14,60 € — CHF 25,00
Le Rat, textes présentés par Michel Dansel, 192 p. — 14,60 € — CHF 25,00
Le Chien, textes présentés par Michel Contart, 192 p. — 14,60 € — CHF 25,00
Le Requin, textes présentés par Pascal Deynat, 192 p. — 14,60 € — CHF 25,00
La Vache, textes présentés par Pascal Commère, 192 p. — 14,60 € — CHF 25,00
L'Escargot, textes présentés par Louis Dubost, 192 p. — 14,60 € — CHF 25,00

Guide littéraire, coll. le Vagabond enchanté

L'Arménie, textes présentés par Myriam Gaume, 192 p. — 14,60 € — CHF 25,00
La Libye, textes présentés par Moftah Missouri, 272 p. — 14,60 € — CHF 25,00
Le Sahara, textes présentés par Monique Vérité, 192 p. — 14,60 € — CHF 25,00
Venise, textes présentés par Jean-Luc Marret, 192 p. — 14,60 € — CHF 25,00
L'Himalaya, textes présentés par André Velter, 192 p. — 14,60 € — CHF 25,00
Istanbul, textes présentés par Gérard-Georges Lemaire, 192 p. — 14,60 € — CHF 25,00
La Corse, textes présentés par Jean-Eric Pieraggi, 192 p. — 14,60 € — CHF 25,00
Le Tibet, textes présentés par Marie-Josée Lamothe, 192 p. — 14,60 € — CHF 25,00
Le Kurdistan, textes présentés par Chris Kutschera, 192 p. — 14,60 € — CHF 25,00
La Loire, textes présentés par Jean-Louis Delpal, 192 p. — 14,60 € — CHF 25,00

Les Planches : biographies

Jean Reno, arrêt sur images, Emmanuel Haymann, illustré, 160 p — 14,90 € — CHF 25,00
Martina Hingis : l'art, l'intelligence et l'élégance, Bernard Heimo, illustré, 160 p. — 14,90 € — CHF 25,00
Leonardo DiCaprio, Philippe Durant, illustré, 176 p. — 14,60 € — CHF 19,80
Will Smith, Philippe Durant, illustré, 96 p. — 13,50 € — CHF 25,00
Jennifer Aniston et Courteney Cox, les héroïnes de Friends, Philippe Durant, illustré, 96 p. — 13,50 € — CHF 25,00
Francis Cabrel : du poète engagé au chanteur troubadour, Pascale Spizzo-Clary, 224 p. — 17,50 € — CHF 28,70
John Travolta, la star ressuscitée, Philippe Durant, illustré, 208 p. — 17,50 € — CHF 28,70
Gérard Depardieu, 25 ans de cinéma, Michel Mahéo, illustré, 208 p. — 18,10 € — CHF 32,50
Alain Delon, splendeurs et mystères d'une superstar, Emmanuel Haymann, illustré, 284 p. — 18,10 € — CHF 32,50

Matt Damon, Philippe Durant, illustré, 144 p.	17,50 €	CHF 28,70
Georges Clooney, Gil Archer, illustré, 208 p.	13,50 €	CHF 28,70

Suisse

Histoire(s) d'en parler, Eric Jaquier et Manuela Salvi, 176 p.		CHF 28,70
On n'apprivoise pas les Suisses, Nhung Agustoni-Phan, 288 p.		CHF 38,00
Au Cœur de la Fête, Pierre-Alain Luginbuhl, 128 p.		CHF 29,00
Jean-Pascal Delamuraz, Daniel Margot, 172 p.		CHF 38,00
Suisses et juifs : Portraits et témoignages, Françoise Buffat et Sylvie Cohen, 242 p.		CHF 28,70
Alémaniques et Romands, entre unité et discorde, Pierre du Bois, 192 p.		CHF 28,70
Entretiens avec Edmond Kaiser, fondateur de Terre des Hommes, Ch. Gallaz, 152 p.	17,50 €	CHF 28,70
Le CICR en question: entretiens entre Cornelio Sommaruga et Massimo Lorenzi, 176 p.	17,50 €	CHF 28,70
Comment créer son entreprise, Chantal Rausis, préfacé par Stéphane Garelli, 306 p.		CHF 28,70
Josef Zisyadis : c'est en marchant qu'on fait le chemin, entretiens avec Bruno Clément, 160 p.		CHF 25,00
Les Chansons de Gilles, préfacé par J.-P. Delamuraz, 276 p.		CHF 59,00
Du Tableau noir aux petits écrans : l'information et l'éducation à l'ère du multimédia, René Duboux, 192 p.		CHF 28,70
Masques pour un théâtre imaginaire, Werner Straub, 108 p.		CHF 49,00
Pierre Lacotte Tradition, Jean-Pierre Pastori, 130 p.		CHF 52,00
L'Aumônier du barrage, chanoine Joseph Putallaz, 176 p.		CHF 28,70
Commune de Bex, Jean-Bernard Desfayes, 132 p.		CHF 45,00
Un Petit Bateau dans la tête : Roger Montandon, Laurent Antonoff, 160 p.	17,50 €	CHF 28,70
Charles-Henri Favrod : la Mémoire du regard, entretiens avec Patrick Ferla, illustré, 272 p.	21,30 €	CHF 35,00

Éditions Favre

En Suisse : 29, rue de Bourg, CH-1002 Lausanne
En France : 12, rue Duguay-Trouin, F-75006 Paris